1 MONTH OF
FREE
READING

at
www.ForgottenBooks.com

ISBN 978-0-331-21138-2
PIBN 11028587

This book is a reproduction of an important historical work. Forgotten Books uses
state-of-the-art technology to digitally reconstruct the work, preserving the original format
whilst repairing imperfections present in the aged copy. In rare cases, an imperfection in
the original, such as a blemish or missing page, may be replicated in our edition. We do,
however, repair the vast majority of imperfections successfully; any imperfections that
remain are intentionally left to preserve the state of such historical works.

Briefe
von und an Klopstock.

Ein

Beitrag zur Literaturgeschichte

feiner Zeit.

Mit erläuternden Anmerkungen herausgegeben

von

J. M. Lappenberg.

Mit Klopstock's Porträt.

Braunschweig,
Druck und Verlag von George Westermann.
1867.

Kloustoc

Friedrich Gottlieb Klopstock.

Briefe
von und an Klopstock.

Ein

Beitrag zur Literaturgeschichte

seiner Zeit.

Mit erläuternden Anmerkungen herausgegeben

von

J. M. Lappenberg.

Mit Klopstock's Porträt.

Braunschweig,

Druck und Verlag von George Westermann.

1867.

Inhalt.

— · —

Inhalt.

Inhalt.

XII   Inhalt.

Einleitung.

Die vorliegende Sammlung aus dem Klopstock'schen Brief=
wechsel ist die letzte literarische Arbeit des nun verewigten,
während eines reichen Lebens auf vielen Feldern der Wissenschaft
mit ruhmvollem Erfolge thätigen Herausgebers, dessen Verdienste
in dieser Beziehung zu schildern einer würdigeren Feder vorbe=
halten bleiben muß. Es war ihm nicht beschieden, das lange
Jahre mit liebevoller Mühe geförderte Werk der Vollendung ent=
gegenreifen zu sehen. Die schon Monate vor seinem Hinscheiden
eingetretene Erschöpfung seiner Kräfte nöthigte ihn, nachdem der
gedruckte Text der Briefe noch sein Auge erfreut hatte, die Zu=
sammenstellung der erläuternden Anmerkungen, zu welchen schon
manches Material vorlag, dem Unterzeichneten, seit Jahresfrist
dem letzten Gehülfen seiner unausgesetzten literarischen Thätig=
keit, zu überlassen.

Wenn auch ganz andere Kämpfe und Bestrebungen, als die=
jenigen unserer großen Literaturepoche waren, unsere Zeit erfüllen
und unsere Geister in Bewegung setzen, wenn daher den Zeit=
genossen kein Vorwurf daraus erwachsen kann, daß sie kein un=
mittelbares Interesse an Allem und Jedem nehmen, was Kunde

gibt von den geistigen Regungen der vergangenen Periode, viel=
mehr der Blick vorzugsweise an dem haftet, was in erkennbaren
Wirkungen in unserer Zeit fortlebt, so lohnt es sich doch auch,
einen genaueren Einblick zu thun in den Werdegang der Rege=
neration des deutschen Volksgeistes, welcher durch die still schaffen=
den Dichter des vorigen Jahrhunderts seine ersten Impulse er=
hielt. Aber nicht nur der so vorwiegend historische Sinn unserer
Tage rechtfertigt die sorgfältige Sammlung alles dessen, was
unser Bild von den damaligen Bestrebungen zu beleben geeignet
ist, es ist dieselbe zugleich eine Pflicht der Pietät, zu der sich
unser Geschlecht um so mehr getrieben fühlen muß, als es er=
kennen soll, wie viel wir, die schon außerhalb Stehenden, der
vergangenen Periode verdanken.

Wohl mag unserer selbstbewußten Nüchternheit die Gefühls=
schwärmerei, die kindliche Freude an jeder noch so geringfügigen
literarischen Erscheinung unverständlich sein, wohl mag unser
geläuterter Geschmack vieles, was die frühere Periode zu ihren
nicht unbedeutendsten poetischen Leistungen zählte, als gereimte
Prosa oder durch phrasenhaften Schwulst kümmerlich verdeckte
Alltäglichkeit verwerfen, wohl mögen wir uns sogar mit Wider=
willen von manchen Ausartungen der empfindsamen, die tief=
innerlichsten Gefühle mit befremdender Aeußerlichkeit und Selbst=
gefälligkeit zur Schau tragenden Epoche wegwenden — doch
sollte man nicht vergessen, daß ein Ueberschreiten des Maßes nach
langer Zeit der Geistesunterdrückung und Gemüthsverödung natur=
gemäß erfolgen mußte, daß ferner der Fortschritt zum Höhepunkt
der Weimarer Literaturperiode bedingt war durch die Befreiung
der vaterländischen Muse aus den Banden der Ausländerei,
durch die Rückkehr zu ächt unmittelbarer Empfindung und

Schaffen. Klopstock charakterisirt dann aber in besonders erkenn-
barer Weise die beiden Seiten des geistigen Aufschwungs. Einmal gab er, im Gegensatz zu der von Frankreich verbreiteten
frivolen Wegweisung aller überirdischen Bedürfnisse, den Anstoß
zur Vertiefung der sittlichen und religiösen Erkenntniß. Dann
tritt bei Klopstock zuerst das nationale Element bedeutsam in den
Vordergrund. Seine begeisterten Bardengesänge, welche das
Deutschthum in überschwänglicher, exclusiver Weise zur Schau
trugen, waren nothwendig, damit die Deutschen zum Bewußtsein
ihrer Zusammengehörigkeit, des Werthes einer Nationalität gelangten. So kann man sagen, daß Klopstock und seine Nachfolger zuerst auf geistigem Gebiete den großen Befreiungskampf
vom fremdländischen Wesen geschlagen, daß ohne die durch sie
bewirkte vaterländische und sittliche Erhebung der Gemüther die
thatkräftige Erhebung der deutschen Freiheitskriege nicht entflammt worden wäre.

Fassen wir von diesen Gesichtspunkten ausgehend, alles,
auch das unserer Anschauungsweise Fremdgewordene in seiner
Beziehung zu unserer Entwickelungsstufe auf, so bedarf es keiner
weiteren Rechtfertigung für unsere Sammlung, welche freilich der
dahingeschiedene Herausgeber, dessen schöpferischste Lebensjahre
ungleich mehr noch unter den Einflüssen der Literaturperiode
standen, in anderem, unmittelbaren Genuß aus einem für ihn
noch lebendigen Born schöpfenden Sinne begonnen hat. —

Der Plan der Sammlung erstreckte sich ursprünglich wohl
nur auf die bisher noch ungedruckte Correspondenz Klopstock's,
von welcher ein Theil bereits im Jahre 1855 druckfertig war.
Allein die mehr und mehr (besonders auch durch den mit trefflichen literarischen Nachweisen begleiteten Artikel über Klopstock

im vierten Bande des Lexicons der hamburgischen Schriftsteller)
wachsende Erkenntniß, daß zerstreute Bruchtheile der Correspon=
denz an vielen Orten, wo man sie nicht vermuthen konnte, in
eingegangenen Zeitschriften und Zeitungen, wo sie der Vergessen=
heit anheim zu fallen drohten, verborgen lägen, machte das Auf=
geben des ursprünglichen Princips wünschenswerth, und die Zu=
sammenfassung alles dessen zur Aufgabe, was nicht schon in den
früheren Sammlungen Klopstock'scher Briefe seine Stelle gefunden.
Es sind diese, welche unsere Sammlung vielfach berühren und
erläutern, folgende:

1. **Klamer Schmidt**, Klopstock und seine Freunde. Brief=
wechsel der Familie Klopstock unter sich, und zwischen dieser Familie,
Gleim, Schmidt, Fanny, Meta und anderen Freunden. Halber=
stadt 1810. 2 Bände. — Diese Sammlung ist aus Gleim's Nach=
laß genommen und veranlaßte eine Erklärung der Familie Klop=
stock's im Hamburgischen Correspondenten 1810, Nr. 98 vom
20. Juni, worauf der Herausgeber in demselben Blatte, Nr. 139
vom 31. August 1810 antwortete.

2. (C. A. H. **Clodius**) Auswahl aus Klopstock's nach=
gelassenem Briefwechsel und anderen Papieren. Th. 1. Leip=
zig 1821.

3. **Back und Spindler**, Klopstock's sämmtliche Werke
·13.—18. Band. Leipzig 1830. Der 6. Band enthält 131 Briefe.

4. H. **Schmidlin**, Klopstock's sämmtliche Werke ergänzt in
drei Bänden. Stuttgart 1839. Der 1. Band enthält so ziemlich
alle in den drei früheren Sammlungen enthaltenen Briefe, wes=
halb wir auch nach ihm citiren werden.

Nicht aufgenommen sind in diesen vier Sammlungen die
Briefe von August bis December 1758 in der Einleitung zu den
hinterlassenen Schriften der **Margaretha Klopstock**,
welche, da die letzteren einen Theil der Ausgaben der Klopstock=

schen Werke bilden, auch in unsere Sammlung nicht aufgenommen wurden.

Ausgeschlossen blieb ferner der 23 Nummern umfassende Briefwechsel Klopstock's mit J. H. Voß, welcher in der zweiten Ausgabe von Voßens Zeitmessung der deutschen Sprache, herausgegeben von A. Voß, S. 200—289 abgedruckt ist und theils in die letzte Hälfte des Jahres 1789, theils in die Jahre 1799 und 1800 fällt. Er enthält nämlich nur die Ansichten der beiden Grammatiker über den Versbau, welche durchaus kein weiteres Interesse in Anspruch zu nehmen geeignet sind.

Aus gleichen Gründen schien es auch angemessen, aus der Correspondenz Klopstock's mit Prof. Tetens in Kiel über die neuerfundene Orthographie nur die für ihn selbst charakteristischen Briefe des Dichters abzudrucken.

Daß wir drei Briefe der Schmiblin'schen Sammlung, welche sich aus den uns vorliegenden Originalen vielfach berichtigen ließen, sowie zwei aus derselben des Zusammenhangs wegen aufnahmen, wird keiner Rechtfertigung bedürfen; ebensowenig daß wir, wie unsere Vorgänger, Briefe Meta's und ihrer Schwester nicht ausschlossen.

In den Anmerkungen hat sich der Unterzeichnete, nach dem Vorgange des Herausgebers, bemüht, dasjenige zu erörtern und nachzuweisen, was auch Sachkennern nicht sogleich zur Hand sein dürfte; doch schien ein Erinnern an manche literarhistorische Notizen, welche bereits zu vergessen sein pflegen, in vielen Fällen, des Inhaltes der Briefe wegen, nicht zu vermeiden. Mehr zu sagen, gestattete der Zweck nicht, der nicht sein konnte, ein Leben Klopstock's oder gar eine deutsche Literaturgeschichte seiner Zeit zu geben. Wenn es trotzdem nicht gelungen ist, alle Beziehungen

zu manchen Personen und Zeitverhältnissen aufzuklären, so mag
zur Entschuldigung dienen, daß bei vielen dieser Forschungen
nicht sowohl systematisches Suchen als glückliche Zufälle zum
Ziele führen. Dagegen durfte es nicht verschmäht werden, die
schon seit Jahren von dem Herausgeber gesammelten genealo=
gischen Notizen über Klopstock's eigene und angeheirathete
Verwandte aufzunehmen, welche nach authentischen Quellen
(Kirchenbüchern und Familienstammbäumen) zusammengestellt,
manches Mißverständniß der früheren Commentatoren aufklären,
manche unerwartete Erläuterung darbieten.

Es sei ferner gestattet an diesem Orte aus den Materialien
des Herausgebers eine Nachricht herzusetzen, welche zwar in kei=
nem unmittelbaren Zusammenhange zu dem Inhalt unserer Briefe
steht, aber doch mannigfaches Interesse zu erwecken geeignet ist,
da sie einestheils zeigt, welche Bedeutung und welchen Einfluß
man schon dem 30jährigen Messiasdichter beilegte, anderentheils
wie die Väter der guten Stadt Hamburg aus seiner Verhei=
rathung mit einer Hamburgerin bei der benachbarten Macht
Dänemark politisches Kapital herauszuschlagen gedachten. Das
Protocoll des Hamburger Senats aus dem Jahre 1754, dem
der Verbindung Klopstock's mit Meta, besagt:

Den 7. Juni 1754. Ad supplicam Margaretha Mollern
et ad relationem Herrn Rentzels als 10. Herren, conclusum et commissum eidem vorkommender Umstände wegen, der Supplicantin
eine remission in Ansehung der von ihr zu erlegenden Abzugs=
gelder angedeihen zu lassen, und die Sache nach seinem Gutbefinden
abzumachen.

Concl. et commiss. Herrn Syndico Amsinck, den Herren Ab=
geordneten zu Schleswig von dieser Sache Nachricht zu geben, um

sich bei dem Herrn Geh. Rath von Bernstorff eine merite daraus zu machen.

Den 17. Juni 1754. Herr Synd. Klefeker legit Privat=schreiben Herrn Syndici Fabers, Dank des Herrn von Bernstorff wegen der Willfahrung an Klopstock puncto Decimarum 2c. be=treffend. — Herr Schuback refert, er habe einen eigenhändigen Brief des Herrn Geh. Rath von Bernstorff an Klopstock gesehen, worin derselbe ebenfalls die Willfahrung puncto der von der Igfr. Mollern zu entrichtenden Decimarum mit gracieusen Aus=drückungen anrühmet.

Den 11. October 1754. Herr Synd. Faber und Herr Synd. Dreskh referunt, daß der Herr Klopstock aus Copenhagen, welcher bekanntermaßen bei dem Herrn Geh. Rath von Bernstorff und bei dem Herrn Geh. Rath von Molcke in so großem Ansehen stehe, sich jetzt hier aufhalte, und ihn, Herrn Dreskh ersucht E. Hochw. Rathe nochmals zu danken, für die ihm, Klopstock, bei seiner Verheirathung mit der Mad. Mollern, erwiesene grace, und zu versichern, wie er, Klopstock, sich ein wahres Vergnügen daraus machen werde, wenn er der Stadt einige Dienste werde leisten können. Sie, Domini Referentes, geben dahero zu bedenken, ob es nicht gut, wenn unter der Hand mit dem Herrn Klopstock gespro=chen und er sondirt würde, ob er sich künftighin wohl zum Solli=citanten bei dem Herrn von Bernstorff gebrauchen lassen wolle, da ihm denn, wenn er dazu sich geneigt erkläre, allenfalls ein Present pro Arrha gegeben werden könne. Concl. placet et commissum Herrn Synd. Faber, mit dem Herrn Klopstock des=falls en ami zu reden.

Den 14. October 1754. Herr Synd. Faber refert, daß er vigore commissorii d. 11. h. m. am abgewichenen Sonnabend mit dem Herrn Klopstock en ami gesprochen, und derselbe bereit sei, die Sollicitation quaestionis zu übernehmen, sich auch zur Privatcorrespondenz mit ihm, Dno Syndico, erboten habe. Dnus Referens habe hierauf dem Herrn Klopstock, unter hoffentlicher

Genehmigung E. Hochw. Raths, von den in Händen habenden Ungarischen Wein 25 Bouteilles zugesandt, welche derselbe mit vielem Dank angenommen.

Soweit das interessante Aktenstück, welches in seiner gespreizten, mit Fremdwörtern versetzten Redeweise in seltsamem Contrast steht zu der von Klopstock begonnenen und repräsentirten Wiederbelebung unserer Sprache und Literatur. —

Wir lassen das Verzeichniß der Personen und Institute folgen, denen wir wegen Mittheilung der bisher noch ungedruckten Briefe zu Dank verpflichtet sind.

a. Im Besitze der Familie des Herrn Julius von Eichel = Streiber, eines Urenkels von Klopstock's Fanny, befinden sich und sind durch die gütige Vermittelung seines Schwagers, des Herrn Rector Dr. Eugen Briegleb in Anklam abschriftlich mitgetheilt die Originale von Nr. 1. 2. 17. 19. 22. 23. 25. 27. 33. 38. 41. 47. 48. 50.

b. Herr Dr. H. Pölchau in Hamburg spendete aus dem Nachlasse seines, um die Geschichte der Musik wohlverdienten Vaters Nr. 51. 53. 54. 123. 136. 159. 167. 203. 204. 208. 223. 224.

c. Dem Herrn Archivrath Kaestner zu Hannover verdanken wir Nr. 4. 5. 7. 15. 18. 31. 34. 55. 71—73. 78.

d. Der Fräulein Meta von Winthem in Hamburg, durch gütige Vermittelung des Herrn Dr. H. A. Ruete, Nr. 56. 57. 83. 130. 135. 137—139. 141. 143. 144. 146. 147. 149. 151. 152. 156. 157. 163. 168. 170. 172. 175. 187. 195—197. 199. 200. 205. 212. 216. 220.

e. Dem Herrn Buchhändler Marcus zu Bonn, durch gütige Vermittelung des Herrn Geh. Justizrath Bluhme, Nr. 97—99. 101. 103—108. 110—112. 115. 116. 122. 181—183.

f. Dem Herrn Dr. Caspar in Hamburg Nr. 77.

g. Dem Herrn B. R. Abeken, Director des Raths=Gymnaſiums zu Osnabrück, Nr. 206.

h. Dem Herrn Dr. David Friedrich Strauß Nr. 227.

i. Aus dem Beſitze der Fräulein Bieweg in Braunſchweig, in deren Händen auch die Originale der in Weſtermann's Monats=hefte gedruckten Briefe ſind, iſt uns durch Vermittelung unſeres Herrn Verlegers zugegangen Nr. 185.

k. Der Kieler Univerſitätsbibliothek ſind entnommen Nr. 3. 10. 13. 14. 62. 63. 173. 174. 176. 188. 191—194. 201. 202. 225. 226.

l. Der Königl. Bibliothek zu Berlin durch Herrn Geh. Rath Perz Nr. 79.

m. Aus eigenem Beſitze des Herausgebers konnten der Sammlung zugefügt werden Nr. 6. 11. 49 (aus Eſchenburg's Sammlung Hagedorn'ſcher Briefe, welche demſelben erſt nach dem Drucke der Werke dieſes Dichters zugegangen ſein können), 126. 142.

Die Geſammtzahl der bisher ungedruckten Briefe beträgt 118.

Verzeichniß
der Druckſchriften, aus denen wir Briefe entnommen.*)

n. Weſtermann's Illuſtrirte Deutſche Monatshefte, Band 2.* Nr. 18a. 20. 21. 65. 76. 81. 82. 113. 114. 117. 119. 120. 121. 124. 125. 128. 129. 131. 132. 134. 155. 160. 161. 162. 171. 186.

o. Michael Denis' literariſcher Nachlaß, herausgegeben von Retzer, Wien 1801—1802. 2. Abtheilung. Nr. 84—86. 89. 109. 165.

---

*) Die Nummern, für welche uns das Original vorlag, woraus ſich ſehr oft weſentliche Verbeſſerungen ergaben, ſind mit * bezeichnet; die Herkunft des Originals iſt durch den betreffenden Ordnungsbuchſtaben in Klammer angedeutet.

p. Morgenblatt für gebildete Stände, Stuttgart 1813.
Nr. 9. 12. 39. 42. 44—46. 52. 59—61. 64. 66—70. — Aus
dem Jahrgang 1815. Nr. 35. 36 (auch unvollständig gedruckt
bei Mörikofer S. 109), 37.

q. Zeitung für die elegante Welt Nr. 34 und 35 des Jahrgangs 1827. Nr. 118. 164.

r. J. C. Mörikofer, Klopstock in Zürich, 1851. Nr. 16.
26. 28. 30. 32. 80.

s. F. D. Gräter, Zerstreute Blätter, Ulm 1822. Erste
Sammlung. Nr. 217.

t. Aus Herder's Nachlaß, herausg. von H. Düntzer
und F. G. v. Herder. Frankfurt a. M. 1856. Band 1. Nr. 133.
207. 214. 215. 221. 222.

u. J. H. Voß' Briefe. Halberstadt 1829. Band 1, S. 329.
Nr. 158.

v. J. G. Hamann's Schriften. Thl. 4, S. 163. Nr. 169.

w. Th. G. Hippel's Sämmtliche Werke. Th. 7, S. 209.
Nr. 127.

x. Hoffmann von Fallersleben, Findlinge. Zur Geschichte deutscher Sprache und Dichtung. 3. Heft, Leipzig 1860.
S. 272. Nr. 100.

y. The Gleaner, Hamburger englische Zeitschrift. 1828.
October. S. 430. Nr. 75.

z. J. G. Gruber, Leben Klopstock's. Vor dem ersten
Bande der Oden, Leipzig 1831, S. 21. Nr. 8.

aa. Schubart, deutsche Chronik auf das Jahr 1775.
5. Stück vom 16. Januar. Nr. 140.

bb. Das Journal: Hamburg und Altona, Jahrgang 4.
1805. Bd. 1, Heft 2, S. 181—192· und Heft 3, S. 257—265.
Nr. 177—180.

cc. (Prof. Klenke) Aus einer alten Kiste. Leipzig 1853.
S. 49. Nr. 190.

dd. D. F. Strauß, Kleine Schriften. 1862. S. 63 ff. Nr. 148.
154, schon vorher von dem Herrn Verf. handschriftlich mitgetheilt.

ee. J. C. Mellish, Gedichte. Hamburg 1818. S. 165. Nr. 210.

ff. C. F. Cramer, Klopstock. Er und über ihn. Thl. 5, S. 301. Nr. 74.

gg. Deutsches Museum, herausg. von H. C. Boie. 1776. Bd. 2, S. 855. Nr. 150 (auch gedruckt in Freimund Pfeiffer, Goethe und Klopstock, S. 184).

hh. Molbech, Historisk Tidsskrift. Bd. 4, S. 351. Nr. 184.

ii. C. F. Cramer, Menschliches Leben. Altona 1791. Stück 7, S. 116. Nr. 189.

kk. C. F. Cramer, Individualitäten. Amsterdam 1806. S. 161 ff. Nr. 211*. 213*. 219* [k].

ll. Das Journal: Das neue Hamburg. Nr. 10 des Jahrgangs 1862. Nr. 218.

mm. J. G. Fichte's Leben und literarischer Briefwechsel, herausgegeben von J. H. Fichte. Thl. 2, S. 391. Nr. 198.

nn. J. R(ist), Schönborn und seine Zeitgenossen. Hamburg 1836. Nr. 153.

oo. F. Schlegel, Deutsches Museum. Wien 1813. Bd. 4, S. 11. Nr. 209.

pp. H. Schmidlin, Klopstock's sämmtliche Werke ergänzt in drei Bänden. Bd. 1. Nr. 24. 40. 29*. 43* [a]. 58* [b].

qq. Hamburger musikalische Zeitung 1838, Nr. 2 vom 10. Januar (aus Europa, Chronik der gebildeten Welt. Auch gedruckt im Hamburger Journal: Freischütz 1837, Nr. 47 vom 25. Nov.). Nr. 166* [b].

rr. Hamburger Beobachter 1842, Nr. 3 vom 15. Januar (aus der Berliner Zeitung. Steht etwas verändert noch einmal im Hamburger Beobachter 1842, Nr. 34 vom 20. August). Nr. 145* [l].

ss. Kieler Blätter, herausgegeben von einer Gesellschaft Kieler Professoren. Bd. 1. 2 von 1815. 1816. Nr. 87*. 88*. 90*—96*. 102* [e].

An freundlichen Förderern der Sammlung in Nah un
Fern hat es während der langen Zeit ihres Wachsthums nich
gefehlt; außer denjenigen, welche ihre handschriftlichen Klopstock
schen Reliquien mit freundlicher Bereitwilligkeit der Benutzun
überließen, ist besonders zu gedenken des Herrn Dr. Gutbie
in Dresden, durch dessen Vermittelung dem Herausgeber i
früheren Jahren mannigfache genealogische Nachrichten, besor
ders aus den Kirchenbüchern zu Langensalza und Eisenach, zu
gingen, sowie des Herrn F. A. Cropp in Hamburg, der uns vielfa
mit literarischen Nachweisen an die Hand ging und dessen Artik
über Klopstock im Lexicon der Hamburgischen Schriftsteller, dei
Commentator ein nie im Stiche lassender Führer auf dem G
biete der Klopstockliteratur gewesen ist. •

Hamburg, den 30. November 1865.

Dr. Ludwig Weiland.

1. Klopstock an Fräulein M. S. Schmidt.

Leipzig den 30. Juli 1747.

Mademoiselle

Ma tres chere Cousine

Sie haben mir die Erlaubnis gegeben, Ihnen unterweilen einige von den hiesigen Schriften zu überschicken. Ich schätze mich deswegen besonders glücklich und ich übersende Ihnen ietzo eine, die mirs besonders würbig scheint, von Ihnen, Mademoiselle, gelesen zu werden, weil sie auf den Tod unsrer deutschen Rowe, der liebenswürdigen Rabickin verfertigt ist. Sie hat den besondern Vorzug vor allen übrigen dergleichen Schriften, daß sie durchgehends wahr ist, und daß in derselben eh weniger als zu viel gesagt worden. Der Verfasser der Rede ist einer von denen, die an den Beyträgen mit arbeiten. Die verstorbene ist eben dieienige, von welcher, wenn ich nicht irre, der Herr Bruder bei dero Hierseyn öfters mit Ihnen gesprochen. Wenn wir spazieren gehn, so bleiben wir unterweilen bey Ihrem Grabe ohne äusserlichen Zierrath und ohne Leichenstein, stehn. Sie verdient aber noch ein dauerhafteres Andenken, und eben dieienige Nachahmung von welcher in der Rede gesprochen wird. Ich will Sie nicht länger mit meiner Unterredung von einer liebenswürdigen Todten unterhalten. Ich wünsche Ihnen werthe

Cousine, vergnügt und glücklich zu leben, und verharre nebst einem gehorsamsten Compliment an dero Herrn Bruder, allzeit

Mademoiselle, Ma tres chere Cousine

Dero gehorsamster Diener

F. G. Klopstock.

2. Klopstock an Fräulein M. S. Schmidt.

Leipzig den 10. Februar 1748.

Mademoiselle,

Ma tres chere Cousine,

Wie glücklich bin ich, daß meine Freunde Ihren Beyfall erhalten haben. Doch wie viel glücklicher würde ich seyn, wenn ich diejenigen Zeilen auch kennte, die vielleicht Ihren besondern Beyfall erhalten haben. Wie merkwürdig würden sie mir vorkommen, und wie oft würde ich sie lesen. Denn daß ich die tadelnswürdigen nicht so genau kenne, als Sie, verzeihe ich Ihrer Gütigkeit gern. Sie erlauben mir doch auch, liebenswürdige Cousine, daß ich mich an Ihnen räche. Ich will Ihren Herrn Bruder schon ausforschen, wenn er von Frankfurt zurückkömmt. Vielleicht wenn Sie vom Tanz ermüdet mit Ihrer zärtlichen Deahne etwa nicht sprechen können, vielleicht entwischt Ihnen da etwas. Doch sollte diese Rache nicht angehn, so habe ich schon eine andre. Ich übersende Ihnen eine neue Ode. Wie lang hätte sie wegen ihres vorzüglichen Inhalts werden können, wenn nicht der Wohlstand erforderte, daß ich Ihnen nach einer so langen Ode, eine kurze schickte. Bald werde ich Ihrem Herrn Bruder auch eine Elegie schicken. Bitten Sie Ihn und Seine liebenswürdige Deahne in meinem Nahmen um Verzeihung daß Sie kein so schön Gedicht von mir empfangen, als eine gewisse Ode ist, die ich gerne .... möchte. Die weiche Elegie konnte von der Liebe so erhaben nicht singen

Klopstock an J. A. Cramer.

Für das Geschenk, das ich von Ihrer hochgehrten Frau Mama,
durch Sie erhalten habe, bedancke mich gehorsamst und verharre
Mademoiselle, ma tres chere Cousine

Ihr gehorsamster Diener
F. G. Klopstock.

3. Klopstock an J. A. Cramer.
Langensalz den Donnerstag nach Mar. Heimf. 1748.
Mein liebster Cramer,

Ich lebe hier nach den Grundsätzen des alten Horaz, und
eines gewissen jungen Schriftstellers, den Sie wohl kennen.
Diese Herren sind nicht allzu grosse Feinde von einer Gemäch-
lichkeit, die mir so natürlich ist, und die mir die süße Sünde
erlaubt, selbst an meine Freunde seltner zu schreiben. Sie sehen
wohl, was ich hier alles noch sagen könnte, wenn es mir nicht
zu arbeitsam vorkäme mich zu entschuldigen. Ach ich führe ein
recht herrliches Leben! An dem Messias itzo zu arbeiten, das
war ein köstlicher Gedanke! Ich danke. Eine Leserinn des
Jünglings und des Messias, und aller Schriften die Hannchen
hätte schreiben können, und Ebert schreiben wird, hat mir
befohlen aus den Liedern der Nachtigallen zu übersetzen. Sonst zu
stolz zum Übersetzen werde ich künftig wohl nichts thun als übersetzen. Der Frühling ist vorbey, nun übersetze ich Ihre Minen.
Einen Abend, da sich keine übersetzungswürdige Nachtigall hören
liess, oder wie ichs damals ausdrückte:

Tief in die Dämmrung hin sah er (mein Blick) und suchte dich
    Seiner Zähren Gesellin auf,
Dich, des nächtlichen Hains Sängerinn, Nachtigall,
    Doch du sangest mir itzo nicht.
Dein mitweinender Laut, Dein melancholisch Ach,
    Auch der schwache Trost fehlte mir.

An diesem Abend machte ich ein Lied, worinn auch dieses

steht. Die Verbindung mögen Sie errathen, was geht mich das an.

> Haft Du mich weinen gesehn, o Du Unsterblicher,
>   Der mitleidig mein Auge schloß,
> O so sammle sie ein, sammle die heiligen
>   Thränen in goldener Schale ein,
> Bring' sie, Himmlischer, dann zu den Unsterblichen,
>   Denen ein zärtlicher Herz auch schlug.
> Zu der göttlichen Rowe oder zur Radicin,
>   Die im Frühlinge sanft entschlief.

Vielleicht argwöhnen Sie aus dem, was ich bisher an Sie geschrieben, daß ich itzt ganz vergnügt und ruhig seyn müsse. Nein, mein liebster Cramer, das bin ich gar nicht. Wenn ich auch die Empfindung Ihrer und der andern Cramers Abwesenheit abrechne: so bin ich doch so traurig, wie Orpheus, da er, die Leyer in der Hand zur Hölle gieng, die Euridice herauf zu singen. Oder so traurig, wie Sie waren, da Hannchen noch keinen ihrer liebenswürdigen Briefe an Sie geschrieben hatte, und da Sie noch nicht, wie im Cato steht, sagen konnten: Wie ist mir! Ich sehe lauter elysäische Felder um mich! Schicken Sie mir doch einige von Gisekens und Schlegels letzten Briefen. Man liest doch gern in den Papieren seiner verstorbenen Freunde. Schicken Sie mir auch einige übersetzte Stellen aus den Nachtgedanken. Ich bitte bey der zärtlichen Thräne, die ein Frauenzimmer dabey vergießen wird, von der ein Poet gesagt hat:

> Aber süssere Ruh deckte mit Fittigen
>   Ihres friedsamen Schlummers sie
> Und ihr göttliches Herz, weit über meins erhöht,
>   Hub gelinder die heil'ge Brust.

Auch bey der Freude bitte ich Sie, die ich bey diesen Thränen empfinden werde. Darf ich Sie um noch etwas bitten?

Und wird diese Einleitung zur Erhörung meiner Bitte etwas beytragen, wenn ich sage, ich will so heilig damit umgehen, wie Sie? Darf ich Sie um ein paar Briefe von der s. Hannchen bitten? Ich erschrecke für meiner Bitte, werden Sie nur nicht böse.

Ich habe auch eine Ode nach diesem Sylbenmaaße gemacht:

Audiuere, Lyce, Di mea vota Di.

Hier ist eine Strophe:

Sprich, wie heißet der Trieb, der Dir Dein Herz bewegt?
Heißt er, bestes Geschenk von den Olympiern?
Heißt er, göttliche Tugend?
Oder, Glück des Elysium?

Nehmen Sie mir nicht übel, daß mein Brief so unordent= lich ist. Grüßen Sie alle unsre Freunde, todte und lebendige; aber Gellerten nicht. Ich bin Ihr Freund

F. G. Klopstock.

Wo bleibt das letzte Stück der Beyträge? Ich kann es hier gar nicht bekommen.

4. Klopstock an Johann Adolf Schlegel.

Leipzig 1748.

Mein liebster Herr Schlegel,

Ich kenne Sie so, daß ich weiß, ich darf gleich aus vollem Herzen an Sie schreiben, ob dies gleich der erste Brief ist, den Sie von mir bekommen. Ich meine den ersten wirklichen Brief: denn die will ich hier nicht mitrechnen, denen meistentheils weiter nichts, als das Aufschreiben gefehlt hat. Die gütige Natur hat mir unter andern Gaben auch diese nicht fehlen lassen wollen, daß ich unterweilen unserm lieben Ebert etwas gleich komme. — Mein Trost hiebey ist, daß ich ihm zwar „Proximus, at longo proximus intervallo" unter unsern Freunden bin. — Glauben Sie nicht, daß ich meine keine ebertschen Schwachheiten, mich

zu entschuldigen, anführe. Nein, ich will mich gar nicht entschuldigen. Ich bin wegen meiner Nachläßigkeit recht empfindlich,
böse auf mich. Giseke wird wohl alle Ihre Freundschaft allein
weg haben; der hat Sie in Ihrer Einsamkeit unterhalten, der
hat an Sie geschrieben, wenn ich nur seine oder Ihre Brie-
las, und nur an Sie dachte. Sehen Sie wie offenherzig ich
bin. Sie verzeihen mir doch diese keinen Versuche, womit ich
unsern Ebert habe nachahmen wollen? Die Zeit soll Sie lehren,
daß ich viel zu demütig bin, als daß ich mir schmeicheln sollte,
dies große Original ganz zu erreichen. Sie glauben mir doch
auf mein Wort?

Wenn Sie nur wüßten, was ich alles an Sie habe schreiben
wollen. Ich wollte Ihnen schreiben, was ich in meiner Jugend
von Ihnen dachte, da ich noch nicht wußte, daß das der Poet
war, was ich bey mir fühlte. Himmel, wie aufmerksam war
ich auf Sie, wenn Sie in dem Walde, oder vielmehr in dem
Haine, (denn wir haben ja darin wohl ehmals geschlummert!
mit einem Freunde, der sich itzt von Ihnen bis zur Sectenphi-
losophie erniedriget hat, in einen Baum Verse einschnitten, die
ich nach Ihrem Abzuge erneuert habe. Aber Sie kannten mich
nicht, mein liebster Schlegel. Ach, warum sind diese Stunden
so ungebraucht verflossen? Und warum hat Sie kein Genius zu
mir geführt? Warum hat Ihnen in nächtlichen Gesichten kein
Muse gesagt: „Sie sollten zu mir kommen und mich bilden,
wie Aurora die jungen Rosen des Morgens aufschließt." Warum
kannte ich Sie dann? und warum weissagte mir Ihr tiefsinniges
Auge den zukünftigen Schlegel? Wenn ich mich nur ganz
ausdrücken könnte, wie zärtlich böse ich auf Sie bin.

So wollte ich an Sie schreiben. Auch dies wollte ich an
Sie schreiben. Stellen Sie sich einmal vor, als wenn das Leben
in der Pforte das zeitliche Leben wäre, und das Leben unter

nsern Freunden das zukünftige. Da Sie also aus der Pforte
waren, da waren Sie schon gestorben; ich aber lebte noch. Wie
denn man in diesem zeitlichen Leben bisweilen Poeten liest, so
las ich Ihren Unzufriedenen. Und da dachte ich bey mir, zärtlicher vielleicht, als es Ovibius selbst empfunden hat:

Virgilium tantum vidi.

Mein liebster Schlegel, wie haben wir uns über Ihr
erlangtes Amt gefreut. Sie werden nun bald von einer vielleicht
unpriesterlichen Hand eingesegnet werden. Ihre Freunde segnen
Sie auch, ohne Amt, ohne den sogenannten göttlichen Beruf und
seine Kragen und Chorhember: aber aus vollem Herzen und
kräftiger. Was für eine Ehre wiederfährt den sächsischen Can-
zeln, daß einmal ein Prediger unter sie kömmt! Wie schön
und unentweyht wird das Evangeliumbuch in Ihrer Hand liegen!

Aber werden Sie auch bey Ihren itzt vielleicht sehr ernsthaften
Gedanken diese heidnische Ode lesen wollen? — Meinen Vorsatz,
nichts als den Messias zu schreiben, haben mir unsere Freunde,
so zu sagen entlockt. Ich habe auch eine Ode geschrieben, eine
lange Ode, die in Gesänge abgetheilt werden konnte. Ich werde
Ihnen auch wohl noch mehr schreiben. Denn meine Freunde
werden noch lange, sehr lange leben. Nach dem alcäischen Sylbenmaße, werden Ihnen wohl die Anmerkungen besonders wunderbar
vorkommen, dies muß ich Ihnen erklären. — Ein Frauenzimmer,
das der Strophen: „Und Du, o Freundinn," — — — würdig
wäre, wollte die Ode lesen, und da mußte ich ihr doch wohl
das Heidenthum darin erklären. Aber nun frage ich Sie auf
Ihr Gewissen: Werden Sie auch die profane Ode lesen? Thun
Sie's immer itzt, da Sie Ihr Amt noch nicht angetreten haben,
nach diesem will ich's selbst verboten haben. Was würden die
Leute sagen, wenn sie hörten, daß in den chursächsischen Landen
zwei ganz außerordentlich gottlose Menschen wären, davon der

eine die Leidensgeschichte nach den vier Evangelisten in Reime brächte und zugleich heidnische Oden schriebe: der andere ein Prediger wäre, und die heidnischen Oden wohl gar mit Vergnügen läse?

Ich merke, daß ich mir schon zu viel Freyheit im Schwatzen auf das erstemal herausgenommen habe. Leben Sie vergnügt.

Ich bin Ihr Freund

F. G. Klopstock.

5. Klopstock an Schlegel.

Langensalz den 25. Juli 1748.

Mein liebster Herr Schlegel,

Ich bekam Ihren vom 25. May erst gegen das Ende dieses Monats. Gleichwohl bitte ich Sie, mir meine so unfreundschaftliche Nachlässigkeit zu verzeihen. Sie würden Sie mir leicht verzeihen, wenn Sie die Ursachen derselben wüßten. Ihre Ode, die mich, so weit Sie sie mir geschickt haben, schon böse genug gemacht hat, hat mir Cramer gelesen. Ich bin so weit stolz darauf, so weit es meine itzige Gleichgültigkeit gegen die Ehre zuläßt. Ich wollte Ihnen gerne einen längern Brief schreiben, aber ich bin zu zerstreut dazu. Diese Elegie hat viel Verbindung mit meiner Zerstreuung. Wollen Sie einmal diese Kleinigkeit für einen längern Brief ansehn. Zum mindesten ist sie besser, als mir itzt ein Brief gerathen würde. Das muß ich Ihnen noch sagen, librum primum Odarum hab ich fertig, wenn mich mein Mädchen noch lieben sollte, mache ich gewiß noch libros Odarum tres et vnum Epodῶn. Sed Elegiarum tantum vnum libellulum. Fragmenta Hendecasyllaborum. Duo Epigrammatum, vnumque Sonnetum. Doch ich will dieses Latein von einem Deutschen scheiden. Ihr

Klopstock.

6. Klopstock an F. von Hagedorn.

Langensalz den 29. Sept. 1748.

Hochwohlgeborner Herr,

Ich würde mir es nicht vergeben können, daß ich das Ver=
gnügen, an Sie zu schreiben, mir so lange selbst entzogen habe,
wenn ich nicht glaubte, daß Ihnen Gieke etwas von meiner
zärtlichen Hochachtung gegen Sie gesagt hätte, und zwar besser,
als ich es Ihnen durch Briefe würde sagen können. Ich will
Ihnen hiermit dasjenige wiederhohlen, was er gesagt haben
mag. Giekens Entfernung von mir hat diese Ode mit ver=
anlasset, die ich kurz nach seiner Abreise noch in Leipzig gemacht
habe. Ich übersende sie Ihnen. Sie würden dabei noch einen
langen Brief zu befürchten haben: wenn mich nicht die Schmerzen
einer sehr zärtlichen Liebe zu sehr zerstreuten. Wenn es eine
poetische Weltweisheit giebt, mich aufzurichten, so seyn Sie so
gütig und schreiben mir einige Anfangsgründe davon. Wie
glücklich würde ich sein, wenn Sie mich einmal lieben sollte.

Das Glück bezahlt mir nicht das Gold der ganzen Erde,
Wenn mir Ihr Herz bezeigt, daß ich geliebet werde.

Leben Sie wohl, mein theuerster Hagedorn. Ich bin
Ihr ergebenster Diener
F. G. Klopstock.

7. Klopstock an Schlegel.

Langensalz den 8. Oct. 1748.

Mein liebster Schlegel,

Ich habe die zärtliche Gewissenhaftigkeit Ihrer Entschuldi=
gung, daß Sie nicht an mich geschrieben, ganz empfunden. Sie
thun dies gegen einen Schuldigen, da Sie unschuldig sind, und
damit Sie ja Ihre Unschuld nicht verlieren, so thun Sie dies
zu einer Zeit, wo Ihnen Ihr Schmerz die Kraft zu klagen raubt.

Wie müssen Sie mich lieben! Ich würde zu sehr vor mir erröthen, wenn ich nicht mein Stillschweigen einiger Verzeihung
würdig hielte; (mein letzter Brief ist für keinen Brief zu rechnen!)
und wenn die Ursachen meines Schweigens etwas geringer wären,
als die Schmerzen der Liebe, und zwar die Schmerzen der Liebe,
die ich empfunden habe.   Diese Schmerzen sind itzo zu einer
Höhe gestiegen, daß es mir vorkömmt, als wenn ich sie geruhiger
ertrage, weil sie durch ihre Größe meiner würdig geworden sind.
Vielleicht sind diese Gedanken mehr eine Frucht meiner Betäu-
bung, als meiner Beruhigung. — Vielleicht sind sie den Bergen
gleich, welche wie die Poeten es gesehen haben wollen, den
Himmel unterstützen.   Aber,

Si fractus inclinet se olympus,
Impavidum ferient ruinae.

Zum mindesten macht mich diese scheinbare Beruhigung
fähig, itzt an Sie zu schreiben.   Aber ich will erst von den
Schmerzen meines Freundes reden, denn will ich Sie auch einen
Schritt in die Gegenden meiner Unruh führen.   Ihr redlicher
Vater ist gestorben.   Weinen Sie immer, mein liebster Freund,
weinen Sie immer, wie ich um die Mitternacht weine.   Sie zu
trösten, wäre mir zu ungestüme Freundschaft.   Ich habe auch
einen rechtschaffenen Vater, der tugendhaft und glücklich war.
Er wurde unglücklich, aber er blieb tugendhaft.   Vielleicht wird
er auch unglücklich sterben.   Doch wie kann ich ihn unglücklich
nennen?   Mich überfällt ein Schauer, daß ich dieses gesagt habe.
Wie ehrwürdig und heilig ist eine Seele, die leidet, und groß
bleibt.   Lassen Sie uns die Glückseeligkeit mit einer andern Wage
wägen.   Die volle Schale der scheinbaren Glückseeligen steige
zur Hölle und die Schale derer, die edel sind und leiden, gen
Himmel!   Dies fingen Sie einmal, mein Freund, wenn Sie sich
wieder ermannt haben, der Welt; und die Welt erzittre, wenn

ſie hört den Klang der goldnen Wage und das Niederſtürzen der vollen Schale, und die furchtbare Leyer. Ich bin auf einmal poetiſch geworden. Vielleicht ſind aber dieſe Gedanken ſo erhaben und ſo wahr, daß man ſie entehren würde, wenn man ſie unpoetiſch ſagte.

Haben Sie Ihren Vater ſterben ſehen? Das iſt ein ſüßer wehmutsvoller Troſt, diejenigen, die wir lieben, bis dahin zu begleiten, wo die äußerſten Gränzen der Dunkelheit ſind, die vor unſern Augen hängt.

> Vidisti vultum morientis et ora,
> Ora modis — — pallentia miris?

So nahe führe ich Sie Ihrem Schmerze. Sie ſollen ihm gerade ins Angeſicht ſehen und ich will Sie gar nicht tröſten. Das habe ich, wenn Sie erſt werden weinen können, der Wehmut Ihrer Thränen überlaſſen. — Ich will Ihnen eine Stelle aus dem fünften Geſange des Meſſias hierher ſchreiben. Leſen Sie dieſelbe ohne ihre Verbindung. Dieſe zu ſagen würde gar zu weitläufig ſein. Sie heißt:

> „Mirja erzog fünf Söhne, die macht er tugendhaft. Reichthum
> Ließ er den Tugendhaften nicht da. Sie ſahen ihn ſterben.“

Laſſen Sie uns, mein liebſter Schlegel, höher glücklich ſeyn, und ſtolz auf unſre Vorzüge. Unſre Väter, die entweder ſchon entſchlafen ſind, oder noch entſchlafen werden, ſegneten uns, da ſie ſtarben. Die Natur hatte uns ſchon vorher geſegnet, da ſie uns ſchuf, und unſere Freunde für uns. Dieſes Glück iſt dem Pöbel unſichtbar, und wer ſo kühn oder weiſe iſt, es jedem andern Glücke vorzuziehen, der gleicht einem, der edel genug iſt ohne Zeugen tugendhaft zu ſeyn. Vor Gott erzittert er, ihm ſeine Tugend zu zeigen, denn der iſt der Unendliche, und ihm ſind ſie zu klein: dem Pöbel will er ſie nicht zeigen, denn dem sind sie zu groß. — Laffen Sie mich hier abbrechen. Ich sollte Ihnen überhaupt nicht Dinge wiederhohlen, die Sie wiffen, und die Sie erhabner denken.

Non, si priores Maeonides tenet
Sedes Homerus, pindaricae latent.

Ich habe Ihnen versprochen, Ihnen etwas von den Schmerzen meiner Liebe zu sagen. Aber halten Sie mich nur nicht bei meinem Versprechen. Ich bin zu voll davon. Wenn ich Sie einmal wieder werde umarmen können, dann will ich Ihnen recht viel davon erzählen. Aber auch dann werde ich sehr un= ordentlich erzählen, und Sie werden mich fragen müffen. Einige feine Züge davon, einige kurze Ausfichten in diese unendlichen Gegenden, werden Sie aus dieser alcäischen Ode fehen. Das ist etwas recht verwundersames und ehrwürdiges, eine Seele, die die Schmerzen einer so zärtlichen Liebe liebt. O, mein Gott, was hat sie da für Gedanken! Und welche Empfindung, die die Stimme des Menschen nicht sagen kann. — — Ich habe noch feine Hoffnung durch diese Liebe glücklich zu seyn. Aber in manchen Stunden, wenn ich recht süß träume, bezeugt mir mein Herz, daß ich geliebet werde. Meine göttliche Daphne versteht die kleinsten Wendungen meines Herzens, auch da, wenn sie faum zu Stimmen werden. Mich deucht, da ich einmal an Ihrer Hand weinte, habe ich Sie zittern gefehen. Sie empfindet den Meffias, wie Sie ihn empfinden. Eine Stelle aus dem fünften Gesange, die sie mich etlichemal hinter einander lesen hieß, und bei der sie mir die Hand sanft drückte, und seufzte, ist mir noch immer heilig und unvergeßlich.

Ich muß Ihnen einige Verbindung dieser Stelle sagen. Es redet ein Vater eines Menschengeschlechts, das unschuldig blieb, und nicht sterblich wurde. Er hat seinen Kindern kurz vorher unsern Tod beschrieben.

In ihr Elend vertieft stirbt eine theure Geliebte
An der Brust des zärtlichen Jünglings. Die himmlische Liebe
Ist beinah noch allein, in paradiesischer Schöne,
Als ein Zug des göttlichen Bildes, den Sterblichen übrig,
Aber nicht lange, sie sterben und Gott erbarmt sich nicht ihrer,
Nicht des abschiednehmenden Lächelns der theuren Geliebten,
Nicht des brechenden Blicks, der gern noch weinte, der Angst nicht,
Die sie betet, und Gott, nur um eine Stunde noch anfleht,
Nicht der Verzweiflung des liebenden Jünglings, der stumm sie umarmet.
So wie auch nicht verlassner Tugend, zu welcher die Liebe
Und ihr zartes Gefühl die beyden Sterblichen aufhub.

Ihrem Bruder, den Sie noch nicht kennen, und der Sie,
mein Schlegel, liebt, der mein zärtlicher und der erste Freund
meiner Jugend ist, habe ich mein ganzes Herz eröffnet. Er hat
sehr viele mir unvergeßliche Zeilen an mich geschrieben, unter
andern auch, daß diese Liebe dasjenige sei, was er längst gewünscht. Er sagt:

Freund, ich kannte Dein Herz, des Mädchens Zärtlichkeit kannt ich,
Siehe, drum bat ich sie Dir heimlich vom Himmel herab.

Gleichwohl kommen so viel unheilige Umstände (ich mag
sie wohl so nennen, weil sie weder ihr noch mein Herz angehen)
wider mich zusammen, daß ich fast ganz ohne Hoffnung bin.
Ich fühle einen unwiderstehlichen Hang und eine gewisse Gewissenhaftigkeit meines Herzens dieses göttliche Mädchen ewig zu
lieben, wenn sie mich auch nicht wieder liebt. Und entweder
ein unaussprechliches Glück, oder eine immerwährende Wehmut
wird mein ganzes Leben beschäftigen. Wenn Sie eine poetische
und freundschaftliche Philosophie haben, mich zu trösten, so müssen
Sie dabey meine Liebe und ihren Schmerz in diesem Gesichts-
punkt ansehen. Ach, wie wünschte ich, Ihnen meine mitternächt-
lichen Thränen beschreiben zu können. Das muß ein furchtbarer
Schmerz sein, wem seine Geliebte stirbt; aber er hat sie doch

beſeſſen. Ach, wie würde ich ſie ſo zärtlich lieben! und wie iſt mein Schmerz ſo groß!

> Qualis populea moerens philomela sub vmbra
> Flet noctem —
> Eurydicen vox ipsa et frigida lingua
> Ah teneram Eurydicen, anima fugiente vocabat.

Welche Meſſiade könnte ich Ihnen noch erzählen, wenn nicht mein Schmerz dabey zu groß würde, denn ich habe Ihnen wirklich ſehr wenig erzählt.

Hier ſchicke ich Ihnen auch eine Ode, die ich noch vor meinem Leipziger Camine gemacht habe, da Giſeke auch fort war.

Dieſe gedruckte ſterbliche Elegie iſt mir um zwoer Zeilen wegen lieb.

Dieſe Erzählung ſchenke ich Ihnen, wenn Sie ſie haben wollen. Verbrennen Sie dieſelbe, oder machen Sie ſie nach manchem väterlichem Verweiſe zu einer Ihrer wohlgezogenen Töchter. Werden Sie ſich mit der keinen ſterblichen auch ſo viel Mühe machen wollen?

Was macht Elias Schlegel? Und wie liebt er?

> Fortunati ambo!

Sie nehmen mir doch meinen Virgil nicht übel? Wenn ich auf dieſe Weiſe in meinen Briefen lateiniſch rede, ſo kommen ſie mir wie Luthers ſpruchreiche Predigten vor, die noch keine heilige Reden waren.

Leben Sie wohl, mein liebſter Schlegel, und wenn Sie Ihre kindlichen Thränen einmal mit mitleidigen Freundſchafts-thränen abwechſeln wollen, ſo ſchreiben ſie an mich.

Ich bin

Ihr Freund

F. G. Klopſtock.

8. Klopstock an Buchhändler Hemmerde.

Ende 1748 oder 1749.

.... Ich habe Ihren Druck des Messias nicht für einen unerlaubten Nachdruck angesehen und ich würde damit völlig zufrieden gewesen sein, wenn er mehr correct gewesen wäre.

9. Klopstock an Giseke.

Langensalz, 18. März 1749.

In die ersten Empfindungen von Deinen Schmerzen mischte sich ein geheimes Vergnügen, daß Du mit mir littest; aber kaum that ich einen lebhaften Blick in meine vergangenen Schmerzen, als ich böse über mein geheimes Vergnügen wurde, und, Dir Gerechtigkeit widerfahren zu lassen, Deine Schmerzen gegen die meinigen maß, und sie ihnen gleich hielt. Ach wenn Du mir glichest, mein liebster Giseke, so hast Du viel, sehr viel, mehr als ein Lied oder ein Brief sagen kann, gelitten. Aber was für ein Trost würde das nicht für mich gewesen seyn, wenn ich dies zu einer Zeit gewußt hätte, da ich von mir glaubte, ich wäre der Einzige unter uns, der die Schmerzen der Liebe fühlte. Bald möchte ich Dich bestrafen, und Dir nicht sagen, daß ich jetzt ein kein bischen, aber nur ein klein bischen ruhiger bin. Ich muß Dir entweder ein kleines Buch oder einige Zeilen schreiben. Du siehst leicht, daß ich das keine Buch Liebe sagen will. Der kürzeste Inhalt meiner jetzigen Geschichte ist der:

Das Glück bezahlt mir nicht das Gold der ganzen Erde,
Wenn auch mein Herz nur wähnt, daß ich geliebet werde.

Der Bruder meiner lieben schönen Fanny hat sich ganz unvergleichlich gegen mich aufgeführt. Wenn ich diesen Brief geschrieben habe, besuche ich Fanny. Das göttliche Mädchen! Doch ich will nichts weiter sagen. Ich zittre, ein so großes

Glück zu hoffen. — Aber, mein zärtlicher Freund, irrſt Du nicht
vielleicht, wenn Du Alles für verloren hältſt? Es waren auch
Zeiten, da ich mich hierin irrte. Du mußt hieraus nicht ſchließen,
als wenn ich jetzo ſchon gewiß wäre. Ich weiß nur, daß ich
mich geirrt. Schreibe mir die ganze Geſchichte.

Wie gerne wollte ich Dir einen ſo zärtlichen Brief ſchreiben,
wie Du mir geſchrieben haſt; aber ich bin jetzo ein bischen zu
wild, wehmüthig zu ſeyn. Deine vortrefflichen Oden, von denen
ich gleich gemuthmaßet, daß ſie von Dir wären, leſe ich alle
Tage etliche Male. Aber ich habe ſie wieder in Gedanken an
Gärtners Louiſe gerichtet, denn an die, dachte ich, hätteſt
Du ſie geſchrieben. Ich weiß nicht, ob dieſe Muthmaßung eine
keine Prophezeiung, oder ein ungefährer Einfall, oder gar die
Stimme eines Schutzgottes dieſes zärtlichen Mädchens iſt. Ent-
ſcheide Du es, liebſter Giſeke! Aber ich beleidige vielleicht Deine
Zärtlichkeit gegen Diejenige, die Du noch mehr liebeſt. Und da
wären dieſe einige der unheiligſten Zeilen, die ich jemals geſchrieben habe. Deine Ode an mich hat ein noch größeres Verdienſt, als das Verdienſt der Freundſchaft um mich. Fanny lächelte, da ſie dieſelbe las. Und wenn Du das für eine Belohnung
halten willſt, ſo belohnte ich Dich dadurch, daß ich ihr meine Muthmaßung ſagte, Du ſeyſt der Verfaſſer der Ode. Aber die an
Daphne hätte nicht ſollen gedruckt werden. Daphne ſelbſt hat
ſie noch nicht gedruckt geleſen. Ich wünſchte nur, daß ſie denen
unbekannt bleibt, denen ſie zu deutlich ſeyn würde. Wenn Du
mein Herz noch mehr willſt kennen lernen; ſo laß Dir von
Gärtner und Ebert drei andere Oden ſchicken, die ich ihnen
geſchickt habe.

Ich will Deine Schmerzen noch mit einer Kleinigkeit unter-
brechen. Bodmer hat durch Haller den Meßias an den
Prinzen von Wallis ſchicken laſſen. Haller hat mir den

englischen Brief eines gewissen Wetsteins geschickt, worin
versichert wird, daß der Prinz das Gedicht wohl aufgenommen
habe, und der Prinz würde sich unfehlbar nach den Umständen
des Verfassers erkundigen. Er selbst (Wetstein) würde bey
dieser Gelegenheit seiner Hochachtung gegen den Verfasser genug
zu thun suchen. Ich bin gesonnen, Glovern die Nachricht von
meinen Umständen selbst zu geben. Man sagt, daß Glover
sehr gut bey dem Prinzen stehe. Kannst Du mir von diesem
letztern Umstand einige nähere Nachrichten geben? — Aber
mein liebster Giseke, ich komme wieder zu etwas Wichtigerem
zurück:

> Von ihr geliebt wirst Du die Tugend schön .
> Und seelig nennen!

Ich erwarte von Dir mit vieler Ungeduld die weitere Aufklärung Deiner Geschichte; Du kannst Dir, liebster Giseke, von
mir heute einen viel zärtlichern Brief, als ich ihn jetzt habe
schreiben können, versprechen. Ich bin Dein

Klopstock.

10. Klopstock an Cramer.

Langensalz, den 3. April 1749.

Mein liebster Cramer,

Ich hatte mir vorgenommen, einen langen Beweis zu führen,
daß Sie hätten an mich schreiben sollen. Aber weil ich ohne
dieß Recht habe, so will ich den Beweis weglassen. Von den
Zeiten, da ich noch manchmal freudig war, erinnere ich mich,
daß sich meine Freude auch so gar bis auf meine Bekannten
ausbreitete; aber Sie (Sie haben es doch weg, daß ich den
sonst zärtlichen Cramer meine?) Sie vergessen sogar Ihren Freund
zu einer Zeit, da Sie die tugendhafte Schwester Ihrer verstorbenen Geliebten besitzen, und mit freudigen Thränen vor dem

Anblick Ihres unvergleichlichen Schutzengels erscheinen. Weil
Sie sich nicht werden verantworten wollen, will ich Sie nicht
länger anklagen. Nun weis ich schon, was Sie werden haben
wollen. Ich soll Ihnen die Historie meines Herzens schreiben.
Aber, mein liebster Cramer, eh Sie ein ganzes Buch von mir
bekommen, muß ich zum wenigsten erst einen Brief von Ihnen
haben. Und wissen Sie denn auch noch wohl, daß Sie mir
gewisse Briefe versprochen, aber nicht geschickt haben. Sehen
Sie, solche Ursachen muß man erfinden, wenn man nicht gern
ein Buch schreiben will. Ich komme Ihnen wohl recht unzärt=
lich vor. Ich bins nicht. Aber ich will von dieser Materie
abbrechen. — Sie schicken mir doch den ersten Gesang Ihres
Heldengedichts? Es ist sehr süß, von einem Freunde übertroffen
zu werden; (wollte ich's doch wohl von meinem Freunde seyn!)
aber es würde mir doch einige keine Unruhen, die sehr mensch=
lich sind, verursachen, wenn mich die Unruhen der Ehre noch
etwas angingen. Ach kennen Sie denn die Schmerzen der
Liebe? Kennen Sie dieselben in ihrem ganzen Umfange? Was
sollte ich Ihnen noch mehr sagen? Ich muß ein Buch schreiben
oder ich muß schweigen. Doch mehr Sie als mich zu trösten,
sage ich Ihnen, daß mir das izt der Hauptinhalt meines Schick=
sals zu seyn scheint:

> Das Glück bezahlt mir nicht das Gold der ganzen Erde,
> Wenn auch mein Herz nur wähnt, daß ich geliebet werde.

Schreibt der traurige Schlegel nicht an Sie? Wenn Sie
an ihn schreiben, so fragen Sie ihn, ob er meinen letzten langen
Brief durch den Herrn von Pflug, der hier gewesen ist, erhalten
hat. Ich würde es selbst thun, wenn ich wüßte, wohin ich
schreiben müßte. Ich erwarte einen langen Brief, und wenn
Sie wollen, mein lieber Cramer, die Briefe, und Ihr Helden=
gedicht von Ihnen; wenn der Frühling kommt, der mir auch

deswegen lieb ist, weil er noch für meine Freunde ein Frühling
ist, so führen Sie Ihre Geliebte zu den ersten Blumen, und
sagen ihr, daß ich Hannchens Schwester alle die süßen Glück=
seligkeiten wünsche, die die Liebe und die Tugend geben.

Ich bin Ihr

Klopstock.

Bodmer und Haller haben aus eigenem Triebe die
Mühe übernommen, mich dem Prinzen von Wallis bekannt
zu machen. Kleist hat Gleimen den ersten Gesang seines
Landlebens, daß er ihn drucken lassen soll, übergeben.

11. Klopstock an Hagedorn.

Langensalz den 19. April 1749.

Hochedelgeborner Herr,

Wie ungemein und empfindlich war das Vergnügen, das
mir ihr letzter Brief verursachte. Nach langen melancholischen
Wintertagen war mir die Freude vorbehalten, an einem Tage
zween freundschaftliche Briefe von Ihnen und Bodmern zu er=
halten, und von Ihnen Beiden zu erfahren, wie zärtlich Sie für
mein Glück, das ist meine Muße, besorgt sind. Einen König,
der für mein Glück sorgte, würde ich deswegen nicht so lieben,
als ich Sie wegen Ihrer edelmüthigen Freundschaft liebe.
Bodmer hat sich meinetwegen schon auf sehr viel Seiten ge=
wendet, und Ihnen habe ichs auch zu danken, daß Haller den
Messias an den Prinzen Wallis, und seine Schwester von
Oranien geschickt hat. Einliegende Antwort hat Haller von
London bekommen. Er, Bodmer, hat mich auch in dem Briefe,
den ich mit dem Ihrigen an einem Tage bekam, von neuem zu
sich eingeladen.

Wie süß und liebevoll würden mir die Tage der Muße
und Freiheit bei Ihnen verfließen! Aber ein mächtiges liebes

2*

Mädchen, die der brittannischen Singer gleicht, hat zu viel Gewalt über mein Herz. Sie weiß es, und läßt mich die Schmerzen der Liebe noch immer empfinden.

Was für ein Buch müßte ich Ihnen schreiben, wenn ich Ihnen das leztverflossene Jahr meines Lebens beschreiben sollte.

Ich will Ihnen mein itziges Schicksal so kurz, als ich kann ausdrücken.

Das Glück bezahlt mir nicht das Gold der ganzen Erde,
Wenn auch mein Herz nur wähnt, daß ich geliebet werde.

Wie glücklich, wie unaussprechlich glücklich würde es für mich seyn, wenn ich einst bei Ihnen (denn ich komme gewiß einmal zu Ihnen) nur „Zärchen süßer Lust" verweinen könnte! Klagen Sie mich immer wegen meiner zu grossen Empfindlichkeit an, aber verzeihen Sie mir auch dieselbe, wenn ich Ihnen sage, daß es zu meiner Ruhe schlechterdings nöthig ist, daß ich Ihnen einige, vielleicht zu melancholische Oden nicht abschreibe. Ich kann den Blick in diese Gegend itzt nicht aushalten. Zwei keine Gedichte, die aber von diesen Oden an Traurigkeit übertroffen werden, sind gedruckt, das lezte wider meinen Willen, durch die Anstalten des keinen bösen Giseken.

Das erste ist eine Elegie in dem letzten Stücke der N. B. das Zweite eine alcäische Ode an Daphnen im Dritten Stücke der Sammlung vermischter Schriften von den Verfassern der N. B. Zu der Elegie habe ich diesen Zusaz gemacht. Nach den Versen:

Eil nicht so! doch mit welchen Nahmen soll ich Dich nennen?
Die Du unaussprechlich meinem Verlangen gefällst!
Wirst Du Fanny genannt? Ist, Singer, dein heiliger Nahme?
Singer, die Joseph und den, welchen sie liebte, besang.
Heißest Du Laura? welche der liedervolle Petrark sich,
Königen und Weisen, sie zu bewundern, besang?
Laura! Fanny! ach, Singet! Ja, Singer nennet mein Lied dich,
Wenn im Liede mein Herz halb gesagt dir noch gefällt.

Denn wo ist er, der göttlichste Jüngling der liebenden Dichter,
Der, wie sein Herz sie empfand, der so die Liebe besang?
Meine Singer, ach, eile nicht so, damit dir kein Dorn nicht — —

Ich habe mit einer Freude, die mit Furcht und Zittern vermischt war, von Ihnen vernommen, daß Sie den Messias in die Hände der Britten bringen wollen.

Sie sehen aus einliegendem Briefe, daß der Prinz sich vielleicht nach dem Verfasser erkundigen wird. Die Liebe, die schon die Verführerin zu so vielen Kühnheiten von Alters her gewesen ist, hat mich zu dem Einfall verleitet, Glovern, der bei dem Prinzen viel gelten soll, meine Umstände selbst zu schreiben. Ich würde ihm den Messias, und, wenn ich unsern Ebert anders noch zu dieser großen Arbeit vermögen kann, eine englische prosaische Uebersetzung von vier Oden zuschicken.

Meine Geschichte hat einige Aehnlichkeit mit der Geschichte der Ariana und des Teribazus im Leonidas. Meine Singer hat einen Bruder, der der Freund meiner Jugend, und der Liebling unter meinen Freunden ist. Er ist der Vertraute, und in dem, was ich mir selbst nicht will zu verdanken haben, der Unterstützer meiner Liebe. Ich wünschte, daß nur nicht vielleicht diese vornehmste Aehnlichkeit der Geschichte fehlte, nämlich die geheime Neigung des Mädchens. Doch ich gerathe in Ausschweifungen. Ich wollte Ihnen sagen, daß ich Glovern auch meine Liebe offenbaren wollte. Ich setze voraus, daß Glover ein Mann ist, wie er schreibt (denn es ist beinahe unmöglich, daß er anders wäre) daß er daran hält, daß auch junge Bemühungen nach Verdiensten ihrer Belohnungen würdig sind, kurz, daß er sich gegen mich aufführt, wie ich mich gegen ihn aufführen würde. — Sind Sie im Stande mir einige Nachrichten, die zu meinem Endzwecke gehören, zu geben so werden Sie mich Ihnen dadurch ungemein verbinden. Sehr angenehm würde mir es sein,

wenn es bald geschehen könnte. Ich bitte mir auch in diese
Sache Ihren freundschaftlichen Rath aus. Sollte er dahin aus
fallen, daß es Ihre Meinung auch wäre, an Glovern z
schreiben, so bin ich entschlossen Ihnen den Brief offen zuzu
schicken, und es Ihnen zu überlassen, nach Ihrem Gutbefinde
etwas darin zu ändern, dann werde ich Ihnen auch die deutsc
Originalobe mitschicken.

Bodmer scheint mir, meine Liebe, die ich ihm anvertrau
habe, ein Bischen ausgeschwatzt zu haben. Wenn es nur gege
Sie geschehen ist, so muß ich mich, statt ihm zu pardonire
bei ihm bedanken. Er hat auch meine etwas zu stolze Ob
die ich noch gar nicht zum Druck bestimmt hatte, in den fre
müthigen Nachrichten drucken lassen. Sie ist an den Brud
meiner Geliebten gemacht, zu einer Zeit, wo ich sie nur einm
gesehen hatte, und Sie schon weniger hochschätzte, als ich S
ins geheim liebte. — Gütiger Himmel! Wie nahe ist da
ganze und eigentliche Glück meines Lebens itzt um mich! W
nahe! Vielleicht mich in besto dunklere Gegenden zu versetze
wenn ich mich noch wieder davon entfernen muß. Ich bin ga
allein Ihretwegen hierher gegangen. Sie allein beschäftigt mei
ganze Seele! Und ich habe über sie, (wie unmöglich würde die
in einem andern Falle sein!) meine Freunde, meine lieben a
wesenden Freunde beynahe vergessen. Doch nur beynahe. Od
vielmehr, ich denke nur setzt nicht so oft an dieselben.

> Die (Liebe) grubst Du Adam tief in sein Herz hinein.
> Nach seinem Denken von der Vollkommenheit,
> Ganz ausgeschaffen, ihm geschaffen,
> Brachtest du, Gott, ihm der Menschen Mutter.

> Die Liebe grubst du auch in mein Herz hinein.
> Nach meinem Denken von der Vollkommenheit,
> Ganz ausgeschaffen, mir geschaffen,
> Führst du sie weg, die mein ganzes Herz liebt,

Der meine Seele ganz sich entgegengießt,
Mit allen Thränen, welche sie weinen kann,
Die Tochter Gottes, ganz zuströmet,
Führst Du sie mir, die ich liebe, Gott! weg.

Weg durch dein Schicksal, welches sich unsichtbar
Dem Auge webt, immer ins Dunklere webt,
Fern weg den ausgestreckten Armen,
Aber nicht weg aus dem bangen Herzen.

Doch ich merke, daß ich mich in die Beschreibung meiner Liebe einzulassen versucht werde. Daher will ich lieber beizeiten abbrechen. Ich bin gesonnen niemals, außer in dem Messias in das iliadenlange zu verfallen.

Ich glaube Sie werden mirs in Betrachtung der Person, an welche er gerichtet ist, verzeihen, daß ich Ihnen die Commission, einen Brief zu bestellen, auftrage. Dieses wollte ich noch sagen, eh ich Ihnen das wichtigste meines Briefes sage, welches darin besteht, daß ich Sie ungemein zärtlich liebe, und immer sein werde Ew. Hochedelgeboren

ergebenster

F. G. Klopstock.

Weil mir M. Fuchsens Logis unbekannt ist, habe ich meinen Brief durch Herrn Bohn bestellen lassen. Es ist mir zu langweilig, den Brief erst mit Bohn zu schicken. Vielleicht erhalte ich bald von Ebert Antwort, und da wird mirs angenehm seyn, Ihre Meinung desto eher zu erfahren. Ich ersuche Sie auch, mir Ihren Titel, den ich vielleicht sehr unrichtig gemacht habe, zuzuschicken.

12. Klopstock an Giseke.

Langensalz, 12. Juni 1749.

Du bist im Schoße Deiner Freunde und vielleicht auch im Schoße der Ruhe. Wenn Du es ohne zu große Traurigkeit

schreiben kannst, so will ich auch die übrige Geschichte Deiner
Schmerzen wissen. Ich weiß sie allein am Besten zu beurtheilen
und Dir nachzuempfinden. Ach, wie glücklich bin ich itzo, mein
lieber, keiner Giseke. Wir haben's zwar einander noch nicht
ausdrücklich gesagt, daß wir einander lieben; aber wir lieben
wol gewiß einander.

> Wie stolz war ich sie zu gewinnen,
> Auch dieser Ruhm verewigt sich!
> Beneidet sie, ihr Schäferinnen,
> Und Könige, beneidet mich!

Aber Du mußt bis zur Ausschweifung geheimnißvoll mit
dem seyn, was ich Dir itzo gesagt habe. Es könnte mir die
kleinste Bekanntmachung schaden. Wenn Du an mich schreibst,
so schreibe so, daß Fanny Alles lesen kann. Es versteht sich,
daß Du Deine Schmerzen deswegen nicht verschweigen darfst.
Fanny ist einmal bald eine ganze Viertelstunde böse mit mir
gewesen, daß ich ihr Deine Briefe nicht habe zeigen wollen,
und ich habe es auch noch nicht gethan. Man fürchtet bey der
Liebe Alles, Du wirst es schon wissen. Ich fürchtete, die Här=
tigkeit Deines Mädchens könnte mir schaden. Ach, mein lieber
keiner Giseke, also bin ich so glücklich. Und wenn es auf's
Verdienen ankommt, so hättest Du es viel eher verdient, als
ich. Gestern war ich bey Fanny. Ich traf sie bey'm Lesen
einer französischen Uebersetzung von den Briefen Abelards und
und der Heloise an. Ach, was für süße Sachen hat sie mir
von diesen Briefen vorgesagt! Doch, ich will mich nur gar
nicht in's Beschreiben einlassen. Wann würde ich zu Ende
kommen? Ich will's hier noch einmahl wiederholen, laß Du
Dich ja ganz und gar in's Geheimnißvolle ein. Ich muß doch
noch was schwatzen. Wir haben die Lettres de Babet mit ein=
ander gelesen; da sagte sie, sie wollte mir ihre beyden liebsten

Briefe zeigen, und in diesen beyden liebsten Briefen sagte es
Babet zum ersten Male, daß sie liebt.

> Das Glück bezahlt mir nicht das Gold der ganzen Erde,
> Wenn Sie mich's merken läßt, daß ich geliebet werde.

Wie viel· hätte ich Dir noch zu sagen, mein liebster Kleiner,
wenn ich bey Dir wäre. Was macht denn Ebert? Hat er
denn meinen Brief bekommen, worin ich ihm alle meine liebsten
Oden geschickt habe? Ich habe den Brief auf's Karolinum ab-
dressirt. Sage zu ihm, er sollte doch auch ein bischen zärtlich
seyn, und mir antworten; er dürfte ja sehr kurz antworten. Und
Gärtner? Er soll auch lieben. Er schreibt nicht einmal mehr
an mich. Lieber Giseke, zerstreue mir diese Dunkelheit. Du
weißt, wie zärtlich ich bin. Bestrafe mich ja nicht für meine
Langsamkeit, und schreibe eher an mich, als ich Dir geantwortet habe. Dein

Klopstock.

13. Klopstock an Cramer.

Langensalz den 17. Juni 1749.

Mein Cramer,

Ihr Brief war sehr zärtlich; aber ich müßte Ihrer nicht
werth sein, wenn Ihre Klagen gerecht wären. Ich hatte einmal
angefangen Bodmern von dem Inhalte meiner Oden Nachricht
zu geben. Ich hatte geglaubt, Schmidt würde Ihnen die
zeigen, die ich ihm schickte. Oden von anderm Inhalte würde
ich Ihnen gleichwohl abgeschrieben haben. Aber meinen Sie,
daß meine Oden so wenig aus dem Herzen geschrieben sind,
daß es in meinem Vermögen steht, sie ohne die heftigsten Empfindungen so oft abzuschreiben. Meine Schmerzen waren bisweilen so finster, daß ich auf alle mögliche Weise behutsam mit
mir selbst umgehen mußte, sie nicht zu vermehren. Wenn Sie

meinetwegen ein bischen unruhig gewesen sind, so heitern Sie
sich mit mir ein wenig auf. Ich werde vielleicht geliebt. Und
meine Hofnungen sind wohl keine tödtende Hofnungen. Sie
müssen mit dem, was ich Ihnen sage, sehr verschwiegen seyn.
Wenn ich bey Ihnen wäre, wollte ich Ihnen viel erzählen.
Ins Schreiben kann ich mich unmöglich einlassen. Wo sollte
ich anfangen? Rufen Sie unsre Heilige an (Sie merken doch,
daß ich Hannchen meine, wenn ich nicht vielmehr Johanne
sagen muß) rufen Sie dieselbe mit Ihrer Geliebten an (Sie
dürfen wohl Hannchen sagen, sagt doch ein gewisser Kaufmann
in Leipzig: Mein liebes Gottchen). Rufen Sie sie an, daß ich
bald völlig glücklich werde. Ach wenn ich erst sagen könnte:

> Wie stolz war ich, sie zu gewinnen,
> Auch dieser Ruhm verewigt sich,
> Beneidet sie, ihr Schäferinnen
> Und, Könige, beneidet mich.

Von was für einem tiefen Inhalte sind diese Verse für
den, der sie versteht. Ich soll Ihnen meine Oden in die Bey=
träge geben. Schmidt hat mich auch darum gebeten. Seine
Bitte wollte in dieser Sache mehr sagen als die Ihrige. Ich
habe Sie auch ihm abgeschlagen. Sie können leicht glauben,
daß ich Ursachen genug dazu habe. Von dem Messias ist meine
Absicht, itzt mit den ersten 5 Gesängen eine gute Edition anzu=
fangen. Es würde dem Verleger mich deucht, sehr schaden,
wenn man den Hellischen Nachdruck und das Stück der Bey=
träge um einen viel geringeren Preis kaufen könnte. Hemerde
bietet mir 3 ℔ für den Bogen und ein Buchführer aus Gotha,
der reich ist, verspricht mir auch sehr viel. Er wird sich bald
näher erklären. Meine Absicht wäre wohl, was halten Sie
davon? den Messias so zu verkaufen, wie Pope seinen Homer.
Es versteht sich ohne dieß, daß in Deutschland nur etwas we=

niges davon angeht. Ich habe auch noch einen Einfall gehabt,
den ich auch Ihrer Beurtheilung überlasse. Ich wollte den
Messias selbst drucken lassen. Ich ließ pränumeriren. Vielleicht
könnte ich von den Pränumeration . . . . bezahlen. Und gäbe
einem Buchführer ein gewisses für die Mühe (ihn) zu verkaufen.
Sie sehen leicht, daß ich mit Vortheil müßte (drucken) können,
und daß mein Verkäufer ein ehrlicher Mann sein müßte. Meine
Absicht wäre in groß 4. wie Hageborns Freundschaft mit
solchen Lettern und auf solches Papier drucken zu lassen. Wie
hoch halten Sie den Preis eines solchen ersten Bandes? Kupfer
und Vignetten verlangte ich nicht. Ueberlegen Sie diese Sache.
Wenn es auch nicht ganz so viel Pränumeration trüge, als ich
verlangte, so glaubte ich auch hier Rath zu schaffen. Sie werden
doch nicht böse, daß ich so lange von Verlegersachen mit Ihnen
gesprochen haben. Sie sind doch mein liebster Cramer. Bestrafen Sie mich nicht, und antworten nicht so späte, als ich geschrieben habe. Ich bin

Ihr
Klopstock.

Liebenswürdige Charlotte,

Sie verzeihen mir, daß ich wider allen Wohlstand meinen
Brief an Sie an einen andern anhänge. Ein gewisser Mensch,
den Sie vielleicht lieber haben, als er es verdient, hat mir versprochen, die Abschrift von Briefen einer verstorbenen Heiligen,
die sie an ihn, da er doch ein Sterblicher ist, geschrieben haben
soll, zu schicken. Was meinen Sie, ob dieser zu glückliche
Sterbliche wohl sein Wort halten muß, damit man ihn nicht
für einen Lügenpropheten halte, der Gespräche mit den Unsterblichen fälschlich vorgiebt. Wenn Sie dieses für wahr halten,
so glaube ich, daß Sie eben so gut die Gewalt einer Geliebten

kennen, als gewiß es ist, daß gegen Ihre Gütigkeit nicht un-
dankbar sein wird, liebenswürdige Charlotte, Ihr

ergebenster Diener
F. G. Klopstock.

14. Klopstock an Cramer.

Langensalz den 30. Juni 1749.

Mein Cramer,

Sie werden vermuthlich meinen letzten Brief, den ich an
Gellert eingeschlagen hatte, erhalten haben. Jezo will ich
Ihnen nur kurz etwas schreiben, das den Verlag meines Gedichts
anbetrift. Meine izige Gemütsverfassung läßt nicht zu, Ihnen
auch von andern und wichtigern Dingen zu schreiben. Aber
Sie, lieber Cramer, legen Sie mir das ja nicht als einen Mangel
der Zärtlichkeit aus. Sie würden niemals mehr geirrt haben,
wenn Sie dieß thäten. Bodmer hat vor etlichen Tagen an mich
geschrieben, und mir von neuem gerathen, auf Subscription
drucken zu lassen. Er meint, die Sache könnte so gemacht werden,
daß mir die Verleger 2000 Stück zu meinem Profit geben
müßten. Er hat mir auf eine ser edle Art folgende Bücher
geschenkt, sie bey meinem Verleger anzubringen. Ich wünschte
von Ihnen den Preis zu erfahren, um den sie Dyk oder ein
andrer machen würde, ich setze hierbey vilmehr den Vorschlag
auf eigene Kosten drucken zu lassen voraus.

Die Bücher sind:

50 Stück Breitinger disst. 2 Theile.
— — — Gleichnisse.
50 Bodmers poetische Gemählde.
50 vom Wunderbaren.
20 Critischer Sammlungen (die kenne ich nicht.)
50 deutsche Flavius Josephus in Fol.
100 leger Tejü Gotthard Heireggers (dieß Buch habe ich nicht lesen

können, ich habe es nur nachgemahlt, vielleicht können Sie es
herausbringen).

10 Biblia LXX Breitinger.
100 Examen de la religion essentielle.
100 Memoires du Comte Marsigli.
50 Philosophes Nouvellistes par Steele.
50 Lettres persanes.
100 Miltons Verl. Paradies.
100 Xenophons denkwürdige Sachen von Socrates, von Tamese übersetzt.

Die Bücher würden in Zürich ausgeliefert.

Ferner: Ist ein kaiserlich privilegium nötig? oder ist ein
Churfürstliches zureichend? Was kostet ein kaiserliches, auf 10
Jahre? Vielleicht habe ich Gelegenheit, ein kaiserliches mit geringeren Kosten als gewöhnlich oder gar ohne Entgeld zu bekommen. Ich bitte Sie auf diesen und den vorhergehenden Brief
bald Nachricht zu geben. Ich kann mir Umstände denken, die
machen würden, daß ich Sie und Ihre geliebte Charlotte bald
besuchte, doch halten Sie dieses geheim. Ihr

Klopstock.

15. Klopstock an Schlegel.

Langensalz 24. September 1749.

Mein liebster Schlegel,

Wenn ich an den Verlust Ihres unvergleichlichen Bruders
und an Sie denke, so bin ich unter allen unsern Freunden am
wenigsten geschickt, Sie zu trösten; aber vielleicht am geschicktesten,
mit Ihnen zu weinen. Ich habe auch recht viel verloren, mein
liebster Schlegel. Ich habe einen Freund verloren, der mich
noch nicht kannte, und ich Ihren noch nicht, ich rede, wie Sie
leicht sehen, davon, was bey Freunden kennen heißt. Ich will
auch von nun an an alle brave Leute schreiben, die ich liebe,
damit ich zum wenigsten Briefe von ihnen in dieser Welt zurück-

behalte, wenn sie in jene gehen. Das Muster Ihres Bruders
hat meine Jugend in der Pforte mit ausgebildet, weil ich immer
so viel reizende Sachen von ihm sprechen hörte, daß ich einen
rechten Geschmack daran fand, ihn ganz besonders hochzuschätzen
und zu lieben. Und ich habe es also versäumt meinem geliebten
Lehrer selbst meine Dankbarkeit zu sagen. Vertreten Sie die
Stelle seines heiligen Schattens und nehmen meinen zärtlichen
Dank an seiner Statt an. Ich will itzt davon nichts sagen,
was die Welt, die Zuschauer und Leser an ihm verloren haben.
Ihr brüderlich Herz denkt itzt nur an den Bruder, und mein
freundschaftliches an den Freund. Das will ich aber doch nicht
ganz unberührt lassen, daß Sie seine Werke prächtig herausgeben
müssen. — Darf ich mir wohl binnen des ersten halben Jahres
auf einen Brief von Ihnen Hoffnung machen, worin Sie mir
sagen, wie er gestorben ist, und wie seine junge Geliebte um
ihn geweint hat. Himmlische, allzeit weise Vorsehung, was ist
dies für eine traurige nachtvolle Aussicht.

Ach, wenn doch kein Grabmal nicht wäre, das Liebende deckte,
    Die einander so treu, die so voll Zärtlichkeit sind.

Ich habe von Cramers Auferstehung nur zwei göttliche
Strophen gesehen. Nun schweigt mein Geist — Asche er nicht.

Ich habe mir zu diesen Strophen, eine eigene festliche Me=
lodie gemacht, ungefähr auf die Art, wie ich manchmal die
Psalmen für mich singe. Grüßen Sie meinen lieben Cramer,
und sobald er mir das Räthsel auflöste, mit dem er mich in
seinem letzten hätte erschrecken wollen, sollte er einen Brief von
mir bekommen, ungefähr wie diesen. So bald er mir aber die
Abschrift gewisser Briefe, auch nur einiger schickte, so sollte er
von mir einen heiligen, hohen, zärtlichen, nachdrücklichen, an=
mutsvollen Brief und besonders gewisse rührende Stellen in dem=
selben zu lesen bekommen. Ihr   Klopstock.

Hemmerde will mir 5 Thaler für den Bogen geben, und die übrigen Sachen, nehmlich Druck und Papier ſind auch ſo beſchaffen, daß ich damit zufrieden ſeyn kann. Ich glaube kaum, daß Dyck mehr thun würde. Wie wohl, wenn er dabey in groß 4. auf das weiſſeſte Druckpapier drucken wollte, ſo könnte Cramer mit ihm tractiren. Ich müßte aber bald Nachricht davon haben. Es müßte auch Dycken nichts gewiſſes verſprochen werden, denn wenn Hemmerde dies auch thun wollte, ſo habe ich ihm verſprochen, ihm den Vorzug zu laſſen.

Ich bitte Sie und Cramer Ihre Briefe ſo einzurichten, als wenn Ihnen eine gewiſſe Geſchichte meines Herzens gar nicht bekannt wäre. Sie ſchließen zu freundſchaftlich, wenn Sie hieraus etwg mit herleiten wollten, daß ich glücklich wäre.

16. Klopſtock an Joh. Georg Schultheß.
Langenſalz, den 17. April 1750.
Mein Herr!

Einige Unpäßlichkeit, und die Ungewißheit, in welcher ich war, Ihnen den Ort unſrer Zuſammenkunft zu beſtimmen, ſind Urſach, warum ich Ihre zween freundſchaftlichen Briefe itzt erſt beantworte. Der Ort unſrer Zuſammenkunft wird Quedlinburg, meine Vaterſtadt, ſein, welches Ihnen vermuthlich näher im Wege liegt. Mit dem Anfang des Julius bin ich zufrieden. Ich freue mich ſehr auf die Vermehrung unſrer Geſellſchaft; noch beſtimmter würde meine Freude ſein, wenn ich Herrn Sulzer nicht ganz ohne Grund vermuthe.

Der Noah iſt ſehr nach meinem Geſchmacke: davon werden wir viel zu reden haben. Die Ode, von der Sie reden, habe ich noch nicht geſehn. Ich wünſchte, daß ſie mir Nachricht gäben, wo ſie gedruckt iſt.

Was macht von Kleiſt? Was der Freund Voltairens?

Was halten sie von diesem Einfall? Ich habe ihn an unsern unvergleichlichen Bodmer geschrieben. Der Uebersetzer des Messias sollte die Zuschrift machen:

Aux deux grands Amis Frédéric, Roi de Prusse, et Arouet de Voltaire, auteur de la Henriade.

Doch ich habe noch was viel Wichtigeres mit Ihnen zu reden. 1748 im Herbste besuchte uns Dr. Hirzel in Leipzig. Wir brachten mit ihm einen schönen Herbst-Nachmittag in Klein Posens Garten zu. In einem einsamen Sommerhause las uns Ebert, der beste Recitateur, den ich kenne, Kleistens Frühling vor. Seit der Zeit habe ich seine Nachtigall, seine himmlischere Doris und Ihn liebgewonnen.

Seit der Zeit habe ich mich wie ein schweigendes Mädchen aufgeführt. Ist kann ich's nicht mehr aushalten. Sagen Sie's Kleisten, daß ich ihn lieb habe, und Er soll ja nicht mit zu Felde gehen, wenn sein König zu Felde geht. — Ich werde es Ihnen schreiben, sobald ich in Queblinburg werde angekommen sein. Alsbann seien Sie so gütig und antworten mir noch einmal vor Ihrer Abreise von Berlin. Empfehlen Sie mich dem Herrn Sulzer und Ramlern.

Ich bin Ihr   Klopstock.

17. Klopstock an Fräulein Schmidt.

Halberstadt den 11. Juni 1750.

Mademoiselle,

Ich bin ist das zweitemal bey Gleimen. Er ist mit Ihrem Bruder bey mir gewesen. Ich habe viel Vergnügen mit beyden genossen. Wie viel größer würde dieß Vergnügen gewesen seyn, wenn ich dabei an Sie, Mademoiselle, als meine Freundin, mit voller Ueberzeugung hätte denken können. Ich weis, daß die Freundschaft eine Neigung ist, die am meisten

frey ſeyn will. Laſſen Sie Ihnen und mir die Gerechtigkeit
wiederfahren, ſtellen Sie ſich uns als Perſonen vor, die Ihnen
aus der Geſchichte bekannt würden, und ſeyn Sie dann Rich-
terin, ob ich Ihrer Freundſchaft würdig ſey. Hierauf ſeyn Sie
wieder Sie ſelbſt, und ſuchen in den Empfindungen Ihres Herzens nach, und ſagen mir ganz aufrichtig und gerade heraus,
ob ſie meine Freundin ſein können oder nicht. Wozu Sie ſich
von beiden entſchlieſſen mögen, ſo glaube ich dieſe Aufrichtigkeit
um Sie verdient zu haben. Wofern Sie, mir das letzte zu
geſtehn, ſich entſchlieſſen müſſen, ſo will ichs als eine Großmut
von Ihnen anſehn, wenn Sie mir die Urſachen dieſes meines
äuſerſten Unglücks entdecken.

Ich glaube, ich würde Ihnen Unrecht thun, wenn ich an
der Erfüllung Ihres wiederholten Verſprechens zweifeln wollte,
mir das Gedicht, wovon wir ſo oft geredet haben, und Ihr
Bildniß zu ſchicken.

Sie habens in Ihrer Hand, mich nicht ganz und gar unglücklich ſeyn zu laſſen. Und das würde geſchehen, wenn Sie
nicht einmal aufrichtig gegen mich ſeyn wollten. Ich werde
mein ganzes Leben unendlich viel mehr, als dieß gegen
Sie ſeyn. Ihr ergebenſter   Klopſtock.

Schreiben Sie mir, ob Sie einen Brief von mir aus Nord-
hauſen durch den Schafner erhalten haben. Meine Adreſſe iſt
bis auf den 1ten Auguſt, a Queblinburg unterm Schloſſe.

18. Geſammtbrief von Klopſtock, Gleim und J. C. Schmidt an Schlegel.

Halberſtadt den 12. Juni 1750.

Mein liebſter Schlegel,

Sie dürfen nicht denken, daß Sie und Cramer itzt allein
glücklich ſind. Ich bin itzt bei Gleimen und Schmidten,

und wir nehmen es mit Ihnen im Vergnügen auf. Das aber
ist ein großer Theil unsers Glücks, daß wir zusammen an Sie
schreiben. Ich habe Sie recht sehr lieb. Ich würde es Ihnen
weitläuftiger sagen, wenn ich nicht den andern beiden Herren
auch was überlassen müßte. Ihr   Klopstock.

Mein liebster Herr Schlegel,

Was wäre das für ein Mensch, der Sie kennte, und nicht
liebte? Ich seegne den Tag, der Sie mir in Leipzig gegeben
hat. Was für ein glückseeliger Tag! Er hat gemacht, daß ich
die Freunde, die ich bisher nur geehrt hatte, nun auch lieben darf.
Er ist Schuld, daß ich Klopstock und Schmidt bei mir sehe.
Ach, wenn sie doch immer bei mir seyn könnten! Wenn Cramer und Schlegel doch auch bey uns wären, Cramer als
Bischof des Landes, und Schlegel nur als Dohmherr. Ich
wäre dann ihr Secretair und Schmidt sollte unser Choral seyn.
Denn er kann doch gar zu gut singen. Er wollte wohl lieber
Probst im Kloster seyn. Aber dazu schickt er sich nicht gut;
denn kann er wohl so gut küssen, als singen? Ihr
                                    Gleim.

Mein lieber Herr Schlegel.

Ich bin auf Gleimen beinahe unwillig, daß er mich durch
seine Beschuldigung, daß ich nicht gut küssen könnte, verhindert,
Ihnen weitläuftig zu schreiben, wie lieb ich Sie habe. Er hat
mich recht in Hitze gebracht. Mir so an die Seele zu greifen!
Mir, an dessen Lippen und Talente zum Küssen die Götter mehr
Kunst verschwendet, als an der ganzen Schöpfung der Pandora:
mir, gegen dessen Ruhm im Küssen gerechnet Gleim, Klopstock, und alle Welt nichts als ein ignobile vulgus ist; mir,
an dessen Grabe Enkel und Enklinnen einst klagen werden:

„ach! daß der Jüngling starb." Weil ich mit allen ihren
Müttern Mittleid gehabt, und sie alle küßte. Habe ich nun
Gleimen genug wiederlegt? mein lieber Herr Schlegel,
lassen Sie mich ja nicht einmahl Ihr Mädchen küssen, denn
Sie wird nachher haben wollen, daß Sie mir es nachthun
sollen. Schmidt.

Mein liebster Schlegel,

Das wußte ich wohl, daß Schmidt mich wiederlegen
würde. Aber wer weiß nicht, daß die die kleinsten Helden
sind, die sich ihres Muths und ihrer Siege am meisten rühmen?
Gleim.

Mein liebster Schlegel,

Man kann mit hoher Mine herabsehen, wenn sich die
Herren den Vorzug in der Kunst zu küssen streitig machen. —
Sie wissen nichts rechts von der Seele, die auf die Lippen
heraufsteigt. Sie kennen nur verschiedene Wendungen der Lippen,
und ein bißchen da herum schwärmende mechanische Freude.
Dann bringen Sie das Ding in ein Minnelied, und brüsten
sich hoch her. Sie wissen nicht, was es sey,

Ein Kuß, der jedes Ach der Seele hörbar macht.

Doch will ich ihnen, wenn sie mich recht sehr darum bitten,
diese hohen Geheimnisse aufklären. Klopstock.

Klopstock, der sich groß geträumet N. B. durch Messiaden, und manche
Küsset langsam, wie er reimet andere in der Liebe unprac-
Unter lauter Ach und Weh. ticable Empfindungen und
Gleim, der möchte wohl noch gehen Gedichte.
Denn er küßt, ich habs gesehen,
Wie er reimt, ex tempore.

N. B. Klopstock wollte auch Verse machen, konnte aber
keinen Reim finden. Seine Liebchen werden nun wohl unge-

3 *

küßt ins Grab kommen, und wenn er einst in jungfräulicher Unschuld von den Todten erwachen soll, so brauchen seine Lippen keine Veränderung, denn es ist nichts so jungfräulich als diese jetzo sind. Ich glaube, er erspart das Küssen bis dahin, aber

Post haec occasio calva.

Schmidt.

Ob mich gleich Klopstock mit Schmidt in eine Brühe geworfen hat, welches mir billig recht sehr verdrießen sollte, so ärgert es mich doch, daß Schmidt mit den erhabensten Sachen, die über seine Empfindung, wie über seinen Begriff sind, so umgeht, und ist mir gar nicht schmeichelhaft, daß er mir den Vorzug im Küssen überläßt. Aber alles zu travestiren, das ist sein ein und sein alles. Durch ihn werden Engel Teufel, und Teufel Engel. Würde er wohl noch der witzige Schmidt seyn, wenn er nicht mehr travestirte?

Gleim.

19. Klopstock an Fräulein Schmidt.

Halberstadt den 18. Juni 1750.

Mademoiselle,

Ich schreibe noch einmal an Sie, weil Ihr Bruder länger hier bleibt, als er vermutet hatte. Wie sehr hängt mein ganzes Glück von dem Gedanken ab, nur ein kleines Bißchen von Ihrer Freundschaft zu besitzen. Nehmen Sie doch diesen kleinen Antheil an meinem Schicksale. Ich bitte dieses wenige sogar mit vieler Furchtsamkeit. Denken Sie nicht, daß ich die ganze Reihe von tödtenden Kaltsinnigkeiten, die ich von Ihnen ganze zwey Jahre für so viel Freundschaft erfahren habe, immer von neuem empfinde, so oft ich an Sie denke? Fallen Sie nicht darauf, daß mir Ihr Herz ein Labyrinth sein müsse, aus dem ich mich

er würde diesen Sommer nach Leipzig reisen, seine Schwester zu besuchen. Geben Sie mir hiervon Nachricht. Kann mir, wenn ich noch nach Zürich reisen sollte, der Herr Abt die Stelle nicht bis Michael aufbehalten? Leben Sie wohl. Ich werde bald mehr mit Ihnen sprechen, als ich itzt schreiben kann. Wann geben Sie mir aber noch Nachricht, ob Gärtner da seyn wird?

Ihr Klopstock.

21. Klopstock an Ebert.

Queblinburg den 20. Juni 1750.

Liebster Ebert,

Was sind Sie für ein wackerer Briefschreiber geworden. Wer hätte das von Ihnen denken sollen. Ich werde Ihre Briefe binden lassen, und sie als ein Buch bey mir herumtragen. Ich will itzo keinen langen Brief schreiben. Ich will Ihnen nur sagen, daß Cramer gewiß seine Probepredigt hier bald thun wird. Ich hatte für ein Paar Tage etwas davon gehört, und ging gestern deßwegen allein zu Herrn Meene, die Gewißheit zu erfahren, der mir auch die Sache anvertraut hat. Vielleicht hat Cramer die Nachricht nun auch schon.

Ehegestern war Gleim auf einem Coffee bey mir. (Er reitet sehr geschwinde. Er ist einmal von Berlin nach Prag Courier geritten.) Wie ich ihm erzählte, daß Cramer hierher kommen würde, sprang er für Vergnügen auf: wie ist es möglich — — ist es möglich — — daß in Wernigerode (er meinte Queblinburg) solche klugen Leute sind, die Cramer wählen können. Ihnen meine Freude hierüber zu sagen, habe ich unsern Unterredungen vorbehalten. Auf künftigen Donnerstag werde ich, vielleicht mit meiner Mutter, bey Ihnen seyn, wenn der Weg gut ist! Wie können Sie glauben, daß ich nicht Ihretwegen

gangen, welche krank ist. Ich will ihm Ihr Circularschreiben schicken.

Sie haben sich die Reise nach Koppenhagen ganz falsch vorgestellt. Ich will es Ihnen sagen wie es ist. Nur soll es noch Niemand wissen als Gärtner. Der Herr von Bernsdorf hat sich von selbst erboten, mir eine Pension bei seinem Könige auszuwirken. Wo ich hinginge, sollte ich mich nicht auf lange Zeit engagiren. Meine Gegenwart würde bald in Koppenhagen nöthig sein. Eine Pension und volle Muße. Aber auch dieß würde mich nicht an Koppenhagen binden können. Meine Muße würde mir nur halb angenehm sein; wenn ich sie nicht bald bey diesem bald bey jenem Freunde sollte zubringen können. Und dieß hoffe ich zu erlangen. Ja, ich vermute nicht einmal, daß man es eben wird haben wollen, daß ich in Koppenhagen bleiben solle. — Aber was meinen Sie von Bodmer? Er hat mir breyhundert Thaler geschickt, und ich soll sie als ein Geschenk annehmen. Ich hatte ihm schon versprochen zu ihm zu kommen, eh mir der Herr Abt die Stelle anbot. Was soll ich machen? Wie gern wollte ich bey Ihnen und Gärtnern und Jerusalem seyn! aber ist Bodmer nicht ein unvergleichlicher Mann und verdient ers nicht, daß man ihn besuche? Sulzer schreibt mir, er wird sich nicht trösten lassen, wenn er mich nicht mitbrächte. Und ich muß Sulzern, und zwar bald, mein völlige Entschließung schreiben. Ich weis wirklich nicht, wa ich machen soll. Bald habe ich diesen bald jenen Entschluß ge faßt. Bodmer sagt, meine Freunde in Braunschweig hätte i ja schon gesehen, lange mit ihnen gelebt, und ich würde si wieder sehen. Ihn hätte ich noch nicht gesehen. Vielleich würde er mich in seinem Leben nicht sehen, wenn ich itzt nich käme. — — Ich besuche Sie künftige Woche. Ich muß abe vorher wissen, ob Gärtner da seyn wird. Ich habe gehör er würde diesen Sommer nach Leipzig reisen, seine Schwester zu besuchen. Geben Sie mir hiervon Nachricht. Kann mir, wenn ich noch nach Zürich reisen sollte, der Herr Abt die Stelle nicht bis Michael aufbehalten? Leben Sie wohl. Ich werde bald mehr mit Ihnen sprechen, als ich itzt schreiben kann. Wann geben Sie mir aber noch Nachricht, ob Gärtner da seyn wird?

Ihr Klopstock.

21. Klopstock an Ebert.

Quedlinburg den 20. Juni 1750.

Liebster Ebert,

Was sind Sie für ein wackerer Briefschreiber geworden. Wer hätte das von Ihnen denken sollen. Ich werde Ihre Briefe binden lassen, und sie als ein Buch bey mir herumtragen. Ich will itzo keinen langen Brief schreiben. Ich will Ihnen nur sagen, daß Cramer gewiß seine Probepredigt hier bald thun wird. Ich hatte für ein Paar Tage etwas davon gehört, und ging gestern deßwegen allein zu Herrn Meene, die Gewißheit zu erfahren, der mir auch die Sache anvertraut hat. Vielleicht hat Cramer die Nachricht nun auch schon.

Ehegestern war Gleim auf einem Coffee bey mir. (Er reitet sehr geschwinde. Er ist einmal von Berlin nach Prag Courier geritten.) Wie ich ihm erzählte, daß Cramer hierher kommen würde, sprang er für Vergnügen auf: wie ist es möglich — — ist es möglich — — daß in Wernigerode (er meinte Quedlinburg) solche klugen Leute sind, die Cramer wählen können. Ihnen meine Freude hierüber zu sagen, habe ich unsern Unterredungen vorbehalten. Auf künftigen Donnerstag werde ich, vielleicht mit meiner Mutter, bey Ihnen seyn, wenn der Weg gut ist! Wie können Sie glauben, daß ich nicht Ihretwegen

allein zu Ihnen kommen würde! Wie können Sie das glauben,
mein liebster Ebert? Und Sie kennen so wenig

Ihren

Klopstock.

Ich will so verwogen seyn, wie Schlegel. Sagen Sie,
Gärtner sollte seine Louise von mir küssen. Dem Herrn
Abte sagen Sie so viel freundschaftliches von mir, als Sie nur
können, wenn ich komme, werde ich doch noch mehr zu sagen
haben? Warum schreiben Sie mir Ihren Titel nicht?

22. Klopstock an Fräulein Schmidt.

Quedlinburg den 3. Juli 1750 gegen Abend.

Liebste Cousine,

Ich fahre nun erst morgen früh weg. Ich habe also noch
Zeit gewonnen, noch einmal an Sie zu schreiben. Sehen Sie
wohl, wie sehr es wahr ist, daß mein Leben ein einziger langer
Gedanke von Ihnen ist. Ich habe Ihren Brief, seit dem ich
diesen Morgen meinen geschrieben habe, nun von Neuem wohl
noch sechs acht mal gelesen. Ein ungehoffter, so freundschaft=
licher Brief, ein Brief von meiner liebsten Cousine Schmie=
binn, ein Brief von derjenigen, die ich sonst Fanny nannte,
sonst, da mein Herz noch um Sie zittern durfte, da mein Auge
noch weinen und gen Himmel sehn durfte. Wie ist es gekom=
men, daß ich das Alles nicht mehr kann? Mein Herz ist mir
nur schwer, gewaltig schwer, wie eine Last; aber das Zittern,
das gewaltige Schlagen kennt es nicht mehr. Ich habe der
Sache nachgeforscht, sie scheint mir so zu seyn. Auch bey der
allerfurchtsamsten, bei der allerehrerbietigsten Liebe ist noch einige
Hofnung, einmal geliebt zu werden. Daher wird das Herz,
wie mit Strömen von Blut, durchgossen, es kann leben und das
Auge weinen. Die Seele fühlt auf die reinste Art ihre Wür=

igkeit, und in dieſem Enthuſiasmus erhebt ſie ſich, und wird
ühn, einige Hofnung zu haben. Dieß ſind eigentlich die
Schmerzen der Liebe. Mein itziger Zuſtand iſt die Verſtum=
nung der Liebe. Ich will Ihnen denſelben nicht beſchreiben.
r würde Ihnen ebenſo dunkel ſeyn, ſo gewiß er das weſentliche
nglück meines Lebens iſt, gegen welches meine Seele vergebens
ringet.

Ich würde von dieſem allen nichts geſchrieben haben, wenn
s nicht vor einer Stunde ein Augenblick, wahrhaftig nur ein
Augenblick, geweſen wäre, da ich das erſte mal nach ſo langer
Zeit wieder weinen konnte. In dieſem Augenblick hatte ich auch
ieſen ſüſſen Gedanken, daß vielleicht einmal ein Zeitpunkt in
hrem Leben kommen würde, Sie da mir einige von den Em=
findungen entdecken würden, die Sie bey meinen langen
Schmerzen gehabt haben. Jetzo habe ich dieſe kleine Hofnung
hon wieder aufgegeben. Sehen Sie einmal, dieß getraue ich
ir nicht einmal von Ihnen zu hoffen . . . . .

Ich denke, ich habe mich verſchloſſen, und gleichwohl kömmt
eine Schweſter herein, und fragt mich recht ängſtlich, warum
h ſo außerordentlich blaß ausſähe. O meine liebe Schweſter,
nd meine lieben Freunde, die ihr mich liebt, o wenn ich nur
hon von der Erde entfernt wäre, ſo wäre ich doch weg und
eine Traurigkeit, die ich unmöglich jedem ganz verbergen kann,
ürde euch nicht mehr betrüben. Ihr

Klopſtock.

23. Klopſtock an Fräulein Schmidt.

Halberſtadt den 4. Juli 1750.

Liebenswürdige Couſine,

Sie haben mir erlaubt lange Briefe an Sie zu ſchreiben.
Sehen Sie dieſen dritten, als die letzte Seite von einem langen

Briefe an. Ich denke immer an Sie. Ach, wenn ich doch zu
Ihnen hinfliegen könnte, Sie nur einige Minuten wiederzusehen.
Wie sehr fühle ichs, daß ich nicht mehr bey Ihnen bin. Und
vielleicht werde ich Sie in meinem Leben nicht wiedersehen. Es
ist ein unaussprechlich trauriger Gedanke; aber vielleicht ist er
nur allzuwahr. Es ist ein rechter Tod in diesem Gedanken.
Ach, wenn Sie nur einmal fühlen sollten, was ich dabey empfinde, nur einmal! Sie würden vielleicht eine Minute in Ihrem
Leben anders von mir denken. Doch weg aus diesem Laby-
rinthe! Was habe ich gethan, daß nur Schmerz mein ewiges
Loos sein soll?

Sie versprachen mir Ihr Portrait. Wissen Sie es noch
wohl, meine liebste Cousine, Sie haben mirs recht gewiß versprochen. Wo ich hinkomme, bey allen braven Leuten soll ich
von Ihnen sprechen. Wenn ich anfangen will, so komme ich
ins Unendliche hinein, und ich kann nicht anfangen. Wenn
ich nun Ihr Bildniß hätte, so würde ich es zeigen, und nichts
dabey sagen, und ich hätte doch genug gesagt. — Wie erschrecke
ich vor meinem Einfalle. Vielleicht wollten Sie dieß nicht.
Um des Himmels willen lassen Sie sich dieß nicht abhalten.
Wenn Sie es nicht erlauben, so will ichs keinem Menschen
zeigen, so will ich es zwischen Ihre Briefe, (vielleicht schreiben
Sie mir noch einige) wie in ein Heiligthum legen, es nur
herausholen, wenn ich allein bin, und es an mein Herz drücken,
und weinen. Schicken Sie mir es ja, meine liebste Cousine.
Doch wie kann ich dies nur einen Augenblick hoffen, da Sie
mir das versprochene Gedicht nicht allein nicht geschickt haben;
sondern auch nicht mit einer Silbe daran gedenken, warum Sie
Ihr Versprechen nicht halten. Wie müssen Sie gegen mich gesinnt seyn, da Sie wissen, daß alles, was von Ihnen herkömmt,
mich unendlich vergnügt, und Sie sich doch nicht entschliessen,

mir diese kleine, Ihnen so leichte Gütigkeit zu erzeigen. Ich werde wieder ganz traurig. Ich will hier abbrechen.

Ihr
Klopstock.

24. Klopstock an Fräulein Schmidt.

Quedlinburg, den 10. Juli 1750.

Ich bin gestern, liebste Cousine, von Magdeburg zurückgekommen. Ich habe mich dort der Freude überlassen, die in vollem Maße auf mich wartete, und ich würde ganz glücklich gewesen seyn, wenn ein kleiner Brief von Ihnen, warum ich Sie bat, meine Freude vollkommen gemacht hätte. Wie leicht wäre es Ihnen gewesen, ein kleines anakreontisches Täubchen fliegen zu lassen! Wie sehr leicht! Aber — — —

Ich möchte gar zu gern ein Bißchen böse auf Sie werden und Ihnen sagen, daß Sie gleichwohl nicht das Beste unter allen Mädchen wären, wenn ich nur könnte. Bald möchte ich Ihnen nichts von unsrer Reise schreiben; denn ich kann nun etwas nicht erzählen, was ich so gern in der Beschreibung gehabt hätte. Hätten Sie geschrieben, so wäre dieß mit in meine Beschreibung gekommen. „Hier bekam ich Ihren Brief, und hier vergaß ich eine ganze liebenswürdige Gesellschaft. Ich verschloß mich in das angenehmste Zimmer der verzauberten Insel, und auch unter den schattigen Gängen wollte ich allein seyn. Die Mädchen, recht liebe Mädchen, suchten mich auf; aber ich ließ mich nicht finden.“ — „„Warum wollen Sie sich nicht finden lassen?““ „Warum wollen Sie so liebenswürdig wie Fanny seyn?“

Und noch viel mehr würde ich Ihnen vielleicht von Ihrem Briefe erzählen, wenn bei der ganzen Sache nicht der Hauptfehler wäre, daß Sie keinen geschrieben haben.

Hier iſt etwas von unſrer Reiſe. Gleim und ich fuhren mit vier Pferden, die in den olympiſchen Spielen zu laufen verdient hätten, in ſechs Stunden ſechs Meilen. Wir waren kaum angekommen, ſo kam Hempel, ein Maler und bel esprit, zu uns. — Merken Sie ſich im Vorbeigehen den Maler! Er iſt für jetzt Maler der Inſel und wird noch eine wichtige Rolle zu ſpielen haben.

Wir gingen hierauf zu Bachmann, dem Beſitzer des Gartens auf der glücklichen Inſel, einem Kenner der Religion, der Naturlehre und der ſchönen Wiſſenſchaften, von dem man im eigentlichen Verſtande ſagen kann, daß die Redlichkeit auf ſeine Stirn geſchrieben ſey. Bei dieſem trafen wir den größten Theil unſrer künftigen Geſellſchafterinnen an: Herrn Sulzer, den Sie durch Ihren Bruder kennen, Demoiſelle Geiſenhoff, Sulzers Braut, ein Mädchen mit ſchönen Augen und Verſtande, die in ihrer Putzſtube verſchiedene Käſtchen von raren zur Naturgeſchichte gehörigen Sachen hat. Mit eben dem Geſchmacke, mit dem ſie dieſe Sachen bewundert, kleidet ſie ſich artig, ſpielt den Flügel und ſingt italieniſche Arien. Ihre Schweſter, Mademoiſelle Wernigrab, iſt eben Das, aber noch nicht ganz. Monſieur de la Veaux von Halle gleicht Bachmann. Bachmanns jüngſter Sohn, von dreizehn Jahren und von Sulzer gebildet, wurde ein Mittelding von Freund und Freundchen. Er war ſchon zu ernſthaft, als daß ich ihn Freundchen hätte nennen können. — Mit dieſer Geſellſchaft fuhren wir auf die Inſel, in Bachmanns Garten.

Nun will ich die Frauenzimmer, die wir mitnahmen, und die wir draußen antrafen, bezauberte und unbezauberte Gärten auf der Inſel, Gartenhäuſer, Gemälde, Spaziergänge und Alles vergeſſen und Ihnen von einem Manne etwas ſagen, der würbig ist, von Ihnen gekannt zu werden: dieser ist Herr Sack, erster königlicher Hofprediger zu Berlin. Ich habe Ihnen schon den Abt Jerusalem beschrieben. Sie haben viel Gleiches mit einander. Wie soll ich Sack aber beschreiben? — So einen Mann muß man sehen und reden hören. Ebert hat Recht, Freunde müssen sich sehen. Er redete gleich ganz und gar als Freund mit mir. Wir haben eines von den kleinen Gartenhäusern mit einander besonders inne gehabt. Er hat mich tausend Dinge von Ihnen gefragt und ich habe ihm tausend Dinge von Ihnen beantwortet. Ich habe ihm Ihren letzten Brief gezeigt und er hat Sie ein Mal über das andere mit Entzücken eine Sevigné genannt. Er will eine Abschrift davon haben: soll ich sie ihm schicken?

Wie wir hinauskamen, trafen wir, nebst Herrn Sack, Madame Schwarz und Madame und Mademoiselle Sack und noch einige Andere. Soll ich Ihnen diese Frauenzimmer beschreiben? Es würde zu lang werden. Ich will Ihnen nur sagen, daß es eine ungemein süße Sache ist (denn ich habe sie recht sehr und recht oft erfahren), wenn man von liebenswürdigen Leserinnen zugleich geliebkost und zugleich verehrt wird. Ich habe von Lazarus und Cidli oft vorlesen müssen, mitten in einem Ringe von Mädchen, die entfernter wieder von Männern eingeschlossen wurden. Man hat mich mit Thränen belohnt. Wie glücklich war ich, und, ach! wie viel glücklicher würde ich seyn! . . . .

Zu einer andern Zeit wurde mir eine andre Scene sehr schwer auszuhalten. Madame Sack besitzt meine Oden, auch die, von denen ich glaubte, Bodmer hätte sie allein. Man bat mich, Alles bat mich, ich sollte insbesondere zwei davon selbst vorlesen. Wie hätte ich Das aushalten können? —

Gleim las sie endlich, und ich verbarg mich hinter den

Reifröcken und Sonnenschirmen. Man fragte mich sehr viel.
Vieles, ach! sehr Vieles, viel, viel Wahres wollte man mir
nicht glauben! Nur da glaubte man mir ganz, als ich sagte:
„Und noch viel mehr, als Dieß alles, verdient Fanny!" —
Wenn man dann mit Händeklatschen, mit Entzückungen und
mit Thränen Fanny lobte, so sah ich auf die schwimmenden
Augen um mich herum, wie in die Elysäer Felder!

Den Abend, um Ihnen viel andre Dinge ins Kurze zu
fassen, bin ich nach zwölf Uhr wieder aufgestanden, bin allein
in dem Garten umhergegangen, habe gebetet und an Fanny
gedacht. — Eine wahrhaft himmlische Stunde! Dieser unüber-
windliche, ewige Hang, Fanny ohne Maß zu lieben, kann nicht
vergebens in mir seyn. Ich habe Dieß ganz empfunden. Die
Hoffnungen der Unsterblichkeit sind ganz mein gewesen — —

Morgen will ich wieder schreiben.

Den 11. Juli.

Von Herrn Sack muß ich Ihnen noch etwas erzählen.
Er sagte schon den ersten Nachmittag, da ich ihn sprach, zu mir:
„Ich muß Ihnen sagen, wenn Sie es noch nicht wissen, daß
Sie ein Amt von der Vorsehung bekommen haben und dieses
ist viel wichtiger, als eine große Menge anderer; es ist das
Amt den Messias zu schreiben. — Dieß wollen wir vorher fest-
setzen. Jerusalem will Sie bey sich haben und er verdient es.
Aber die Stelle an sich ist nicht für Sie. Wenn er der große
und der redliche Mann ist, für den ich ihn halte, so muß es
ihm nahe gehn, daß er Sie nicht besitzen kann; er muß sich
aber auch zugleich freuen, daß Sie völlige Muße haben, an dem
Messias zu arbeiten. — Ich habe einen Plan gemacht, daß
Sie zwei Jahre in Berlin mit Zufriedenheit und völliger Herr
Ihrer Stunden leben sollen. Diesen Plan will ich Ihnen
binnen vier Wochen nach Zürich schreiben. Was Ihr Glück

anbelangt, ſo ſehen Sie leicht, daß Berlin der eigentliche Ort
für Sie iſt.

Wollen Sie Ihren Freund bei ſich haben, und will er bei
Ihnen ſein, ſo verſichere ich Sie, daß Berlin auch der eigentliche
Ort für ſein Glück iſt.“

Zwiſchen dieſer Unterredung und meiner Abreiſe ſind noch
viel glücklichere Scenen, aber ich muß Ihre Erlaubniß, lange
Briefe an Sie zu ſchreiben, nicht in gar zu eigentlichem Verſtande nehmen.

Wir wollten um zwei Uhr wegreiſen und reisten erſt um
fünf. — Dießmal war die größte Geſellſchaft bei einander. Sie
beſtand beinahe aus dreißig Perſonen. Vorher hatten wir uns
vertheilt und in der Stadt geſpeist; des Abends im Garten,
aber ohne Frauenzimmer. Am Morgen dieſes Abſchiedstages
hatte mich Sack malen laſſen, und die Frauenzimmer bis auf
Demoiſelle Sack, ſagten, daß ich getroffen wäre. Daß 'die
Frauenzimmer Das ſagten, belohnte ich ſie alle mit einem Kuſſe.
Endlich bekehrte ſich Demoiſelle Sack auch.

Wenn nur das Abſchiednehmen, das traurige Abſchiednehmen nicht wäre! Endlich reisten wir fort; denn wir hatten ja
ſchon um zwei Uhr reiſen wollen. Das hatten wir davon: wir
mußten die Nacht auf dem Landgute eines ſehr dickgebauchten
Mannes ſchlafen und viele luſtige Hiſtörchen anhören.

Uebermorgen früh erwarte ich Sulzer und die zwei andern
Schweizer.

Wie glücklich, wie ungemein glücklich wär' ich, wenn Sie
mich unterwegs einen Brief von Ihnen wollten finden laſſen.
Doch ich bin gewohnt, Das nicht zu hoffen, was ich von
Ihnen bitte.

Küſſen Sie Ihren Bruder von mir und ſagen Sie ihm,
daß dieſer Brief auch mit an ihn geſchrieben wäre.

25. Klopstock an Fräulein und J. C. Schmidt.

Nürnberg, den 17. Juli 1750. Nachmittags um eins.

An Mademoiselle und Monsieur Schmidt,

Sie werden zwar bald ein Circularschreiben empfangen, das an unsere übrigen Freunde auch mit gerichtet ist; gleichwol bin ich so heis von Gedanken von Ihnen, daß ich itzo schreiben muß. Ich habe den ganzen Weg von Erlangen bis hierher an Sie, und zwar ganz allein an Sie, gedacht. Sie würden einen viel zu langen Brief bekommen, wenn ich diese Gedanken aufschreiben wollte; und ich würde sie auch itzt so heiß, wie sie waren, nicht aufschreiben können.

Mein liebster Schmidt,

Von Ihnen habe ich gedacht, daß ich Sie ganz gewiß mehr liebe, als Sie mich; und dieß ist mein einziger Trost hierbey, daß noch Zeiten kommen werden, wo· Sie hiervon so überzeugt seyn werden, als ich es itzt bin.

Von der Schwester des besten Bruders

habe ich gedacht, nachdem ich alles, alles, wie in einer weiten Aussicht noch einmal ganz übersehen habe, daß Zeiten komme werden, und daß die ganz gewiß kommen werden, da Sie es bey der Tugend und bey sich selbst nicht wird verantworten können, wenn Sie mir nicht mit der Aufrichtigkeit, mit der ich Ih... immer das innerste meines Herzens entdeckt habe, sagt, was... Sie von meiner Liebe zu Ihr denkt. Das habe ich zum min... besten um Sie verdient, und ich sehe gar nicht, was Sie davo... abhalten kann, da Sie, wenn Sie auch noch so viel wieder mich hat, den allerbilligsten Beurteiler von dem finden wir..., was sie mir sagen wird. Wenn Sie sich nur einen Augenbli... an meine Stelle setzen will, so wird Sie fühlen, wie würd... ig dieser Wunsch ist, erfüllt zu werden.

Und Sie mein liebster Schmidt,

bitte ich recht sehr, ich bitte Sie bey den Thränen, die ich oft auch um Sie geweint habe, thun Sie, was Sie können, daß Ihre Schwester meine Bitte mir nicht abschlägt. Setzen Sie sich an meine Stelle (oder lassen dieß auch einen Menschen ohne Gefühl thun!) so werden Sie fühlen, daß es, (ich will ihm keinen Namen geben, wie es seyn würde,) wenn ich auch dieß= mal vergebens gebeten hätte. Ich kann nichts mehr schreiben; so vergnügt ich auch bisher auf unsrer Reise gewesen bin; so übermäßig traurig bin ich diesen ganzen Morgen gewesen. Lieben Sie mich nur ein bischen, weiter verlange ich nichts.

Ihr Klopstock.

26. Klopstock an Bodmer.

Nördlingen 18. July 1750.

. . Wie sehr freue ich mich, daß ich Ihnen so nahe schreiben kann, und wie viel unaussprechlicher ist die Freude, daß ich Ihnen bald nicht mehr schreiben werde.

27. Klopstock an Fräulein Schmidt.

Winterthur den 2. August 1750.

Liebenswürdige Cousine,

Ich habe die artigste junge Welt in Zürch angetroffen, und da man gesehen hat, daß ich ein guter Kenner der Freude sey, so macht man mir recht Freude. Ich muß auch bekennen, daß ich mich lange nicht so gefreut habe, als die Zeit da ich in Zürich gewesen bin. Aber wie oft habe ich auch an Sie, liebste Cousine, gedacht, und mich mitten in der Freude meiner alten Traurigkeit überlassen! Am meisten habe ich dieß gethan bey einigen neuen Bekanntschaften mit Frauenzimmern, die mir desto schätzbarer waren, je mehr zärtliche Neigung Sie gegen ein Frauenzimmer, das Sie Fanny nannten, blicken ließen.

Ich habe vor Kurzem ein Gedicht, l'art d'aimer, eines
jungen Franzosen, gesehen, ich habe zwar ißt nur sehr wenig
darinnen gelesen, gleichwohl bin ich dem Verfasser zum voraus
gut, weil er es einem Frauenzimmer, das er Fanny nennt,
zugeschrieben hat. Wenn ich wieder in Deutschland seyn werde,
will ich Ihnen das Gedicht schicken. Es ist hier ein unvergleich=
licher Maler, Füßli, (sein Name verdient Ihnen bekannt zu
seyn) er hat den Herrn Bodmer und noch andere unvergleich=
lich gemahlet.

Wie glücklich wäre ich, wenn Sie es nicht ungern sähen,
daß ich Sie wieder an einem Versprechen erinnre, das Sie
mir einmal gethan haben. Sie dürften nur eine Zeichnung
Ihres Portraits schicken, der Maler sollte Sie gewiß*) treffen.
Darf ich Sie auch an einem andern Versprechen erinnern mir
ein Gedicht von Ihrer Arbeit zu schicken? Darf ich einen Brief
für meine einsamen Stunden von Ihnen erwarten? Ich bin
liebenswürdigste Cousine, Ihr ergebenster   Klopstock.

28. Hartmann Rahn an Klopstock.

Zürich August 1750.

Monsieur,

Nous sommes vne Trouppe, les deux Hirzel, Werd-
miller, Schinz cadet, Keller, bonne trempe d'homme, et
moy, associés pour Vous fêter jeudy prochàin sur nôtre lac. La
Journalière de nôtre Docteur, reservée pour l'Heros de la fête,
tentera de Luy étaler ses attraits avec assés de variëté, qu'Il ne
nous vienne pas effleurer tour à tour à chacun son aimable.—
Nous peut elle garantir tant mieux puor Elle, n'y suffit-Elle pas,
tant mieux pour nos Tendrons. Nottés, mon cher Monsieur, que
tous ces Tendrons sont déjà priés, qu'il ne s'agit plus que de Votre

---

*) Das Wort: „unvergleichlich," ist hier ausgestrichen.

approbation. Mes gens m'ont forcés de Leur promettre que
J'iray à Altstetten Vous inviter; mais je ne puis me résoudre
d'être jndiscret dans l'Esprit de votre digne hôte en le venant
troubler dans votre possession, qu'il suffise à mes Importuns,
que je Vous écrive. Vous voyez, mon cher Monsieur, que si
Vous me refusiez, je serois forcé de Vous venir encor ce soir
lacher une bordée de cette Eloquence de Suppliant, que ces Mes-
sieurs me supposent bonnement.

Mr. Breitinger a promis à Mr. Werdmüller que si Vous
persuadiez Mr. Bodmer d'être des Nôtres, qu'il en seroit aussy.

De grace point de refus, vn gracieux Ouy. Je me sous-
cris etc.

29. Klopstock an Fräulein Schmidt.

Zürich, den 10. Sept. 1750.

Liebenswürdige Cousine,

Sie schreiben gar nicht an mich. Sie lassen mich ganz
allein. Man sucht mir hier um die Wette so viel Vergnügen
zu machen, daß mir nicht selten die Wahl schwer wird. Sie,
liebste Cousine; hätten durch einen einzigen kleinen freundschaftlichen Brief machen können, daß ich unendlich viel mehr Antheil
an diesen Vergnügen genommen hätte, als ich daran habe nehmen können, und, wenn Sie immer so fortfahren, mich zu verlassen, daran nehmen werde. Ich habe izt auch viel Vergnügen
von andrer Art, als wohlgewählte Gesellschaften, Schiffarthen,
und kleine Reisen. Ich würde ein ungerechtes Mißtrauen in
Ihre Freundschaft setzen, wenn ich glaubte, ich dürfte Ihnen
von denselben keine Nachricht geben.

Ich habe bisher zween Freunde gefunden, den König von
Dänemark, und einen hiesigen jungen Kaufmann den ich
über den König setze. Der König giebt mir ein jährliches Gehalt

4*

von 400 ℔ den Meſſias zu vollenden. Es iſt dies durch die Vermittlung zweener Miniſter geſchehen, die mehr als nur Miniſter ſind, den Baron von Bernstorf, und den Grafen von Moltke. Ich habe Wahrſcheinlichkeiten, dieß Gehalt zu vermehren, und mich nur ſelten in Coppenhagen aufzuhalten. Wie glücklich würde ich ſeyn den Meſſias bey dieſer Muſſe zu ſchreiben, wenn ich nicht, wie Sie wiſſen, durch die Liebe ſo unglücklich wäre.

Sie werden vielleicht neugierig ſeyn, den jungen Kaufmann, der noch mehr als der König iſt, kennen zu lernen. Er hat, etwa vor einem Jahre, eine neue Art, auf weiſſe Seide zu drucken, erfunden. Eine Erfindung, die die Engelländer und Franzoſen ſchon lange, und vergebens haben herausbringen wollen. Dieſe Färberey iſt ſo ſchön, daß nicht wenige, die ſeine Stoffe das erſtemal geſehn, darauf verfallen ſind, es ſei Mahlerey. Die ganze Erfindung beſteht wieder aus ſo vielen kleinen Erfindungen und Kenntniſſen der Seide und der Farben, ſie wird in ſo kleinen Theilchen unter die Arbeiter vertheilt, daß ſie ihm gewiß keiner nachthun wird. Er beſitzt ungemein viel Geſchmack in der Angebung der desseins, und hierinn iſt ihm die Kenntniß der ſchönen Wiſſenſchaften, die er nach Art der Engelländiſchen Kaufleute ſtudirt hat, ſehr nützlich geweſen. Dieſer wahrhaftig edelmütige junge Menſch will, daß ich ſein Glück mit ihm theilen ſolle, ohne einen andern Antheil an den Geſchäften der Handlung zu haben, als daß ich mich bisweilen über ſeine Erfindungen (deren er immer neue hervorbringt) und über die allgemeinen und wichtigen Geſchäfte der Handlung unterrede, wozu man nur einen hellen Kopf und Herz genug, ſich zur rechten Zeit glücklich zu entſchlieſſen, braucht. Er kennt mein wahres Glück zu ſehr, als daß er mich, für ſo viel Freundſchaft, bey ſich behalten wollte.

Ich bleibe fürs erste diesen Winter hier. Auf das Früh=
jhr reise ich nach Coppenhagen, dem Könige den Messias
lbst zu dediciren. Wenn uns ein gewisses Zunftgeschäft, und
elches in kurzem sehr viel entscheiden kann, wieder alle Wahr=
heinlichkeit nicht reüssiren sollte, so wird meine Reise durch
)eutschland gewisser massen eine Kaufmannsreise seyn. Von
em Hauptgeschäft werden wir nach einem Monate gewisse
lachricht haben, und es kömmt darauf an, daß ganz Spanien
lit der neuen Fabrique versehen werde. Die Spanier werden
amit nach Westindien handeln, weil die Erfindung viel vom
bianischen Geschmack hat. Das Geschäft wird durch den
panischen Gesandten in Solothurn traktirt. Sie werden viel=
cht gehört haben, daß der itzige König besonders die Handi=
ng in seinem Lande empor zu bringen sucht. Die Spanier
ben auch überdieß den Vortheil dabey, daß sie ihre eigene
eide dabey emploiren können.

Ich sehe, daß ich vielerley Sachen sehr verwirrt durch ein=
.ber schreibe. Ich müßte von neuem anfangen, wenn ich Ihnen
en ganz vollständigen Begrif von dieser Erfindung geben
)llte. Ich bitte mir die Erlaubniß aus, Ihnen durch eine
:ine Probe den deutlichsten Begrif davon zu machen. Es wird
)n hier bald ein Kaufmann nach Leipzig reisen, der soll sie
itnehmen.

Ich weis, es ist Ihnen nicht zu ernsthaft, wenn ich hier
it Dankbarkeit an die göttliche Vorsehung zurück denke. Wenn
h Ihnen auch ganz unbekannt wäre, und Sie nur die Ge=
hichte eines Fremden hörten, Sie würden von dieser Vorse=
ung gerührt werden, und den großen Beherrscher derselben
nbeten.

Aber, gütige Vorsehung, darf ich Dich auch um das größte
itten, was ich in dieser und jener Welt bitten kann, darf ich

dich bitten, daß Fanny meine Fanny werde? O angebetete Vorsehung darf ich dich, um dieses himmlische Geschenk anflehn?

.   Ich kann Ihnen, allerliebste Schmiedinn, weiter nichts mehr sagen. Denken Sie an meine vielen Thränen, an meine bangen Schmerzen der Liebe, die schon Jahre gedauert haben, und die ewig dauern werden, wenn Sie nicht aufhören wollen, hart gegen mein blutendes Herz zu seyn. Ich bin

Ihr Klopstock.

Meine Adresse ist. Bey Herrn Rahn in der Farbe. Empfehlen Sie mich Ihrer Frau Mama, die Sie so sehr lieben, und die so sehr von Ihnen geliebt zu werden verdient. Ihrem Bruder, dem bösen Schmidt, der auch nicht an mich geschrieben hat, habe ich itzt nicht schreiben können.

30. Klopstock an Bodmer.

Zürich im September 1750.

. . . Wenn Sie sich Ihr ganzes Verfahren gegen mich, — von Ihrem unfreundlichen Argwohn an, bis auf die kleinen, oft sehr unedlen Spöttereien vorstellen wollen, ohne die Stelle eines scharfen und edelmüthigen Richters zu vertreten, so werden Sie zum mindesten mein anhaltendes Schweigen Ihrer Aufmerksamkeit würdig finden. Wenn Sie dieses Stillschweigen nicht verstanden haben, so sage ich Ihnen mit eben der Freimüthigkeit, daß es Großmuth gewesen, mit welcher Freimüthigkeit ich Ihne sage, daß Sie zu einer solchen Großmuth unfähig sind. . . .

31. Klopstock an Schlegel.

Zürich, den 9. October 1750.

Liebster Schlegel,

Ich vermute, daß Sie dieser Brief bei Cramern noch antreffen wird, deswegen habe ich ihn mit eingeschlossen. Si

in Queblinburg mit Cramern und Charlotten, in Queb=
linburg, bey meinen Eltern! Wie viel süsse Sachen tragen
sich nicht zu, die man gar nicht vermutet hätte. Nur ich bin
nicht dabey. Nur ich muß bey dieser freudigen Corus noch
fehlen. Und vielleicht trägt sichs einmal zu, dieses reichlich zu
ersezen, daß ich eben unter unsern Freunden derjenige bin, den
sie alle am meisten und längsten schon kennen, und vor den
übrigen, einen großen Theil seines Lebens mit heiligen Circular=
wallfahrten zubringen kann. Dann wird es an ein Ersezen
gehen, und meinen Schlegel, den ich bisher am wenigsten ge=
sehen habe, werde ich im vollen Masse schablos halten. — —
Sie werden nach Pforte gehen zu dem alten, ehrwürdigen
Heine, wo wir uns zuerst gebildet haben, oder wenn man es
lieber so will, wo wir gebildet worden sind. (Im Vorbeygehen
frage ich Sie, ob der Herr Am Ende Antheil an Ihrer Beför=
derung hat?) Sie werden meinen kleinen Bruder, den ich so sehr
liebe, da vor sich aufwachsen sehen und ihn zu seiner ersten
Reise bringen. Liebster Schlegel! Mein Herz wallet Ihnen
entgegen, wenn ich an Ihre Freundschaft gegen mich, und zu=
gleich daran denke, daß Sie sich meinen kleinen Bruder zu einem
Freunde erziehen werden.

Sie werden Braunschweig mit Ihrer Zärtlichkeit überfallen.
Sie werden sich freuen, wie ich mich freute, da ich Ebert und
Gärtner von neuem, und die Gärtnerinn und Ihre Schwester
das erstemal sah. Die lieben Freunde und Freundinnen! Auch
Jerusalem ist ein Mann nach meinem Herzen, ein Theologus
im eigentlichen Verstande. Den müssen Sie recht oft sehen und
in meinem Namen sagen, wie sehr ich Ihn liebe — — — Wel=
chen Lauf hat unser Circularschreiben genommen?

Ερασμια πελεια
Πολυ πολυ πετασαι!

Sie und Cramer ſollen und müſſen mir alle Ihre neuen
Sachen ſchicken, die Sie gemacht haben. Alles, Alles will ich
ſehen, ſonſt werde ich böſe.

Leben Sie wohl, mein liebſter Schlegel. Nehmen Sie
meinen kleinen Bruder in Ihre Arme und denken, ich ſeys, ob
ich gleich hundert Meilen weit bin. Ihr

Klopſtock.

32. Klopſtock an Schultheß.

Zürich 1750 Oct. (12?)

„Machen Sie ſich unſertwegen nur keine Sorge, was Bod=
mer auch thun mag. Denn gleich wie St. Wilhelm Tell vor
Ihren itzigen gnädigen Herren keinen Proceß führen könnte, alſo
und auf eben die Weiſe haben auch wir hier keine Rechte. Ich
habe Ihnen nun was Anderes zu erzählen, was das Herz
ſanfter athmen läßt, als die Vorſtellung von Bodmers kränk=
lichem Zuſtande.“

Darauf folgen einige Schäkereien über Schultheßens
Braut, eine Goßweiler, von der Klopſtock an einem andern
Orte ſagt: „Sie iſt ſchön, recht ſchön, nach meinem Geſchmacke,
auf die feinſte Art witzig, ſatyriſch und hat ein edles Herz.“

33. Klopſtock an Fräulein Schmidt.

Zürich den 20. Nov. 1750.

Liebſte Couſine,

So ſehr ich herumſinne, ſo weis ich doch nichts, womit ich
Sie ſo ſehr beleidigt haben könnte, daß Sie mir nicht einmal
antworten. Im Vorbeigehn muß ich hier ſagen, daß ich es
noch viel weniger begreifen kann, warum es Ihr Bruder, den
ich doch ſo ſehr liebe, auch nicht thut? .... Was habe ich
Ihnen doch immer gethan? Und wollen Sie denn meine Freun=

binn nicht mehr seyn? Wollen Sie mir denn nicht einige Ge=
rechtigkeit wiederfahren lassen? Und gar nichts zur Beruhigung
meines Herzens beytragen? Da, was mir auch glückliches be=
gegnen mag, ohne Ihre Freundschaft, mir ganz gleichgültig ist.
Ich muß es Ihnen gestehen, ich schreibe an Sie, ohne die ge=
ringste Hoffnung, eine Antwort zu erhalten. Und dennoch
schreib ich. Ich bin so weit von Ihnen entfernt. Ich sehe Sie
nicht mehr. Zwar oft sehr oft sehe ich Sie im Traume oder
in der Vorstellung.

Ich will mich Ihrer Erlaubniß bedienen, oft, und lange
Briefe an Sie zu schreiben. Dieß wird zwar eben so seyn, als
wenn ich Sie in einem Nebenzimmer wüßte, und durch eine ge=
schloßne Glasthüre Sie anredete, ohne Sie zu sehen, und ohne
daß Sie mir antworteten. Aber unterdeß wären Sie doch auf
einige Augenblicke im Nebenzimmer, und ich redete Sie an.
Ach, liebste Schmiedinn, verdient denn ein ganzes, Ihnen
gewidmetes Leben nicht Ihre Freundschaft? Und werden Sie
mit mir schmälen dürfen, wenn Sie in Ihrem letzten Briefe
(wie lange ist es, daß Sie den geschrieben haben!) thaten, daß
ich Sie von neuem um Ihre Freundschaft gebeten hätte.
Schreiben Sie nur an mich, und sagen mir alles, was Sie
wider mich haben. Sie wissen, daß kein Mensch ist, mit dem
man offenherziger reden könne, als mit mir, und der jede Sache
billiger und gerechter beurtheile, als ich.

Ich wollte Ihnen einen langen Brief schreiben. Aber wie
wenig lebhaft, und Ihrer würdig, werde ich schreiben können, da
Sie mich durch Ihr Stillschweigen dahin gebracht haben, - daß
ich von neuem an Ihrer Freundschaft zweifeln muß.

Vielleicht misfallen Ihnen einige Nachrichten von der Fort=
setzung des Messias nicht. Ich habe den fünften Gesang, dessen
Inhalt viel Schwierigkeiten, besonders in Betrachtung der Reli=

gion, hatte, nunmehr ganz vollendet. Und der vierte, welcher
der längste des Gedichts seyn wird, ist nun auch bald zu Ende.
Das neuste, welches ich nur vor wenig Tagen gearbeitet habe,
geht die Mutter Jesu an. Ihr Charakter ist:

Müd und voll Schmerz, (sie hatte den Sohn schon Tage gesuchet;
Viel mehr Nächte geweint!) Doch durch den Schmerz nicht entstellet,
Ging die hohe Maria, unwissend der eigenen Würde,
Die die Unschuld ihr gab, und strenge Tugend bewachte;
Reines Herzens, vom Stolz nie entehrt, die menschlichste Seele!
Würdig, wenns eine der Sterblichen war, der Töchter von Eva
Erstgeborne zu seyn, wär Eva unschuldig geblieben:
Hoch, wie ihr Lied, holdselig, wie Jesus, und von ihm geliebet.

Auf die Scene von Lazarus und Cidlis, wenn Sie sich
derselben noch erinnern, folgt dieß:

Aber die Mutter Jesu stand auf. Er kömmt nicht, Johannes!
(Sagte sie ängstlich) Ich eil ihm entgegen. Wenn ihn nur die Mordsucht
Seiner Feinde nicht schon zu den todten Propheten gesandt hat!
Wenn er noch lebt, wenn mein Sohn noch lebt, und wenn ich es werth
                                                          bin,
Ihn noch einmal zu sehn; mit meinen Augen zu schauen
Des Propheten Gestalt und meines Sohnes Gebehrde;
Und dann sein gnädiges Antlitz auf seine Mutter noch einmal
Würdigt herunter zu lächeln: so will ich zitternd es wagen,
Hin zu seinen göttlichen Füßen. (Es hat ja begnadigt
Magdala Maria zu seinen Füßen geweinet,
Die doch seine Mutter nicht ist!) Da will ich es wagen
Zitternd mich niederzuwerfen, ich will sie fest an mich halten,
Und laut weinen, und wenn dann mein Auge sich müde geweint hat,
Will ich mütterlich ihm in sein Antlitz aufsehn, und sagen:
Um der Thränen willen, der Erstlinge Deiner Erbarmung,
Die du, als Du geboren warst, weintest! Um jener Entzückung,
Jener Seligkeit willen, die in mein Herze sich ausgoß,
Als die Unsterblichen Deine Geburt im Triumphe besangen!
Wenn ich Dir jemals bin theuer gewesen, und wenn Du dran denkest,
Wie Du mit kindlicher Huld der Mutter Freude belohntest,
Als ich nach bangem Suchen Dich fand, an der heiligen Stätte,
Unter den Priestern, die Dich mit stummer Bewunderung ansahn!

Wie ich jauchzend, mit offenen Armen entgegen Dir eilte,
Tempel und Lehrer nicht sah, nur Dich an das Herze gedrückt hielt,
Und anbetend mein Auge zu dem, der ewig ist, aufhub;
Ich, um dieser himmlischen Freude, der Ewigkeit Vorschmack — — —
Aber Du blickst mich nicht an! Um Deiner Menschlichkeit willen,
Durch die Du jeden begnadigst! Um jener Entschlafenen willen,
Die Du auferweckt hast! Erbarme Dich meiner, und lebe!

Ich habe nur vor wenigen Stunden den letzten Theil der
Larissa hinausgelesen. Nicht so? Sie sind auch durch ihren
Lob, mehr, als durch irgend eine andere Scene gerührt worden.
Ich habe dabey vieles, sehr vieles gedacht. Wie gern läse ich
einige Anmerkungen, die Sie hierüber machen würden. Doch
ich will abbrechen. Mein Brief wird Ihnen ohne dieß schon zu
lang vorkommen. Und sollte auch dies nicht seyn, wie traurig
ist es, einen langen Brief an Sie zu schreiben, ohne aus der
Fülle des Herzens schreiben zu dürfen . . . . . Versichern Sie
Ihre Frau Mama meiner aufrichtigsten Hochachtung. Ich bin
Liebste Cousine Ihr Freund
                                          Klopstock.

Ihr Bruder macht es sehr schlimm, daß er so oft an Glei=
sen, und an mich nicht einmal schreibt.

34. Klopstock an Schlegel.
Zürich den 21. November 1750.
Liebster Schlegel,

Ihre kleine Reise, da hätte ich mögen dabey seyn. Ich kann
mir vorstellen, was Sie für Tage in Braunschweig gelebt haben,
mit die unvergleichliche Gärterinn und Ihre Schwester
Une. Wir waren recht gute Kinder zusammen, da ich dort
war. Ich muß Sie auch wiedersehen, so bald ich zurück komme.
Gisеke wird nach Braunschweig kommen. (Ich Sünder! An
den lieben Gisеke habe ich so lange nicht geschrieben!) Da sind

denn drey in Braunschweig, Cramer in Queblinburg, Gleim
in Halberstadt. Nun die können einander recht oft sehen. Und
Sie, vielleicht kommen Sie auch näher, und nicht in die Pforte.
Und ich, izt in der Schweiz, und dann in Coppenhagen; das
ist ziemlich weit. Ich merke, es ist mir eine große Erfindung
vorbehalten, irgend eine Kunst zu fliegen. Wunder müssen
gleichwol bisweilen auch vorgehen. Und wenn ich nun bennoch
am oftesten bey unsern Freunden wäre, wäre das nicht ein ganz
artiges Wunder?

Ich habe auch eine kleine Reise gemacht, die in Ansehen
meines Begleiters zwar auch freundschaftlich war, sonst aber
nur lustig. Sie ging den größten Theil des Zürchsees hinauf,
von da über einen bösen Schweizer Berg, dann auf den Zuger-
see, wieder über einen kleinen Hügel, dann auf den Lucernersee
bis in die Stadt Lucern. In Zug logirten wir bei dem ange-
sehensten Manne des Cantons, der vor Kurzem die große, und
sehr weinreiche Landvogtey im Rheinthale gehabt hatte. Er
war Landvogt und Gastwirth zugleich. Vor einem großen,
großen Camine und auf einem ungeheuer altväterlichen Saale
machte der Landvogt, ein pantomimischer, wichtiger Mann, diesen
artigen Schluß: „Sie sind kein Schweizer, und daher der Verfasser des Messias?" Ich that fremd. Da ich mich gar nicht
ergeben wollte, zog er mit einer vielbedeutenden triumphirenden
Mine meine beiden gedruckten Oden aus der Tasche. „Kennen
Sie?" (und legte den einen Finger an seine siegreich gerümpfte
Nase) „Kennen Sie diese Oden, mein Herr?" Ich mußte mich
ergeben. Ich erfuhr hierauf, daß auf eben dem großen Saal
Voltaires Octavia (Sie kennen doch einen gewissen Herrn
Camerer?) von jungen Zugern wäre gespielt worden. Sehen
Sie, sogar in dem katholischen Zug, wo man vor zehn Jahren
noch Hexen verbrannt hat, die verschiedene Ungewitter erregt

hatten, bemüht man ſich, die ſchönen Wiſſenſchaften kennen zu
lernen. Ich muß noch einen verdrießlichen Brief an den Verleger ſchreiben, ſonſt würde ich Ihnen viel von einem witzigen
Schifmanne erzählen, der uns über den Lucernerſeè führte,
und uns viel von Wilhelm Tell erzählte,-der auch, wie er
ſagte, ein guter Schifmann geweſen wäre. Ueberhaupt giebts
viel Originale in der Schweiz, beſonders auch unter den gerin-
gen Leuten.

Schreiben Sie bald wieder an mich. Ich bin Ihr

Klopſtock.

35. Klopſtock an Bodmer.

Zürch im December 1750.

Hochedelgeborner, Hochgeehrteſter Herr!

Ew. Hochedelgeboren erlauben mir, entweder jetzt das Letztemal, oder, wenn dieſer Brief die Folgen hat, die ich wünſche,
noch oft an Sie zu ſchreiben, und nicht allein an Sie zu ſchreiben, ſondern Sie auch, ſo lang ich noch hier ſeyn werde, noch
oft zu ſehen. Ich habe bisher Ihren überall ausgebreiteten
Feindſeligkeiten gegen mich, (denn ſo kann ich Ihr Verfahren
nennen), ſtillſchweigend zugeſehen. Ich habe Sie noch niemals
mit Vorſatz beleidigt; Sie aber ſind über das Alles, was Sie
ſchon gethan hatten, ſo weit gegangen, daß Sie ſogar mein
Stillſchweigen als ein Bekenntniß einer ſchlimmen Sache ange-
ſehen haben. Wenn die Sache meine Perſon allein anginge, ſo
wollt' ich noch ſchweigen; ich wollt' es der Welt überlaſſen, mich
nach ihren Einſichten zu kennen oder zu verkennen. Allein da
es nichts Geringeres betrifft, als den Eindruck, den der Meſſias
in moraliſchen Abſichten, welches ſeine vornehmſten ſind, betrachtet,
auf die Gemüther vieler Menſchen nach den Begriffen, die ſie
von dem Verfaſſer haben, machen oder nicht machen kann, ſo

sehen Sie leicht, da Sie mir ehemals selbst so viele moralische
Aussichten des Messias gezeigt haben, daß ich endlich reden, und
Sie an sich selbst und an den furchtbaren Zeugen in uns, den
wir Gewissen nennen, erinnern muß. — Ich muß glauben,
(denn was müsst' ich sonst von Ihnen denken?) daß Sie mich
nach Ihrer völligen, oft überdachten, Einsicht für schuldig, ja
für allein schuldig, und Ihr Verfahren gegen mich für Gerechtigkeit halten. Hierbey habe ich nur eine kleine Anmerkung zu
machen. Verhielt' es sich so, und hätten Sie die gerechte Sache,
so wissen Sie, daß ein rechtschaffener Mann, wenn er ja ein
Feind seyn muß, ein edelmüthiger Feind ist! daß ihm seine Unschuld zureicht, und daß er sich niemals zu Unwürdigen herunterläßt, sie zu Richtern über eine Sache zu machen, die durch
sein eignes edles Verfahren schon entschieden war. Ein solcher
edelmüthiger Feind wird sich besonders alsdann so aufführen,
wenn er weiß, daß durch ein andres Verfahren nicht allein seinem Gegner, sondern auch der Welt, der die Werke seines Gegners nützlich sein könnten, geschadet wird. — Ich schreibe diesen
Brief, mich mit Ihnen zu versöhnen. Ich werde in unsrer
Sache, sofern sie nur meine Person angeht, ganz und gar nachgeben. Denn ich mein' es im Ernste mit der Religion, und ich
habe den Messias im Ernste geschrieben; ob Sie gleich als ein
bonmot ausgebreitet haben, daß ich ihn nicht geschrieben hätte.
Sofern die Sache aber mein Gedicht angeht, so sehen Sie selbst,
daß ich nicht unwürdiger handeln könnte, als wenn ich demselben
mit Vorsatz schädlich würde. Sie sehen meine Bereitwilligkeit,
meinen Pflichten und Ihnen genug zu thun. Wenn aber unsre
Versöhnung nicht in einem bloßen Ceremoniell bestehen, sondern
wirklich und von Herzen geschehen soll, so ist es schlechterdings
nöthig, daß ich Ihnen unser Mißverständniß, ohne Einkleidung,
historisch, und so wie Sie es selbst wissen, von Neuem vorstelle,

und es Ihnen überlasse, eine Vergleichung zwischen Ihnen und mir in den Stunden zu machen, wo man von keiner Hitze geblendet wird, und wo man sich endlich nicht mehr entrinnen kann. Ich sage es noch einmal: — Ich schreibe an Sie, mich mit Ihnen zu versöhnen. Und ich glaube von Ihnen, Sie werden mich einer Aussöhnung desto würdiger halten, je aufrichtiger und wahrhaftiger ich in meiner Erzählung seyn werde.

Ich fing einen Briefwechsel mit Ihnen an. Ich vertraute meinem Bodmer die Geheimnisse meines Herzens. Sie gewannen mich so lieb, daß Sie wünschten, ich möchte ein Paare Jahre bei Ihnen zubringen. Diese Sache, die Ihr Herz so sehr beschäftigte, erfuhr ich mit vielem Vergnügen auch vom Herrn le Maitre aus Erlangen und von dem Herrn von Hagedorn, denen Sie es geschrieben hatten. Sie boten mir einmal, (mich deucht, es war noch vor dieser Einladung), ein ansehnliches Geschenk von neuen Büchern großmüthig an, sie bey einem Verleger anzubringen, da Sie mir damals den Rath gegeben hatten, mein Gedicht auf Subscription drucken zu lassen. Ich nahm dieses Geschenk nicht an, aber auf eine Art, wie ein Freund von einem Freunde etwas nicht annimmt. Sie schrieben mir, da Sie mich zu sich einluden, Sie wollten wegen der Reisekosten schon Rath finden. Ich nahm auch dieses nicht an. Es wurde endlich eine von meinen Hauptbeschäftigungen, auf eine Reise zu Ihnen zu denken. Ich ersuchte Sie zuletzt, mir 300 Rthlr. zu leihen. Dies war gegen das Ende des 1749sten Jahres. Ich hatte Ihnen geschrieben, wenn ich das Geld die Neujahrsmesse erhielte, so wollt' ich Ihnen Ostern einen Theil wiederbezahlen. Ich empfing das Geld die Ostermesse. Sie schrieben mir, daß ich wegen der Bezahlung nicht in Sorgen seyn sollte. Es wäre genug, wenn das Geld mit der Restitution aller Dinge wiedergegeben würde. Wie nahe geht mirs jetzt, daß ich meine lieben

Freunde in Braunschweig, Gärtner, Ebert und Jerusalem Ihrenthalben verließ.   Denn der Herr Abt Jerusalem
hatte mir eine Stelle an dem Carolino gegeben, den Grund zu
meinem Glücke zu legen.   Dieses war mir sehr angenehm, besonders aber auch deswegen, weil ich da mit drey Freunden
auf einmal leben konnte; denn ich kenne kein wesentlicheres Glück,
als die Freundschaft; und dies kenne ich aus der Erfahrung.
Das größte äußerliche Glück wird mir allzeit weit unter der
Freundschaft seyn.   Ich verließ auch um Ihrentwillen meine Aeltern, die ich über sechs Jahre nicht gesehen hatte.   Gleimen,
der vor Kurzem auch mein Gleim geworden war, und Cramern, meinen alten Freund, der erwartet wurde, in Queblinburg die Hofpredigerstelle anzunehmen.   Ich wagte meine nicht
zu starke Gesundheit auf eine lange Reise.   Demohngeachtet
versichere ich Ew. Hochedelgeboren, es soll mir dies Alles nicht
mehr nahe gehen, sobald Sie aufhören werden, mich zu verkennen.   Ich kam, nach vielen freudigen Vorstellungen und unterwegs von Ihnen gehaltenen Unterredungen, endlich zu Ihnen.
Sie empfingen mich sehr freundschaftlich, und ich war ungemein
vergnügt.   So gingen einige Wochen hin.   Hier fingen Sie an,
zuweilen einiges Mißvergnügen zu zeigen, daß ich zuviel in andern Gesellschaften wäre, wobey Sie doch sehr oft selbst zugegen
waren.   Sie tadelten mir viele von denen, zu denen ich nur allzu oft allein deswegen ging, weil es die Gesetze der Höflichkeit
und guten Lebensart erforderten.   Sie tadelten mir, nicht selten
ein wenig unfreundschaftlich, meine zu große Neigung zu Gesellschaften, wie Sie es nannten.   Ich hatte mich oft und umständlich hierüber gegen Sie erklärt; allein Sie dachten, als wenn
Sie meine Absichten dabey nicht wüßten, wie Sie vorher gedacht
hatten.   Die Sache wurde immer ernsthafter; denn es wurde
nun oft, und dies zuweilen mit weniger Feinheit, in meiner

Gegenwart entschieden, was der Verfasser des Messias thun
und nicht thun müßte. Und ich kannte doch selbst seine Pflich-
en; ich wußte, daß er vor allen Dingen menschlich seyn müßte,
und daß seine unüberwinbliche Abneigung, auf keine Weise ein
Sonderling zu seyn, sehr gegründet war. Diese Abneigung,
eren Ausübung mir so natürlich ist, hatten andre Freunde vor-
er schäßbar an mir gefunden. Ich könnte mich hierüber weiter
ausbreiten, allein es wird mir nichts schwerer, als von mir
elbst zu reden. Das muß ich noch sagen: Es sind schon lange
von mir die unschulbigsten Handlungen übel ausgelegt worden.
Ich sage nicht, daß dies in Betrachtung meiner von Ew. Hoch-
belgeboren geschehen wäre. Ich rede nur überhaupt von den
schlimmen Erklärungen, welche Leute, deren Grundsatz es zu seyn
scheint, andere alsdann am richtigsten zu beurtheilen, wenn sie
sie am wenigsten kennen, ich sage, welche solche Leute allezeit
machen werden, wir mögen uns auch mit allen möglichen Behutsamkeiten in der Welt gegen sie in Sicherheit zu setzen suchen.
— Wir hatten zuweilen kleine Unterredungen über die Freundschaft, über scherzhafte Schriften, über das Lob des Weins
u. s. w. Sie fanden hier immer, für einen so scharfen Kenner,
zu viel Unmoralisches. Unter Andern gefiel Ihnen der arme
Jüngling von der moralischen Seite nicht. Ich weiß wohl,
daß Freunde von verschiedenen Meinungen seyn können; aber
ich hatte hiebey nur zu ofte Gelegenheit, eine Anmerkung von
neuem zu machen, die ich vorher schon insgeheim hatte machen
müssen, nämlich: daß die Freundschaft bey Ihnen mehr Einbildungskraft als Herz wäre. Ich habe dieses Urtheil öfters
bey mir zu widerlegen gesucht; Sie allein können mich von
der völligen Unrichtigkeit desselben überzeugen.

Sie hatten eine nothwendige Reise ins Appenzellerland zu
thun. Ob ich gleich einen so weiten Weg zu Ihnen gemacht

hatte, und Sie wußten, daß ich nur noch einige Zeit hier bleiben
wollte, so fand ich doch nichts Unfreundschaftliches hierin. Die
Reise war nothwendig und dies war mir genug. Um die Zeit,
oder noch einige Zeit nachher, (ich weiß es nicht genau mehr),
sagten Sie einmal einen Morgen mit einem ernsthaften Gesichte
zu mir: ich hätte in meinem Briefe nur schlechtweg geschrieben,
daß ich das Geld empfangen hätte; ich möchte Ihnen doch einen
Schein darüber geben. Ich antwortete ganz ruhig, daß ich es
thun wollte. Ich dachte der Sache nach. Vorher so viel Freundschaft und Zutrauen! und jetzt ein Mißtrauen, oder gar eine
Rache von dieser Art! Doch womit habe ich Rache verdient?
Ich wollte Ihnen Gerechtigkeit widerfahren lassen; ich wollte abwarten, wie Sie mir dies Räthsel selbst erklären würden. Ich
wartete ein Paar Tage. Ich bekam keine deutlichere Erklärung.
Ich redete hierauf wieder mit Ihnen von dem Scheine. Soll
ich, sagt' ich, Ihrer zu schonen, hinten in dem Briefe, als in
einem Postscripte umständlichere Nachricht von dem Empfang
geben? — „Thun Sie es lieber besonders.“ — Ich will es
also besonders thun. Ich habe dies Geld zu Anfange des
Mayes erhalten. — „Und ich habe es zu Anfang des April
abgeschickt. Schreiben Sie also etwa den 10. April.“ — Ich
schrieb den 10. April. Dieses, dacht ich, wird vermuthlich Interesse bedeuten. Ich kann, fuhr ich fort, jetzt gleich in der
Geschwindigkeit nicht auf die Bestimmung der Zeit kommen,
wann ich Ihnen das Geld gewiß wieder geben könnte. Nennen
Sie mir eine, wann Sie es wieder haben möchten, so will ich
mich darnach richten. — „O ich will Ihnen mit der schleunigen
Zurückforderung nicht beschwerlich fallen. Unterdeß können Sie
etwa auf Requisition schreiben.“ — Ich schrieb: Auf Requisition
zu bezahlen. — Dieses ganze Verfahren machte mich zwar
stutzig; aber ich kann Sie in der Aufrichtigkeit meines Herzens

verſichern, ich blieb auf meiner Seite noch Ihr Freund. Die
Zeit Ihrer Abreiſe rückte heran. Ich hatte darauf gedacht, wo
ich mich nach Ihrer Abreiſe aufhalten könnte. Sie hatten die
Reiſe öffentlich bekannt gemacht. Auf einmal erklären Sie mir,
daß Sie nun nicht verreiſen wollten. Sie begleiteten dieſe
Erklärung mit andern Erklärungen der Freundſchaft, und mit
Aufhebung unſrer kleinen Mißverſtändniſſe, ſo, daß ich dadurch
ſehr gerührt und Ihrentwegen wieder ganz beruhigt wurde.
Dies geſchah an einem Sonnabend. Unterdeß hatt' ich ſchon
mit Herrn Rahn über einen Monat oft Unterredungen von
gewiſſen Verbindungen zwiſchen uns beyden gehabt, die hernach,
größtentheils durch ihre Veranlaſſung, ſo ungegründet und nicht
ſelten ſehr ſonderlich ausgelegt worden ſind. Ich hatte den
Sonnabend meinen Entſchluß in dieſer Sache noch nicht gefaßt!
Ich faßte ihn den Montag, da ich mit Rahnen einen guten
Theil des Nachmittags bei Herrn Wolf in Ihrem Hauſe zugebracht hatte. Meine Freundſchaft zu Rahnen, und nicht ſeine
Handlung, erforderte, daß ich bey ihm wohnte. Sie hatten ſich
überdieß erklärt, daß, wenn ich etwa den Winter über hier
bleiben wollte, Sie mich nicht bey ſich behalten könnten. Es
kam ietzt darauf an, daß Ihnen mein Entſchluß bekannt gemacht wurde. Es war mir lieb, daß Sie nun theils nicht
mehr gehindert wurden, Ihre Reiſe zu machen, und weil Sie
nicht lange ausbleiben wollten, ich Sie noch wiederzuſehen gewiß war, theils das Inconveniens, nun nicht mehr zu reiſen,
da Ihre Reiſe ſchon öffentlich bekannt gemacht war, gehoben
würde. Weil Sie in Abſicht auf die Reiſe bald hiervon Nach=
richt haben mußten, und ich den Montag Abend nicht aufgelegt
war, mit Ihnen hierüber weitläufig zu reden, und an dem andern Morgen dem Mahler zu ſitzen verſprochen hatte, überhaupt
auch nicht geneigt war, mich Ihren Höflichkeiten, die ich gewiß

5*

vermuthete, auszusetzen, so hatte ich Rahnen aufgetragen, Ihnen
von meiner Entschließung Nachricht zu geben, und Ihnen beson=
ders den Umstand anzuführen, daß dadurch das Inconveniens
des Richtreisens gehoben würde. Die Höflichkeiten, die ich ver=
muthet hatte, trafen Rahnen und mich. Ich nahm nach wenig
Tagen freundschaftlich von Ihnen Abschied. Sie hatten sich
über Ihre Reise nicht weiter erklärt. Da ich hörte, daß Sie
nicht verreiset wären, so machte ich Ihnen einige Tage darauf
meinen Besuch. Der junge Herr Schuldheiß, der Minister,
ist Zeuge, mit welcher Kaltsinnigkeit, oder vielmehr mit was für
einer feindschaftsvollen Miene Sie mich empfingen. Ich blieb
in meiner völligen Fassung. Ich redete Sie zu verschiedenen
Malen freundschaftlich an; Sie antworteten mir kaum. Wenn
Sie ja etwas redeten, so wendeten Sie sich gegen Herrn Schuld=
heiß. Nachdem eine stumme halbe Stunde vorbey war, nahm
ich Abschied, und bat Sie gelassen um Verzeihung, daß ich Sie
zu einer Zeit gestört hätte, wo Sie mir nicht aufgeräumt vor=
kämen. Sie sagten, und wurden dabey gar hitzig, daß es Bet=
tag Abend wäre, und daß Sie hätten in die Kirche gehen wollen.
Ich antwortete mit Lebhaftigkeit, daß, wenn Sie künftig die
Genauigkeit des Ceremoniels von mir verlangten, ich es sehr
streng gegen Sie beobachten wollte. Und da Schuldheiß zuglei
Abschied nahm, so ging ich so schnell fort, daß Sie Schuldheiße
allein herunter begleiteten. Wenn dies ein Fehler der Hitze wa
so glaub' ich, wird er sehr verzeihungswürdig, wenn ich Ih
Commission an Schuldheiß damit vergleiche, die Sie ihm unte
gegeben, wenn ich fragen würde, warum Sie mir nichts vorg
setzt hätten? Die Beantwortung dieser Frage war zu früh.
war mir nicht in den Sinn gekommen, sie zu thun.

Einige Tage hernach kamen Sie in den botanischen Garte
und ließen mich herunterrufen. Ich hatte eben Gesellschaft v

Einem jungen Minister, der mich das erste Mal besuchte; aber
Ich ging gleichwohl hinunter. Nach einigen gleichgültigen Fragen
sagten Sie: „Ob ich Ihnen das geliehene Geld nicht etwa jetzt
zurückgeben könnte?" (Sie werden sich erinnern, daß Sie mich
die meiste Zeit unserer Unterredung mit der triumphirenden
Miene einer erfüllten Rache ansahen, und daß ich hingegen in
größter Gemüthsruhe blieb.) Ich antwortete Ihnen, daß Sie
das Geld bald haben sollten; wofern Sie es aber nicht etwa
jetzt bald wo anlegen wollten, so würd' ichs als eine Gefälligkeit
ansehen, wenn Sie noch einige Zeit warteten. Sie fragten:
„Ob ich Herrn R a h n noch nichts davon gesagt hätte? Ich
hätte ja Kaufmanns=Verbindungen mit ihm! Und es würde ihm
leicht seyn, die Summe vorzustrecken." Wenn ich aber, erwie=
derte ich, eine gewisse Delicatesse, die mir schwer zu überwinden
wäre, darin fände, Herrn R a h n nichts davon zu sagen, woll=
ten Sie alsdann diese Gefälligkeit nicht für mich haben? —
Sie wurden so inständig, daß ich Ihnen versprach, in wenigen
Tagen zu zahlen. Vorher noch sagten Sie auch diese merkwür=
digen Worte: „Sie hätten nicht ohne Ursach auf Requisition
schreiben lassen." Und Sie vergaßen sich einmal so sehr, daß
Sie mich erinnerten, ich hätte ja in einem Briefe versprochen,
einen Theil auf Ostern zu bezahlen. Es fiel Ihnen damals
nicht ein, daß Sie voraussetzten, als hätte ich das Geld ums
neue Jahr empfangen. — Hierauf nannten Sie einen gewissen
Herrn, dem man, wegen seines zu Parisischen Wesens, den Bey=
namen des Marquis gegeben hatte, und sagten, nach der Frage:
„Ob ich keine neue Bekanntschaft gemacht hätte? daß dieser Herr
großes Verlangen trüge, mit mir Umgang zu haben." Ich
blieb auch hier in meiner Fassung. Es war dies ein wenig viel
von einem B o d m e r. Sie zeigten einiges Verlangen, den jungen
Minister, der bey mir war, zu sprechen. Ich brachte denselben

zu Ihnen herunter. Sie gingen hierauf weg, und drückten mir beym Weggehen noch die Hände. Ich weiß nicht, ob Sie es bemerkt haben, daß ich mein Gesicht wegwandte; das weiß ich, das mein ganzes Herz zitterte. Denn ich hatte damals die Vorstellung noch nicht, die ich mir hernach von diesem Handdrucke gemacht habe, nämlich, daß Sie meine Freundlichkeit gerührt hat, und daß Sie mir dieses haben wollen zu erkennen geben. Ich bezahlte Sie ein Paar Tage darauf. Sie bekamen das Geld mit dem Interesse auf den Tag ausgerechnet. Sie schickten mir das Interesse zurück. Ich schickt' es Ihnen vom neuen, mit einem Briefe in starken Ausdrücken. Ich glaubte damals in der Hitze, ich dürfte diese Art von Gerechtigkeit gegen Sie ausüben. Aber ich habe nach diesem gefunden, daß ich gegen meine Pflicht gehandelt habe. Ich bereue dies Verfahren. Der beygefügte Brief ist nur in zu starken, aber nicht in unwürdigen, Ausdrücken geschrieben. Ich nehme seinen Haupt-Inhalt nicht zurück. Ich habe Sie seitdem nicht wieder gesehen. Was Sie bisher alles wider mich gethan haben, ist Ihnen umständlicher, als mir bekannt. Ich weiß nur wenig davon, und dies Wenige gewiß. Ich weiß, daß Sie mich bey einigen würdigen, und bey einer großen Anzahl von unwürdigen Leuten mit einer Beredsamkeit angeklagt haben, mit der ich nicht gelernt habe, von mir selbst zu sprechen. Sie haben Herrn Schuldheiß, den Minister, mit sehr verwundernden Augen angesehen, da er bey Ihrem Vortrage von mir eine ein wenig den Zweifel wagende Miene gemacht hat. Sie haben ausdrücklich zu ihm gesagt: „Es stünd zwar in Ihrer Einladungsode an mich: Ich dächte des Messias Gedanken! Ich hätte ja aber auch der Teufel Gedanken gedacht."

Sie haben sich so weit herunter gelassen, daß Sie denen Herren, die Sie nur die jungen Herren nannten, und die überhaupt

Ihre so übertriebene Geringschätzung und einige davon Ihren
Spott nicht um Sie verdient haben, wieder erzählten, was ich
etwa in aller Unschuld über sie geurtheilet, und Ihnen, als mei=
nem Freunde, anvertraut hatte. Ich weiß, daß einige von den=
selben dankbar gegen Sie gewesen sind. Herr Pastor Heß hat
mir gesagt, daß Ihnen vieles von mir durch sie wäre gemeldet
worden. Nun weiß ich nichts, das ich wider Sie gesagt hätte;
es müßten denn einige unschulbige Klagen über Ihre Strenge
gegen Doktor Hirzels Brief seyn. Und war es denn Ihrer
würdig, Leuten zu glauben, die Sie so sehr verachten, und die
Sie noch dazu wider mich aufgebracht haben? Ich will Ihnen
nur eine kleine etwas bestimmte Probe geben, wie ich mich in
solchem Falle gegen Sie aufgeführt habe. Als ich von Baaden
zurück durch Wieningen kam, sprach ich den Verfasser der Fa=
bel, den Herrn Junker Meier. Sie hatten ihn mir als
einen rechtschaffenen Mann beschrieben, und wir halten ihn beyde
dafür. Er sagte mir: „Ob ich glaubte, daß der Herr Professor
Bobmer den Noah im Ernste geschrieben hätte? Er hätte
nur sein Gespött mit dem Noah getrieben! Er triebe
überhaupt nur sein Gespött mit der Religion, und er wäre ein
Freigeist!“ Ich hörte ihm mit verwundernder Miene zu. Ich
antwortete ihm: Da ich ihn noch nicht kennte, so bät' ich ihn,
mir zu sagen, ob das überhaupt seine Gewohnheit wäre, daß er
mit so ernsthaftem Tone und mit einer solchen Miene scherzte?
„Er rede im völligen Ernst,“ sagte er, „und ich dürfte seine
Worte dem Herrn Bobmer nur geradezu wieder sagen.“ Seine
Frau, sein Bruder und Rahn waren zugegen. Die alle können
Zeugen seyn, ob ich dem Herrn Meier geglaubt habe. Ich
glaube ihm auch jetzt noch nicht, und halte dafür, daß er irgend
durch einige, ohne Ihre Schuld, von ihm falsch verstandene
Ausdrücke verleitet worden ist, so von Ihnen zu denken. Sie

haben auch zum mindesten einigen von Ihren Correspondenten
nachtheilig von mir geschrieben. Wie Sie es gethan haben,
weiß ich nicht. Ich kenne aber Ihre Art, daß Sie zuerst eine
Sache unvermuthet insinuiren, dann nach einem überdachten
Systeme immer weiter sie entwickeln.

Liebster Freund, (o wenn ich Sie ohne Traurigkeit meines
Herzens noch so nennen könnte!) wie schön ist es doch um die
Einfalt des Herzens! Ich kenne keinen von diesen Wegen. Wie
sehr wünsch' ich, daß ich diesen traurigen Brief hier schließen
könnte! Aber ich muß noch einen Blick auf Ihre Correspondenz
zurückthun. Ist Ihre Absicht, daß unsre Sache vor den Richter-
stuhl des Publikums komme? Und wollen Sie mich, ehe Sie
hervortreten, nur erst langsam untergraben? Kennen Sie das
Publikum nicht, das, wenn man den billigen, weisen und kleinsten Theil, und der allein sollte entscheiden können, ausnimmt,
ein tausendzungiges Thier ist, das, statt die Sachen der Par-
theyen zu entscheiden, über beyde mit seiner ungehaltenen Tadel-
sucht herfährt, und sich wegen der Vorzüge der Streitenden meister-
haft schadlos zu halten weiß? Oder wollen Sie mich nur
betrüben? Wollen Sie, da Sie vorher einen großen Theil von der
Glückseligkeit meines Lebens ausmachten, nun die Ursach werden,
daß ein Theil davon mit Unruh erfüllt sey? Wenn Sie das
wollen, so haben Sie sich Ihrem Endzweck schon sehr genähert.
Ich bin herzhaft genug, etwas, das nur mich angeht, zu ertragen; allein haben Sie es auch überdacht, wie sehr die Ehre der
Freundschaft und der moralische Nutzen des Messias darunter
leidet? Weil dies letzte besonders eine Sache von ernsthaft
Aussichten ist, so sage ich Ihnen, daß dieser Brief ein Zeug'
zwischen Ihnen und mir seyn soll, daß ich mich mit Ihnen
habe aussöhnen wollen, ob Sie gleich ohne eine würdige Ursach
mein Feind geworden sind. Ich habe bisher zu allen Folgen

Ihres Verfahrens stille geschwiegen. Ich habe dem Noah, ich
habe Ihnen auf keine Weise schaden wollen. Man hat mich oft
veranlaßt, in Gesellschaften von Ihnen zu sprechen. Diejenigen, die
mich veranlaßt haben, werden ihnen sagen können, wie ich gehandelt
habe. Nur ein einziges Mal, und dieses zwar bald nach Ihrem
Besuche in dem botanischen Garten, bin ich bey dem Pastor
Heß von der Hitze übernommen worden, heftig wider Sie zu
reden. Ich war zu Herrn Heß deswegen gekommen, ganz gelassen mit ihm über die Sache zu sprechen. Er brachte mich
aber zu bald und zu unvermuthet darauf, und ich gerieth dadurch am meisten in die Hitze, weil er mir zu partheiisch vor-
kam, und da ich von dem Bettag Abend redete, den Vorwand
des Kirchengehens, welcher ihm schon bekannt gemacht war, er-
heblich fand. Herr S c h u l b h e i ß hatte Sie ja, wenn Sie gehen wollten, zuerst aufgehalten. Wenn Sie hätten gehen wollen,
so würde er sich nicht daran gestoßen haben, wenn Sie ihn verlassen hätten. Ich habe nur an ein Paar meiner vertrautesten
Freunde weiter nichts geschrieben, als daß Sie nicht mehr mein
Freund wären. Ich habe meinen Freunden die Hauptsache verschwiegen, da ich ihnen doch mein ganzes Herz öffnen durfte,
ohne zu besorgen, daß Unwürdige etwas davon erführen. Ich
habe mich immer darauf bezogen, daß ich suchen würde, mich
mit Ihnen zu versöhnen, wenn mir die Versöhnung nicht zu
schwer gemacht würde.

 Entschließen Sie sich, was Sie thun wollen. Ich habe den
ersten Schritt gethan, da ich doch der leidende Theil bin. Und
ich empfinde die Ruhe, die eine unmittelbare Nachfolgerinn unsrer
Handlungen ist, wenn wir unsre Pflicht gethan haben. Ich
habe die Bedingungen schon anfangs gesagt: sofern Ihr Verfahren nur meine Person angeht, will ich ganz und gar nachgeben; sofern es aber den Messias angeht, kann ich nicht nach-

geben. Ich werde nicht allzulange mehr hier seyn, und Sie in meinem Leben nicht wieder sehen, wenn ich Sie diese Zeit nicht sehe. Ich bin Ew. Hochedelgebohrnen,

Meines Hochgeehrten Herrn, ergebenster Diener,

Klopstod.

36. Sack an Klopstock.

Berlin, den 5. Januar 1751.

Hochedelgeborner Herr,
Werther Freund,

Ew. Hochedelgeboren werthes Schreiben vom 2. Decembr a. p. hat mich erfreuet, und auch betrübet; erfreuet, daß ich bey Ihnen noch in gutem Andenken stehe, und von Ihrer Gesundheit Nachricht erhalten; betrübet aber, daß eine Zwistigkeit entstanden, die ich sonst für unmöglich gehalten.

Wie? Bodmer und Klopstock lieben sich nicht mehr? Die zwey Dichter, die von der Freundschaft so erhaben, so schön denken, und derselben göttliche Reizungen und Rechte aus Einem Herzen, und Einer Seele besingen, und zwar so stark, und zärtlich=besiegend besingen, daß dies himmlische Feuer auch die kältesten Herzen entzücken kann. Dies ist mir eine so unerwartete Seltenheit, daß ich fast eine gewisse, poetische Erbsünde glauben sollte, wenn ich nicht zugleich als ganz gewiß glaubte, Bodmer und Klopstock sind schon wieder ausgesöhnt, und lieben sich stärker als jemals. Nie werden die Verfasser des Messias und des Noah, dem besten, und frömmsten Theile des menschlichen Geschlechts den betrübenden Anstoß, und dem boshaften Unglauben die Freude geben, zu sehen, daß man zwar von der Religion und Tugend sehr hoch und einnehmend, ja bemeisternd schön denken, und doch sich entzweyen könne. Mein Herz blutet, wenn der quälende Gedanke mir einfällt: nun wird der Messias und der

Noah nicht mehr erbauen. Nein! Bodmer und Klopstock müssen sich lieben, und Klopstock muß das Herz seines Bodmers wieder gewinnen, und nie wieder verlieren. Er muß hingehen, wäre er auch der beleidigte, und Thränen der zärtlichsten Wehmuth weinen, die ich so oft weinte, wenn ich den Messias las; Klopstock muß dies' thun, er muß aus Zürch als Bodmers Freund reisen, oder mein Herz wird kalt bleiben, und mein Auge wird nicht mehr weinen, wenn ich gleich die stärksten Stellen im Messias lese. Meinem Sohne werde ich sein Bildniß zeigen, und sagen: so sah Klopstock aus, den dein Vater als den schönsten Geist, als das beste Herz liebte, der so neu, so schön dachte, der aber — Ja, Klopstock muß aus Zürch als Bodmers Freund reisen, oder kein Mensch fühle die Stärke seiner Gedichte, sein Messias werde ein mittelmäßiges Stück und seine Oden kriechend, und seine Schmidtin denke nicht mehr an ihn! Bodmer muß Klopstock wieder lieben, oder die ganze Welt müsse glauben, Klopstock hat Unrecht und Bodmer hat Recht.*)

Mein werther Freund, so denkt mein Herz, und Ihr Herz wird die Sprache der wahren Freundschaft fühlen, und sich wieder in Bodmers Arme werfen, und dadurch mich wieder beruhigen.

Was meinen Berlinischen Entwurf betrifft, so war es ganz natürlich, daß ich nicht mehr an denselben denken konnte, sobald ich die Ruhe und die Vortheile mit Gewißheit erfuhr, die Ihnen in Dänemark angeboten werden. So viel hätt' ich hieselbst nicht erlangen können. Dänemarks Anerbieten muß von Ihnen ohne Verzögerung angenommen, und zu völliger Ausarbeitung des Messias angewandt werden. Alle Ihre Freunde erwarten solches von Ihnen, und Sie sind dazu gegen

---

*) Dies scheint mir, nach dem Zusammenhange, verschrieben zu seyn.
Anmerk. von Klopstock.

die Vorsehung verbunden, oder Sie streuen den Samen der tiefsten
Reue in Ihr Herz. Ich wenigstens mag es nicht erleben, daß
Klopstock dem Messias untreu werden, und die besten Seelen
dadurch so sehr betrüben sollte.

Herr Sulzer ist mit seiner Krusenhofen gestern aus
Magdeburg allhier wieder angekommen, und genießt nun in
ihren ehelichen Armen das Glück, welches Klopstock einmal in
den Armen seiner Schmidtinn genießen wird, wenn er sich mit
Bodmern versöhnt, und den Messias zu Ende bringt. Leben
Sie glücklich, mein lieber Klopstock, aber versöhnt mit Bodmern
und denken zuweilen an

Ihren wahren Freund
und ergebenen Diener Sack.

37. Klopstock an seine Ältern.

Zürch, den 13. Januar 1751.

Ich habe diesen Brief Herrn Breitinger zugeschickt, um
ihm zu erfahren, welche wahrscheinliche Wirkung er auf Bodm..
machen würde. Herr Breitinger hat mir, unter anderm, nach
dem er einen Tag den Brief bey sich behalten hatte, ausdrücklich
zurückgeschrieben, er besorge, daß dieser Brief die Versöhnun..
ganz unmöglich machen würde. Da ich dies Urtheil gewisser..
maßen für Herrn Bodmers Urtheil halten kann, so habe ich den
Brief an Bodmern selbst nicht geschickt. Ich habe diese zwey
Anmerkungen bey der Sache gemacht: Bodmer ist weder ein
Freund, noch ein edelmüthiger Feind zu seyn fähig; ferner die
Bemühung einer Aussöhnung würde ganz vergebens seyn. Ich
bitte Sie, liebste Aeltern, den Brief Herrn Cramern, Gleim
und Schlegeln unter der Bedingung zu zeigen, daß die Sache
ganz geheim gehalten werde. Wenn diese Freunde es haben
wollen, so kann er auch auf Braunschweig an die Herrn

Ich sehe, wie ich durch das Vorzimmer gehe, noch einmal in
den großen Spiegel, sage: ich bin doch auch nicht zu meinem
Vortheil gekleidet (und das war ich auch wirklich nicht), ich
hätte es für einen Beyträger wohl mehr seyn mögen; aber der
Verfasser des Messias wird wohl nicht sehr darauf sehen. —
Hätte ich gewußt, daß der Verfasser des Messias würde mein
Geliebter werden, wie viel mehr würde ich dann hierüber bekümmert gewesen seyn? Nun mache ich die Thüre auf, nun sah'
ich ihn — — Ja, hier müßte ich Empfindungen mahlen können.
— Sein Anblick frappirte mich in dem eigentlichsten Verstande.
Ich hatte schon so viele Fremde gesehen, aber niemals hatte ich
einen solchen Schrecken, einen solchen Schauer — ich weiß nicht,
wie ich mich ausdrücken soll — empfunden. Ich hatte gar
nicht die Meinung, daß ein ernsthafter Dichter finster und mürrisch aussehen, schlecht gekleidet seyn, und keine Manieren haben
müsse; aber ich stellte mir doch auch nicht vor, daß der Verfasser
des Messias so süß aussähe, und so bis zur Vollkommenheit
schön wäre. — Denn das ist Klopstock in meinen Augen, ich
kann nicht helfen, daß ichs sage; aber Ihnen kann ichs sagen. — Er stutzte auch. Wir schwiegen alle Beyde eine kleine
Weile länger still, als man in einem solchen Falle sonst thut.
Endlich sagte er: Herr Giseke hat mir gesagt, daß ich die Erlaubniß hätte, Ihnen aufzuwarten. — Ach, Giseke, wie rührte
mich der Ton seiner Stimme! Und da sah ich ihn noch einmal
recht an. Ach da stand er, da, da! In der Schmidten ihrer
Stube, vor der Kammerthür. Wenn Sie hier wären, so würde
ich Sie an die Stelle hinführen, und sagen: Da wars, Giseke,
da! — Ich fand, daß er sich mit ungezwungener vieler Anmuth
bückte — und ich finde noch, daß ers thut. — Was meinen
Sie aber, das ich nun antwortete? — Es ist mir angenehm,
Sie kennen zu lernen. — Wahrhaftig, ich konnte nichts anders

erzählen müffen.   Sie erinnern sich noch wohl, daß einmal ein
Bauerfrau ein gewiffes Frauenzimmer, das Sie genauer kennen
als ich, für die junge Prinzeffin hielt, die damals durch Langen=
falz gieng.   Ich bin bey dieser Prinzeffin sechs Tage gewesen,
und das königliche Mädchen hat mir so wohl gefallen, daß ich
beynah ein Nachahmer der Bauerfrau geworden wäre, und an
der Prinzeffin ein bischen „Fanny“ gefunden hätte.   Denn ich
bin doch einmal dazu da, immer an Fanny zu denken, Fanny
mag auch noch so viel wieder mich über Ihr liebenswürdiges
Herz bringen können.   Empfehlen Sie mich der schönen Fanny.
Ich bin

Ihr ergebenster

Klopstock.

39. Meta Moller an Gifeke.

— — Mein Klopstock ist jetzt, (b. 4. April 1751) in Ham=
burg angekommen.   Er läßt fragen, wann er mich besuchen darf
Ich sage: gleich; ohne daran zu benken, daß gleich nicht zwe=
Stunden heißt, und wohlwiffend, daß ein Frauenzimmer fic
nicht leicht in weniger Zeit ankleiben kann, so fange ich an mic
zu putzen.   Kaum aber hatte ich mich an den Nachttisch gesetzt
und die Nadeln aus den Haaren genommen, welche nun m
großer Unordnung um meine Stirn hingen, so sagt man mir
der fremde Herr ist da.   Ich stecke geschwinde, geschwinde d
Haare nur so viel zurück, als nöthig war, um sie mir nicht i
den Augen hängen zu laffen, werfe ein Regligé über, und wei
ich nicht Zeit hatte, es zurecht zu stecken, so schlage ich ein groß
großes Tuch darüber.   Die Schmidt kommt herein, ich spring
ein Paar Mal in die Höhe, und freue mich ganz unbeschreiblich
daß ich nun den Verfaffer des Meffias, den Freund vo
Gifeke, den Beyträger sehen soll, wonach mich so sehr verlang

Ich sehe, wie ich durch das Vorzimmer gehe, noch einmal in den großen Spiegel, sage: ich bin doch auch nicht zu meinem Vortheil gekleidet (und das war ich auch wirklich nicht), ich hätte es für einen Beyträger wohl mehr seyn mögen; aber der Verfasser des Messias wird wohl nicht sehr darauf sehen. — Hätte ich gewußt, daß der Verfasser des Messias würde mein Geliebter werden, wie viel mehr würde ich dann hierüber bekümmert gewesen seyn? Nun mache ich die Thüre auf, nun sah' ich ihn — — Ja, hier müßte ich Empfindungen mahlen können. — Sein Anblick frappirte mich in dem eigentlichsten Verstande. Ich hatte schon so viele Fremde gesehen, aber niemals hatte ich einen solchen Schrecken, einen solchen Schauer — ich weiß nicht, wie ich mich ausdrücken soll — empfunden. Ich hatte gar nicht die Meinung, daß ein ernsthafter Dichter finster und mürrisch aussehen, schlecht gekleidet seyn, und keine Manieren haben müsse; aber ich stellte mir doch auch nicht vor, daß der Verfasser des Messias so süß aussähe, und so bis zur Vollkommenheit schön wäre. — Denn das ist Klopstock in meinen Augen, ich kann nicht helfen, daß ichs sage; aber Ihnen kann ichs sagen. — Er stutzte auch. Wir schwiegen alle Beyde eine kleine Weile länger still, als man in einem solchen Falle sonst thut. Endlich sagte er: Herr Giseke hat mir gesagt, daß ich die Erlaubniß hätte, Ihnen aufzuwarten. — Ach, Giseke, wie rührte mich der Ton seiner Stimme! Und da sah ich ihn noch einmal recht an. Ach da stand er, da, da! In der Schmidten ihrer Stube, vor der Kammerthür. Wenn Sie hier wären, so würde ich Sie an die Stelle hinführen, und sagen: Da wars, Giseke, da! — Ich fand, daß er sich mit ungezwungener vieler Anmuth bückte — und ich finde noch, daß ers thut. — Was meinen Sie aber, das ich nun antwortete? — Es ist mir angenehm, Sie kennen zu lernen. — Wahrhaftig, ich konnte nichts anders

aufbringen. Und dann geschwinde: Wollen Sie die Güte h
ben, sich zu setzen? Ich setzte mich gegen ihm über. Ich ha
mich nachher erinnert, daß ich gesehen, daß er seine eine Ha
mit der andern hielt. Ich glaubte, das käme von ungefäh
Klopstock hat mir aber gesagt, er habe gezittert, und hätte m
das Zittern dadurch verbergen wollen. Er hätte sich sehr darüb
verwundert, daß er zitterte, weil ers nicht gewohnt wäre, u
auch keine Ursache davon hätte finden können.

Den folgenden Tag speiste Klopstock des Mittags n
vieler unwürdiger Gesellschaft bey uns. Ich hatte mich se
sorgfältig geputzt. — Ein Umstand, der bey verliebten Mädche
und am allermeisten bey denen, die in Begriff sind, es zu we
den, sehr oft vorkommt. Ich hatte sogar deswegen eine Tra
mehr erleichtert, als ich eigentlich gesollt hätte. Wie ich fer
war, sagte man mir, Klopstock wäre gekommen. Ich wol
noch geschwinder seyn, als ich schon von Natur bin, und zerr
darüber im Laufen die Garnitüre meines Kleides. Ich wa
sehr böse. Es mußte doch wieder gemacht werden. Das w
entsetzlich, daß das Dienstmädchen so langsam war. „Fort! For
Geschwind!" schrie ich bei jedem Stiche, den sie that. Ich hä
beynahe geflucht: wenigstens stampfte ich mit dem Fuße. E
ward glücklich fertig, und ich flog hinauf. Ich war von Klop
stocks Süßigkeit so überzeugt, daß ich mit der Schmidt g
wettet hatte, sie würde Klopstock gleich unter den beyden ander
Fremden (die ich damals selbst noch nicht gesehen hatte) erkenne
Nun machte ich die Thür auf, und sah — — — und sah gleic
Klopstock. Er sah noch süßer aus, als den vorigen Tag, un
kam mit einer so sanften Freundlichkeit zu mir, die sich nicht be
schreiben läßt. Nun sah ich erst die Uebrigen in der Gesellschaf
deren Unwürdigkeit ich damals noch nicht so kannte, als jetz
Ich sprach mit ihnen und kam wieder zu Klopstock. Ich setz

mich sogar mit ihm allein ansFenster. „Ich bleibe bis Mittewoch," sagte er mir mit einer Freude, die mir sehr angenehm
war. Ich freute mich auch. Er sah meine Kleidung an. „Ist das
Trauer?" fragte er. Es war mir angenehm, daß meine Kleidung
bemerkt wurde, weils Klopstock war. Wir gingen zu Tische.
Klopstock führte mich, welches mir lieb war, obgleich mehr Gesellschaft da war. Ich bot Klopstock den obersten Platz an, wünschte
aber, daß er ihn nicht annehmen möchte. „Wo sitzen Sie?" fragte
er. — Ich sitze hier. — „Ich sitze bey Ihnen." — So setze ein
jeder sich, wie ihm gefällig, sagte ich; denn nun hatte ich, was
ich wollte. Klopstock sprach immer mit mir allein. Die Andern nahmen es übel, ich nicht. Man sprach von schönen Augen.
Klopstock sagte, er kennte die schönsten blauen Augen in
Deutschland. Das sind der Schmidt ihre, dachte ich, und
fühlte, daß ich roth ward. Aber könntens nicht auch die meinigen seyn? Er sah mich doch so süß an, wie ers sagte. Nein,
das ist doch nicht möglich. — — Wenn sie nur noch recht blau
wären! Ein geschwinder Blick nach dem Spiegel, welcher betrübt
wieder zurückkehrte. Klopstock, der immer mehr tändelte,
tändelte nun endlich Liebe. Er sagte, er haßte die ernsthafte
Liebe, wobey nur lauter Seufzer und Schmerzen wären. Eine
Frühlingsliebe wäre recht nach seinem Geschmack; nämlich eine,
die, wenns hoch käme, einen ganzen Frühling dauerte; man
könnte sich auch sonst wohl sechsmal in einem Frühling verlieben. Ich setzte den Scherz fort, zumal da ich wußte, wie sehr
Klopstock gegen seine wahre Meinung sprach. Endlich blieb
er mir nicht mehr angenehm. Ich fürchtete, Klopstock möchte
auch wohl gar denken, ich wäre eine Mädchen, mit dem man
nur dergleichen sprechen müßte. — Diese Furcht ist oft wiedergekommen. Rahn brachte seine Gesundheit aus, die mich
vollends verdrüßlich machte. A vos amours, Mr. Klopstock,

qui à present se divulguent par tout le monde. Ich glaube, die
Sache an sich und das divulgiren war mir beydes unangenehm.
Ich erklärte es mir aber so, daß ich verdrüßlich darüber ward,
daß Rahn es noch mehr ausbreitete. Einen kleinen Umstand
kann ich für Sie unmöglich unterdrücken. Ich reichte Rahn
einen Teller mit Aepfeln, und weil Klopstock und Hagedorn
zwischen uns saßen, so mußte ich mich fast über Klopstock
seinen Schooß legen, um hinzukommen. Klopstock sah sehr aufmerksam nach meiner Tour de gorge, und seufzte. Ich bemerkte
es, und wunderte mich; denn ich hatte Klopstock bisher
für einen bloßen Geist gehalten. Ich ward aber doch nicht
böse darüber, da ich sonst allemal bey einer solchen Gelegenheit
gegen eine jede Mannsperson Zorn und Verachtung empfunden
habe. — Dieses setze ich nicht etwa als einen Beweis meiner
Tugend hierher; sondern es ist eine wirkliche Wahrheit.

Wir standen vom Tische auf. Klopstock hat mir nachher
gesagt, daß er sich selbst gewundert habe, daß ich mit meinem
andern Nachbarn so wenig gesprochen hätte. Bey Tische hat sie
man von unsern hiesigen Regenkleidern gesprochen. Ich ver-
säumte die Gelegenheit nicht, jetzt eins bringen zu lassen, und
es umzuthun, auf daß sie die Mode recht sehen könnten. Ein
Nebenumstand ist sonst auch, daß es mir sehr gut stehet. Dieser
Nebenumstand that auch die sehr gute Wirkung auf Klopstock,
daß er herflog, und mich mit vielem Feuer küßte. Nun fing
die Gesellschaft an, sich zu zerstreuen, und die meisten fuhren
weg. Klopstock trat mit mir an ein Fenster, und las einen
Brief von Ihnen. Ich, um desto besser in den Brief zu sehen,
weil wir ihn doch nicht ganz laut lesen konnten, hatte, wirklich
ganz von ungefähr, meine Hand hinter Klopstocks Rücken gelegt. Er drückte sie mir ganz sanft mit seinem Rücken. Dieser
Druck erregte bey mir ein Gefühl, das mich aufmerksam machte,

das doch aber so süß war, daß ich nicht im Stande war, meinen
Arm zurück zu ziehen (welches ich bey einer andern Mannsperson
zewiß gleich gethan hätte). Mein Arm blieb also ganz dicht
an Klopstocks Rücken liegen, so lange er den Brief las.
Klopstock hat mir auch erzählt, daß ich, wie er nachher mit
mir gesprochen, und er seine Stirne so ein bischen gegen mich
geneigt, ich die meinige auch ein bischen so hingebogen, daß sie
sich ganz sanft einander berührt. Diesen Umstand weiß ich
nicht mehr. Ich glaube daher, daß ichs auch nicht muß gewußt
haben, wie ichs gethan habe. Klopstock fragte, ob ich seine
Elegie: Die nur zärtliches Herzens u. s. w. kennte. Ich sagte
aus einer gewissen Furchtsamkeit, daß ich sie nicht genug kennen
möchte, nein. Er wunderte sich, und sagte: so wollen wir sie
zusammen lesen. Ich ging deswegen mit ihm nach der Schmidt
ihrem Zimmer. Ich fing an zu lesen, konnte aber nicht fort=
fahren, weil ich einen zu starken Fluß auf den Augen hatte.
Klopstock las. Er hielt meine eine Hand. Das Herz schlug
er gewaltig, unsre Hände wurden immer heißer, immer heißer;
fühlte sehr viel, und ich glaube, Klopstock auch. Er las
Stück aus dem Messias. Die Schmidt war dazugekommen.
fragte, ob er nicht einen Kuß dafür verdient hätte? Die
Schmidt sagte ja. Ich sagte, ich küßte keine Mannsperson.
disputirte viel dagegen. Ich dachte, warum küßt der Affe
denn nicht? Du kannst ihm den Kuß ja nicht geben. Herr
Keller kam herauf. Er fragte, ob Klopstock denn noch nicht
fahren wollte? Er müßte ja zu Olden. Ja, bald, sagte
stock, setzte sich unterdeß hin, und trank mit uns Thee.
Schmidt war so gut, Herrn Keller zu unterhalten; ich
té mit Klopstock. Er sagte, ich sollte mit ihm reisen.
gte, ich wollte wohl. „Aber Sie würden zu sehr frieren?"
Ich Ihr Feuer bey mir hätte, wohl nicht, sagte ich mit

6*

Lachen. Ach, Sie haben genug eigenes Feuer, sagte er,
küßte mich mit nicht wenigem. Endlich, nachdem Herr Ke
lange angemahnt, und die Glocke neun geschlagen hatte,
mein Klopstock zu Olden.

Den Montag, ehe Klopstock wegfuhr, hatte er mich
fragt, um welche Zeit er mich den andern Morgen besu
könnte. Er wunderte sich sehr, wie ich um Zehn sagte.
ich merkte, daß er sich wunderte, bat ich ihn, er möchte fr
kommen; aber er wollte nicht. Dienstag Morgen um zehn
kam er also. Wie er in die Stube trat, spottete er über n
Toilette und meinen Schoß=Hund. Den Letztern habe ich g
darauf abgeschafft, und durchaus keinen wieder haben wo
„Sind in dem kleinen Kasten Liebesbriefe?" sagte er von ei
der auf dem Nachttische stand. Ja, sagte ich, und es ist J
erlaubt, sie zu sehen. Er fand eine von seinen Oden b
Er machte ein freundliches Gesicht, und sagte mir noch
andere vor. Endlich setzte er sich · hin und trank Thee mit
„Ich habe dem Herrn von Hageborn absagen laffen, sagt
um noch eine Stunde länger bey Ihnen seyn zu können." —
hatte den Herrn von Hageborn erstaunlich lieb damals
Wir kamen nach und nach so weit, daß er mir seine ganze Gesch
erzählte. Ich empfand so viel dabey, daß ichs gar nicht
drücken kann. Ich mußte auch einmal hinausgehen. Ich n
das Alles für freundschaftlichen Antheil, aber nachdem ich
darauf Acht gegeben, so habe ich gefunden, daß mein G
mehr der Ehrfurcht, als der Freundschaft, ähnlich war. D
Gefühl hat sich nachher sehr oft wieder merken laffen. Klop
selbst war sehr decontenancirt bey seiner · Erzählung, aber
glaube nicht, daß er das meinetwegen gewesen ist.

Endlich ging er weg, mit dem Versprechen, den Abend
uns zu essen; er sagte aber, daß er nicht vor acht Uhr kon

könnte. Wenn er weg war, schlug mir immer das Herz so, und die Zeit währte mir so lang. Ich mochte so gern von ihm sprechen, und es verdroß mich, wenn die Schmidt mich unterbrach, oder von etwas Anderm redete.

40. Fräulein Schmidt an Klopstock.

Langensalza, den 7. April 1751.

Ich will, mein lieber Herr Vetter! das anakreontische Täubchen, dessen Ankunft Sie so begierig entgegensehen, nur immer fliegen lassen, ob es gleich eine sehr große Forderung ist, daß ein so kleines und zartes Geschöpf sich auf eine so weite und so lange Reise und sogar über das Meer wagen soll. — Wo sind Sie jetzo, und wo wird es Sie antreffen? — Das arme, kleine Ding, es wird ganz außer Athem und müde von der Reise seyn, ehe es in Ihre Hände kommt. Fragen Sie es nur nicht gleich gar zu viel; denn, anstatt daß es so geschwätzig als der Bote des Anakreon ist, wird es Ihnen vor Müdigkeit kaum sagen können, daß es, eben so wie ich, recht böse auf Sie ist, daß es Sie so lange und so weit hat suchen müssen. Es wird mir angst und bange, wenn ich daran denke, daß man so viele Länder mit seinen Gedanken durchstreichen muß, ehe man Sie ganz nahe unter dem Nordpole ertappen kann. Wahrhaftig! eine weite Entfernung für ein Mädchen, das es schon für ein sehr großes Unternehmen gehalten hat, sich zu einer Reise nach Leipzig zu entschließen!

Machen Sie dem kleinen anakreontischen Vogel, den ich Ihnen übersende, nur immer tausend Liebkosungen, damit er Ihnen alles das Böse, was ich von Ihnen wegen Ihrer Nachlässigkeit, uns in Langensalza nicht zu besuchen, gedacht habe, ja nicht sagen möge! — Erkennen Sie denn nicht, daß ich wenn ich von Natur nicht so gütig wäre, als ich bin, die Vor-

würfe, die ich Ihnen zu machen hätte, leicht zu hoch treiben
könnte, da Sie mich um die beſte Hoffnung der Freude und
des Vergnügens, um die Hoffnung, Sie zu ſehen, gebracht
haben? — Es iſt Ihr großes Glück, daß ich ſo wenig geneigt
bin, mich um eine Sache, die nicht mehr zu ändern iſt, zu zanken,
beſonders mit Jemanden, den ich gern für unſchuldig halten
möchte.

Ich glaube daß Sie ſich recht freuen werden, die Verheirathung der Demoiſelle Hagenbruch mit Herrn Lutheroth
zu hören! Ihr ſo liebes, freundliches Mädchen! — Ich weiß
nicht, ob ſie künftig noch immer ſo freundlich ſein wird! —
Ich habe ihr eine Ode auf ihre Hochzeit verſprochen; ich hoffe,
daß Sie ihr doch auch ein Gedicht machen werden. — Lachen
Sie mich ja nicht über mein Verſprechen aus: ich bin zwar
keine geborne Dichterin; mein Umgang mit Ihnen hat mich
aber doch zu etwas dergleichen gemacht, und eben daher bin ich
noch immer mit der größten Freundſchaft Ihre

ergebene Dienerin
M. S. Schmidt.

41. Klopſtock an Fräulein Schmidt.
Auf dem groſſen Belte, den erſten Oſtertag 1751.
Liebſte Couſine,

Ich hatte mir einige Hofnung gemacht, einen Brief von
Ihnen bey Hagedorn in Hamburg anzutreffen. Ich hatte
Sie in meinem letzten Briefe ſo ſehr darum gebeten. Da ich
mich Hamburg näherte, kam es mir viel ſchöner vor, als es
iemals einem Fremden vorgekommen iſt, weil ich glaubte, daß
in Hamburg ein Brief von Ihnen wäre. Aber ich fand keinen.
Muß ich nicht glauben, daß Sie mich ganz und gar vergeſſen
haben? Ich denke immer an Sie. Wenn ich ſo oft hätte

'chreiben wollen, als ich unterwegs an Sie gedacht habe, so
hätte ich nicht reisen, sondern schreiben müssen. Unser Schiff
gehet sehr gut. Aber ich hatte die Neuheit des Schiffs und
und der See bald vergessen, um an Fanny zu schreiben, wenn
ich Sie anders noch so nennen darf. Hier muß ich wieder ab=
brechen, weil ich allezeit, wenn mein Herz am vollsten ist,
schweigen muß. Leben Sie wohl. Küssen Sie Ihren Bruder.

  Ich bin, Liebste Cousine,

 Meine adresse in Koppenhagen ist: Ihr Freund
bey Mumma Marchand Libraire.   Klopstock.

42. Klopstock an Giseke.

Kopenhagen, den 4. Mai 1751.

 Du mußt einen Brief von mir, vom großen Belte her,
empfangen haben. Ich hätte auch wol von hier aus eher schreiben
können, wirst Du sagen. Ich würde es eher gethan haben,
wenn ich eher hätte umständlich schreiben können.

 Ich habe an Moltke und Bernstorf zween so würdige
Männer gefunden, als ich sie in der Ferne glaubte. Auch
Moltke, den ich in der Ferne auf dieser Seite noch nicht ge=
nnt hatte, ist ein Kenner. Er selbst hat mich veranlaßt, von
dem jetzigen Zustande unsrer schönen Wissenschaften zu reden.
Bernstorf, der zwar gegen das Ende dieses Monats verreiset,
aber, wie mir es wahrscheinlich ist, wiederkommen wird, wird
die Beyträge, von denen ihm nur der letzte Theil bekannt war,
ausdrücklich lesen, und ich werde ihm die Namen der Ver=
fasser über die vornehmsten Stücke setzen. Er ist recht im eigent=
lichen Verstande ein Kenner, sein Geschmack geht aber vorzüglich
aufs Ernsthafte. Ich bin oft bey ihm gewesen, und habe viel
mit ihm gesprochen. Wie kann ich Dir aber Alles dies schreiben?
Ich will jetzt nur eins anführen. Er sagte mir: „Es würde

mir völlig überlassen, ob ich in meinen Gedichten unterweilen
etwas vom Könige sagen wollte, oder nicht. Er würde davon
gar nichts sagen, wenn er nicht glaubte, daß es für einen rechtschaffenen und freydenkenden Mann ein wahres Glück wäre, von
einem wirklich liebenswürdigen Könige zu reden. Unterdeß
sollte ich ihm hierin nicht geradezu glauben, sondern, wenn ich
etwas von dieser Art schreiben wollte, schreiben, wie ichs fände,
gut oder böse.

Wie gefällt Dir das, kleiner Giseke? wie überzeugt muß
Bernstorf, der zu nichts weniger, als zu Schmeicheley
geboren ist, von dem edeln Charakter des Königs seyn?

Da ich beym Könige war, so gab er mir in sehr gnädigen
Ausdrücken seinen Beyfall wegen des Messias. Er redete von
meiner Ode, und sagte, daß sie sehr schmeichelhaft für ihn wäre.
Er beklagte Schlegels frühen Tod, der so viel Geist gehabt
hätte. Er redete von der Wollust des Gemüthes, die ein Geist,
der sich immer zu erweitern fähig wäre, in den Wissenschaften
fände; sagte, daß man wahre Gelehrte mehr, als Gold, schätzen
müßte.

Ich muß Dir sagen, daß ich des Königs eigene Worte
anführe. Er fragte mich, ob sich die Sachsen mit Recht der
besten deutschen Sprache rühmten. Ich konnte hier etwas von
der wenigen Unterstützung der belles lettres in Sachsen reden.
Ich hatte auch vorher schon von unserm Schlegel, bey Erwähnung seines Bruders, geredet. Der König wußte auch, daß
der jüngste Schlegel bey Ranzau wäre. Ich kann Dir nicht
Alles auf einmal erzählen, lieber Giseke! So viel ist gewiß, daß
der König Einer der liebenswürdigsten Männer ist, die jemals
verdient haben, nicht in den Hübnern, sondern in der Geschichte wählender Geschichtschreiber vorzukommen.

Der König nahm mich, da ich wegging, bey der Hand;

und schon vorher, noch eh als ich ihn sahe, hatte er mir hundert Dukaten für meine Herreise geschenkt.

Deine Fragen, die Du im letzten Briefe an mich thuest, will ich nun auch beantworten. Aber nur kurz. Denn ich schreibe auch an Hageborn. 1) Du bist ein guter Giseke. 2) Ich habe Hageborn ganz und gar so gefunden, als ich dachte. 3) Die Mollern habe ich freylich gesehn. 4) Ich kenne und liebe auch ihre würdige Schwester. 5) Was die Bestellung von Hannchens Küssen anbetrifft, so läßt sich die Mollern durchaus nicht küssen. Denn ein Kuß auf den Backen, der noch dazu so ganz kaltsinnig angenommen wird, ist gar kein Kuß. 6) Ich habe beyden gesagt, daß Hannchen eine recht süße Frühlingsblume von einem Mädchen ist. 7) Ich habe Deinen Seip verschiedene Male gesprochen, und ihn recht brav gefunden. Doch ich kann auch alle die vielen Fragen nicht auf einmal beantworten. Weißt Du wohl, was in den weisen Sprüchen Salomons von den vielen Fragen steht? Nun, Kleiner, werde nur nicht böse, ich habe es so schlimm nicht gemeint. Wohl ein bischen schlimm, aber nicht allzuschlimm. Küsse Gärtnern von mir, und auch Louisen, wenn sie sich von Dir will küssen lassen. Und die kleine Frühlingsblume küß' auch von mir, denn da bist Du leider einmal eingewurzelt.

Dein Klopstock.

43. Klopstock an Fräulein Schmidt.

Friedensburg, vier Meilen von Koppenhagen
den 11. Mai 1751.

Liebste Cousine,

Ihre kleine anakreontische Taube kam mir gestern, an einem Frühlingsabend, den der volle Mond noch schöner machte, und in einer Gegend zugeflogen, die so reizend, als irgend eine in

Sachsen, ist. Die Nachtigallen singen hier so schön, als
Ihnen. Und schicken Sie mir nur fein viel der kleinen Ta
sie sollen mit mir in jeden Lieblingsbusch der Nachti
spazieren fliegen.

Es ist hier so nahe am Nordpole nicht, als Sie be
und ich dachte. Ich geniesse hier alle Ruhe und alle Süß
des Landlebens, besonders da es der beste und mensch
Mann in Dännemark, der König, haben will, daß ich
sey. Es sind eine rechte Menge prächtiger Landschlösser
die Insel zerstreut. Der König hat sich das kleinste, aber
angenehmste in Betrachtung der Lage zu seiner Landlust ge
Er selbst hat nur ein Zimmer für sich, und nur ein k
Audienzzimmer, aber rings um sich Wald, und hundert bu
schnittene Alleen im Walde, worinn sich das Auge ve
Als ich gestern Abend Ihren so unerwarteten Brief em
gieng ich in eine dieser Alleen, an dem Ufer einer See hi
und da ich ihn noch etlichemal gelesen hatte, red'te ich die
Taube so an:

Und Du bist endlich, kleine liebenswürdige Taube, zu
gekommen, nachdem Du so lange unterwegs zugebracht
Ich wollte Dich gern viel mehr fragen, als Du mir sagst,
Du bist, wie Du sagst, ganz ausser Athem, und willst nich
gefragt sein. So setze Dich denn auf diesen hangenden Z
wo der Mond am heitersten scheint, und wo die Abendlüft
sanftesten wehn. Schwanke hier ein wenig und erhole Dich
Deiner Müdigkeit. Ich will Dich hierauf nur ein klein n
ausfragen. . . . . Nun, so höre mir denn zu, kleine
Taube. Als Du wegflogst, da war noch kein Frühling
euch, und da besuchte Deine Gebieterin iene Gegenden
nicht, wo ich manchmal mit ihr, und zu oft allein war?

„Das that sie bisweilen, aber sie kehrte bald zurück."

War ſie oft allein wenn ſie dieß that?

„Sie war oft allein und immer ſehr heiter.“

Redte ſie nicht manchmal mit Dir von ihren Freunden?

„Das that ſie.“

Ach, kleines Täubchen, war ich dann auch unter ihren Freunden?

„Sie red'te nur ſelten von Dir.“

Haſt Du ſie nicht manchmal geſehen, wenn ſie Briefe bekam?

„Das habe ich geſehen. Bisweilen legte ſie die Briefe mit einer ernſthaften Miene weg, und nahm gleich darauf ein Buch, etwas zu leſen, oder that ſonſt etwas.“

Haſt Du nicht manchmal eine Thräne des Mitleids in ihrem ſchönen Auge geſehn?

„Niemals, dazu iſt ſie viel zu geſetzt.“

Warte, Taube, ich reiſſe Dir eine Deiner ſchönſten Federn aus, wenn Du noch einmal Deiner Beherrſcherin, mit dem ſchönen Namen der Geſetzten, eine ſolche Hartnäckigkeit Schuld giebſt.

„Wenn Du mir dafür, daß ich Dir die Wahrheit ſage, ſo begegnen willſt, ſo kann ich wohl wieder wegfliegen.“

Bleib, kleine Taube, ich will Dir nichts thun.

„So will ich denn bleiben. Aber warum fragſt Du mich nichts mehr? Und warum biſt Du ſo ſehr niedergeſchlagen?“

Sehe ich denn nicht heiter aus, liebes Täubchen?

„Ach, was iſt das für eine Heiterkeit! Das iſt nur eine leichte Decke einer alten tiefen Traurigkeit, von der Du Dich nicht losmachen kannſt, und die, wie es ſcheint, einen beſtändigen Schatten auf Dein Leben werfen wird. Du ſaheſt ja recht von Herzen fröhlich aus, da ich zu Dir kam, warum haſt Du Dich ſo geändert? Ich habe Dir doch nichts gethan? Ach, das wollte ich bey allen Göttern nicht, daß ich Dir etwas gethan hätte! Denn ich habe noch nie ein so starkes Gefühl des Schmerzes gesehen, als ich es bey Dir sehe. Und Du scheinst mir ein Herz voll Edelmüthigkeit und Rechtschaffenheit zu haben."

Komm, kleine Taube, ich habe Dich viel zu lieb, als daß ich Dich traurig machen wollte. Komm her, kleiner Liebling, und setze Dich auf meine Leyer, und will ich Dir ein Lied von einer Fanny spielen, die der einzige Gedanke meines Lebens ist. . . . . Warum senkst Du Deinen schimmernden Fittig herunter? Warum wirst Du so traurig?

„Höre auf, dieß Lied zu singen, oder ich fliege in einen dunkeln Schatten, und sehe Dich nicht wieder."

Bleib bey mir, kleine Gespielinn, ich will aufhören zu singen. Aber noch etwas darf ich doch fragen? Warum hast Du mir gesagt, daß Deine Gebieterinn es Nachlässigkeit nenne, daß ich nicht zu ihr gekommen sey? Da es doch das gar nicht war?

„Du forderst zu viel von mir. Ich bin ja nur ihre Gesandtinn. Kann ich Dir von allem, was Sie denkt, Rechenschaft geben?"

Sehen Sie, so habe ich und die kleine Taube mit einander gesprochen, bis mich eine Gesellschaft gefunden und mir selbst und meinem schönen Baume und dem schönen Ufer weggenommen hat. Wollen Sie denn nun fein oft an mich schreiben? Die Briefe sind ordentlich nicht lange über acht Tage unterwegs, ob gleich der Ihrige dießmal länger zugebracht hat. Wenn es Ihr Ernst ist, ein Gedicht auf Mademoiselle Hagenbruch zu machen, so schicken Sie mir es ja. Vielleicht fällt Ihnen auch das Gedicht wieder in die Hand, das Sie mir einmal zu schicken versprachen, und von dem Sie mir sagten, daß dieser Vers darin stände:

„Wie glücklich war ich nicht, eh ich die Liebe kannte!"

Empfehlen Sie mich Ihrer Frau Mama. Ich bin mit
..hrhafter Freundschaft

Ihr ergebener

Klopstock.

Meine adresse ist: a Coppenhagen, auf der Cramer-
mpagnie. Ich muß Ihnen noch sagen, daß ich Ihnen vom
..ssen Belte aus einen Brief geschrieben habe, um zu erfahren,
Sie ihn bekommen haben.

44. Klopstock an Giseke.

Friedensburg, den 5. Junius 1751.
Mein lieber Giseke!

Ich habe an einem Briefe an die Moller so lange zuge-
..cht, daß ich Dir nur ganz kurz schreiben kann, wenn ich die
..st nicht will abgehen lassen. Ich bin fast böse mit Dir, daß
..u mir noch nicht auf Kopenhagen geschrieben hast. Du hast
..ch meinen Brief, der schon lange geschrieben ist, erhalten?
..tzt kann ich nur kurz dieses sagen: Möchtest Du wohl des
..rstorbenen Schlegels Stelle in Soroe haben? Ich bin jetzt
..uf dem Lande, wo der König ist, und ich habe theils nicht
..elegenheit genug gehabt, mich nach allen Umständen dieser
..telle jetzo genau zu erkundigen, theils habe ich es auch bey
..nigen, wo ich Alles hätte erfahren können, aus Ursachen nicht
..un wollen. Unterdeß ist es die Stelle, wobey Schlegel sich
..erheirathet hat. Da der Graf Moltke mit mir davon redte,
.. verlangte er nur Philosophie und Historie; ich habe aber,
..enn ich nicht irre, gehört, daß er auch das Staatsrecht gelehrt
..abe. Es versteht sich, mein lieber Giseke, daß ich über Alles
..mständlich bin, sobald Du mir nur überhaupt Deine Meinung
..esagt hast. Grüße unsere Freunde. Ich bin Dein

Klopstock.

45. Klopstock an Giseke.

Friedensburg, den 19. Juni 1751.

Ich und Rahn habe Deine lieben Briefe empfangen. Ich werde Dir auf ein ander Mal darauf antworten. Jetzt beziehe ich mich auf meinen letztern kurzen. Ich kann noch das hinzuthun. Soroe ist ein ungemein angenehmer Ort. Das Gehalt ist 500 Thaler, Wohnung und noch einige Kleinigkeiten. Es ist die Profession und Historie. Durch die Philosophie versteht Moltke eine nützliche praktische Philosophie, wie sie für junge Leute von der großen Welt gehört. Ob ich gleich von Dir noch keine Antwort hatte, so konnte ich doch die gute Gelegenheit, für Dich so viel zu thun, als ich vermochte, nicht versäumen. Diese Gelegenheit war, da ich Moltke kurz vorher sprach, eh ich dem König den Messias überreichte. Der König wußte schon davon, und sagte mir diese ausdrücklichen Worte, welche mir lieber waren, als mir oder Anderen das größte und gewählteste Geschenk hätte seyn können. Er sagte: „weil ich Dich empfohlen hätte, so solltest Du es werden." Er hatte kurz vorher von seiner besondern Neigung gegen Soroe geredet.

Ich darf nicht sagen, wie sehr ich wünsche, daß Du die Stelle annimmst. Unterdeß, weil ich nicht gewiß wußte, was Du thun würdest, so sagte ich zum Grafen, ich wollte nur von Ferne bey Dir anfragen. Nun stelle ich mir nur dieses einzige Hinderniß vor: Du könntest Dich vielleicht mehr zu einem Predigerdienste, als zu einem solchen bestimmt haben. Sollte dies seyn, so schreibe mir einen Brief, den ich dem Grafen lesen kann. Dein   Klopstock.

46. Klopstock an Giseke.

Kopenhagen, den 20. Juli 1751.

Du bist krank, mein lieber Giseke, wie mir unsere Moller geschrieben hat. Sag mir doch, wie man krank werden kann,

wenn man ein Hannchen hat? Werde gleich gesund, lauf'
und bitte es ihr ab, daß Du krank gewesen bist. — — Und
also willst Du nicht, oder vielmehr, also kannst Du nicht zu mir
kommen? Ueber Verschiedenes, was Du mir geschrieben hast, will
ich Dir gern einmal mehr sagen, als schreiben; eh aber jenes
geschieht, so viel thun, als ich kann. Ich habe nunmehr, wenn
ich (welches ich vermuthe) von Neuem vorschlagen darf, Rothen
im Kopfe. Der Herr Abt hat Dir den rechten Begriff von der
hiesigen Gesellschaft gegeben. Ich bitte Dich recht sehr, mich
diesem würdigen Manne zu empfehlen, und ihn meiner aufrichtigsten Hochachtung zu versichern. Du kannst ihm von dem,
was ich Dir bisher geschrieben habe, Alles sagen, was Du willst.
Ich reise in wenig Tagen wieder nach Friedensburg, um wegen
R . . . zu sprechen. Ich denke ja, der Knabe wird gehorsamer
seyn, als Du mir gewesen bist.

Was macht Ihr denn, ihr guten Kinder? Ich wollte Dir
von Euch eine kleine Historie erzählen, wie ich mir vorstelle,
daß Ihr lebt, wenn Du nur nicht krank wärst. Ein Poet muß
auch das, was er sagt, hübsch in Ausübung bringen. Hat nicht
Einer von uns, oder Du vielleicht selbst, Einmal gesagt, daß
das Küssen gesund mache? Ich sehe wohl, es heißt auch hier,
thut nach ihren Worten, und nicht nach ihren Thaten. Wenn
Du ein bischen exemplarischer lebtest, so wärest Du längst
gesund. Dein . Klopstock.

47. Klopstock an Fräulein Schmidt.

Friedensburg den 1. August 1751.

Ich habe gestern an Ihren Bruder geschrieben, und ihm
mein ganzes Herz gesagt, aber das darf ich Ihnen nicht sagen.
Was soll ich Ihnen denn nun sagen? - Daß mir ieder Morgen
der Posttage heiterer vorgekommen ist, als andere Morgen, weil

ich auf Briefe von Ihnen hoffe? Daß ich bei dem geringsten
Winde einen Brief von Ihnen in Gefahr zu sehn glaubte, ob
gleich auf den Belten nur alle Jahrhunderte ein Schiff verloren
geht? Daß ich immer noch die einsamsten Gänge suche, um an
Sie zu denken? Daß ich zu diesen Gedanken sogar eine sollenne
Stunde und einen ebenso heiligen Baum bestimmt habe? Die
Stunde ist gegen Elfe des Abends (denn um die Zeit ist es
hier noch dämmernd helle.) Und der Baum steht an einem run-
den erhöhten Rasenplatze, zwey hundert Schritte von der grossen
Allee, und von einer hohen Aussicht über die Friedensburger
Landsee, und besonders gegen eine kleine dichtbewaldete Insel
der See. Hier ist es, wo mir Fanny über den Wipfeln der
Bäume in silbernen Abendwolken erscheint. Hier ist es, wo ich
meine Lieder auf Fanny singe, und beym Weggehn allezeit, drey
geküßte und thränenvolle Rosen, gegen die Erscheinung ausstreue,
als kleine Opfer, die ich, nicht Ihnen, (denn Sie haben mein
Herz) sondern jenen süssen, nun verblühten Blumen bringe, die
Sie mir einmal freundschaftlich nachschickten. . . . . Wenn ich
Ihnen dieses sage, so ist es zwar auch mein Herz; aber wie wenig von einem Herzen, das so viel in sich faßt. Was würde
ich Ihnen nicht zu schreiben haben, wenn ich Ihnen dies Herz
schreiben dürfte. Schreiben Sie doch auch an mich, liebste
Schmiedinn. Nur einen kleinen lieben Brief! Nur ein solches
Briefchen, wie Sie sonst manchmal an mich schrieben, wenn wir
bey einander an Einem Tische sassen. Ich bin, liebste Schmiedinn, ich bin, wenn ich das seyn darf, Ihr   Klopstock.

48. Klopstock an Fräulein Schmidt.

Koppenhagen den 14. Sept. 1751.

Liebste Schmiedinn!

Wenn Sie es wüsten, was es mir für eine Freude gemacht
hätte, da ich ihre Hand auf Ihrem Briefe sah, gewiß, Sie würden

bald wieder einmal an mich schreiben. Ich wußte es wohl,
daß Sie wieder, die Wage in der Hand, mir iedes kleine Lächeln
der Freundschaft zuwägen würden; doch freute ich mich. Ich
erhielt Ihren Brief etliche Tage später,· als er gekommen war.
Ich kam eben von einem Jagdschlosse des Königs, Jägers=
pries, in die Stadt zurück, als man mir ihn gab. Sehen
Sie, immer sind auch die kleinsten Umstände bereit, zu machen,
daß, wenn ich mich ja einmal ein bischen freuen soll, es doch
so spät geschehe, als es nur möglich ist. Ich habe zwar hier
oft Anlaß, mich zu freuen; aber wie kann ich das recht, da ich
immer an meine liebste Schmiedinn denke, und das mit so
vieler Traurigkeit thun muß. .

Von Ihrem Bruder und Gleimen habe ich noch keine
Briefe bekommen. Gleim wird es gewiß nicht wagen, Sie bey
mir zu verklagen. Er weis schon, wie hitzig ich werden kann,
wenn man Sie bey mir verklagen will. Sie sagen mir: „Ich
soll Sie nicht verdammen, ohne Sie zu hören." O; Sie kennen
mich immer noch gar nicht. Sie haben mir noch niemals Anlaß
gegeben, Sie zu hören; und doch hab ich Sie noch niemals
verdammt. Wie könnte ich das thun? Ich gewiß nicht;
meine Thränen müßtens an meiner Statt thun. — — „Ich soll
Ihnen etwas von mir selbst schreiben." Das will ich wohl
thun. Ich will Sie, meine liebste Freundinn, in einer Sache
um Rath fragen, die nun, seit drey Jahren, mein ganzes Herz
beschäftigt hat, und es mein übriges Leben thun wird. Weil
Ihnen von dieser Geschichte meines Herzens schon etwas bekannt
ist, so darf ich mich, da ich meine liebste Schmiedinn um
Rath frage, nur kurz darauf beziehen, daß ich das liebste unter
allen Mädchen, Fanny, schon seit dieser Zeit, auf eine so unge=
meine Art liebe, daß mir aus den Geschichten derer, die geliebt
haben, nichts gleiches bekannt ist. Ich kenne diese Geschichten,

und habe nur vor kurzem zwo derselben, in sehr genauen Beschreibungen gelesen. Gewiß ich übertreffe sie weit! Petrarcha und Abälard, so konnten sie nicht lieben. Von Rowe habe ich manchmal gedacht, daß er Singer so geliebt hätte. Aber wenn Singer eine solche Zeit hart gegen ihn gewesen wäre, würde es ihm, wie mir, unmöglich gewesen seyn, nicht mehr zu lieben? Würde er auch, wie ich, eine so grosse Ausnahme, von den allgemeinen Empfindungen der Natur, deren sich der Weise selbst nicht zu schämen hat, gemacht haben? Sehen Sie, meine liebste Freundinn, so liebt ich Fanny, und so liebe ich sie noch. Fanny aber liebt mich nicht allein nicht; sondern Sie bleibt auch, als Freundinn beständig so im Gleichgewicht, daß ihr wohl noch niemals die erste Sylbe eines Gedankens eingekommen ist, mich, für so viel Liebe, doch in der Freundschaft zu übertreffen zu suchen. Ich sage zu suchen. Denn in dem, was das gute Herz am nächsten angeht, und ihm am heiligsten ist, lasse ich mich so leicht nicht übertreffen.

Was soll ich thun, meine liebste Freundinn? Da diese Liebe mein Leben so sehr traurig macht, und nicht aufhört, dieß zu thun. Ich habe wohl hundertmal diese Frage an mich selbst gethan. Umsonst hat alle Philosophie, die bey mir vor meinen Empfindungen hat aufkommen können, mir geantwortet: Ich sollte nicht mehr lieben. Mein Herz hat immer, mit lauten Empfindungen, und mit seiner eigenen Mine voll Hoheit, ganz andre Dinge gesagt. Ich will aber izt einmal seine Entscheidung bey Seite setzen, und meine liebste Freundinn, die so edel, wie mein Herz, ist, fragen: Was ich thun soll? Ich habe einmal eine andre Freundinn, die Ihrer, liebste Schmiedinn, so würdig ist, als es das Leben und der Tod der Clarissa einander sind, hierum gefragt; die hat mir geantwortet: Klopstock, ich weis nichts anders. Fragen Sie Fanny. Viel weniger, als Liebe und Freundschaft, macht es ihr, da sie so viel und so lange gelitten haben, zur Pflicht, daß Sie ihnen antwortet. Antwortet Sie Ihnen so, wie sie gewiß glauben, daß sie antworten wird; nun, Klopstock, so . . . ach, wie soll ich es ausdrücken? so liebe ich sie unter allen meinen Freunden am meisten; weil sie unter. allen der unglücklichste sind; haben sie aber das Herz, noch einige Hofnung zu wagen, (ich biege mich hier ganz nach ihrer Art zu denken) so bitten sie ihre Fanny: lieben sie mich doch auch, meine Fanny. Liebe bedeutet nur den Besitz ihres Herzens. Denn, da ich jede Art von Glückseligkeit meiner Fanny vorzüglich wünsche; so sind sie mir in ieder Absicht so theuer, daß ichs der Vorsehung überlasse, ob sie machen will, daß ich freimütig um noch mehr bitten darf.

Diesen Rath gab mir meine Freundin. Was geben Sie mir vor einen, meine liebste Schmiedinn! Ich bitte Sie, mit vollem Vertrauen, daß Sie mir einen geben werden. Denn Sie waren ja so freundschaftlich, und sagten mir, wenn ich um einen längern Brief gebeten hätte, hätte ich einen längern bekommen sollen.

Noch etwas muß ich Ihnen erzählen. Vor wenigen Tagen bekam ich einen Brief von Fanny. Ich hatte den Abend lange mit tiefer Traurigkeit nachgedacht. Zuletzt riß ich mich von meiner Angst los, und sah gen Himmel. Da begegnete mir dieß. Ich sage deßwegen es begegnete mir, weil wirklich die Gedanken, die ich hatte, mir beynah wie nicht meine Gedanken zu seyn schienen. Damit Ihnen dieß nicht zu sonderlich vorkomme, so will ich lieber sagen, ich dachte sie mit einer neuen Art von Lebhaftigkeit und Empfindung, die mir vorher unbekannt waren. Nach einer geheimen Frage an die Vorsehung: warum bin ich so lange, so sehr, und auf diese Weise unglücklich? erschrak ich über meine Frage, und sah vom Himmel nieder.

7*

Und da hatt ich diese Gedanken: „Und Du fragst so frühzeitig?
Thu einen Blick, so weit ihr ihn thun könnt, einen Blick von
menschlicher Aussicht, ein paar Schritte übers Grab! Deine Bestimmung, kennst Du sie nicht? sie war: Vielen die Menschlichkeit beßienigen, der eurer ganzen Nachahmung und Anbetung
würdig ist, zu zeigen. Dein Herz mußte hierzu völlig ent-
wickelt werden. Wehmut und Thränen musten dieses thun und
Dich völlig ausbilden. Und wenn Du zugleich hierbey zeigtest,
daß Dir tiefe Unterwerfung und Anbetung theurer sey, als eine
Glückseligkeit, deren Dauer Dir so unbekannt war; so ist Lohn
für Dich da. Steh hier, und frage nicht weiter. Es ist jensei
dem Grabe viel Seligkeit und in den ewigen Hütten wohne
die Liebe viel himmlischer, als Du sie empfunden hast. Ge
nun, und bete an, des Lohns werth zu seyn. *)

49. Klopstock an F. von Hagedorn.

Koppenhagen den 19. October 1751.

Liebster Herr von Hagedorn,

Wie gerne hätte ich Sie dort überfallen, wo Sie mit Ihrem
Horaz waren! Aber es waren diesen Sommer zu viel Umstän-
wider meine Absicht, daß ich alle diese Freuden bis auf künf-
gen Sommer aufschieben muß. Ich habe den vergangenen angenehm genug, größtentheils auf dem Lande zugebracht. Ich
habe auch dort noch den Herrn von Bernstorf das erstemal
wiedergesehn. Er verdient noch viel mehr als nur Hochachtung.
Er ist in allem, was wissenswerth ist, bis zum Tiefsinn und
zur Ausübung gekommen. Er ist — — doch wie viel müste

---

*) Der Brief, der vier Quartseiten füllt, ist ohne Unterschrift; unter
der letzten Zeile der ersten Seite, durch einen Strich vom Uebrigen getrennt,
steht: Empfehlen Sie mich Ihrer liebsten Frau Mama.

ich noch sagen, ich will mich kurz ausdrücken. Ich liebe Ihn, und Sie würden Ihn lieben. Er wird nun bald alle meine Freunde unvermerkt kennen. Denn so, glaube ich, muß ich sie Ihm bekannt machen. — — — Ein Franzose, de la Baumelle hat bisher die Neigung der Nation, den Fremden nicht gewogen zu seyn, standhaft unterhalten. Er schrieb ehmals eine Aspasie, wider die er sich jetzt, ich weiß nicht, ob völlig im Ernst, erklärt; sprach den Dänen darin Hohn; bekam gleichwohl eine neue fast seinetwegen errichtete Profession de la langue, et de Belles lettres Françaises; schrieb vor kurzem —: Mes Pensées, welche er nicht verkaufen durfte, erhielt seinen Abschied, und 300 Thaler Reisegeld. Er ist noch hier. Nachdem er alle unterdreißigjährigen étourderies erschöpft hat, so spricht er itzt so laut wider den Hof, daß unmäßig viel Glück dazu gehört, wenn er nur mit den ihm wohlbekannten coups de baton wegkömmt. Sein Urtheil von der Messiade ist jede Viertelstunde der Veränderung unterworfen. Da hingegen Herr von Holberg desto standhafter dafür hält, daß er sie nicht verstünde. Seine Fabeln haben der hiesigen Gültigkeit seiner Urtheile einen schlimmen Streich gespielt. — Ich habe heute einen zu starken Posttag, als daß ich das versprochene Gericht über die bösen Könige mitschicken könnte. Ich werde aber künftig diese Nachläßigkeit dadurch gut zu machen suchen, daß ich das Gericht über die Freigeister unter den Christen hinzuthue. Die Zeit ist gekommen, daß man mehr auf der Stube, als in Gärten und Feldern an seine Freunde denkt, und also natürlicher Weise öfters darauf fällt seine Gedanken in Briefen zu sagen. Ich würde gleichwohl diesen Sommer öfters an Sie und unsere Freunde geschrieben haben, wenn nicht ein gewisses Mädchen bei Ihnen, das Sie kennen, mir beinah alle Posttage besetzt hätte. Ich wünsche daß Sie, und kein Anderer, sie in meinem

Namen küßten. Und weil ich nichts ungerner lange aufschie be
als einen Kuß, so bitte ich Sie, das süße Mädchen in dieser
Absicht bald einmal zu besuchen.

Ich bin mit der aufrichtigsten Freundschaft Ihr

A Monsieur   Klopstock.

Monsieur de Haguedorn

a Hambourg.

50. Klopstock an Fräulein Schmidt.

Koppenhagen 28. December 1751.

Und Sie können das so thun, liebste Freundinn, und mich
ohne einen Brief von Ihnen so lange allein lassen? Wissen Sie
auch wohl, daß Ihr letzter vom August war, und daß ich
gleich darauf geantwortet habe? Nicht so? Ich darf Sie ein
bischen anklagen, daß Sie so unwissend in der Wissenschaft der
Freundschaft zu seyn scheinen. Man kann sich wohl übertreffen
lassen, meine liebste Freundin, aber man muß sich doch auch
nicht so sehr übertreffen lassen. Es wäre ein andres, wenn ich
es noch wagte, Sie noch Fanny zu nennen; darauf hätten
Sie mir ja nichts zu sagen, und da dürfte ich wider Ihr
Stillschweigen nichts sagen. Aber so kalt, so kalt meine Freundinn zu seyn! Wissen Sie wohl, daß Sie dieß bei keinem, der
nur etwas von dem, was wir Herz nennen, von ferne gemerkt
hat, verantworten können? Gewiß ich habe es nicht um Sie
verdient, daß Sie bey einer solchen Verantwortung zu kurz
kommen müssen. — Ich habe mit meinem Herzen alle möglichen
Behutsamkeiten und Klugheiten nötig, es nicht wieder sich selbst
zu überlassen. Ich will Ihnen nur etwas anführen, daß Sie
sehen, wie ich mit mir umgehen muß. Gewisse Oden, und gewisse Briefe an und von Ihrem Bruder habe ich, damit ich für
nicht lese, dreyfach verschlossen, und alle drey Schlüssel dazu,

eggeworfen. Und ich bin sehr sorgfältig, meine andern Schlüssel
n Acht zu nehmen damit ich ja nicht nötig habe, etwa meinen
Schlösser kommen zu lassen.

Schwaches Herz! werden Sie sagen ... Ja freylich
hwach; aber was kann ich dafür, daß ich es habe? Ja, wenn
h es gegen ein starkes gesetztes Herz vertauschen könnte; so
üßte ich schon mit wem ich tauschen wollte. Aber so muß
h es behalten, wie es ist .... Was meine drey Schlösser
belangt, so graut mir itzt besonders vor Einer Sache. Man
t in Hamburg, ohne mich im geringsten darum zu fragen,
ne Ode von mir, die sich anfängt: „Ein stiller Schauer Deiner
gegenwart" drucken lassen. Ich bin recht böse darüber ge-
orden. Nun besorge ich, daß sie sehr verstümmelt und voll
ruckfehler wird erschienen seyn. Ich habe zwar noch nicht das
erz gehabt, sie mir von Hamburg schicken zu lassen; aber ich
erde es thun müssen, um zu sehen, ob sie so verdorben ist, daß
) sie muß umdrucken lassen. Wenn das geschehen muß; so
üssen meine drey Schlösser eröfnet werden, damit ich mein
anuscript herausnehmen kann. Und ach, dann, wenn die
chlösser einmal offen sind! — — Ich bitte Sie, liebste Freun-
nn, beten Sie bey allen Sylphen der Philosophie für mich,
ß ich weiter nichts, als die Ode herausnehme, und geschwind
schwind wieder zu mache. Nicht so? Sie sind so freundschaft-
h, und beten für mich. Nun, ich will sehen, was geschieht,
d daraus will ich beurtheilen, ob Sie für mich gebetet haben.
h könnte Sie zwar bitten, daß Sie mir es schreiben sollten,
b Sie es gethan hätten; aber es ist schon lange, daß ich nicht
ehr das Herz habe, Sie um etwas zu bitten. Glauben Sie
ir, wenn ich zum Exempel itzt bei Ihnen wäre, und Sie hätten
lumen (ich nenne mit Fleiß eine Kleinigkeit) ich würde es
icht wagen, Sie auch nur um die kleinste dieser Blumen zu

bitten. Doch ich muß hier abbrechen. Mein Herz fängt an,
etwas zu fühlen, als wenn ich alle meine Schlöſſer aufgemacht,
und recht viel geleſen hätte. Und ich fürchte mich vor meinem
Herzen, wenn es ſo anfängt.

Das neueſte von hier, und was mich ganz auſſerordentlich
gerührt hat, iſt, daß unſre junge Königinn in der Blüte ihrer
Jahre, faſt acht Tage hintereinander, geſtorben iſt mit einem
Mute, den auch Leute bewundert haben, die ſonſt eben nicht
bewundern. Sie war die Tochter derjenigen Caroline, die
ein Mädchen deßwegen ausſtattete, weil dieſe Miltons Tochter
war. Und Sie war ihrer groſſen Mutter würdig. Sie war
ſchön, und blühend, wie ein voller Frühling. Ich habe Ihr
nur einmal aufgewartet. Aber ich habe Sie oft in Friedensburg von fern unter den Blumen geſehn. Ich habe Sie nun
auch todt geſehn. Was für ein Anblick! Ich darf ihn nicht
beſchreiben. Neben Ihr ſtand in einem kleinen Sarge Ihr junger
Prinz, der gebohren worden ſeyn würde, wenn Sie noch eine
Woche gelebt hätte; Ein Prinz, auf den das ganze Land geho[fft]
hatte, weil nur ein Prinz da iſt, und ſchon ein Kronprinz geſtorben iſt. O, was iſt das für eine groſſe Sache von ſo vielen
Tauſenden geliebet werden. Sie hätten die Stadt ſehen ſollen.
Es war über drey Tage ein allgemeines Verſtummen. Die Königinn war eben in der Nacht nach Ihrem noch überlebten Ge-
burtstage, da Sie 27 Jahr alt war, geſtorben.

Ich erſuche Sie, Ihrer Frau Mama meine beſtändige Hochachtung zu verſichern; mich auch dem Weiſiſchen und Le-
ſchingſchen Hauſe zu empfehlen. Ich bin, und was bin i[ch]
denn? Etwa Ihr ergebener Diener, wie Sie meine ergebene
Dienerinn? Nein, das gewiß nicht! Ich bin, worinn mich n[ur]
Jemand übertreffen ſoll, Ihr aufrichtigſter Freund

Klopſtock

51. Meta Moller an Klopstock.

den 7. April 1752.

Wie viele Briefe werde ich Ihnen noch schreiben, ehe ich Sie sehe, mein süßer Freund? Ach, wenn der liebe May doch nur erst da wäre! Aber kommen Sie mir auch nicht eher, als bis die Wege recht gut sind und das Wetter besser ist, auf daß Sie mir meinen Klopstock ganz gesund und wohl liefern. Und dann wollen wir uns recht, recht vergnügen. Aber Sie müssen auch ja so seyn, als ich Sie haben will. Versprechen Sie mir das? Und dann vor allen Dingen ja nicht zu früh wieder wegreisen. Sie sollen nur sehen, wie schön es hier im Frühlinge ist. Aber was diesen Frühling für uns das Beste ist, das empfinden Sie nicht so sehr als wir. Und was wird denn dieses Jahr uns hier den Frühling schön machen? — — Ach Klopstock, ich bin Ihnen doch recht von Herzen gut. Diese Nacht träumte mir, daß Sie hier waren. Das war schön! Ich bin so vergnügt Klopstock, wenn ich an Ihr Kommen denke. Der Himmel belohne Sie dafür, daß Sie uns einige Stunden so erheitern. Und wenn Sie nun kommen, so will ich zusehen, ob ich meinen alten Gram, wenigstens auf die Zeit, ersticken kann. Thun Sie das auch Klopstock. — Aber ich will daran nicht denken. Ich will so viel mir möglich ist, mich mit den Gedanken, den süßen Gedanken beschäftigen, daß ich meinen so lieben Freund nun bald sehen werden.

Ob ich Ihnen in Ihrem letzten Briefe Ihren Ernst vergebe, nachdem er mit Scherz anfing? O, Klopstock, Sie sind mir immer Ernst noch liebenswürdiger als im Scherz, ob Sie mir gleich auch im Scherze unendlich liebenswürdig sind. Wie viel mehr feyerlich wird mir künftig der Charfreytag seyn!

Ach Klopstock — — gottlob, daß ich Sie 1740 noch

nicht gekannt habe. Mein ſüſſer, ſüſſer, lieber Freund. J
kann Jhnen nicht mehr ſchreiben.

M. Moller.

52. Klopſtock an Giſeke.

Lingby, den 17. April 1752.

Viel Glück zum Frühling, mein lieber Giſeke, denn mi
däucht, er fängt ſchon an zu kommen. Zum wenigſten bin i
hier ſchon auf dem Lande, wo Rahn, wegen des Waſſers z
Fabrik, ein kleines angenehmes Haus hat, und wo man in ei
der ſchönſten Gegenden iſt. Ueber dies iſt man hier einſam u
in Geſellſchaft, wie man will. Man geht hier durch nach Fr
bensburg; die meiſten Geſandten ſind hier, und noch ein
Städter dazu. Doch habe ich einen noch ſüßern Frühling r
mir. Denn ich werde gegen die Mitte des Mays oder ſpä
ſtens gegen das Ende deſſelben auf Hamburg zu der klein
Mollern und zu Hageborn reiſen. Soll ich etwa auch c
Braunſchweig kommen? Um zu ſehen, was alle die Nichtſchreil
dort machen? Wenn Jhr alle ſo fein glücklich, und rund
euch ſelber, wie unſer Horaz ſagt, lebt, ſo wäre es doch art
wenn Jhr es ehrliche Leute wiſſen lieſſet. Das mäg mir ſo
altphiloſophiſches Leben ſeyn. „Und er zeugte Söhne und Tö
ter.“ Das gilt freylich von Dir noch nicht. Aber man ko
nicht wiſſen, wie ſehr Du danach ſtrebſt, daß es auch von S
möge geſagt werden können. Denn die kleine Poet mag D
wie ich merke, jeden Tag reizender vorkommen. Lebe wo
und küſſe unſere Freunde, und wenn Du darfſt, auch
Freundinnen.

Dein

Klopſtock.

53. Klopstock an Meta Moller.

Linebi, den 9. Mai 1752.

Gleich ißo bekam ich Ihren Brief mit Gisekens seinem.
wie unaussprechlich lieb habe ich Sie, mein Clärchen. Und
eses Gefühl ist so sehr mein herrschendes Gefühl, daß ich nur
inz kleine Stücke am Messias arbeite, und den einzigen Horaz
se, oder vielmehr nur in der Zerstreuung, in der süssen Zer-
reuung, hier wieder koste, ohne recht zu wissen, was ich koste.

Der Ausdruck in Ihrem Briefe: „Gesellschaft entziehen."
) meine Mollern, wie glücklich wäre ich; wenn Sie noch
anz anders redeten. Ob ich E.(bert) und zwar wie ihn mir
)isefe von neuem beschrieben hat, ob ich ihn oft sehen werde?
)er Gedanke ist auf der einen Seite sehr sehr traurig für mich,
imlich daß ich ihn nun auch in Braunschweig selten sehen
ürde; aber wenn er auch noch mein alter Ebert wäre, so würde
sich darein ergeben müssen, daß die kleine Moller den ersten
laß in meinem Herzen hätte. Doch wie halb hab' ich mich
sgedrückt. Ich fühle es, das war nur halb mein Herz. Den
sten Platz unter meinen Freunden? Nein, Mollern, Sie
issen es ja einmal, das ist viel zu wenig für mein Herz! Viel
wenig, meine süße, süße Mollern. — — Doch ich hasse
e Sprache, die von der Gegenwart unbeseelt ist, ich hasse diese
albe Sprache, und will weiter kein Wort mehr sagen. Doch
uß ich das Versprechen meines letzten Briefes halten. Doch
) kann es noch nicht, und ich werde Ihnen wohl noch einmal
)reiben müssen. — — — Und ich soll nicht über die See
:hen? O, mein unaussprechlich süßes Clärchen, wie lieb, wie
hr lieb habe ich Sie. Adieu für diesmal, bestes Mädchen,
ch kann und mag nicht mehr schreiben. Ich hasse es von gan-
:en Herzen. Ihr

Klopstock.

54. Meta Moller an Klopstock.

den 15 Julv 1752
Als ich in Quedlinburg, er zwischen Qued▬ in-
burg und Hamburg unterwegs war.

Nun bist Du fort! — Mein Klopstock! — Ach! — —
O, ich kann nichts schreiben. Ich bin noch zu beklommen. Vor
einem Augenblick sassest Du hier i och bei mir. Ach, mein Klopstock! — Ich kann noch nicht zum Weinen kommen; ich weiß
nicht, wie das ist. Ich bin sehr, sehr beklommen. Aber unserm
Gott, wie Du sagtest, unserm Gott empfehle ich Dich auch.
O ja, Deine Reise ist gewiß glücklich. Sey meinetwegen nur
nicht besorgt. Ich will mich schon aufrichten. Du liebst mich
ja — — ich liebe Dich. — — — und ich sehe Dich bald
wieder. . . Lebe wohl. Ich will mich ankleiden und aufs Land
fahren, mein Klopstock! — —

Moller.

55. Klopstock an Schlegel.

Quedlinburg, den 1. August 1752.

Wie gern würde ich auch zu Ihnen kommen, mein liebster
Schlegel, wenn es nur irgend möglich wäre. Ich bin seit
dem, 1. Juni bis in die Mitte des Juli schon in Hamburg
gewesen und da ich mich auf meiner Rückreise wieder einige
Zeit dort aufhalten werde, so wird mir es schlechterdings unmöglich mich itzt noch weiter von Coppenhagen zu entfernen.
Sie werden mir sagen, warum sind Sie denn so lange in Hamburg gewesen? Und warum wollen Sie von neuem dort seyn?
— Das ist eine Frage von weitem Umfange, und von viel viel
Glückseligkeit. Haben Sie wohl von Giseken oder von Cramer die Mademoiselle Moller nennen hören? Wenn Sie die
schon kennten, so hätte ich Ihnen auf einmal sehr viel gesagt.

nn ich Ihnen sage, daß ich sie liebe und von ihr geliebt
rbe. Kennen Sie sie aber noch gar nicht, so weis ich doch,
ß Sie von mir glauben, daß meine Wahl, nachdem ich die
be so lange gelernt habe, auf ein Mädchen fallen müsse,
mich sehr glücklich machen könne. Und das bin ich auch so
r, daß ich mich noch immer darüber verwundere, daß man so
tdlich seyn kann. Wie sehr werden Sie mir dieses nachem=
nden, mein liebster Schlegel, da Sie selbst lieben. Ob Sie
glücklich sind als ich? Das ist wieder eine andere Frage.
er stoßen Sie nur nicht bey derselben an; denn das ist nun
mal mein Enthusiasmus, daß ich glaube, unübertrefbar in
Liebe zu seyn. Und darüber disputiren wir also nicht weiter.
i bin dafür so gut, und lasse meinen Freunden eben diesen
thusiasmus, ob ich Sie gleich alle darin für Ketzer und mich
ein für rechtgläubig halte. Es ist schon recht viel hier auch
r zu folgen. Man ist schon unaussprechlich glücklich, wenn
n nah an mich heraufgränzt. Und das ist gewiß der Fall,
dem Sie, mein lieber Schlegel, sind. Wer nimmt mehr
b zärtlicheren Antheil daran, als ich! Gehen Sie, gehen Sie
b küssen Sie Ihr Mädchen. Was wollen Sie länger so un=
erliche Briefe lesen! Briefe, die es sich unterstehen, es bey
nen zu entschuldigen, daß ihr Verfasser nicht zu Ihnen kom=
n kann, der Ihnen doch, da Sie ein Mädchen, eine Braut
ben, so entbehrlich sein muß. Meine Aeltern und unsern
förtner grüßen Sie auf das Freundschaftlichste. Und ich bin
it Ihren Freuden Ihr   Klopstock.

56. Klopstock an Meta Moller.

Quedlinburg den 13. August 1752.

Ich habe nur einige wenige Augenblicke Zeit, Dir zu schreiben,
er ich muß doch schreiben. Gleim und Ramler sind bey

mir! Wir wollen gleich essen und kommen eben aus Cra u
Predigt . . . . Ach meine Beste, wenn Du sie nur alle
mich herum fragen könntest, wie ich Dich liebe! Das n
zwar nur sehr wenig seyn, was Du erführest; denn wie kö
sie es wissen? Dennoch würde Dir es süß seyn, es so mi t
zuhören, wie sie mich aus meiner Entzückung aufwecken! wi
dann gern von Dir viel viel sagen mögte, und doch nichts
ausbringe, das einen andern Inhalt hätte, als: laßt mich
gehn! Es ist ein Einziges Mädchen. Ich mag gar nichts
von ihr sagen. Und ach, wie sehr fühl ich dann wieder,
ich nicht bey Dir bin. Hier, hier, Clärchen! hier zittert
Herz nach Dir. — Doch kein Wort mehr, kein Wort
davon. Ich will mirs in meinem Leben nicht mehr unterst
die Unaussprechlichkeiten der Umarmung aufschr
zu wollen. . . . . Und doch, Clärchen, und doch (Du
zeihest mirs gewiß, Du Beste!) habe ich gestern den Bitten
ner Aeltern, meiner Geschwister, und Gleims und Cra u
und Ramlers, endlich nachgeben, und mich entschliessen m
erst künftigen Donnerstag zu verreisen. Drey Tage wa
schon beschlossen, drey Tage hatte ich alle Unruhe der Fre
schaft schon ausgehalten, und rs war fest, daß ich Morgen
wiß reisen wollte. Aber dafür hab ichs allen auch als
recht grosse That angerechnet. Und das ist es auch! Eine
die Du beides belohnen und bestrafen mußt, Clärchen.
willst Du Dich etwa unter der Belohnung erbitten lassen,
Strafe zu vergessen? Ja, ja, das thust gewiß, Du Kleine!

Du bist ja meine süsse süsse ewig geliebte Clärchen Kl
stock, und ich bin Dein Dein Klopstock.

Wie Dich alle grüßten und küssen wollten, das ver
Du ohne dieß. Ich schreibe auf den Mittewoch wieder. —
laß mich ja recht viel Briefe von Dir in Br(aunschweig) fin

Meine Grüsse, Meta, so ein ungetreues Mäulchen wie ich ihr manchmal gebe, wenn ich Dir eben recht sehr ungetreu bin, und Metas Mutter einen Kuß auf die Hand. Denn mehr erlaubt Sie ja auch Dir kaum.

57. Meta Moller an Klopstock und Giseke.

Den 13. Aug. 1752.

O mein Süßer, Süßer! Ach nun bist Du mir schon etwas näher! — Du bist doch nicht gereist wenn die Wege nicht gut sind! Ich habe mich gefreut, daß es den ganzen Tag so schön Wetter gewesen. Wäre es doch bey euch nur auch so! — Ach Klopstock . . ach wie liebe ich Dich! Ach wenn ich Dich erst wieder habe! O wie will ich Dich lieben! — Ich habe meine Liebe diese Tage erstaunlich gefühlt. Ich habe es gefühlt, daß Du nicht bey mir bist . . . und ich habs gefühlt daß Du bald bey mir seyn wirst. Ach! mein Klopstock wird bald bey mir seyn! — Dieses habe ich hundertmal zu der Schm(idt) gesagt, wenn ich ungesehen zu ihr kommen konnte. Ich bin diese Tage sehr ungezwungen gewesen. Hätte ich nur Papier gehabt, ich hätte vielleicht gar schreiben können. Ich bin aber dafür unzählige kleine male in den Garten gelaufen und habe Dir geseufzt Dir und . . . doch ich will Dir das nicht so oft wiederholen. Du sollst mich von dieser Seite erst kennen lernen wenn Du mich richtiger als durchs Schreiben beurtheilen kannst . . . . Ach Kl, Du bist mein Klopstock! und ich bin Deine Cläry, Deine Braut! und ich werde noch einmal Dein Clärchen Kl. O Kl, was ist das ein süßer Gedanke, ich werde gewiß (ich müste denn sterben und das geschicht itzt gewiß nicht) ich werde gewiß gewiß Clärchen Klopstock. O Du mein Kl! Du mein Geliebter! Ich weis nicht wie wir das aushalten wollen, wenn ich dergleichen einmal wieder zu Dir sage;

denn ich weis wohl was ich fühle wenn ichs nur schreibe.
Höre .... ja hör recht zu, ich glaube ich wollte Dir von
neuem sagen, daß ich Dich liebe. — Aber etwas anderes. Habe
ich Dir schon gesagt, daß Bohns Dich recht sehr bitten laßen,
doch ja wieder bey ihnen zu logiren? — — — Ich kann nicht
mehr schreiben, ich kann nicht. Ich habe nie geglaubt, daß ich
so viel Gefühl, so erstaunlich viel Gefühl hätte! · Und bey alle
dem Gefühl nichts sagen zu können! O komm, ich will Dich in
meine Arme schließen und Dich küßen und Dich ansehen, und
Dich wieder küßen, und, ach Klopstock, sagen (denn weiter kann
ich nichts) und dann an Deine Brust sinken und mein ganzes
Glück empfinden und dem Himmel mit aller meiner Entzückung
danken.

Ich habe dieses sehr oft gethan, wenn ich Dir nichts
sagte und Du Dich wundertest, daß ich nichts sagte. Ach daß
ichs nicht allen Leuten sagen darf, das ich Deine Braut bin!
— Vorgestern war eine Dame in unserer Gesellschaft so neugierig, mich zu fragen, ob Du noch hier wärst, und warum Du
die Reise gethan. Du hättest, Du hättest die Contenance sehen
sollen, womit ich antwortete; ich ward aber feuerroth. — —
Schlaf wohl mein Kl. — Ich winsch Dir eine angenehme Ruh. — —

Den 14. August.

Es ist mir leid mein lieber Gifeke, daß Kl. Sie
wohl ein bischen in der Bereitung zu Ihrer Predigt stören wird.
Ich rathe Ihnen, daß Sie ihn sich bald vom Halse schaffen. —
Wenn Kl. erst wieder bey mir ist, so schreibe ich wieder
nicht viel, das wißen Sie doch. — Haben Sie gestern zwei
Briefe bekommen? — Ich kann es nicht helfen, daß ich Ihnen
auch itzt nicht mehr schreibe, die Post geht gleich. Sie wißens

ja wohl. Sie sind ja doch mein lieber Giseke, mein lieber Bruder. Ich verspare alles Schreiben auf den Winter.

M. Moller.

Mein süßer, süßer Kl. schreib mir ja genau die Zeit wann Du hier zu seyn gedenkst. Ach wenn Du wüßtest wie ich jede Stunde zähle! Aber ich will nicht, daß Du deswegen früher aus Br(aunschweig) gehen sollst als Du sonst gethan hättest. Ich will Dich unseren Freunden gern ein Paar Tage lassen. — Gehe nicht über Haarburg. Wenn der Wind nicht gut ist, so mußt Du vielleicht länger auf der Ebbe bleiben, als Du sonst in Langensalza bleiben wirst, und dann so ists in L(angensalza) doch besser. Ich glaube auch nicht daß die Post geschwinder kommt; erkundige Dich nach allem. Nun schreibe ich wol nicht wieder, denn nun wirst Du ja bald mein in meinen Armen seyn. — Ewig Deine   Moller.

58. Meta Moller an Klopstock.
Abends um 6 Uhr — den 24. Nov. 1752.

Itzt erst kann ich an Sie schreiben, mein süßer Klopstock. Weil ich so sehr gesund bin, so bin ich außer gestern und heute alle Tage ausgewesen. Ich war sogar einmal von Bohns Hause zu Fuße hergekommen. Im Ernste Klopstock, ich sage es Dir mit der äußersten Aufrichtigkeit, ich bin seit 1748 so gesund nicht gewesen, als ich nun seit acht Tagen bin. O denk einmal, wie gerührt ich seyn muß! Ich werde Dir so ganz gesund! Ich will Dirs wohl gestehen, so gesund als ich itzt schon bin, dachte ich nicht, daß ich jemals werden würde. O, Dank, Dank sey unserm Gott! Und Du willst Dich ihm mit mir zugleich nähern? (Ich habe Deinen Brief eben bekommen) Du betest vielleicht mit mir zu einer Stunde. Du dankst ihm vielleicht eben itzt auch für meine Gesundheit und überhaupt für mich, so wie ich ihm unaufhörlich für Dich danke. O, wie süß ist mir das! Ich habe es gewünscht Klopstock. Gestern Abend, wie ich in mein Zimmer gegangen war, und einige sehr entzückende Stunden hatte; da dachte ich: Vielleicht betet Dein Klopstock itzt mit Dir, und meine Andacht ward dadurch noch feuriger. O wie süß ist es Gott anzubeten! Welche Entzückung ist es, ihn empfinden! O wie seelig können wir hier seyn! — Aber Du hast recht, wenn es schon so viel hier ist, was wird es nicht dort seyn! Und auch dort werden wir zusammen seyn! Welch eine unaussprechliche Glückseeligkeit ist die unsere! — Lebewohl, mein Klopstock, lebe wohl. Ich werde morgen und übermorgen viel an Dich denken. Die heiligsten Gedanken und Du, Du Bester stimmen sehr gut zusammen! Du der Du heiliger bist als ich, Du, der Du unsern Schöpfer nicht weniger liebst als ich. Mehr kannst Du ihn nicht lieben, mein Klopstock, mehr nicht, erhabner heiliger, das gebe ich zu! — Ach Klopstock wie glücklich bin ich, daß ich Dir zugehöre! Du weist es wohl, ich will durch Dich noch immer besser noch immer heiliger werden. — O, ich bin so gerührt, Klopstock, ich kann Dirs nicht sagen. Welch ein Unterschied von itzt und nur noch vor einem halben Jahre! Ehe ich von Dir geliebt wurde, fürchtete ich das Glück. Mir war bange, daß es mich von Gott zerstreuen möchte. Wie sehr irrte ich mich! Die Widerwärtigkeiten führen zu Gott, das ist wahr. Aber eine Glückseeligkeit wie die meine, kann mich nicht von Gott zerstreuen (oder ich müste gar nicht fähig seyn eine solche Glückseeligkeit zu genießen) sie nähert mich ihm vielmehr. Die Rührung, der Dank, die Freude, alle Empfindungen der Glückseeligkeit machen meine Anbetung noch feuriger. — Lebe wohl Klopstock, bete für mich.

Deine Braut.

59. Meta Moller an Gifeke.

Hamburg den 14. Mai 1753.

Gifeke, Gifeke! Sie kommen nach Hamburg? Um des Himmels willen, schreiben Sie mir so was nicht, wenn Sie nicht wollen, daß ich außer mich komme. Ach kommen Sie nun auch ja, ach kommen Sie, wenn Sie Ihre Klopstock lieb haben. Und wenn Sies nicht meinetwegen thun wollen, so thun Sie es um Ihrer übrigen hiesigen Freunde willen. Sie wissen ja, wie sehr Sie von diesen Allen geliebt werden.

Das kann ich Ihnen sehr nachempfinden, welche Freude Ihnen das seyn muß, daß Ihre Freunde es Alle jetzt wissen, daß Hannchen Ihre Braut ist. Ich habe schon oft mit Klop=stock davon geschwatzt, welche unnennbare Süßigkeit mir das seyn wird, wenn ein jeder weiß, daß ich seine Braut bin, wenn ein Jeder, der mich sieht, mich auch zugleich für Klopstocks Geliebte hält. O das muß etwas ganz Unaussprechliches seyn! Ach wenn Sie nur kommen, wenn Sie nur kommen! Die Schmidt hat sich schon so sehr gefreut. Was werden die Häckeln, die Schleebusch nicht auch thun! Wie entzückt werden bie nicht auch schon durch Ihren Brief sein!

So eben habe ich einen Brief von meinem Klopstock er=halten! — Aber wir wollen uns lieber in die Materie nicht ein=lassen, wir möchten uns nicht wieder herausfinden können. Eins nur will ich Ihnen erzählen, und das ist sehr lächerlich. Klop=stock fängt seinen Brief damit an, daß er mir wohl nicht viel würde schreiben können, weil er ein sehr liebenswürdiges junges Mädchen hätte kennen lernen, eine Zeitlang mit ihr umgegangen, und diesen Morgen von ihr hätte Abschied nehmen müssen, weil sie verreiste. Sie hätte ihm sehr gefallen u. s. w. Wie ich das anfange zu lesen, wird mir ordentlich ein bischen Angst. Ich weiß nicht, ob nicht gar so etwas, sehr Entferntes zwar,

8*

von Eiferfucht mit dabey war. Ich habe immer gefagt, b
Klopftocks Liebe könnte ich nicht' eiferfüchtig feyn, nnd ich fa
das noch; unterdeß war das doch faft fo etwas.

Nun kommt das Lächerliche. Wie ich einige Zeilen wei
lefe, finde ich, daß er Wort für Wort eine Stelle aus mein
Briefe abgefchrieben hat. Ich hatte das nämlich von Boß
gefagt. Ift das nicht luftig? — Und das Allerluftigfte wä
wenn mein Brief auf ihn diefelbe Wirkung gethan hätte. U
das muß ich faft denken, weil er ich ift, und ich er bin. S
wir find uns gar zu ähnlich.

Da ift ein Rofenblatt für Sie und eins für Hannche
wenn Sie es ihr fchicken wollen. Meine guten Freundinnen hab
fich ein großes Verdienft daraus gemacht, wer mir die erft
fchaffen könnte, weil Klopftock und ich voriges Jahr fo o
Lärm damit gemacht haben.

Meta Moller.

60. Meta Moller an Giseke.

Hamburg, den 28. Mai 1753.

Ich muß Ihnen doch nur gleich erzählen, welches Schick
Ihr letzter Brief gehabt hat. Sie errathens wol nicht, daß
weggeworfen, eine Zeitlang liegen mußte, ehe er gelefen war
Was fagen Sie dazu? Aber Sie geben mir gewiß ein bißch
Recht, wenn ich Ihnen fage, daß es ganz fpät wat, und i
noch keinen Brief von Klopftock hatte. Ich bin das gar nid
gewohnt, denn die Briefe kommen jetzt im Sommer fo fchö
frühe. Wie ich nun fo lange nach einem Brief gefeufzt hatt
und mir fchon recht angft war, da kam das Mädchen mit eine
weißen Briefe herein. O wie freute ich mich! Wie ftreckte i
meine Hände aus! Und — der weiße Brief war nicht v
Klopftock. Sollte man ihn in einem folchen Unmuthe ni

wegwerfen, wenn er auch gleich von Gifeke wäre? Ich wollte
Ihnen das nur erst erzählen, Herr Pastor, auf daß Sie einsehen
lernen, daß es eine Möglichkeit sey, daß ein Brief von Ihnen
auf eine halbe Minute (denn länger dauerte es doch nicht) weg=
geworfen werden kann.

Und nun will ich mich mit Ihnen freuen, recht freuen,
wie Ihre Moller, Ihre Klopstock sich über Ihres Lieblings
Glückseligkeit freut, daß Sie nun wieder bei Hannchen sind.
Wie ist Euch denn nun zu Muthe, Ihr süßen Kinder, wie ist
Euch zu Muthe? Nun Ihr Euch wieder in Euren Armen habt,
mit der Gewißheit Euch habt, daß Ihr nicht wieder getrennt
werdet, mit der Gewißheit, daß Ihr nun bald ganz Euer seyd.
O wie glücklich sind Sie Beyde, wie glücklich! Und wie glücklich
bin ich auch dadurch, daß Sie es sind!

Nun, erzählen Sie mir doch ein bischen von Ihrem Wieder=
sehen, beschreiben Sie mir doch ein bischen davon. Wie sah
Hannchen denn aus, wie sie Ihnen entgegen kam? Was em=
pfanden Sie, wie Sie sie sahen? Hannchen ist wohl noch
hübscher geworden, seitdem Sie sie nicht gesehen haben? Nicht
so? Wenigstens kommts Ihnen doch so vor. Sie liebt Sie auch
wohl gar mehr? — Ach es muß doch über Alles gehen, wenn
man sich so wiedersieht! Und Sie, guten Kinder, Sie waren
doch nicht lange getrennt. Und Sie wußten Ihr Glück her=
nach doch so bald. Sie sind überhaupt in der ganzen Zeit, da
Sie Ihr Glück erwartet haben, nicht lange getrennt gewesen.
Sie haben Ursache, sehr mit Ihrem Schicksale zufrieden zu seyn.
— Doch wer würde es jetzt an Ihrer Stelle nicht seyn!

Künftig will ich Ihnen eine recht äffige Stelle aus Klop=
stocks Brief abschreiben, die Sie angeht. Ach Gifeke, wenn ich
meinen Klopstock erst auch so hätte! — Nun die Zeit wird
kommen!   Meta Moller.

61. Meta Moller an Giseke.

Hamburg den 1. Juni 1753.

Ach, Giseke, ich kann es Ihnen gar nicht sagen, wie se
ich mich jetzt über Sie freue! So bey Hannchen! So! S
glücklich und so ungezwungen, so frey, so beklarirt! Ich ha
schon lange eine Idee von der Süßigkeit gehabt, wenn ein Je[
es so weiß: das ist der, den ich liebe; das ist der, der m[
liebt. O Sie können sich nicht vorstellen, wie ich mich freu
— Und ich sollte Sie beneiden? Wie wäre das möglich? I
bin aber ordentlich so ein Affe gewesen, mich zu untersuchen,
ichs auch thäte; denn ich bin einige Tage, ohne Ursache, [
bischen niedergeschlagen gewesen. Ich habe aber so viel Freu
in meinem Herzen gefunden, daß es ganz unmöglich war, d
der Neid sich darunter verstecken könnte! Ach, ich habe Ihr[
Ihr Glück ja auch so lange gewünscht! Wenn ich an Ihr je[
ges Glück denke, und hauptsächlich, wenn ich Ihren letzten Br[
lese; so vertiefe ich mich oft so sehr in die Freude, daß ich [
nicht einmal an Klopstock und mich denke. Und wenn
dann mit einmal wieder an uns denke; so freue ich mich u
sage: So wirds uns auch bald gehn! Unterdeß bin ich jetzt b[
wieder für dieses Jahr sehr kleinmüthig — allemal ohne [
wegungsgrund von Klopstocks Seite, das wissen Sie r[
schon. Aber ich bin ja schon so glückselig! Ach, Giseke, ich bi[
nun schon ein ganzes Jahr! Heute ist der Tag, da mein Klo[
stock ankam, da ich ihn so unvermuthet in meinem Zimm[
fand, da — — o Gott! da ich so viel fühlte! — Und er w[
mein! Er ward mein!

Sie haben gewiß keine Kleinigkeit von Ihrer Ankunft [
Hannchen erzählt, die mir nicht besonders süß gewesen[
Alles, Alles habe ich gefühlt. Sagt mir doch ein bischen dav[
Ihr süßen Kinder, beschreibt mir doch, wie ist ein Kuß, we[

man sich nach einer langen Abwesenheit wiedersieht, und sich so
wiedersieht, daß man nun bald Mann und Frau werden will?
Was fühlt man denn, wenn die Lippen das erste Mal wieder
sich zusammen drücken? — Ach! was wird das sein? Ihre
Hochzeit ist doch nun gewiß im August? Wie ich Klopstock
einmal schrieb, daß Sie überlegten, in welchem Monate sie seyn
sollte, antwortete er mir: „Da es Giseke an gutem Rathe zu
fehlen scheint, in welchem Monate er in die Brautlaube gehen
soll, so steh ihm doch in dieser großen Noth mit folgendem herzlichen Rathe bey: Im August soll er untersuchen, und auch
ausmachen, in welcher Kirche er sich will trauen laffen; im September: ob er eine Runde- oder eine Beutel-Perrücke aufsetzen
will (das war sehr überlegt. Er dachte nicht daran, daß Sie
sich priesterlich, aber doch recht gut, kleiden müffen); im October:
was Hannchen für Band auf den Schuhen tragen soll; im
November: ob sie rothen Wein und Rheinwein, oder rothen und
Burgunder trinken wollen! Im December: ob das Brautbett
rothe oder grüne oder auch blaue Vorhänge haben soll. Versichere ihn dabei auf mein Wort, wenn er dies nach meinem
wohlgemeinten Rathe gethan haben wird, daß er dann hoffen
darf, daß er mit dem lieben neuen Jahre Muth und Weisheit
bekommen wird, einzusehen, daß es beffer ist, sich morgen, als
übermorgen zu verheirathen."

Nun wenn Ihnen dies zu weiter nichts hilft, so können
Sie doch daraus sehn, wie aufgeräumt mein Klopstock immer ist.

M. Klopstock.

62. Meta Moller an Cramer.

Hamburg den 8. Juni 1753.

Es liegt mir ordentlich schwer auf dem Herzen, wenn ich
in einigen Wochen nicht an Sie geschrieben habe, mein süffer

Cramer. O das ift mir dann fo lange, fo lange! — Wißt
Sie wohl, daß ich itzt fchon ein ganzes Jahr glücklich bin? Ja
heut vor einem Jahre war mein Klopftock fchon bey mir.   Und
was war das eine füße Zeit. Ich thue itzt faft nicht anders,
als daß ich jede Stunde, jede Minute mich erinnere, was wir
voriges Jahr um diefe Zeit thaten. Sie denken, diefes macht
mich traurig, weil ich Klopftock itzt nicht habe? Ganz und
gar nicht. Es macht mich vielmehr fröhlich. Es ift mir fehr
füß, das alles wieder nachzudenken. Ich fühle alles wieder,
was ich damals fühlte, und fühle es auch fo wieder als iche
fühlte. Es find Empfindungen von einer ganz eignen feinen
Süßigkeit, die erften Empfindungen der Liebe. Man ift dann
noch fo fchüchtern, und man fühlt fo viel, und man wundert
fich fo über das, was man fühlt, und es ift doch fo füß. — —
Ich kann Ihnen das nicht befchreiben. Wenn Sie Herren
Mannsperfonen das nicht fo fühlen wie wir; fo müffen Sie
Charlotte um eine nähere Befchreibung bitten. Aber ich denke,
Sie müffen auch fo etwas fühlen. Wenigftens war Klopftock im Anfange fchüchtern genug — und am Ende war es
ganz und gar nicht. Und Sie glauben, ich würde noch in diefem Jahr Clärchen Klopftock werden? Einen Tag glaub ichs
auch, und den andern wieder nicht. Klopftock hat mir noch
nichts weiter gefchrieben; fondern noch vielmehr gefagt, ich möchte
ihn ja nicht bitten, mir eher etwas zu fagen, als bis er mir
etwas gewiffes fagen könnte. Und das will ich auch gewiß
nicht thun. Ach ich bin fo ganz mit allem zufrieden wie mein
Einziger es macht! Nennen Sie mir das aber nicht geheimnißvoll, Cramer, was die höchfte Zärtlichkeit bey meinem
Klopftock ift! Wenn ich die Nachricht meines Glücks kriege; fo
kriege ich fie dann auch auf einmal — und es ift doch jeden Pofttag
möglich, daß ich fie kriege. Stellen Sie fich einmal vor, was

das seyn wird wenn ich den Brief kriege. Rein, ich glaube kaum, daß ich die Freude werde aushalten können! Aber die von Klopstock selbst kömt ist doch noch grösser. Nun — — — ich bin gar zu glücklich! Das glaube ich wohl, daß meine Schwiegermutter gerne doppelt und dreyfach Groß = Schwieger= mutter von Ihren Kindern seyn möchte. Ich möchte auch wohl, daß sies wäre! Aber was würde Giseke und die andern sagen, wenn ich so eigennützig wäre. Unterdeß denke ich doch, Sie thäten wohl, wenn Sie mit dem Versprechen Ihrer künftigen Kinder sich nicht übereilten. Denn sehen Sie, wenn wir zu= sammen sind (wir zusammen!) in Koppenhagen so haben meine Kinder immer ein näher Recht als die andern. Carl ist doch wohl? Ich habe so viel an ihn gedacht, weil der arme Junge Zähne kriegt. — Es bleibt doch dabey, daß die Oberhof= prädicatur in meines Schwiegervaters Hause verlegt wird, wenn ich nach Q(ueblinburg) komme? Ja wahrlich Cramer, Sie müssen nur bey uns seyn. Sie können dann wohl einige Mal weniger predigen. — Küssen Sie Charlotte und Ihre Siugs(?) Sie haben diesen Brief doch auch ein bißchen lieb, wenn er gleich keine Sterne hat? Ich bin ja

Ihre Meta Klopstock.

Sollte man den Pastor zu Trautenstein nicht fast beneiden, daß er so ordentlich Bräutigam ist?

Eben sagt Olde mir, daß Giseke gleich nach Pfingsten nach Hamburg kommt. O ich bin voller Freude.

63. Meta Moller an Cramer.
Hamburg den 1. Juli 1753.
Mein liebster Cramer! Meine liebste Charlotte!

Welche starke und welche verschiedene Bewegungen haben Sie gestern bey mir erregt! Erst erhalte ich Ihren Brief, worin

Sie mir den Tod Ihres lieben kleinen Sohns melb[
sehr rührte es mich! Welchen Theil nahm ich an Ihrem (
Alle meine Freundschaft für Sie fühlte ich in diesen
Stunden. Ja, mein liebster Cramer, ich habe mit Ih[
weint. Ach! und es war nicht die Freundschaft, n
Mitleid allein. Die Vorstellung, daß mir einmal ein
begegnen könnte, die schwere, harte Vorstellung! — -
werde ich das ertragen können! — Ja Klopstock, n
das ist die einzigste Möglichkeit. O wie glückseelig
auch in diesem Falle, daß mir Gott einen solchen M
wählt hat. — Aber anstatt Sie zu trösten verliere ich
den Aussichten meiner eignen Traurigkeit. Doch, i
nicht gerne. Den einzigen Trost, den Sie haben, be[
Sie sich ohne mich erinnern, daß Ihr Wilhelm itzt, fa
los, die Seeligkeit genießt, wornach wir alle uns, auch
glücklichsten zeitlichen Schicksale sehnen. — Ach mein
Freunde, wenn ich diesen bittersten Tropfen in einer glü
Ehe einmal kosten muß, ach! trösten Sie mich dann w
Liebste Charlotte, wie befinden Sie sich? Ach, Sie h[
Kind noch an der Brust gehabt! Was muß das für ein
seyn! Ich weis was das ist, Schwesterkinder zu verlier
sind mir itzt noch so viel als eigene.) Aber ich will i
diesen traurigen Bildern losreißen und zu den fröhlic[
gehn. O könnt ich Sie mit mir hinüber führen! Ic
lieben Freunde, meine Traurigkeit hat sich gestern in be[
Freude aufgelöst. Ich bekam des Abends sehr spät ein
von meinem Klopstock mit diesem, den ich Ihnen sc[
wie veränderte das meine Empfindung! Es hemte mi
die Betrübniß über den Verlust Ihres Sohns. Bey
wird es das nicht können. Die Freude erschütter[
ganze Seele um desto mehr, weil sie mir ganz unvermu[

Ich hatte den Tag vorher eben in den Zeitungen gelesen, daß ein gewisser Däne zum Oberhofprediger erwählt wäre, und damit war nun meine ganze Hofnung aus! Es gab mir zwar eine nicht kleine pique gegen unsern König, aber ich konnte doch damit nichts helfen. Und nun — — ja, nun ist alles gut! Nun komt unser Cramer zu uns (ach ich seh ihn noch eher, als ich Koppenhagen sehe). Und unser Cramer kommt auf einen solchen Schauplaz, worauf er auch kommen muste. Ach meine Freude kann ich Ihnen nicht beschreiben, meine süßen Cramer! Ich bin wild, wild! So, als wenn Klopstock kommen sollte. Ich schickte den Brief gleich, so spät es auch war (so wie ich es vor einiger Zeit mit einem ähnlichen machte) Olden. Er kam diesen Morgen und freute sich mit seiner ganzen lebendigen Freude mit mir. Eine Freundin die Herteln, die heute bey mir ist, hat sich auch den ganzen Tag mit mir gefreut. Der Schlebusch habe ichs geschrieben. — Ach mein liebster, liebster Cramer! meine liebste, liebste Charlotte! welche seeligen Stunden der Freundschaft wollen wir erst in Hamburg, und hernach die ganze Zeit unsres Lebens in Koppenhagen leben. — Carl ist doch wohl? Welch ein Trost muß es nicht für Sie seyn, dieses Kind nun noch zu haben. Sagen Sie ihm ja fein fleißig, daß er seine Mama Klopstock nun bald in Hamburg sehen wird. — Meine Schwester empfiehlt sich, und nimmt sehr Theil an beyde Schicksale.

Ihre Meta.

64. Meta Moller an Giseke.

Hamburg den 1. Sept. 1753.

Das glaube ich wohl, daß Ihr jetziges Leben süß ist! Und vor allen eben daher, weil es jetzt so ganz ehlich ist. Ach, wie schmachtet mein Herz nach einem solchen Leben! Wie ent-

zückt würde ich darüber seyn, wenn ich so allein mit meine
Manne wäre. So frey von aller Gesellschaft, so still in unse
Hause! Und unsre Tage sollten sich alle gleich seyn, alle ga
häuslich, und alle ganz ehlich. Sie sollten uns doch nicht la
werden. Was brauchen wir Veränderung? Die Liebe kennt
gar keine Langeweile. Die Nüancen in unsrer Freude soll
seyn, ein Brief von Gisekens, von der Schleebusch, ein
such von Cramer, von Hannchen Klopstock — — u
junge Verse aus dem Meßias. Ach Gisekens, welch ein Leb
Und ein solches Leben leben Sie jetzt! O, wie glücklich si
Sie! Wie freue ich mich! — Sie spazieren doch den Abend no
Ach was muß ein solcher stiller ehlicher Spaziergang schön se
Wie ist die Liebe vor der Ehe doch Stückwerk! Aber wie sc
ist's doch auch, nur diese Aussicht zu haben! — Wer wollte a
wol lieben, wenn keine Ehe folgte? — Und Hannchen ist n
besser, als Sie gedacht haben? Das werden Sie noch täg
immer mehr sagen. So gings auch in unsrer Ehe vori
Jahr. Je länger der Umgang ist, desto mehr Gelegenheit
kommt man, sich von mehrern Seiten in mehrerley Umstän
zu sehen. Und wer einmal gut, muß nothwendig dabey
winnen. — Wie glückselig sind wir, daß wir so gewählet hab
— Oder vielmehr, wie sehr haben wir der Vorsehung zu b
ken, die für uns wählte, ehe wir selbst wählen konnten,
uns hernach den Weg zeigte, uns unsre Geliebten selbst zufüh
— Ach, sie wird ihn mir auch noch ganz zuführen! Jetzt
ich meinen Klopstock noch nicht selbst, sondern nur sein
trät. Da hängts, da seh' ichs an, dann küß ichs. Es h
hier so, daß ichs allenthalben sehen kann. Wenn ich schre
so sehe ich nur in die Höhe. Wenn ich am Nachttische
so sehe ichs im Spiegel. Und wenn ich im Bette bin, ja
so habe ich den Vorhang zurück gesteckt, daß ichs immer im

sehen kann, wenn ich aufwache. Ach das ist doch sehr was
Süßes. Ob es gleich als mein Mann ganz anders aussehen
müßte, mein Mann sah mich ganz anders an, so ist es doch
noch ähnlich genug. Und ich kann das, was ihm fehlt, sehr
gut hinzudenken. Ich danke Ihnen vielmal, lieber Giseke, daß
Sie mir zuerst sagten, daß ein solches Gemählde da wäre. Sie
hieltens damals halb für unmöglich, daß ichs kriegte. Hab' ichs
nun nicht? Ich habs Gleim eigentlich zu danken, denn
der hatte mit Kleist getauscht und dafür bin ich ihm nun
recht gut.

Die Schleebusch hat uns alles von ihrer Hochzeit erzählt. Ich habe mich über das Fröhliche recht sehr gefreut, und
nur noch immer bedauert, daß ich nicht mit dabey gewesen bin.

                                   M. Klopstock.

65. Klopstock an Ebert.
Koppenhagen den 18. September 1758.
Bey dem Leibmedicus Herrn von Berger.

Die Nicht-schreiberey, mein lieber Ebert, sollte doch bisweilen
unter uns abkommen. Wir müssen wenigstens einige Versuche
machen, ob noch etwas Möglichkeit übrig ist, diesem bösen
Uebel zu steuern. Wiewohl, wenn ich mich recht erinnere, so
bin ich der letztschuldige. Wenn es ist, so mache ich hiermit
meine Schuld richtig. Sie sind in Hamburg, Sie sind auf
Gisekens Brautlaubenfeste gewesen; und das sollte Ihnen so
hingehen, daß Sie mir kein Wort davon schreiben? Sie — doch
davon sollen Sie mir nicht schreiben, wenn es Sie noch zu traurig macht. Doch wenn Sie davon schreiben können, so
thun Sie's. Ich werde Ihnen mit vieler Weisheit rathen.
Denn wenn Sie es noch nicht wissen, so sag ich's Ihnen hiermit, daß unsre Freunde in Sachen der Liebe, mich, mit bel-

phischer Andacht, um Rath fragen sollten. Also jetzt wissen
Sie's. — Was Sie für ein glücklicher Sterblicher bey dem allen
sind. Sie haben meine Clary gesehen. Und, was noch mehr
ist, alle die Rundheiten und Rundheitchen, die ihr der Gesund =
macher Dr. Liebe wieder gegeben hat, und die ich noch nicht
gesehen habe, die haben Sie gesehen. Young müßte Ihnen
unverständlich werden, wenn Sie mir nicht einen langen, vollen
Brief von allen diesen Sachen schreiben. Ach, es ist das ge=
liebteste und liebendste Mädchen, das jemals (ja nun könnte ich
hunderttausend Sachen sagen!) das jemals solche Rundheiten,
und solche Grübchen zu den Rundheiten, und ein solches Herz
zu den Grübchen und Rundheiten gehabt hat. Aber davon muß
ich nur aufhören, sonst würde ich unvermerkt nicht mehr an Sie,
sondern an Clary schreiben.

Etwas anderes. Sie wissen, wie es mir mit einer Subscription geht und wie sehr lieb mich die Herren Buchhändler
haben. Jezt kömmt es nur darauf an, daß meine Freunde eini ge
dazu geschickte Leute aussuchen, (denen ich zehn Procent für ihre
Bemühung gebe,) welche für die Subscription sorgen. Ich ver-
längere die Zeit bis auf Weihnachten; und da, wegen der Größe
der Lettern noch größer Papier erforderlich wird, so nehme ich
auch dieß, ob ich's gleich nicht versprochen hatte. Ich bitte
Sie, daß Sie mir bald sagen, was Sie hierin in Ihrer Gegend
zu thun gedenken. — Ich habe vor einiger Zeit einen Brief von
Hr. Berkenhout erhalten, worin er mir sagt, daß er den
ersten Gesang des Messias in Miltonsche Verse übersezt habe. Ich
habe meine Antwort, (weil ich Berkenhout's Adresse nicht wußte)
an Zachariä geschickt, und die verlangte Veränderung im ersten
Gesange beygelegt. Sie urtheilen leicht, wie sehr mich diese
Uebersezung interessire, weil Sie wissen, wie sehr wir beyden die
Engländer lieben. Ich bitte Sie für diese Uebersezung, als für

Ihr eigen Kind Sorge zu tragen. Herr Berkenhout wollte auch so viel von meinen Lebensumständen haben, als ich selbst für gut hielte, den Engländern bekannt zu machen. Ich habe ihm hierüber unter Anderem gesagt, daß ich glaubte, die Lebens- umstände eines Verfassers kämen, vor jeder Schrift, die man das erstemal läse, zu früh. Sie werden von meiner Meinung seyn. Ich wünschte, bald etwas von der Uebersetzung zu sehen. Es sind auffer mir, hier noch einige die dieses wünschten, und die ich nicht gerne lange warten laffen wollte. — Die Poften zu Ihrem lieben Mädchen werden doch nicht auch unter dem Ge- bote Ihrer hochgeehrten Frau Stiefmama ftehn? Küffen Sie das süße Mädchen mit dem Kuffe eines leider! kaltgewordenen Briefes von mir. — Den Herren Abt und Hr. Zachariä grüße ich auf das Freundschaftlichste, und bin

Ihr

Klopftock.

66. Meta Moller an Giseke.

Hamburg, den 27. Nov. 1753.

Hören Sie, ich habe Ihnen eine große Neuigkeit zu erzählen. Ich habe mich seit drey Tagen auf's Reue in Klopftock ver- liebt. Das heißt nicht, daß ich aufgehört hätte, in ihn verliebt zu seyn, sondern daß ich mich wieder noch mehr in ihn verliebt habe. Es ift doch was Entseßliches mit der Liebe! Ich weiß nicht, wo das am Ende Alles hinaus will. Aber hören Sie nur, ob Sie sich nicht auch verlieben. Da kriege ich vorigen Pofttag ordentlich meinen Brief. Der schönfte Brief, den ein liebender Bräutigam schreiben kann. Des Nachmittags besucht mich Madam Bohn. Sie fragt, ob ich meine Briefe schon habe, ihr Mann hätte seine eben bekommen. „Ich meine schon diesen Morgen." Einige Zeit hernach sagt sie, sie hätte einen

Brief an mich. Das war nichts Neues, es kommen oft Bri
an Bohn, wenn man meine Adresse nicht weiß. Ich beſ
den Brief. Ich kannte gar nicht die Hand, gar nicht das P
ſchaft. Ich breche ihn ſehr gleichgültig auf. Kaum war d
Couvert auf, ſo erkannte ich meines Klopſtocks Hand. Hi
mel, wie ward mir! Ein ſehr ſüßer Brief. Der Einzige [
nicht anders gewollt, als mir die unvermuthete Freude mach
an Einem Poſttage zwey Briefe von ihm zu bekommen. Ri
Giſeke, was ſagen Sie hierzu? Welch eine Delikateſſe v
Zärtlichkeit iſt das? Das fühlen gewiß die Wenigen, die ſo v
Klopſtock und ich lieben können, mit mir.

So viel ich vermuthe, wird man diesmal einen däniſch
Oberhofprediger wählen. Dieſes muß ohne Anmerkung v
mir geſagt werden. Küſſen Sie Ihre Frau, und ſeyn Sie v
ſichert, daß wenn ich auch ſelten ſchreibe, ich doch immer
alte Clärchen bin.

67. Meta Moller an Giſeke.

Hamburg den 7. Dec. 1753.

Wiſſen Sie ſchon, Giſeke, wiſſen Sie's denn ſchon, d
Cramer zum Hof-Prediger in Kopenhagen ernannt iſt? Ja, ſ
das iſt er wirklich. Die Nachricht in den Zeitungen, daß e
däniſcher Ober-Hofprediger gewählt wäre, war falſch. Ueberdi
iſt nicht einmal ein eigentlicher Ober-Hofprediger, ſondern di
Prediger ſteigen nach der Anciennetät ihres Amtes. Wie Got
das doch immer in der Welt macht! Ich hatte nun alle Hoff
nung verloren, Cramer in Kopenhagen zu genießen. Ich b
komme noch dazu einen Brief, worin er mir den Tod ſeine
Sohnes ſchreibt, welches mich ſehr rührte. Und denſelben Aben
erhalte ich die Nachricht, daß er Hof-Prediger werden ſoll. W
geſchwinde kam ich von der Betrübniß zur Freude! Ach w

fröhlich war ich! Und wie sehr bin ich's noch! — Er wird's
doch wol annehmen? — Nun, Giseke, das werden Sie doch
nicht etwa verlangen, daß ich mich mit Ihnen betrüben soll,
daß Sie ihn nicht in der Nähe behalten? Nein, das werde ich
gewiß nicht thun. Ich bin für diesmal viel zu eigennützig.
Und können wir doch endlich alle zusammen kommen. Sie
können unterdeß mit Ihrer Frau bey Zeiten eine Reise nach
Quedlinburg thun, denn im März soll Cramer schon in Copen=
hagen seyn.

Ich bin noch immer in der Nothwendigkeit, so kurze Briefe
zu schreiben. Wenn ich einmal in meiner Geschichte fortfahren
werde, das weiß der Himmel. — Doch, es kann noch einmal
eine müßige Stunde kommen, ehe ich's vermuthe. Ja, wenn
ich des Morgens schreiben möchte, so hätte ich noch wol Zeit.
Aber das mag ich nicht, und das darf ich auch nicht, weil ich
es mir nun einmal zur Pflicht gemacht habe, dann lauter
Frauenzimmer=Arbeit vorzunehmen. Genug, ich denke immer,
ehe ich wegreise, werden Sie sie noch wol ganz erhalten.

Ach, wer weiß, wie lange Zeit ich noch dazu habe. —
Dieser Seufzer, mein liebster Freund, heißt weiter nichts, als
ein Gedanke, der mir bey allem meinem Muthe und aller meiner
Gelassenheit dennoch einige Male einfallen muß. Das kann
nicht anders seyn, so lange ich in der Ungewißheit bin, aber es
macht mich nicht traurig.

68. Meta Moller an Giseke.

Hamburg den 24. December 1753.

Ich glaube, so lange als ich Sie kenne, habe ich jeden Weih=
nachtsabend an Sie geschrieben, und blos deswegen will ich's
auch jetzt thun, Giseke, aus keiner andern Ursache. Der Tag
ist auch recht geschickt dazu. Man sieht so viele fröhliche Ge=

sichter, daß man wohl mit darüber fröhlich werden muß. Das Hüpfen der Kinder ist mir keine geringe Freude gewesen und der Wunsch der einen Amme hat mich vollends ·wild gemacht. Diese unterstand sich, wie ich ihr ihr Geschenk gab, mir künftig ein Paar solche dicke Zwillingsjungen, wie ihre eigne, zu wünschen. Ich nahm dies gar nicht übel, sondern bedankte mich sehr freundlich, und sagte, daß sie mir das klügste Compliment von allen Bedienten gemacht hätte.

Sie haben wol keine Geschenke bekommen, meine lieben Giseken? (Oder bekommen Sie vielleicht als Pastor welche?) Und das brauchen Sie auch nicht. Können Sie doch ohne das fröhlich seyn! Können Sie sich doch auch Küsse schenken.

Sie denken wol, ich habe auch nichts geschenkt bekommen? O, Ihre Dienerin, Herr Pastor, Sie irren sich. Ich habe ein sehr süßes Geschenk von meinem Klopstock bekommen. Aber was das ist, das müssen Sie rathen.

„Eine Locke?" Nein! „Ein Daum in Lack gedruckt?" O nein! „Ein Porträt?" Nein, nein! — O, wenn Sie's gar nicht rathen können; so will ich's Ihnen nur sagen. Ein Kind. Aber in Ehren, mein Herr Pastor und meine Frau Pastorin. Ein Kind des Geistes! Sie möchten's wol sehen? Ich weiß nicht, ob mir das erlaubt ist. Sie wissen wol, daß Klopstock seine Kinder so leicht nicht zeigt. Doch denke ich, daß ich's gegen Sie wol thun darf. Sie haben ja alle seine übrigen Kinder gesehen. Aber hier ist das Allerjüngste:

> Im Frühlingsschatten fand ich sie;
> Da band ich sie mit Rosenbändern.
> Sie wußt' es nicht und schlummerte!
> Ich sah sie an! mein Leben hing
> Mit diesem Blick an ihrem Leben!
> Ich fühlt' es wohl, und wußt' es nicht!
> Doch lispelt ich ihr, sprachlos, zu,

Und rauschte mit den Rosenbändern.
Da wachte sie vom Schlummer auf.
Sie sah mich an! Ihr Leben hing
Mit diesem Blick an meinem Leben!
Und um uns ward's Elysium!

69. Meta Moller an Gifeke.

Hamburg den 24. Dec. 1753.

Sie schmälen ja recht sehr mit mir, Herr Bruder, daß ich selten schreibe. Ich könnte wol zur Entschuldigung anführen, ~~daß~~ Sie eben so viel Briefe von mir haben, als ich von Ihnen, ~~als~~ bezeugen unsre Nummern. Aber ich brauche keine Entschuldigung. Ich schreibe so oft, als ich kann. Und wenn ich nicht ~~schreiben~~ kann, das ist meine Schuld nicht. Erhielten Sie doch neulich zwey Mal in einer Woche Briefe von mir (mehr kriegt nicht ~~einmal~~ Klopstock), und das kriegen Sie jetzt wieder. Gestern ~~habe~~ ich erst einen Brief an Sie wegschickt, und heute fange ich ~~einen~~ wieder an; kann etwas schwesterlicher seyn? Bitten Sie mir ~~also~~ Ihren Ausdruck unschwesterlich ja wieder ab, oder ich werde ~~einmal~~ mit Fleiß nicht schreiben, wenn ich gleich Zeit habe. Das habe ich in meinem Leben noch nicht gethan.)

Aber wie das zugeht, daß Ihre Briefe so sehr lange unterwegs sind, das begreife ich nicht. Ich habe vorgestern Ihren ~~und~~ einen aus Paris erhalten, und die waren von einerley Dam. Wenn ich auch für das schlechte Wetter abrechne, so müßte ~~ein~~ Brief von Trautenstein eher kommen, als einer von Paris. ~~Das~~ Wetter ist für mich und Klopstock auch arg. Wir müssen ~~jetzt~~ nach unsern Briefen zwey bis drey Posttage warten. Ist ~~das~~ für ein Paar so verliebte Leute nicht traurig? Sie werden ~~Ihren~~ Mann wol küssen, Hannchen, und denken: Gottlob daß ~~die~~ Küsse keiner Post bedürfen! Sie thun recht, daß Sie Ihr ~~Glück~~ erkennen. Das will ich auch thun, wenn ich meinen

9*

Mann erst habe. O wie will ich dann Feder und Dinte
die Seite werfen! Wie will ich meine Hände nur zu lau
süßen Streicheleyen gebrauchen. Sind uns unsre Hände b
dazu nur gegeben! Und gar nicht, die Feder darin zu halte
die harte Feder! Nein, sie ist gar nicht für die zarten Hä
unsers Geschlechts gemacht! Und darum braucht es sie auch
wenig.

Sie wollen sich also über Cramers Beruf nicht freuen
Und ich kann mich nicht betrüben, Herr Bruder, und so bleib
ein Jeder für sich. Hat Cramer Ihnen noch nicht geschrieben
Wissen Sie, was ich jetzt sehr heftig wünsche? (und Crame
hat mich auf diesen Wunsch gebracht) daß es möglich wäre,
daß Klopstock und Cramer zu gleicher Zeit in Hamburg
wären, und daß es möglich wäre, daß Cramer uns trauen
könnte. Denken Sie einmal, Gifeke, denken Sie, was dann
unsre Trauung gewönne! — Und was sie jetzt bey M***
verliert!

Ob ich den Ehekontrakt schon unterschrieben habe? Nein
das geschieht erst, wenn Klopstock kommt. Aber es ist fa
eben so gut, denn ich habe doch schon in Alles gewilligt, un
Klopstock kann dreist mehr fordern. Das pflegt wol so z
gehen: wenn der Bräutigam erst weiß, daß die Braut so seh
in ihn verliebt ist, daß sie gar nicht von ihm ablassen kann; s
fordert er Alles, was nur forderbar ist. Und der wäre ja auc
ein Thor, der das nicht thäte, pflegt man bey dergleichen Gele
genheiten zu sagen. Aber, ob ich auch Lust habe, ihn zu hal
ten? O ja, meine kleine Frau Pastorinn!

Daß ich Ihnen zu dem neuen Jahre Alles wünsche, wa
nur einem edlen Herzen wünschbar ist, das versteht sich. C
Gifeken, welch ein Unterschied unter diesem Schluß be

Jahrs und dem vorigen! Wie freue ich mich über Ihre Glückseligkeit! — — Und wie hoffe ich ein Gleiches.

70. Meta Moller an Giseke.
Hamburg den 14. Januar 1754.

Das war ein Brief zu rechter Zeit! Eben wollte ich an
Sie schreiben, meine liebe Giseken, ich hatte schon mein Papier
zurecht gelegt, da kam ihr Brief, der lange lange erwartete
Brief! Ich hätte mich dennoch nicht beklagt, weil ich wohl weis,
wie leicht man zu wenig Zeit in der Welt haben kann. Aber
ich fing an, ein wenig besorgt Ihretwegen zu werden. Ich hatte
schon zu Ihrer Tante und Schwester geschickt, mich auch bey
ihnen melden lassen; sie hatten aber keine nähere Nachricht als
ich. Nun freue ich mich aber desto mehr, nun ich einen Brief
habe und weiß, daß Sie gesund und vergnügt sind. Wie sehr
freue ich mich mit Ihnen, daß Sie mir nun in den Armen Ihrer Frau schreiben können, mein lieber Giseke, und Sie in den
Armen Ihres Mannes, mein liebes Hannchen! Es ist sehr,
sehr süß, wie Sie da zusammen gesessen haben, da Sie an mich
schrieben. Ich habe nur erst einmal in den Armen meines
Klopstocks geschrieben. Aber das mag freylich wohl so ein
Bischen von einem Schatten gegen Ihr Schreiben gewesen seyn.
Denn es war den ersten Tag, wie ich Klopstock gesagt hatte,
daß ich ihn liebte. Ich fühlte die Süßigkeit wohl, in meines
Geliebten Armen zu seyn, ich fühlte wohl die Süßigkeit seines
Kusses. Aber ich fing erst an, dieses zu fühlen, und ich war
noch viel zu blöde, als daß ich ihn hätte wiederküssen, oder auch
nur einmal ihm die Hand drücken sollen. Freundlich ansehen
war Alles. Wir schrieben an Sie damals.

Ich glaube es mit Ihnen, Giseke, ja ich glaube es, daß
selbst Klopstock und ich, ob wir gleich durch unsern vertrau-

lichen dreymonatlichen Umgang der Ehe sehr nahe gekom
sind, dennoch uns Ihre Glückseligkeit nicht ganz vorstellen könn
Ach was muß sie seyn, was muß sie sein, diese höchste irdis
Glückseligkeit! — Ach, wenn ich sie erst schmecken werde!
Ich hoffe jetzt mehr als jemals, und — wer weiß, vielleicht
meine Glückseligkeit selbst noch näher, als ich hoffe! Ich n
Ihnen am Ende dieses Jahres in meines Mannes Arm
schreiben, das verspreche ich Ihnen, wenn dies Jahr mich meine
Manne giebt. Und das hoffe, ja das hoffe ich ganz gewi
Ach welch ein Jahr wäre dann dieses! Welch ein Jahr! E
wäre gewiß keine von seinen kleinsten Süßigkeiten, daß ich Si
darin sehen würde, meine Gifeken! Wie froh würde ich in Ih
Arme rennen, mein süßes Hannchen! Wie wollen wir un
unser Glück erzählen, so weit als sich davon erzählen läßt. Diese
seltne Glück, das so Wenigen wird, das wird uns. Laß ur
niemals aufhören, dankbar deswegen zu seyn. Und dann auc
daß Sie eben Gifekens, und ich eben Klopstocks Frau g
worden bin. Ich wäre gewiß mit Gifeke, und Sie gewiß m
Klopstock auch glücklich gewesen. Aber jetzt sind wirs bo
noch mehr, weil Gifeke mit Ihnen (sollte es auch nur
Kleinigkeiten seyn) und Klopstock mit mir doch noch me
übereinstimmt, als Klopstock mit Ihnen, oder Gifs
mit mir.

O wie wohl wählt der, der für uns gewählt hat! t
unsre Geliebten so weit von uns geboren werden ließ, daß n
sie nicht kannten, und sie uns hernach so ferne herführte! -
So wunderbar! — Und so gut! — Zu welcher Glückseligkeit fu
wir geboren! Sie haben den Besten, den Einzigen für Si
Und ich den Besten, den Einzigen für mich! Und so glückli
sind auch unsre Geliebten. Sie haben an uns die besten Frau
für sie. Das müssen wir doch denken, ob ich gleich oft ba

nicht denken mag. Ich denke Klopstock hätte eine noch bessere verdient.

Soll ich mich auch entschuldigen, daß ich so ernsthaft geworden bin? Nein, ich weiß, daß ich an Sie immer das schreiben darf, was ich denke.

Sie haben ja entsetzlich viel Arbeit am Feste gehabt, mein lieber Giseke, ich bedaure Sie beswegen, bin aber auch um desto empfindlicher gegen die Freundschaft, die Sie mir bezeigt, dennoch an mich zu schreiben. — Wird jetzt aus Ihrer Reise zu Cramer etwas werden? Wenn Sie einige Zeit da bleiben, so sagen Sie mirs, so will ich Ihnen dahin schreiben.

71. Meta Klopstock an Schlegel.

Quedlinburg den 6. Aug. 1754.

Ein Brief von einer unbekannten Hand? Und noch dazu von einem Frauenzimmer? — Nun fürchten Sie nur nichts, eine Liebeserklärung soll nicht folgen; wohl aber viel Freundschaft. — Wenn ich wüßte, daß Sie noch nicht nach meinem Namen gesehen hätten, so hätte ich fast Lust, mich noch nicht zu erkennen zu geben, aber dies werden Sie wohl gethan haben, und also wäre es vergeblich. Ja, mein lieber Freund (denn, das sind Sie gewiß) ich bin Klopstocks Clärchen; diese kleine, glückliche Frau bin ich. Mein lieber Mann hat mir nicht befohlen an Sie zu schreiben, ich habe mich selbst dazu angeboten. Wie lieb ich Sie und Ihr Muthchen habe, davon will ich nichts sagen; das können Sie selbst beurtheilen, denn Sie haben Klopstock und mich ja auch lieb? Ich erinnere mich noch sehr den Abend, wie wir Sie in Hamburg erwarteten und wie Giseke endlich mit einem traurigen Gesichte kam, und uns sagte, daß unser Warten und unsre Freude vergeblich wäre. Ich hätte schon damals an Sie schreiben mögen, mein lieber Herr

Schlegel. Aber es iſt mir doch lieber, daß ich es izt
thue, denn damals hätte ich mich beklagt und izt freue
mich. Zwar iſt meine Freude auf einige Zeit ſehr unterbroch
Mein lieber, lieber Mann (Sie können denken, wie Klop
ſtocks Frau ihren Mann lieben muß) iſt krank geweſen. E
bekam den dritten Tag nach unſrer hieſigen Ankunft ein hizige<
Fieber, welches ſich nach eilf Tagen in ein kaltes verwandelte.
Das kalte iſt gottlob ſeit 8 Tagen auch ausgeblieben und hat
nur die gewöhnliche Mattigkeit nachgelaſſen, welche ihn bisher
noch verhindert auszugehen. Ich will Ihnen nichts davon
ſagen, was mir das geweſen iſt, meinen beſten Klopſtock nach
einer Ehe von einem Monat ſchon krank zu ſehen, nichts davon,
was mein armer Klopſtock gelitten hat; ſondern nur das,
worauf Sie izt von ſelbſt ſchon fallen werden, daß dieſe Krankheit uns verhindert nach Zerbſt zu kommen. Denn ſobald mein
Klopſtock geſund iſt, müſſen wir nach Koppenhagen eilen.
Wir würden aber untröſtbar ſeyn, wenn wir Sie nicht ſehen
würden. Vor allen ich, da ich Sie gar noch nicht von Perſon
kenne. Ich kenne izt alle Beyträger, und ſollte Schlegel
allein nicht kennen? O, das müſſen Sie nicht zugeben, mein
lieber, lieber Freund! Kommen Sie alſo mit Ihrem Muthchen
und Ihrem kleinen Poeten zu uns, weil wir nicht zu Ihnen
kommen können. Niemals könnten Sie dieſe kleine Reiſe zu
gelegnerer Zeit thun als izt. Denn außer uns iſt Giſeke und
Gärtner eben auch hier. Giſeke, welcher geſtern mit ſeinem
Hannchen ihren Einzug gehalten, und Gärtner und Luiſe,
welche übermorgen kommen, nur drey Wochen hier zu bleiben.
Verſäumen Sie dieſe Gelegenheit nicht, Sie werden ſo viel
Freunde nicht leicht wieder beyſammen antreffen. O mein liebes
Muthchen (denn der Name iſt Ihnen gewiß der liebſte, womit
Ihr Mann Sie nennt), ſtellen Sie Ihrem lieben Manne dieſes

doch recht lebhaft vor! Sagen Sie, daß Sie gern kommen wollen; so wird ers auch thun, wenns ihm möglich ist. Und möglich — — — möglich muß das seyn! Wie werde ich mich freuen, wenn ich Sie sehen werde! Ja Muthchen und ich wir wollen uns lieben, als ich Hannchen und Luise liebe. Und Schlegel will ich lieben, als ich Gärtner und Giseke liebe. Aber kommen Sie nur bald, denn sobald mein Mann gesund ist, müssen wir fort. — Mein lieber Mann, (ach welchen Mann nach meinem Herzen habe ich!) alle meine hiesigen Verwandten und alle unsere gemeinschaftlichen Freunde empfehlen sich Ihnen auf das Freundschaftlichste, und bitten alle sehr, was ich gebeten habe. Ich entschuldige mich gar nicht, daß ich mit dieser meiner gewöhnlichen Freymüthigkeit geschrieben habe, ich weiß, daß ich das bey Ihnen nicht brauche. Und Sie wissen schon, mein lieber Herr Schlegel, daß ich mit vieler Aufrichtigkeit bin

Darf ich bitten
um einen Kuß an
Muthchen und an Fritz?

Ihre
ergebene Freundin
M. Klopstock
geb. Moller.

72. Klopstock an Schlegel.

Hamburg den 2. Oct. 1754.

Liebster Schlegel,

Ich kann Ihnen nur ganz kurz schreiben, weil wir mit Einrichtung unsrer Sachen und mit oft überflüssigen Visiten zu thun haben. Ich danke Ihnen noch einmal aufs Zärtlichste für Ihren Besuch in Quedlinburg. Warum ich Ihnen itzt eigentlich schreibe ist, daß Sie mir mit der nächsten Post antworten: Ob Sie hier an der Cathrinen Kirche Hauptpastor werden möchten? Dieß müssen wir vorher wissen, um Sie auf den so genannten engen Aufsatz bringen zu können. Es ist freylich

dann noch nicht gewiß, daß Sie gewählt werden, u
auf dieſem Auffaße ſind; aber es macht Ihnen doch a
gewiſſen Verſtande, Ehre, darauf geweſen zu ſeyn. Ich
dächte, Sie entſchlöſſen ſich, zu kommen. Sie ſind
einem größern Schauplaße, und können mehr Nußen
Und dann wären Sie auch unſrer kleinen Copenhagne
um ſo viel näher. Freylich würden Sie, in Betrach
Collegenſchaft una parva luscinia ſeyn. — Den Herrn ?
der parva luscinia bitte ich Sie bey dieſer Sache ja
Rath zu fragen. Er würde zu freundſchaftliche Gründ
Sie bey ſich zu behalten. Empfehlen Sie mich ihm
Freundſchaftlichſte und Mutchen muß auch in meinen
mit dieſem und jenem Kuſſe heimgeſucht werden. Mei
und alles was hier Metamäßiges iſt, grüßet Sie, und
Ihnen, ſich zum Kommen zu entſchließen. — Ich bin

Ih
Klo

Sie können die Antwort nur an Mad. Schmidt née
in der großen Reichenſtraße ſchicken, die den Brief öfnen
Falle wir ſchon verreiſt ſeyn ſollten.

73. E. Schmidt geb. Moller an Schlegel.

Hamburg den 9. No

.   **Hochgeehrter Freund,**

Sie haben mir ſelber die Erlaubniß ertheilt Ihn
Rahmen zu geben, und nun laſſe ich mir dieſen große
auch nicht wieder ſtreitig machen, ich bin viel zu g
ſolche Freunde. Aber wie lange habe ich gezögert Ih
zu beantworten, einen Brief von Schlegeln, einen ?
100 Antworten verdient, einen Brief, der mich ſo ſehr ge
O, könnte ich nur alle Empfindungen meines Herßens b

ie Ihr Brief bey mir gewirkt hat, aber das kann ich nicht, Sie
ätten mich sehen müssen. Betrübniß, Erstaunung, Empfindung
hrer Grösse, lebhafte Ueberzeugung, daß Sie vollkommen Recht
atten, wechselten in meinem Hertzen ab. Die Betrübniß behielt
iblich die Ueberhand. Ach, dachte ich, wir bekommen Schlegel
ich nun nicht; seine abschlägige Antwort mag auch noch so
chtschaffen, so groß, so edel, so vollkommen gegründet seyn, als
' immer will, so verlieren wir doch unaussprechlich dabey. Die
ch lebusch wie traurig wird sie werden, wenn ich ihr diesen
rief schicke. Ich erhohlte mich endlich durch die Vorstellung,
ß uns die Hoffnung, Sie zu bekommen, doch nicht gantz be-
mmen wäre, und ich habe einen starken Glauben, daß sie noch
mal erfüllt wird! Gott wird uns nicht so oft, Priester im
rn geben, er wird auch einmahl zu uns sagen: „Ihr sollt
Chlegeln haben."

Ihr Brief wird mit einem andern, von einem Zerbstischen
aufmann, bey dem sich der alte Schlebusch (welcher einer
r Wahlherren ist) nach Ihnen erkundigen lassen, und der Ihrer
ersohn, Hertz, und Eigenschaften vollkommen Recht wiederfahren
ßt, heilig aufbehalten, um dieselben bey einer künftigen Gele-
nheit zu unserm Vortheil zu gebrauchen. Unsre Klopstocken
nb am 13. Oct. aus Hamburg gereist und am 25. glücklich
nb gesund in Coppenhagen angekommen, sie haben mir bey
rer Abreise anbefohlen, Ihnen und Ihrer Frau Gemalinn auf
as ergebenste und freundschaftlichste von ihnen zu grüßen.
lopstock hat sich die ersten Tage auf der Reise nicht recht
voll befunden, anitzt aber ist er Gottlob vollkommen gut, meine
Schwester aber hat sich als eine Heldin auf der Reise befunden,
ausgenommen, daß sie auf dem großen Belt sehr seekrank gewesen ist, beym Abschied aber war sie gantz verzagt, und wer
von uns allen war es wohl nicht, ach ich darf mich nicht wieder

daran erinnern, was es mir gekostet, eine solche Schwester zu verlieren.

Danken Sie doch Ihrem lieben Mutchen in meinem Nahmen recht sehr, für das gütige Anerbieten Ihrer Freundschaft. O wie stolz bin ich hierauf, ingleichen auch Ihre geehrten Schwestern, ich will mich befleißigen so viel möglich mich solcher Freunde und Freundinnen würdig zu machen.

Mein hiesiger einziger Freund, Doctor Olde und alle meine Freundinnen, deren Nahmen ich Ihnen doch bekannt machen will, empfehlen sich Ihnen. Scheelen, Schlebusch, Höckeln, Herteln, Dimpfeln, meine Schwester, und mein bester Freund auf der Welt, mein Mann, empfiehlt sich Ihnen und Ihrer Frau Gemalin aufs ergebenste und ich bin mit äußerster Hochachtung

Hochgeehrter Freund
Dero ergebene Dienerinn
E. Schmidt geb. Moller.

74. Klopstock an Cramer.

Hamburg den 8. Juli 1756.

— — — Ich muß Ihnen auch etwas Ernsthaftes schreiben. Alberti habe ich sehr lieb, und sehe ihn so oft, als ich kann. Er ist, wie Sie, mich deucht, nur gehört haben, ein Erzähler, der einem das ganze Herz, nebst allen übrigen großen und kleinen Muskeln, zu lachen machen kann. Ueberdieß treffen wir uns sehr oft an, daß wir über Eine Sache gleich gedacht hatten. Ich habe ihn recht sehr lieb. Ich wollte, daß wir ihn bey uns hätten. Einen Hauptfehler hat er an sich. Er denkt über die Frauensleute, wie er sie nennt, so mürrisch streng, daß in dieser Sache gar nicht mit ihm auszukommen ist, und daß ich alle Hände voll zu thun habe, unsere Freundinnen darin mit ihm

wieber auszuſöhnen. Der böſe Menſch hält z. E. eine Freundſchaft zwiſchen zwo Freundinnen für ſchlechterbings unmöglich, und
behauptet, daß die engliſche Nation ſchon bloß beswegen eine von
den weiſeſten Nationen ſei, weil ſie für „Freundin" kein Wort
in ihrer Sprache habe. Ich wüßte nicht, wie es ihm hier in
die Länge gegangen ſein würbe, wenn er nicht einen ſolchen
Fürſprecher an mir gefunden hätte. Denn Sie ſehn leicht,
daß die Fürſprache eines Anbeters, wie ich bin, von nicht geringer Bebeutung ſeyn muß.

**75. Aus einem Briefe Meta Klopſtock's an Samuel
Richardſon.**

14. March 1758.

— — I could marry then without her consentment, as by
the death of my father my fortune depended not on her; but this
was an horrible idea for me. — —

76. Klopſtock an Ebert.

Hamburg den 19. October 57.

Mein lieber Ebert,

Erſchrocken bin ich nicht über Ihre zweite Brieferſcheinung;
aber erſtaunt bin ich nicht wenig darüber. Von Eberten zween
lange Briefe in ſo kurzer Zeit. Ich thue Ihnen hiermit die
feyerlichſte Ehrenerklärung, daß Sie nicht mehr zu der ehrwür-
bigen Geſellſchaft der Nichtſchreiber gehören. Aber wie ſich boch
alles in der Welt auf eine ſonderbare Art fügen muß. In einer
Zeit da Sie Ihre lange behauptete Stelle der Nichtſchreiberey
verlaſſen, betritt Giſeke die höchſte Stufe derſelben; und ich,
der ich, ohne alle Prahlerey, nicht eben der letzte in der Geſellſchaft bin, ſehe mich von ihm ſehr weit zurückgelaſſen.

Es iſt ein merkwürbiges Exempel, das ſogar Sie, bey

Ihrer jezigen aufferordentlich guten Gesinnung, ein wenig furchtsam machen könnte! — Ich kann Ihren ersten Brief sogleich
nicht finden. Ich weis wohl, daß ich viel daraus zu beantworten habe. Eins, mein Herr, hat mich darin gar sehr p i q u i r t.
Sie geben einigen von meinen Hexametern eine Riesenlänge
Schuld, die ich Ihnen gar nicht zu geben willens gewesen bin.
Und noch bis auf diese Stunde glaube ich Ihnen nicht eher, als
bis sie mir diese angeklagten Verse zeigen. Dieses erwarte ich
ehestens von Ihnen. — Der junge S h o e r hat mir recht wohl
gefallen. Er verließ uns zu bald. Ich habe ihm einen Brief
an Y o u n g mitgegeben. Denn ich muß Ihnen sagen, daß ich
die Freude habe Y o u n g e n nicht ganz unbekannt zu seyn. Er
hat einige Fragmente, ich weis nicht von welcher Uebersezung
des Messias gesehen. Ein Freund von mir, ein braver Mann,
der seit kurzem in keiner Schlacht (er war ein Preußischer Offizier) sondern in Dresden gestorben ist, war vorigen Winter in
England und that eine Reise zu Youngs Einsiedeley. Dieser
hat mir jenen Umstand und auch das geschrieben, daß Y o u n g
gewünscht hätte, daß ich möchte nach England kommen können.
Ich habe seitdem schon immer an ihn schreiben wollen, aber eine
Ursache die mich damit zu eilen hätte antreiben sollen, hat mich
bis zu S h o e r s Ankunft zurückgehalten, Ich stellte mir immer
vor, Y o u n g könnte schon todt seyn. Dasjenige was mich am
meisten in S h o e r s e n s Beschreibung gerührt hat, war daß ihn
Y o u n g beim Abschiednehmen mit einer Art von ehrwürdigen
Feyerlichkeit gesegnet hätte. — Ich habe die Afrida noch nicht
gesehen, ob uns gleich die Paar Bildchen ganz und gar nicht
zu Barbaren machen; und ob es gleich sogar die Nordsee nicht
thut, welche dem Geheimen Rath B e r n s d o r f f immer die neuesten
besten englischen Bücher bringt. Sie haben mich sehr begierig
gemacht die Afrida zu lesen, besonders beßwegen, weil ich noch

keiner englischen Tragödie die Leidenschaft völlig erreicht ge-
iben habe. Ich halte zwar den völlig wahren Ausdruck
r Leidenschaft für das schwerste in der Poesie, aber von
m kann ich ihn fordern, wenn ich ihn nicht von den Englän-
m fordern kann? Gleichwohl ist ihre Leidenschaft so oft mehr
nbildungskraft als Leidenschaft. Bisweilen soll zwar die
ibenschaft die Einbildungskraft zu Hülfe nehmen, aber auch
r bisweilen und nur bis auf einen gewissen Grad.

den 29. Merz 58.

Eben finde ich diesen Brief in einem Buche. Ich
ißte wohl, daß der Anfang eines Briefes an Sie existirte;
ein ich konnt ihn nicht finden. Der 19. October 57 und der
. Merz 58 und noch mehr Ihre zween unbeantwortete Briefe
achen mich zwar sehr beschämt; aber was kann ich machen?

Sie wissen, wie lieb mir Ihre Kritiken von jeher gewesen
. Fahren Sie daher fort, mir welche zu machen. Wenn
das Abschreiben nicht wäre; so schickte ich Ihnen meine
mente vom Messias. Aber kein Mensch selbst meine Frau nicht,
ich bisweilen nicht, kann meine Hand lesen. Denn ich
bisweilen wenn ich recht in der Arbeit bin ganz und gar
üge statt der Buchstaben. Doch denk ich, will ich noch
schaffen, daß Sie meine Fragmente bekommen. Ich bin
ußerordentlich glücklich gewesen. Ich habe diesen Morgen
nfzig Verse im zwölften Gesange gemacht. Sie müssen
wegen nicht denken, daß ich mit dem elften und zwölften
, bey weitem nicht. Und doch ergreife ich jede Minute
chen Stunde bey beiden Händen. — Ich werde Ihnen
in Exemplar von meinen geistlichen Liedern schicken.
te mir Ihre Meinung davon. Ich vermute, daß Sie
Brief an mich gesehen haben, weil Sie davon schreiben.

Denn ich weiß, daß eine Abschrift nach Lüneburg im Buchhandel geschickt worden ist. Ich habe einen zweiten von ihm. Den hat er wegen Schwächlichkeit bloß dictirt. Dieser ist aus Bath. Er ist zwar besser aber nicht völlig. Dieß schreibt Richard= son an meine Frau. Denn diese Leutchen correspondiren mit einander. Sollten Sie wohl glauben, daß Richardsons Hand unendlich ·zitternber ist als Youngs seine. Er hat seit ziemlicher Zeit eine Nervenkrankheit, woran er, nach seiner Phy= siker Meinung, niemals völlig genesen wird. — Meine Frau, die nun zum drittenmale schwanger ist, und die diesmal viel Hoffnung hat, keine fausse couche zu bekommen, wird hier bleiben, um hier Wochen zu halten. Ich aber werde wohl nach Koppenhagen reisen und im Herbste· zurückkommen. Denn Sie müssen wissen, daß Koppenhagen gar nicht weit von Hamburg ist. Von hier bis Travemünde ist eine Tagereise; und das letzte mal sind wir von Koppenhagen bis Travemünde in sechs und zwanzig und einer halben Stunde gekommen. Ich bin ein solcher Schiff= mann, daß ich mit drey guten Matrosen allein herüberfahren wollte. Sturm müßten wir freylich nicht haben. Das versteht sich. Hören Sie, Ebert, sezen Sie sich diesen Herbst einmal auf die Post und reisen nach Lüneburg. Da können Sie sich zu Schiffe sezen, und in wenig Stunden beym Baumhause landen. Es geschieht nicht allein aus großer Neigung zu den Seereisen, daß ich Ihnen dieses rathe; diese Art nach Hamburg zu kommen verkürzt wirklich Ihre Reise. Leisching sagt, daß Sie ordentlich fett geworden wären. Das freut mich. Aber Bier, Bier trinken Sie auch, daß es was entsezliches ist. Das schickte sich allen= falls für einen Dänen, wie ich bin, denn in Odins Himmel trank man Bier. Nun verfallen Sie nur nicht zulezt gar auf die Mumme, so mag es noch hingehen.

den 7. Juny.

Nun ein sonderlicheres Schickfal hat doch nicht leicht ein
Brief gehabt. Ueber das Auszziehen (denn wir sind zu meiner
Schwiegermutter gezogen) ist er wieder liegen geblieben. Aber
heute soll er gewiß fort. — Wir haben von neuem einige
Hoffnung, daß Schlegel hier Hauptpastor werden wird. Es
kommt dabey hauptsächlich darauf an, daß ganz Zerbst aussage,
daß er die Schwindsucht nicht habe.

Ich bitte Sie, daß Sie schlechterdings verschwiegen mit
dem Abentheuer, das sich mit diesem Briefe zugetragen hat, umgehen. Solche Geheimnisse der Freundschaft müssen nicht aus-
geschwazt werden. Gärtnern allein können Sie davon sagen
und es ihm zugleich als eine Warnung anführen. Er wird
daraus sehen, wie weit man verfallen kann, wenn man auf
Wegen geht, die Er und ich bisher betreten haben. Wofern
Gärtner von einem Biertrinker geküßt sein mag, so küssen Sie
ihn in meinem Namen.

Ich bin der Ihrige

Klopstock.

77. Klopstock an Metas Schwestern.

Itzehoe, den 21. Juni 1759.

Ich weis nicht, ob die Bäume, die Sie und Ihre Schwester bey die beiden Gräber in Ottensen setzen, schon lange
Schatten gegeben haben werden, wenn ich bey meiner Meta
ruhen werde; aber das weis ich wohl, daß dieß kurze Leben
schnell vorübergeht, und daß wir uns dann alle wiedersehen
werden.

Klopstock.

78. Klopstock an Schlegel.
Pyrmont, den 21. Juni 1760.

(Dedication.)

Mein liebster Schlegel.

(Vorrede.)

Die abscheuliche Unthätigkeit und Zerstreuung, mit der man hier angesteckt wird, macht unter andern auch, daß man wenn man ja endlich zum Schreiben kömmt, sehr kurze Brief schreibt.

(Das Buch selbst.)

Ich werde künftigen Montag früh um 4 Uhr von hi verreisen, um mich in dem Wirthshause zu den Linden je eh je lieber einzufinden, der ich verharre

Ihr

Klopstock.

A Monsieur

　　Monsieur Schlegel

　　　　Ministre de la Parole de Dieu

à Hannovre.

79. Klopstock an den Grafen Andreas Peter Bernstorf.
Quedlinburg den 5. September 1762.

Ich habe die zwey lieben Briefe, nämlich, einen vom 17te von Ihrem Herrn Onkel, und einen vom 14ten von Ihnen den 2ten dieses erhalten, weil ich erst an diesem Tage von Son= dershausen zurückgekommen bin, wo ich über eine Woche mi vielem Vergnügen zugebracht habe. Doch hiervon hernach Man ist sehr glücklich daran, wenn man so geliebte Freunde als mir die Gräfinn St. immer seyn wird, nur so zu sage Einen Augenblick, einige Zeilen lang, in Gefahr sieht. S glücklich war ich auch ehemals bey der Krankheit Ihres He nkels, daß ich die Gefahr, und die Rettung daraus, zugleich rfuhr. Daß Sich die Comtesse St. bey dieser Gelegenheit, vie Ihrer Mutter Tochter würde aufgeführt haben, das würde ich vermutet haben, wenn Sie mir auch nichts davon geschrieben hätten. Ich denke es so oft, wie sehr, sehr glücklich Sie sind, daß Sie mir erlauben müssen, es Ihnen manchmal von neuem zu sagen, ob ich es gleich schon so oft gesagt habe. Ich habe bisher besonders viel an Sie Beyde gedacht, weil ich in Son= dershausen zwey sehr glückliche Ehen, theils von neuem, theils zum erstenmale, gesehen habe, ich meine Gisekens und des Fürsten seine. Dieser Fürst ist ein junger braver Mann, der mit seinen Leuten en famille lebt, und seine Frau sehr zärtlich liebt, und von Ihr auf gleiche Art geliebt wird. Daß sich diese beyden wirklich recht sehr liebten, bemerkte ich am meisten die beyden letzten Tage, die ich mit Giseke zugleich in Gesellschaft es Fürsten auf einem Jagdhause zubrachte. Ich möchte wohl viffen: ob es z. E. der Comtesse St. misfallen würde, wenn h Ihr erzählte, daß die Fürstin einmal bey Tische aufstand, m Ihren Schwager, den Grafen Reichenbach, herum ging nd Ihren Mann küßte; oder ob Sie mit dem Fürsten zufrieden wäre, daß Er, da von ungefähr von meiner seligen Meta ge= prochen wurde, in ein Nebenzimmer ging, weil ihn der Gedanke er Gefahr zu sehr rührte, in welcher seine Frau vor kurzem bey Ihrer Niederkunft gewesen war.

Weil Sich doch die Comtesse St. einmal für solche Sächelchen nteressirt, und weil Sie so verschwiegen ist, als Ihr Bernstorf, nd Ihr Bernstorf, so verschwiegen, als Sie, so muß ich Ihnen Beyden (ich denke Sie immer zusammen) doch eine kleine Geschichte rzählen, deren Hauptinhalt ist, daß ich vor kurzem sehr glücklich hätte werden können, wenn nicht Ein Umstand, den Sie bald hören werden, mein Glück gehindert hätte. Diese kleine Ge=

schichte hat von dem 10ten bis zum 19ten August, dem Tag
der Entscheidung, gewährt; sie wird aber wohl in meinem Herze
noch sehr lange fortdauern. Wenn ich weniger gewohnt wäre
bisweilen recht sehr unglücklich zu seyn; (ich bin aber bisweilen
oder vielmehr oft auch recht sehr glücklich gewesen) so würde ich
in einem andern Tone davon sprechen. Ich würde es keine
kleine Geschichte nennen.

Ein Mädchen, dem ich kein Beywort (alle würden zu schwach
seyn) geben will, weil ich es wirklich jetzt noch über allen Ausdruck liebe, machte, da ich es das erstemal sah, daß etwas in
meinem Herzen vorging, das ich zwar wohl vergleichen, aber
nicht beschreiben kann. Doch ich kann es bei Ihnen ja kur;
machen. Kaum hatte ich Sie eine Stunde gesehen, so empfand
ich, daß ich schon angefangen hatte, sie zu lieben. Ich sah Si
noch einmal, und noch einmal, und wieder einmal. Ich wurd
mir sehr lebhaft bewußt, daß ich mich nicht blendete; es wa
alles reel, was ich bemerkte; sie hatte überdieß das Zeugni;
zweier Freunde für sich, die sie von Kindheit an gekannt hatten
diese, und ihre Tante (diese allein wissen etwas davon, selb;
meine Mutter und Geschwister wissen noch nichts davon) wurde;
meine Vertraute. Mein Herz gehörte ihr schon zu sehr zu, al
daß mirs nun möglich gewesen wäre, langsam zu verfahren
Ich entdeckte mich Ihrer Tante, meiner neuen Freundinn, ganz
und ich erfuhr (was ich nicht hatte wissen, nicht einmal vermute;
können) daß sie schon versprochen wäre, aber erst nach den
Frieden ihre Heirath vollziehen würde, daher wäre die Verspre-
chung bisher ganz geheim gehalten worden; ich erfuhr aber zu
gleich, daß ich, wenn die Sachen nicht einmal wären, wie si
sind, glücklich gewesen seyn würde, und daß sie mir, obgleich vo;
sehr geliebten Verwandten geliebt, dennoch gefolgt seyn würde
Mich däucht, daß ich mit dieser Erklärung zufrieden seyn konnte

beſonders da ſie wohl ein Zwanzig tauſend Thaler Vermögen
hat, und ſolche Mädchen ſchwerer als andre ſich entſchließen, ihr
Vaterland zu verlaſſen. Das ſüſſe Mädchen, wie lieb habe ich
ſie, und lieb werde ich ſie immer haben. Ich habe ſie ſeit dem
traurigen 19ten, kurz vor meiner Abreiſe nach Sondershauſen
(was ſagen Sie zu dieſem Mute?) wieder geſehen. Ich hatte
mehr Contenance als ich mir zugetraut hatte. Wir waren in
einer ſehr muntern Geſellſchaft. Es war ſo ein ſonderbares
Gemiſch von Vergnügen und Traurigkeit in meinem Herzen.
Weil aber die anderen ſo ſehr aufgeweckt waren; ſo ſchien ich
es vermutlich auch. Wie ich die 4 -- 5 letzten Tage zugebracht
habe vor dem 19ten, kann ich Ihnen nicht beſchreiben. Unter
andern ritt ich einmal eine Meile, und noch eine Meile, durch
einen Expreſſen die letzte Roſe des Jahrs zu ſchicken. Es iſt
mir lieb, daß ich ſo eilte. Denn ich hätte die Ungewißheit kaum
länger aushalten können. — Ich kenne den Antheil den Sie
an meinem Schickſale nehmen werden. Ich könnte Ihnen noch
vieles von dem erzählen, was bis zu meinem Entſchluſſe, und
dann hierauf, da ich ungewiß war, ob ich glücklich oder unglücklich ſeyn würde in mir vorging; aber ich will abbrechen,
weil ich für Sie und für mich genug geſagt habe, für Sie, weil
Sie aus dem Wenigen, was ich geſagt habe meine ganze Situation überſehen können, und für mich, weil ich durch eine um-
ſtändlichere Erzählung nur trauriger werden würde.

Ich will mich alſo losreiſſen, und mit Vorſtellungen, die
viel heiterer ſind, beſchäftigen. Der erſte Oct. alſo, oder doch
wenigſtens der Anfang des Oct. welch ein ernſthafter freudiger
Tag für Sie! Die göttliche Vorſehung, die Ihre beyderſeitige
Wahl geleitet hat, gebe Ihnen an dieſem Tage und Ihr ganzes
übriges Leben alle die Glückſeligkeit welche die eblere Liebe hat.
Ich habe auch ſo einen Tag, und ſogar vier ähnliche Jahre

verlebt. Ich weis, wie glücklich die Liebe machen kann —
haben Sie ja nichts wieder mich, mein sehr geliebter Fr
(Sie werden nichts wieder mich haben, wenn Sie mich
gehört haben werden) wenn ich Ihnen sage, daß ich den ?
schen, ich kann wohl sagen, den Bitten meiner Mutter e
nachgegeben, und mich entschlossen habe diesen Winter be
zu bleiben. Es kommen viel Umstände zusammen, wel
mir zuletzt zu schwer machten, es ihr abzuschlagen. Ich
lange gezweifelt, ich bin recht unruhig babey gewesen, und
sehr daran gedacht, daß ich also meinen geliebten Bernstorf
Winter über nicht sehen würde. Aber stellen Sie Sich dief
stände vor. Meine Mutter fängt an, alt zu werden, Si
viel Unglück in Ihrem Leben gehabt. Dieses hat auf
Körper und ihr Gemüth starke Eindrücke gemacht. Eine
munterung wie ihr mein Hierbleiben seyn wird, ist ihr be
notwendig geworden. Dazu kömmt, daß ich eine Sch
habe, die ich auch sehr liebe, und von deren wiederhohlten
auswerfen ich fürchten muß, daß es üble Folgen haben
Ich hatte anfangs vor, sie zu meinem Bruder nach Lingt
bringen, theils meiner Mutter ihre Ausgaben zu erlei
theils meine Schwester in eine Luft zu bringen, die fü
schwache Brust gesünder ist, als die hiesige; aber ich muß gl
daß es kaum zu wagen ist, sie in der späten Jahreszei
so weite Reise thun zu lassen. Sie haben selbst eine g
Schwester gehabt, und sehen, daß auch dies eine Ursach n
kann, mich zurückzuhalten. Vielleicht denken Sie Sich noc
britte Ursach, ob Sie recht haben, oder nicht, barüber ka
mich nur mündlich erklären. Ich werde mir die Entfernun
Ihnen so erträglich machen, als ich kann, das heißt, ich
Ihnen oft und lange Briefe schreiben, und diese müsse
auch durch umständliche Nachrichten von Ihnen, besonders

e vom 1. Oct. belohnen. — Seyn Sie ſo gütig, und ſprechen
: Ihrem Herrn Onkel über die Urſachen meines Hierbleibens,
d danken Ihm für ſeinen mir ſo ſehr lieben Brief. Ich
rde Ihm ſelbſt danken. Aber Er iſt zu gütig, er antwortet,
d das will ich nicht.

Und nun eine kleine Commiſſion. Ich habe dem Fürſten
n Sondershauſen nicht abſchlagen können, mich zu
nühen, ihm einen däniſchen Beſchäler zu verſchaffen. Sie
nnen, wenn Sie es übernehmen wollen, nach Belieben wählen
wohl in Abſicht auf die Farbe, als auch ſonſt. Ich erwarte,
Falle daß Sie ſo gütig ſind, die Commiſſion zu übernehmen,
ie Beſchreibung des Pferdes von Ihnen, und den Preis. —
leim iſt eben zu mir gekommen ſonſt würde mein langer
rief noch länger geworden ſeyn. Empfehlen Sie mich unſern
reunden, und machen mir das Vergnügen, mir bald Nachricht
ın Ihnen zu geben. Petern will ich Ihnen zur rechten Zeit
ſiden. Ich habe zwar noch keinen andern; aber es wird ſich
ſon einer finden. Leſſing iſt in völliger Beſſerung. Das
erden Sie wohl ſchon wiſſen. Sie wiſſen mit welcher Freund-
ſaft ich bin

Der Ihrige

Klopſtock.

80. Aus einem Briefe Klopſtock's an Schultheß.

(1762.)

„Sie wiſſen doch wie lieb ich die Schweiz hatte, da ich bei
)nen war? Dieſe Liebe währt fort; (denn ich kann nicht ein-
ſchrenkt denken) ob ich gleich mein zweites Vaterland, in dem
ſ Freiheit, wiewohl auf andre Art iſt, ſehr liebe. Dieſe
:be zu ihrer oder auch meiner Schweiz macht, daß ich mich
ſ ſogar der meiſten Bekannten, die ich dort gehabt habe, mit

Vergnügen und nicht selten erinnere. Diejenigen unter denselben,
die sich meiner auf gleiche Art erinnern, bitte ich aufs aufrich-
tigste und beste von mir zu grüßen.

> Klopstock bin ich, der Vorige,
> Von Schweizer Treu' und Blut!

geht nach der Melodie:

> Wilhelm bin ich der Telle
> Von altem Muth und Blut."

Nachdem er sich besonders nach den Angehörigen der Familie Rahn erkundigt, mit welchen Schultheß nahe befreundet
war, trägt er dann diesem namentlich Grüße an Bodmer,
Breitinger und Heß auf, und fährt fort: „Er und Breitinger, auch Heß haben meine beständige Hochachtung." Ferner
nennt er Tobler, Steinbrüchel und Vögeli. „Was soll
ich mit dem zweiseeligen Hirzel machen? Ich wünsche es mehr
als die Unrichtigkeit meines Beiwortes. Doch er ist ja bisweilen
mein Freund gewesen. Mit dem Herrn Canonicus Geßner
bin ich zwar nicht bekannt genug geworden, ihn unter meine
Freunde zu zählen, aber mein Herz und meine Hochachtung rechnet ihn doch darunter. (Salomon) Geßner der seit meiner
Abwesenheit ein vortrefflicher Scribent geworden, ist mir zwar
übrigens auch nicht näher bekannt, (wir haben einander nur ein
paar Mal gesehen) aber ich halte ihn für einen braven Mann
und glaube, daß wir Freunde sein würden, wenn wir uns mehr
kennten." — Indem er endlich seinen Schmerz über den Verlust
seiner Meta ausdrückt, blickt sogar die leise Frage hindurch, ob
sich vielleicht in Zürich ein Ersatz für dieselbe finden könnte.

81. Klopstock an Ebert.

Quedl. den 18 . . . . 1764.

Ich reise den dritten Feyertag von hier, und über Magdeburg.
Ich will mit meiner Schwester, die eine schwache Brust hat, bi

Elbe mit einem Extrapoſtboote hinauffahren. Ich würde aber auch ohne dieſe Urſache über Magdeburg reiſen, weil ich den Cammerherrn Bernsdorff bei ſeinem Vater ſehen will. Da ich Sie alſo dießmal nicht ſelbſt ſehen kann lieber Ebert, ſo will ich wenigſtens auf eine andere Art zu Ihnen kommen. Ich habe zwar ·beygelegte Strophen an Gärtner ſchon geſchickt; aber dieſe haben doch das kleine Verdienſt, das Sie für Sie von neuem revidirt worden ſind. Ich laſſe bey dem jungen Breit= kopf XXX lyriſche Sylbenmaße, das heißt, die Zeichen des Sylbenmaßes jedesmal mit einer Strophe auch als M. S. für Freunde drucken. Dieſes M. S. hatte ich eigentlich nur für Sie beſtimmt, da aber Br. ſo ſehr zögerte, ſo ſchicke ich Ihnen dieß; Sie ſollen das andere auch haben. Weil ich weis, daß Sie dankbar zu ſeyn pflegen, ſo bitte ich mir Prolegomena commentarii perpetui von Ihnen nach Hamburg aus; den commentarium perpetuum ſelbſt, wenn ich Ihnen die Sylbenmaße geſchickt haben werde. Wenn dieſe Prolegomena ein ſchönes gelehrtes Werk ſeyn werden, wie ich von Ihnen erwarte und wünſche; ſo will ich von meiner Seite auch weiter ·dankbar ſeyn, und Sie ſollen von mir editionem novam atque auctam in usum Dominationis Arnoldinae, von denen XXX Strophen bekommen. — Unſern guten Fleiſcher bitte ich eine ganze Nacht aufzuſitzen, und die Ueberſezung Vossii de Format. Cantus durch zu ſtudiren. Hierauf können Sie ihm folgendes quaestorium vortragen: ·

Ob er ſich den Takt ſo oft zu verändern getraut, daß man den Gang des Verſes und der Muſik hört? Wenn er ſich dies getraut; ſo mag er ſich eine Strophe wählen und ſie componiren. ·

Ich hatte Anfangs Luſt, Sie in einem kleinen Irrthume zu laſſen, in den Sie vermuthlich gefallen ſeyn würden; aber ich

will es doch nun nicht thun. Lesen Sie jetzt nicht weiter, so
können Sie sich überzeugen, ob meine Vermutung gegründet gewesen ist.

Ich stelle mir vor, daß Sie glauben werden, daß ich meine
Verse nach den angeführten griechischen gemacht habe, und das
ist eben der wichtige Irrthum aus dem ich Sie herausreißen
muß. Sie müssen also wissen, daß Alles mein Eigenthum ist,
und daß ich diese kleine mir nicht gleichgültige Entdeckung gemacht habe, da ich einmal recht müde vom Arbeiten war, und
in dem Sophokles blätterte. Den Pindarus hab ich nicht nach-
geschrieben, weil ich mit seinen Strophen in Absicht auf den
lyrischen Klang nicht zufrieden bin. Es ist fast seine beständige
Zuflucht Stücke von Hexametern zu nehmen. Wenn er die
nicht thut, so ist er entweder jambisch oder zu dithyrambisch.

Seine Seele hat die böotische Luft genug überwunden
aber sein Ohr hat etwas von ihren Wirkungen behalten. Doch
ich will aufhören zu plaudern, damit Sie Ihre Prolegomen
anfangen können. Wenn Sie mir bald schreiben mögen,
wird mich 2 Tage nach dem Feste Ihr Brief noch in Magdeburg bei Herrn Bachmann antreffen.

82. Klopstock an Ebert.
Koppenhagen den 13. November 1764.

Sie geben keinen Laut von sich, Ebert, ob Sie meine neu
Ausgabe der Fragmente des XXten Ges. die ich für Sie ge-
macht, erhalten haben. Es würde mir unangenehm sein, wenn
Sie sie nicht bekommen hätten. Bachmann hat sie schon vor
Magdeburg aus zuschicken sollen. Alberti ist mit zu trauriger
Geschäften umringt, um mir zu schreiben, was er mit Ihnen
über meine Sylbenmaaße gesprochen hat. Er hatte Commission

Sie ad articulos zu vernehmen. Ich weiß noch nicht, wie dieses Verhör abgelaufen ist. Ich bin auf eine fast burleske Art übel mit Ihm angekommen. Stellen Sie sich einmal diesen Contrast, nur mit Ihrer halben Lebhaftigkeit vor. Ich versprach mir von Ihm, ja ganz vorzüglich von ihm, freie Anmerkungen über gewisse Wendungen des Rhythmus Lob oder Tadel, aber allezeit Anmerkungen der etwas tiefern Kunst; aber ach!

quid tanto dignum tuli promissor?

Wie voll mußten Sie z. E. von der Idee seyn, daß der einzige Fuß, der uns außer dem heroischen Daktylos noch möglich sey, der Anapäst wäre, als Sie kritisch hoch über mich herfuhren, und mich baten, ich sollte doch nicht so sehr harte Verse, als dieser wäre, machen:

Von des Zorns | Kelch Gott trun | ken zum To | de gemacht

Sie sehen hieraus, daß ich nicht ohne Hoffnung Ihres Aufwachens bin. — Ich bin jetzt mitten in der Ausarbeitung meiner kleinen Abhandlung vom Sylbenmaaße. Wenn Sie sich die Augen werden völlig ausgerieben haben; so will ich Ihre kritische Entdeckung der Anapäste vergessen und mit Ihnen über diesen und jenen Punkt correspondiren. Doch um vorläufig zu sehen, wie es jetzt mit Ihnen steht; will ich einige kleine Fragen, wie sie mir einfallen an Sie thun:

1) Wer hat die sapphische Strophe erfunden?

2) Ist dieser Päan ⏑⏑⏑–, ein prosaischer Fuß? und ist es dieser: –⏑⏑⏑?

3) Setzt Sophokles in der Mitte des Verses den Anapäst für den Spondäus?

4) Gehören die Anapäste der griechischen Trauerspieldichter mit zu den lyrischen Versarten?

5) Ich will Sie nicht fragen: ob der Rythmus dieser Füße verschieden sey:

$$\bar{}\ \bar{}\ \smile\ \smile$$
$$\smile\ \smile\ \bar{}\ \bar{}$$
$$\smile\ \bar{}\ \smile\ \bar{}$$
$$\bar{}\ \smile\ \bar{}\ \smile$$
$$\bar{}\ \bar{}\ \smile\ \smile\ \frown$$
$$\smile\ \bar{}\ \bar{}\ \smile$$

Aber welcher ist der Effekt ihrer Verschiedenheit?

6) Hatten die Griechen Recht, gleichzeitige Füße mit einander abwechseln zu lassen? z. E. da wo der Tribrachys in einem Verse gestanden hatte, in einem andern den Jambus zu setzen?

7) Ist dies $\smile\ \smile\ \smile\ \bar{}\ \bar{}$ ein Fuß? oder eine Dipodis?

8) Was hat die erste Strophe meiner lyrischen Sylbenmaaße für einen Fehler?

Doch genug für dießmal. Später werde ich mit schweren Fragen erscheinen.

Ihr Klopstock.

83. Gellert an Klopstock.

A Monsieur

Monsieur Kloppstock

à Copenhaguen.

Leipzig den 31. December 1765.

Liebster Freund,

Wenn ich dem Herrn von Buchwald bei seinem Aufenthalte auf unserer Academie durch Rath oder Unterricht nützlich seyn kann; so werde ich's nicht allein aus Pflicht, sondern mit Freuden thun, und nicht vergessen, daß mir ihn Kloppstock empfohlen hat, und daß er ein Bruder der Gräfinn von Hollstein

ist; so wie er selbst ein sehr gesitteter und fleißiger Jüngling ist.
Wenn ich endlich zu dieser Versicherung noch hinzu setze, daß ich
Sie, theuerster Kloppstock, von Herzen liebe und ehre, und Ihnen
alles gönne und wünsche, was man seinem Freunde und einem
geistreichen und lehrenden Dichter wünschen kann und muß: so
habe ich alles gesagt, was ein kranker Mann seinem Freunde
in einem kurzen Briefe sagen kann. Und hiemit leben Sie
wohl, auf das einstehende Jahr und auf Ihr ganzes langes
Leben wohl, und grüßen Sie meinen vortrefflichen C r a m e r
und alle Ihre und meine Freunde herzlichst und ergebenst.

Der Ihrige
Gellert.

84. Klopstock an Denis.

Koppenhagen den 22. November 1766.

Der Herr Syndikus F a b e r hat mir den Auszug eines
Briefs von Euer Hochwürden zugeschickt. Die Fortsetzung Ihrer
Freundschaft gegen mich hat mein Vergnügen über dieselbe nicht
wenig vermehrt. Ich bin nicht für viele Versicherungen; unter=
deß kann ich Ihnen doch nicht verschweigen, daß ich Ihnen viel
Dankbarkeit schuldig zu seyn glaube. Da ich nicht im Geringsten
an der Aufrichtigkeit Ihrer Gesinnungen zweifle, so ist mir's
kein kleines Vergnügen zu hoffen, daß wir immer mehr mit ein=
ander werden bekannt werden.

Die Herausgabe des Gesangbuchs, von dem Ihnen Herr
F a b e r geschrieben hat, ist zwar noch ziemlich entfernt, denn ich
muß erst eine viel größere Anzahl guter Lieder besitzen, als ich
jetzt noch habe, ehe ich daran denken kann. Unterdeß habe ich
doch die Sache gern ein wenig von ferne zubereiten wollen. Ich
weiß nicht, ob Gellerts und meine Lieder bis nach Wien ge=
kommen sind. Sollten sie es seyn: so können Sie aus diesen

sehn, wie die andern seyn werden: protestantische Lieder, in
nichts gegen die katholische Kirche vorkömmt. Ich bin über,
daß Seine Eminenz der Erzbischof nichts gegen solche Lied
erinnern haben werde; und glaube daher, daß sie die Censur
verurtheilen wird.

Ich weiß nicht, ob Euer Hochwürden mit dem Capellm
Hasse bekannt sind. Sollten Sie es seyn, so ersuche ich
ihn in meinem Namen zu fragen: ob er von mir: „Frag,
aus dem XXsten Ges. des Messias" erhalten habe? Meine
frage geschieht nicht deßwegen, daß ich seine Antwort jetzt
erwartete; sie wird nur von meiner Begierde, zu wissen, w
meine Bitte an ihn aufgenommen habe, veranlaßt.

Ich will Ihnen sagen, worauf mir's hauptsächlich bei
Sache ankömmt. Ich habe mich bisher in einigen Nebenstu
damit beschäftigt, eine Abhandlung vom Sylbenmaaße zu schre
In dieser Abhandlung kömmt, wenn ich es so nennen darf,
Episode von der metrischen Composition vor. Sie sehen g
daß ich durch metrische Compositionen nichts anders, als
genauen Ausdruck des Sylbenmaaßes in der Musik ver
kann. Wenn mir nun Hasse einige von den Sylbenmaaßei
Fragmente componirt: so lerne ich von ihm (und ich w
nicht gern von einem kleinen Meister lernen), ob ich in n
Theorie recht oder Unrecht habe. Denn ich bin, wie ve
ich auch in die eigentliche, wahre, simple Musik bin, doch
Laye in allem, was musikalische Theorie heißen kann un
habe nur erst seit ehegestern die Lehre vom Tacte ein n
studirt. Ich habe einige wenige Exemplare von den genau
Fragmenten als Manuscript drucken lassen; das heißt, ich
es zu mühsam, sie einigemal abschreiben zu lassen und die
schriften immer wieder durchzusehen. Ich erlaube Ihnen,
ich bitte Sie vielmehr darum, drey Exemplare von einem si

Copiſten abſchreiben zu laſſen, eines davon Seiner Eminenz
dem Erzbiſchof in meinem Namen unterthänigſt zu überreichen;
mit dem andern dem Herrn Grafen Bathiany für ſeine viel
zu gütige Art zu danken; und das dritte für ſich, als einen
Beweis meiner Freundſchaft gegen Sie zu behalten. Sie erlauben
mir Ihnen zu ſagen, wie ich wünſche, daß meine Freunde mit
Manuſcripten, die ich Ihnen anvertraue, umgehen. Ich bin
weit entfernt davon, ſie ſo einſchränken zu wollen, daß ichs
nicht ihrer Beurtheilung überlaſſe, ſie, wem ſie wollen, zu zeigen
oder vorzuleſen; meine Bitte an dieſelben iſt nur, ſie nicht aus
der Hand zu geben. Vielleicht iſt es nicht übel, wenn ſie über
jedes andre Chor das Sylbenmaaß, in welchem es ſingt, ſchreiben
laſſen, ob ich gleich weder von ſeiner Eminenz noch von dem
Herrn Grafen Bathiany fürchte, daß Sie meine Strophen
Aure bibant minus obsequente.

Ich komme noch einmal zu Haſſe zurück. Ich kenne ihn
nicht. Ich weiß nicht, wie viel, oder wie wenig er von dem
gewöhnlichen Eigenſinne der Künſtler hat. Daher überlaſſe ich
es Ihrer Entſcheidung, ob Sie ihm etwas davon ſagen wollen,
daß ich wünſchte, alle neue Sylbenmaaße, die in meiner Abhandlung vorkommen werden, von ihm componirt zu ſehen.
Denn es iſt mir gar nicht gleichgültig, durch einen Muſicus,
wie Haſſe iſt, meine Theorie praktiſch zu zeigen, oder ſie auch
hier und da, nach ſeiner Ausführung, vor der Herausgabe zu
ändern. (Ich bitte um Verzeihung wegen dieſes Bogens, ich
ſah es beim Umwenden.) Haſſe kennt mich aus meinem
Briefe an ihn ſchon, was ich für ein Laye in der Muſik bin.
Alſo geb' ich Ihnen wenigſtens nicht mehr Anlaß mich auszu-
lachen, als ich ſchon gethan habe, wenn ich (ich glaube nicht,
daß er den ſtolzen Eigenſinn der Künſtler hat, die unter ihm
ſind, und denen man ihn laſſen kann) wenn ich durch Sie an

ihn noch ein paar Fragen thue: Verdoppelt der Niederschlag den äußerlichen Werth der Note? Verliert die dritte Note im ungeraden Tacte ihren äußerlichen Werth um die Hälfte? Zum Exempel so: $\frac{3}{4}$ 8 4 2? Und wenn auch dies Verhältniß noch ein wenig anders wäre; hab ich nicht gleichwohl gegen die gewöhnliche Theorie vom Tacte recht, wenn ich behaupte: daß „kein verzogner Trochäus, sondern ein Spondeus ist? Die Griechen hatten im Widerspruche mit uns lange und kurze Niederschläge und lange und kurze Aufschläge, der Orthius _ _ | _ _ _ _. Der Rhythmus den Timotheus am öftersten mit derjenigen Melodie verband, durch welche er Alexander zu einer so schnellen Wuth brachte, hatte drei Aufschläge und vier Niederschläge. Könnte man diesen Rythmus ähnlich ausgedrückt zu haben glauben, wenn man ihn nach unserer Art so ausdrückte: $\frac{3}{4}$ v cl. | v cl. | cl. | cl. | cl. | cl. | ?

Doch ich komme wieder an die schlimme Stelle des Bogens; und überdieß ist mein Brief für einen ersten schon viel zu lang. Ich empfehle mich daher Ihrer fernern Freundschaft und verharre mit der aufrichtigsten Hochachtung

    Euer Hochwürden

gehorsamster Diener,
Klopstock.

Meine Adresse ist: à l'Hotel de Bernstorff.

85. Klopstock an Denis.

Koppenhagen den 6. Jan. 1767.

Ihr Brief traf mich beim Messias an. Ich war eben ein wenig von der Arbeit ermüdet, und er wurde mir eine sehr angenehme Erholung. Ich bin jetzt in dem gleichen Falle, nämlich eine Erholung nöthig zu haben. Der Schluß Ihres Briefs

war mir mehr als angenehm; er rührte mich. Bethlehems gött-
licher Knabe sey auch mit Ihnen! Ich erinnerte mich dabey (ich
erzähle die kleinen Umstände, die mich angehn, nur selten; und
wenn ich es thue, so ist es allezeit ein Beweis meiner Freundschaft), wie sehr ich einst auf meiner Reise nach der Schweiz
auf fast ähnliche Art gerührt wurde. Wir waren an einem
schönen Tage ausgestiegen und gingen. Ich war ein wenig
von der Gesellschaft zurückgeblieben. Einige gute Schwaben
begegneten mir, und jeder von ihnen sagte zu mir: „Gelobet sey
Jesus Christus!“ Ich wußte noch nicht, daß dies ein Gruß
war, und eben so wenig konnte ich wieder grüßen. Ich kann
Ihnen nicht sagen, wie sehr mich dieser Gruß rührte. Der
Gegengruß, den ich hernach erfuhr, kam mir so natürlich vor,
daß es mich wunderte, daß ich nicht darauf gefallen war, damit
zu antworten.

Weil ich auf dem Wege nach der Schweiz bin, wo ich
gerne in Gedanken wieder hinreise, so will ich Ihnen noch etwas
von dort, das mich betrifft, erzählen. Sie würden mich verkennen (ich kann dieß nicht weglassen, weil ich Ihnen nicht bekannt genug dazu bin), wenn Sie glaubten, daß ich Ihnen dieß
nur erzählte, um Ihnen etwas zu sagen, das ein Protestant von
mir mit weniger Vergnügen hören würde. Der Probst zu Fährli
zwischen Zürch und Baden hatte mich zu sich eingeladen. Ich
reiste hin, ob ich gleich nicht wußte, daß er mir so viel Vergnügen machen würde, als er wirklich that. Ich habe fast niemals wieder eine so vortrefliche Musik gehört, als er mir durch
sechzehn Nonnen aufführen ließ. Er hatte mich bitten lassen,
Fragmente aus dem Meßias mitzubringen; aber ich wußte nicht,
daß auch die Nonnen meine Zuhörerinnen sein sollten. Unterdeß war ich ihnen viel mehr Dank schuldig geworden, als der
war, der so sehr mit meinem eignen Vergnügen verbunden war.

Sie standen dicht um mich herum. Ich las, und ich sahe nicht
wenig Thränen. Ich las fast den ganzen fünften Gesang. Sie
verstünden alles, alles, sagten sie; vorher hätten sie nicht alles
verstanden. Ueber die Musik und über das Lesen war es so
spät geworden, daß es nicht mehr Zeit zur Abendbetstunde war.
Der Probst sagte mir beym Abschiede, daß sich dieß noch niemals
in seinem Kloster zugetragen hätte.

Sie bekommen hierbey das nun vielgereiste Exemplar der
Fragmente zurück. Ich habe es, wie Sie am Ende sehen
werden, mit einer Strophe vermehrt. Sie werden schon dafür
sorgen, daß Seine Eminenz und unser kleine Graf Abschriften
davon erhalten. Hasse entschuldigt sich bey mir mit Kränk-
lichkeit und Geschäften. Ich glaube ihm. Doch vielleicht versteht er weder die Sprache noch den Inhalt genug. Wenn
Sie zum Besitzer meines Briefs an ihn machen will: so setze
ich ihn nun lieber in Ihren als in seinen Händen. Wenn
nicht sehr kränklich ist, so verdrießt michs, daß, da ich ihn für
Patriot genug gehalten habe, ihm die Composition meiner deu-
schen Sylbenmaße anzubieten, er es nicht gewesen ist.

Wer hat Ihnen denn verrathen, daß ich der Verfasser der
angeführten unvollendeten Oden sey? (ich nenne alles, was nicht
neun Jahr alt geworden ist, unvollendet). Sie sind gedruck
worden, ohne daß man mich gefragt hat. Aber ich kann m
meinen Freunden nicht zanken. Hätten Sie lieber kein Wovon meinen Oden gesagt, denn nun sollen Sie genug daran
zu thun kriegen. Sie sollen keine Arbeiterinnen in den Fabri-
der Buchhändler seyn. Ich will sie auf Subscription (die nicht
eher als nach einem empfangenen unbeschädigten Exemplar bezahlt wird) drucken lassen. Meine Freunde haben schon of
gewollt, daß ich sie drucken lassen sollte; und ich fange nun
auch nach und nach an zu glauben, daß sie genug Olympiaden

des Durchsehens auf dem Rücken haben. Die ersten sind von 47. Gleichwohl kömmt mir die Zeit des Durchsehens nur kurz vor; denn ich habe sie nur selten in Händen gehabt. Ich weiß nicht, ob Sie sich viel oder wenig darüber wundern werden, wenn Sie darunter ein Paar von — (es ist recht verdrüßlich, daß diese edle Kunst weder schön noch wohlklingend in unsrer Sprache ausgedrückt wird,) von Schrittschuhlaufen finden. Doch ich fürchte fast, daß Sie gar nicht wissen, wovon die Rede ist. Also haben Sie es auch (wie bedaure ich Sie!) nicht verstanden, wenn Sie in der Edda, diesem ältesten Denkmale unserer nördlicheren Vorfahren, gelesen haben, daß der elfte der celtischen Götter vornämlich im Bogenschuß und im Schrittschuhlaufe vortrefflich gewesen sey; daß dem Tialf nur der Geist des Riesen= königs, dem dieser einen Körper angezaubert hatte, in diesem edlen Wettlaufe hätte zuvor kommen können, und daß es König Harald seiner schönen unerbittlichen Elissif unter seinen vorzüg= lichen Geschicklichkeiten genennt habe, daß er stark in dieser Kunst sey. Ich hoffe, Sie werden endlich einsehen, wie sehr Sie zu bedauren sind. (Sie verzeihen mir es doch, daß ich so schwatze? Ich mag mich gern mit meinen Freunden auf diese Art unter= halten. Es ist ein wenig Eigennutz dabey. Es sind Erhohlungen, die mir nicht ganz unnöthig sind.) Wenn unser kleine liebe Graf Bathiany (ich bitte ihn um Verzeihung, wenn er etwa schon groß sein sollte) hübsch Lust gehabt hätte zu sehen, was die Söhne der Cimbrer für Gesichter hätten, so hätte er eine solche Gelegenheit, als die ist, wenn ein Gesandter gerade nach dem Nordpole reist, nicht vorbeygehn lassen, und wäre ein wenig zu uns gekommen. Und dann wäre er doch wenigstens diesen schönen vortrefflichen Winter geblieben. Und dann wäre er mein Lehrling in der edlen Kunst geworden, anstatt daß er jetzt die Ode: Braga mit Kaltünn lesen wird, und sich keinen Begriff

11*

davon wird machen können, daß man zu der Zeit, da man so
gar den Holländern im Lauf zuvorkömmt, sich oft mit den erns=
haftesten Gedanken beschäftige. Doch ich bitte noch einmal um
Verzeihung wegen meines Schwätzens. Und nur noch ein Wor
im Ernste. Es giebt für mich gar keine Leibesbewegung, die
meiner Gesundheit so vortheilhaft ist, als diejenige, über die ich
bisher gescherzt habe. Ich liebe das Reiten und meilenlange
Spaziergänge; aber das Schrittschuhlaufen ist noch viel etwas
anders.

Schlegels Lieder werden nicht alle in meine Sammlung
kommen. Er ist mein Freund, und ich liebe ihn als meinen
Freund, aber dieß macht mich in meinen Grundsätzen nicht irre
Einige von seinen Liedern (noch mehr von Gellerts) schicken
sich besser von dem Prediger hergesagt, als von der Gemeind
gesungen zu werden.

Ich bitte Sie, mich nicht lange auf Ihre Uebersetzung de
Ossian warten zu lassen. Ossian ist ein vortrefflicher Barde
Wenn wir doch auch von unsern Barden irgend in einem K
ster etwas fänden! Sollte alles verloren gegangen sein, was
Carl der Große hat sammeln lassen? Was halten Sie v
diesen Hexametern, von denen man mir gesagt hat, daß
so zierlich nach Otfrids Klange wären.

> Themo thiöt in alten cidin thie fordoron sangon.
> Thor thu lisist scona gilest thes scalles; thoh mezent
> Sie niht lengi joh kurti thes Metres, joh thie githonkon
> Hevit ira lioth niht enbor. Ah wanta firloran
> Sint thie Sange ther Bardono all, in fronemo Walde
> Leto ersungan, als Herman nam then kraftlichen Sigo
> In den Nomer liudim.

Meine Abhandlung vom Sylbenmaße (der nur noch we
fehlt!) ist mir mehr ein Spiel, als eine Arbeit gewesen; de
die neuen Sylbenmaße darin und die Exempel nehm ich au

auch mehr dabey geblättert, als gelesen. Ich hätte
e kurze Sätze, als ein Gespräch darüber geschrieben,
1 ich glaube, keine Seite einer Materie vorbeygegangen
elche in Betrachtung kommen mußte, wenn ich voll=
n wollte. Man kennt die Sache zu wenig, sonst
gewiß die Kürze gewählt haben.

den 9ten.

r Brief hat den letzten Posttag nicht gehn können,
n Gesandten nicht geschrieben wurde. Ihre Haupt=
Sie es nennen, gedenke ich ehestens durch Uebersen=
ein Paar gedruckten Bogen zu beantworten. Ich
en einen sehr langen Brief schreiben, wenn ich Ihnen
sachen anführen wollte, warum es dießmal mit den
Gesängen so lange gewährt hat.

abe Ihnen oben gesagt, daß ich meine Oden heraus=
dächte. Meinen Sie, daß ich ein kaiserl. Privilegium
r (das heißt auch für meine Erben) darauf bekommen
ich deucht, Buchhändler sollten dergleichen Privilegien
ıber wohl die Autoren bekommen können. Unterdeß
ıicht angeht, so wird man es doch wohl vorzüglich
andern, der sich dazu meldete, erneuern können. Ich
ı doch noch ein Paar Worte von meinem Subscrip=
sagen. Kein Buchhändler hat damit das geringste
r wird auch nicht einmal in die Zeitung gesetzt; son=
iebene meiner Freunde schicken gedruckte Briefe (die
ıcken lasse) an Ihre Freunde und Bekannte. Euer
ı zeigen mir die Namen derjenigen an, an die ich in
nen schreiben soll, so schicke ich diese Briefe entweder
iese Personen, oder lasse sie durch Sie, nachdem Sie
ıber das andre lieber wollen, schicken. — Ich habe
rn Bruder in Wien, der in einer Buchhandlung ist,

die er mir in ſeinem Briefe zu nennen vergeſſen hat. Ich
wünſchte von Ihnen zu erfahren, ob ſich mein Bruder gut auf-
führte. Ich kann nicht ſagen, daß er ein ausſchweifendes Herz
habe, aber er hat bisweilen ausſchweifende Einfälle. Sie ſehen,
daß mir kein Raum mehr übrig iſt, als mich Ihrer fernern
Freundſchaft zu empfehlen.   Klopſtock.

86. Klopſtock an Denis.

Koppenhagen, den 4. Auguſt 1767.

Ich habe eine kleine Furcht, daß Sie meinen letzten großen
Brief, der nun ſchon ziemlich alt iſt, nicht erhalten haben. Er
war an unſern Geſandten eingeſchloſſen. Eine der Urſachen
meiner Furcht, daß Sie ihn nicht erhalten haben möchten, iſt,
daß ich vermuthe, Sie würden mir Ihre Ueberſetzung von Oſſian nicht ſo lange vorenthalten. Ich liebe Oſſian ſo ſehr,
daß ich ſeine Werke über einige griechiſche der beſten Zeit ſetze.

Man hat mir vor wenig Tagen Trattners Nachdruck
vom Meſſias und die beyden Trauerſpiele gebracht. Es grauet
mir davor, darin zu leſen, weil ich nur bey einigem Durchblättern ſchon ſo viele Druckfehler gefunden habe. Salomo wird
unter allen am meiſten dadurch entſtellt ſeyn. Die Magdeburger
Ausgabe iſt ſchon ſehr fehlerhaft, und mein dortiger Verleger
hat mir den Verdruß gemacht, die von mir ſorgfältig angemerkten
Druckfehler wegzulaſſen. Ich wünſchte, daß Sie den Hrn. Trattner dahinbringen könnten, daß, im Falle er irgend etwas wieder
von mir nachdrucken ſollte, er mir vorher erſt ein Paar Worte
davon ſagte.

Ueberbringer dieſes iſt ein alter treuer Bedienter Mylord
Stormonds. Ich habe dieſe Gelegenheit, Ihnen zu ſchreiben,
nicht vorbeygehen laſſen wollen. Ich hoffe bald das Vergnügen
zu haben, einen Brief von Ihnen zu erhalten.   Klopſtock.

87. Klopstock an Caecilie Ambrosius.

Bernstorff, den 29. Aug. 1767.

Ich würd' Ihnen schon vorigen Posttag geschrieben haben, wenn mich nicht eine kleine Reise davon abgehalten hätte. — Sie haben mir keine kleine Freude dadurch gemacht, daß Sie mich unter Ihre Freunde aufgenommen haben. Sie haben es auf eine Art gethan, die mir so sehr gefällt, als die Sache selbst. Aber sagen Sie mir mit der Aufrichtigkeit, die ich Ihnen zutraue, hab ich Sie nicht zu früh um Ihre Freundschaft gebeten? Und stimmt diese Eil mit der Vorstellung überein, die Sie sich, in Betrachtung meiner Fähigkeit Freund zu seyn, vielleicht von mir machen? — — — Sie sagen: „M. ist nicht Ihr Freund." Das hätten Sie aus meinem Stillschweigen nicht schließen sollen. — „Nun gut, so ist er denn Ihr Freund," — werden Sie sagen. Ich kenne ihn nicht ganz und wir haben mehr mit einander gelacht, als daß wir einen freundschaftlichen Umgang im eigentlichsten Verstande mit einander gehabt hätten. So weit ich Ihn kenne, verdient er Ihre Hochachtung. — Ob seine Briefe an die S. wirklich zuviel und dadurch für Ihr Herz zu wenig sagen, würd ich vielleicht beurtheilen können, wenn ich sie sähe. Wenn Ihnen daran gelegen ist meine Beurtheilung hierüber zu wissen, so schicken Sie mir diese Briefe. Er versichert mich, daß er Sie allen Frauenzimmern vorzieht. Ich kann deswegen mit ihm von Ihnen sprechen, weil er mich, ehe ich noch Ihren ersten Brief hatte, schon zu seinem Vertrauten gemacht hat. Ich habe mit dem Worte versichern nichts andern sagen wollen, als was man gewöhnlich damit meint. Ich muß dieß bemerken, weil Sie Versicherung in Ihrem Briefe unterstrichen hatten. — — Sie müssen deswegen nicht ohne Ihr Herz heirathen, weil Sie dadurch, wenn auch nicht unglücklich, doch viel weniger glücklich sein würden, als ich Ihnen zu sein

wünsche. — Allein M. kann ja Ihr Herz noch gewinnen. Ich
sage nicht, daß er wird, aber er kann. Oder glauben Sie es
mit einer Art Gewißheit vorauszusehn, daß es niemals dahin
kommen wird? — Was meinen Sie, wenn Sie sich anstatt
der nur noch kurzen, eine längere Bedenkzeit ausbäten?

Sturz hat da bey Ihnen im Sause des Scherzes und des
Vergnügens gelebt. Darüber haben Sie ihn auf seiner ernsthaften
Seite nicht kennen gelernt. Er ist mein Freund. — — Leisching und der ältere Karstens sind es auch, aber mit Kirch-
hof geh ich noch obendrein nicht einmal um. Zanthier hab
ich recht lieb dafür, daß er soviel mit Ihnen gesprochen hat. —
Aber würde ich nicht ungerecht gegen diejenige seyn, die das Gespräch so lange fortsetzte, wenn ich hiebey nur an Z. dächte?

Wenn ich Ihnen sage, daß mir die Fortsetzung unserer Correspondenz eine sehr angenehme Vorstellung ist; so muß ich Ihnen
zugleich nicht verschweigen, daß ich bei vielen meiner Freunde
in dem üblen Rufe des Nichtschreibens bin und daß ich auch
diesen Ruf bisweilen ein wenig verdient habe. Sie würden
mich falsch verstehen, wenn Sie dies Geständniß als eine An-
kündigung des Nichtschreibens an Sie ansehn wollten. Ich habe
es nur nicht ganz unberührt lassen wollen, damit mir es bey
Ihnen nicht nachtheilig sei, wenn mich, wider meine Neigung,
etwa einmal ein Fehltritt der menschlichen Schwäche übereilte.

Auch Ihre Freundschaft mit der Gerstenberg hat sich dadurch
angefangen, daß sie Ihnen mit mir zufrieden geschienen hat; ich
werde hier eben sowenig ungerecht seyn, als ich's bei Zan-
thiers Anlasse war. Sie können mir niemals zu früh antworten, am wenigsten jetzt da ich von Ihnen zu hören wünsche,
ob Sie vielleicht eine noch umständlichere Beantwortung Ihrer
Frage von mir erwartet haben. Sollte dieß so seyn, so bitte
ich Sie, mir es nicht zu verschweigen.

Ich komme noch Einmal zu Ihnen zurück, um Ihnen zu sagen, daß der Hauptinhalt unserer Correspondenz mich schon einigemal ein wenig unruhig gemacht hat. Die Ursach meiner Unruh ist, daß ich nicht weiß, ob ich es recht genug dabey mache. Ich wollte auf der einen Seite M. ebensowenig nur im Geringsten nachtheilig sein, als ich auf der andern irgend etwas sagen möchte, das mich Ihres Vertrauens in mich nur einigermaßen unwürdig machen könnte. Ich werde aus dieser Ungewißheit, ob ich es recht genug mache, kommen können, wenn Sie mir noch mehr Fragen thun. Ich werde sie Ihnen alle mit Aufrichtigkeit beantworten.

88. Klopstock an Caecilie Ambrosius.
Bernstorff den 5. Sept. 1767.

Wie sehr bin ich Ihnen für Ihren letzten Brief verbunden. Welche Freundschaft zeigt er mir. Wie wünsche ich, daß Sie mir bald schreiben können, daß Sie wieder besser sind. — Ich habe zwar seit einem Paar Jahren von meiner Meta sprechen können. Aber wenn ich bei Ihnen wäre und Sie so viel und einen solchen Antheil nähmen, als Sie mir in Ihrem Briefe zeigen, so würd' ich es doch kaum können. — Ich würde Sie gesehen haben, wenn ich mit der Suite des Königs gereist wäre, und das wäre dann unerwartet gewesen — und dann hätten sie es wohl bleiben lassen sollen, daß Sie mir soviel gedankt hätten. Denn das hätte ich nicht gelitten. Meine Freundschaft, die Sie jedes andern Liebe vorziehen — glauben Sie mir, daß ich so etwas zu kennen und zu schätzen weiß. Und wer ist denn der Giseke und die Daphne? So etwas müssen Sie mir künftig gleich umständlicher sagen. Ich table also hiermit, daß Sie von allen diesem zu wenig schreiben.

Ich verstehe Folgendes nicht ganz. Sie werden sich von unge-

fähr erinnern, was Sie geſchrieben haben; „Meine jetzige Be⸗
faſſung — — Bedenken mir abzurathen nach K. zu komm⸗n
— — da von dem Herzen noch gar nicht die Rede war"
und nun folgt noch verſchiedenes, das mich überzeugt, daß S⸗e
entweder ein wenig hypochonder oder nicht offen genug geg⸗n
mich ſind. — Ich bin ſehr überzeugt, daß ich überaus wenig
Leſerinnen, wie Sie ſind, habe. — Freilich ſind Sie ſchon ſe⸗t
ſo langer Zeit meine Freundin. Und wie angenehm iſt mi⸗
das. Sagen ſoll ich Ihnen, daß ich Sie noch des Verſprechen⸗
werth halte, Ihr Freund zu ſeyn. Und warum denn noch
Etwa deswegen, weil mir Ihr letzter Brief noch mehr gefalle⸗
hat, als der vorige, ob mir gleich der vorige nicht wenig g⸗
fallen hat? — Zweifeln Sie denn noch, daß es mir ſehr ang⸗
nehm ſeyn würde, wenn Sie in Ihren Briefen die Religio⸗n
bisweilen berührten oder auch umſtändlich darüber würde⸗
alles, wie Sie es am liebſten wollten. Ihre Briefe hierüb⸗er
würden gewiß ſehr unterhaltend für mich ſein. Wenn es nic⸗t
zu ſpät würde, (ich würde eher angefangen haben, wenn ⸗ch
nicht heute ein wenig kränkelte,) ſo würde ich Ihnen noch ⸗t⸗
was von dem Theile des Meſſias ſchreiben, den ich n⸗
herauszugeben gedenke. Ich ſchreibe ſonſt eben nicht von mein⸗n
Arbeiten; aber wegen einer ſolchen Leſerin geht man wohl ⸗on
ſeiner Gewohnheit ab. Nun leben Sie wohl bis zu unſe⸗
Wiederſehn.   Klopſtock⸗

89. Klopſtock an Denis.

Bernſtorff, den 8. Sept. 1767.

Ich habe vergangnen Winter oft gekränkelt, gegen ⸗
Ende deſſelben und im Anfange des Frühlings viel gearbeit⸗
und einen Theil des Sommers bei meinen Freunden in Hollſt⸗n
zugebracht. Dieß ſind die Urſachen, warum ich Ihnen ſo lan⸗e

nicht geſchrieben habe. Ich habe gleichwohl Unrecht, beſonders auch darinnen, daß ich Ihnen nicht gleich im Anfange unſers Brief=wechſels geſagt habe, daß ich oft ein ſehr unfleißiger Correſpon=dent bin, und daß dieß gleichwohl ganz und gar kein Beweis iſt, daß ich darum meine Freunde weniger liebe, als wenn ich ihnen oft ſchreibe: Wenn Sie meine älteren Freunde kennten, ſo würden Sie, was die Correſpondenz betrift, viel Klage und Losziehens von ihnen hören. Sie werden am Ende dieſes Briefs einige Ausdrücke finden, mit denen ich in Ihrer Ueberſetzung des Oſſian und in Ihrer Ode weniger als mit den andern zufrieden bin.

Unter die vorher erwähnten Arbeiten gehört: „Hermanns Schlacht, eine Tragödie mit Barbengeſängen.“ Ich habe vor, dieſes Stück bald drucken zu laſſen. Der Dialog iſt Proſa, und die Barbengeſänge ſind Dithyramben. Ich hoffe, daß ſich Gleim vor meiner Drohung fürchten und den Hermann nicht verſifi=ciren ſoll. Vielleicht iſt Ihnen nicht bekannt, daß er den Tod Abams verſificirt hat. Ich habe ihm geſchrieben, daß wenn er es thäte, ich einige ſeiner beſten Lieder in Proſa überſetzen wollte.

Warum gab doch Karl der Große lieber nicht ſeinen Erben etwas weniger? Und ließ ſeine Bücher unverkauft, ſo hätten wir vielleicht unſere Barden noch. Aber ſagen Sie mir, ſollten nicht in irgend einem Kloſter in Deutſchland oder in Spanien Hand=ſchriften von den Barbengeſängen gefunden werden können, wenn man recht ſuchte? Sollte ein für den Finder ausgeſetzter nicht-kleiner Preis nicht das Suchen vieler veranlaſſen, auch derer, die ſolche Sachen, auch ohne Preis, gern unternehmen, und es oft nur unterlaſſen, weil ſie nicht darauf fallen, es zu thun? Ihr würdiger Erzbiſchof ſcheint mir hierzu die Wiſſenſchaft ge=nug zu lieben, und reich genug zu ſein. Vielleicht fehlt es auch bei ihm nur an dem Einfalle, es zu thun. Wenn ich ihm be=

kannter wäre, als ich bin, so würd' ich's wagen, ihm die Aus-
setzung eines solchen Preises vorzuschlagen.

Ehe Sie sich es versehen, werden sie mich für einen Viel-
schreiber halten. Und das hätten Sie denn freylich nicht von
mir gedacht. Oben von 1747 an, aber gleichwohl ist ihre
Zahl nicht groß. Geistliche Lieder 2ter Theil. David,
eine Tragödie. (Davids Wahl zwischen Hungersnoth, Krieg und
Pest). Bom Sylbenmaße. — — Fünf neue Gesänge
des Messias. Ich werde David und Hermanns Schlacht in
wenigen Tagen zum Drucke wegschicken. Ich überlasse außer
dem Messias und den Liedern alles Uebrige einer typographi-
schen Gesellschaft in Berlin und wünsche sehr, daß der Edle
von Trattner mit seiner Druckfehlerklaue nicht darüber komme.
Ein kleiner Herkulesschlag darauf von Ihnen oder sonst von
einem braven Manne, der mir wohl wollte, könnte, mich deucht,
dem guten Junker nichts schaden.

Zum übersetzten Ossian.

Jezund . . Erzeugte Bereits Ebenbild Waidmann
Dorten Gelage versetzen selbes Gemeine.

Da ich nach Ihrer Ode suche, so erinnere ich mich, daß
ich sie ausgeliehen habe. Wie weit sind Sie mit Ossian? Ich
habe Ihre Uebersetzung noch nicht mit Macpherson verglichen.
Ossians Werke sind wahre Meisterstücke. Wenn wir einen sol-
chen Barden fänden! Es wird mir ganz warm bey diesem
Wunsche. — Ich hatte in einigen meiner ältern Oden griechische
Mythologie, ich habe sie herausgeworfen, und sowohl in diese
als in einige neuere die Mythologie unserer Vorfahren gebracht.
Wenn Sie nur Mallets Edda kennen, so kennen Sie die
Edda nicht genug. Was wir im Tacitus finden, wissen Sie
Was macht unser junge Graf Bathiany? Ich habe ihn
recht lieb. Sehen Sie wohl, daß ich nicht vergesse, ob ich

gleich manchmal nach alter Sitte und Gebrauch, ein Nichtschreiber bin. Strafen Sie mich nur nicht, und lassen Sie
mich bald wieder einen Brief von Ihnen lesen. Vor allen
machen Sie mir sein viel Hoffnung, daß wir Barbengesänge
finden werden. Ich bin mit aufrichtiger und fortdauernder
Freundschaft Ihr ergebenster   Klopstock.

90. Klopstock an Caecilie Ambrosius.
Köppenhagen den 15. Septbr. 1767.

Antworten kann ich Ihnen heut' unmöglich, aber schreiben
will ich Ihnen. Ich empfing Ihren Brief vor einem Paar
Stunden, da ich eben Resewiz, einem meiner liebsten Freunde,
eine meiner Arbeiten vorlas. Ich hörte auf und las Ihren
Brief, und muste wieder im Hermann (Sie sollen ihn bald
sehn) fortlesen. — Ich kenne keinen meiner Freunde, der in
einer Situation gewesen wäre, die der meinigen geglichen hätte,
Sie liebes, süßes, edles, und auch ungerechtes Mädchen. —
Wissen Sie auch, was gleich im Anfange Ihres Briefes steht?
Ja diese Worte stehen da: „Ist dieß auch nur aus Gefälligkeit gesagt?" — Ich bin in Absicht auf Constance so unschuldig als ein neugebornes Kind. Ich kenne das Stück, worin
sie vorkömmt, gar nicht mehr, und ich hab es irgend einmal
mehr geblättert, als gelesen. Ich hab es auch seit Ihrem Briefe
nicht auftreiben können, und Sie haben mir auch nichts weiter
davon' geschrieben. — Warum hat denn Ihr Giseke nur meinen ersten Brief gesehn? Nur hübsch rein heraus mit der Wahrheit, warum denn? — 3. hab ich freilich in Hamburg gesprochen, aber nur einen halben Tag (es ist nicht seine Schuld,
daß es nicht länger war) und das mitten im Lärme von Abschiednehmen, von Vorlesen (denn vieles war noch aufgeschoben
worden), von Lachen und Betrübniß. Er war ein Paar Mi-

nuten mit mir allein, aber so in der Uebereilung von Sachen,
die das Herz so nah angehn, zu sprechen, das ging doch gewiß
nicht an. Er hätte mich vielleicht allein nehmen können, aber
das hat er nicht gethan. Kurz er hat mir nicht den entferntesten
Laut eines Worts gesagt. Wie schuldig und wie unschuldig er
ist, getrau ich mir Ihnen gewiß jetzt nicht zu sagen; aber ich
will es Ihnen sagen, sobald es mir vorkommen wird, daß ich
es weiß. — Ich habe ein Mädchen geliebt, die mir starke Beweise ihrer Liebe so lange gegeben hat, als ihr die weite Entfernung von ihrer Familie und die Gegenvorstellungen ihres
Vaters nicht zu überwiegend vorkamen. — — Ich schreibe
Ihnen in der Unruh, in der ich bin, so allerhand durch einander; aber wenn das geringste darunter wäre, das Ihre Empfindung auf die entfernteste Art beleidigte, so wollte ich lieber kein
Freunde mehr haben (Sie geben mir zu, daß dieß viel sagt
als Schuld an der Erklärung seyn, durch welche diese Beleidi-
gung entstünde. Ich wiederhole es Ihnen, ich bin in einer Situation, in der man gewiß selten gewesen ist. — — Ich hab
eine Freundin in Hamburg, die älteste und liebste Freundin
meiner Meta (warum sollte ich das Ihnen nicht sagen dürfen
obgleich kein Mensch lebt der es weis, außer der einzigen Freundin von ihr und mir, der sie es selbst anvertraut hat). Dieß
Freundin hat mir es nicht verschwiegen, daß Sie wie Meta
dachten, wie hat ihr mein Herz gedankt. — Gegen Sie hat
mein Herz noch andere Empfindungen als Empfindungen des
Dankes; (aber warum denn das? denn ich kenne Sie doch gewiß weniger als meine Freundin mich) und doch bin ich in der
sonderbarsten Situation, in der man seyn kann. Sie können
dieß nicht genug verstehn, weil Ihnen meine Situation unbekannt
ist. Ich würde aber Unrecht haben, und Ihre Freundschaft
nicht verdienen, wenn ich Ihnen nicht sagte, daß ich fürchte, da

mich der etwas ungerechte Vorzug, den ich Ihnen gebe, doch nicht glücklich machen wird. Es kömmt mir vor, daß ich diesen Brief noch lange nicht endigen würde, wenn mich nicht der nahe Abgang der Post und die Furcht, daß der Brief vielleicht drüber gar nicht fortkommen würde, zwänge es zu thun. — — Wenn Sie wirklich das süße, auch manchmal nicht ungerechte Mädchen sind, das ich mir vorstelle, wenn ich an Sie denke, so antworten Sie mir ja bald, und das mit der Aufrichtigkeit, die ich von Ihnen erwarte. — — Ich siegle mit Resewiz Petschaft.

91. Klopstock an Caecilie Ambrosius.

Bernstorff den 17. Septbr. 1767.

Ich will heut wenigstens anfangen Ihnen zu schreiben. Sie haben es vielleicht aus meinem letzten Briefe gesehen, daß Ihnen mein Herz mehr zugehört, als ich sagen mag. Wie traurig ist das für mich. Denn ich würd es sehr gern sagen mögen, wenn ich nicht so viele Schwierigkeiten vor mir sähe. Entscheiden Sie, süßes, bestes Mädchen, war es meine Pflicht, ganz zu schweigen, da ich diese Schwierigkeiten kenne? oder hab ich besser gethan, daß ich ganz offen gegen Sie gewesen bin? Ich will Ihr Urtheil hierüber erst abwarten, eh ich mich auf Gründe oder Gegengründe einlasse. — Wie müssen Ihnen meine Briefe vorgekommen sein, wenn Sie geglaubt haben, daß Z. mit mir gesprochen hätte. — Wenn ich Sie so, wie ich Sie jetzt durch Ihre Briefe und durch Urtheile über Sie kenne, durch den Umgang gekannt hätte, so würd ich's Ihnen (wenn jene Schwierigkeiten nicht gewesen wären) nicht verborgen haben, daß Sie mir sehr liebenswürdig vorkämen; aber ich bin doch wenigstens nicht völlig gewiß, ob ich es ganz so gethan hätte, als ich es nun thue, da Sie das nicht kleine Verdienst Ihres

Zutrauens zu mir in einer für Frauenzimmer so belicaten Sac
um, mich haben, welches Sie dann nicht hätten haben könne
Nun süßes, kleines (denn Sie behaupten doch nicht etwa gr
zu seyn) ungerechtes Mädchen, sind Sie hiemit zufrieden, ol
wollen Sie mir noch einmal Schuld geben, daß ich im Dib
rot nachgelesen, und doch nichts weiter von Constance gefo
hätte! — — Was hat Ihnen denn nun Z. alles gesagt? S
möchte das wohl wissen, wenn Sie es schreiben möchten.
hat sich an Ihnen rächen wollen, glauben Sie, weil er Ihn
gleichgültig geworden ist. Ich urtheile daraus, daß er Ihn
hat merken lassen, daß er Ihnen nicht gleichgültig sein möch
Er hat mir vor einiger Zeit geschrieben. Aber auch in be
Briefe schweigt er ganz. Es soll auf Sie ankommen, ob
ihn fragen soll, warum er mir von Ihnen nichts gesagt hat.
Wissen Sie auch, daß Ihr vorletzter Brief, den ich nun ne
viel lieber habe, weil ich ihn nun besser verstehe, dreizehn Ta
jünger ist als der letzte? Und sind denn dreizehn Tage etwa ei
kurze Zeit?

den 18ten.

Soweit hatte ich Ihnen gestern geschrieben, als ich unt
brochen wurde. Ich würde Ihnen heut nochviel mehr schreib
wenn ich nicht ein wenig kränkelte. Und überdieß — — ka
ich denn aus vollem Herzen mit Ihnen reden? Ich war die
Morgen sehr traurig, da Sie mir gleich bei meinem Aufwach
einfielen. Aber ihr Freund will ich immer in dem allereige
lichsten Verstande des Wortes sein, und will Sie auch lieb
so lange Sie mir es erlauben. — — — Mein Brief ist so c
gebrochen, weil ich immer viel dazwischen denke, ehe ich wei
schreibe. — — Ich kenne die Gegend von Flensburg n
der See hin ein wenig. Wo pflegen Sie zu spaziere
Ueber dem Wasser ist etwas Waldung und die Anhöhen hab

ir nicht zu steil geschienen. Ich sehe gut in die Ferne. Wenn
sie drüben wären und ich diesseits, so dächte ich wollte ich Sie
noch kennen. — Aber Sie haben mich ja niemals gesehen. —
Als wenn's Niemand gäbe, den ich ausfragen könnte. Also
spazieren müsten Sie drüben nicht; sonst kenn ich Sie. — Ich
habe gestern nicht wenig am Messias gearbeitet. Ich hoffe
künftige Woche fertig zu seyn. Ich meine mit den fünf neuen
Gesängen. Endlich fertig. Wie lange hat es nicht gewährt!
Ich werde Ihnen bald etwas von dem, was nun bald gedruckt
werden wird, schicken, und zwar, wie es Meta abgeschrieben
hat. — — Ich bin wieder unterbrochen worden und ich muß
meinen Brief schließen, weil er sonst nicht fortkömmt. Ueber=
morgen, denk ich, werd ich doch einen von Ihnen haben, wie
verlangt mich darnach.

92. Klopstock an Caecilie Ambrosius.

Bernstorff den 28. Sept. 1767.

Ich habe Ihnen auf den ersten von Ihren beyden Briefen
weymal geantwortet. Die zweite Antwort war eben abgegangen,
als ich Ihren letzten Brief bekam, ihn aber erst des Abends
spät lesen konnte, weil diejenigen die bey mir waren, lange blie=
ben. Ich kann es Ihnen nicht beschreiben, wie sehr mich dieser
Brief gerührt hat. Sie sind ein vortrefliches Mädchen. Ich
konnte Ihnen vergangenen Dienstag nicht schreiben, weil ich im=
mer noch zu gerührt dazu war. Und was soll ich Ihnen heut
schreiben? Ja, wenn ich mich meinem Herzen überlassen dürfte,
wie viel hätt ich Ihnen dann nicht zu schreiben. Diese unge=
rechte Vorwürfe, die Sie sich machen! Wie weit sind wir hier
in unserer Denkart auseinander. Sie machen Sich Vorwürfe
wegen einer Sache, durch die Sie mir so liebenswürdig geworden
sind. Aber diese Vorwürfe sind mir durch's Herz gegangen,

weil Sie dabey ſo ſehr gerührt waren. Wie oft hab ich Ihre
Brief ſchon geleſen. O wenn ich bey Ihnen wäre! Aber dann
würde es mir ja noch weniger möglich ſein, ſo zu handeln wie ic
muß. Sie weinten, ſüßes, ſüßes Mädchen. Sie konnten darüb
nicht fortſchreiben. Wenn ich Sie doch ſo ſähe. Nein ich ha
außer Meta kein Mädchen gekannt, das mein Herz ſo n !
anginge. Mit Z. bin ich gleichwohl ſehr zufrieden, obgleich er
unrecht hat, mit mir nicht geſprochen zu haben. Vielleicht ka n
er ſich rechtfertigen, wir wollen ihn doch erſt hören. Die beyd en
erſten Briefe ſollen unſerer Freundſchaft nicht ſchaden, ſagen Sie.
Und die beyden letzten ſollen es auch wohl bleiben laſſen, ſag
ich. Ganz ohne Beziehung auf unſre Freundſchaft und auf
unſere Liebe rath ich Ihnen, daß Sie ſich ja nicht ſo unglücklich machen, und ſich in die Notwendigkeit ſetzen, ſich gegen
einen Mann, den Sie nicht lieben, verſtellen zu müſſen. Sie
ſind unglücklich, wenn ſie dieß aushalten können (und Sie
können es nicht) und unglücklich, wenn Sie es nicht mehr aushalten können. Allein was iſt denn das überhaupt für ein
falſcher Satz, daß Sie ſich eben jetzt gleich verheurathen ſollen
und müſſen? — — Vielleicht bekomm ich heut einen Brief
von Ihnen. Faſt fürcht ich, daß keiner da iſt. Denn die Poſt
iſt geſtern ſchon gekommen. Und wenn keiner da iſt, wie unruhig werd ich dann ſeyn. Dann haben Sie meine Briefe gewiß nicht völlig ſo genommen, als ich ſie gemeint habe. Und
ſollte ich Sie, obgleich unſchuldig, betrübt gemacht haben? Und
wie traurig wird mich dieſe Vorſtellung wenigſtens ſo lange
machen, als dieſer Brief bei Ihnen noch nicht angekommen ſeyn
wird. Und der kömmt erſt, ſoviel ich weiß, auf den Montag
Abend an.

Jetzt will ich ein wenig aufhören. Und wie wiſſen
Sie es denn, ob ich nicht, wenn ich mich nun hingeſetzt habe

und an Sie denke, ob ich Sie nicht in dieser Vorstellung sanft wie Meta an mein Herz drücke?

Es hat gar nicht lange gewährt, und ich habe Ihren Brief bekommen. Ich muß es Ihnen nur gestehen, ich hatte Sie vor des Briefs Ankunft in Gedanken an mein Herz gedrückt und wissen Sie wohl, daß Sie Schläge kriegen, wenn Sie nicht gleich von selbst errathen, daß es nach der Ankunft des Briefs wieder geschehen sey. — — Ich habe Ihnen heut vor acht Tagen von hier geschrieben und diesen Brief haben Sie also nicht bekommen. Dieß Ding ist nicht in der Ordnung. Diesen Brief hat jemand in Besitz genommen, dem er nichts .. Indem ich es las, daß Sie meinen Brief nicht bekommen, so nahm ich mir gleich vor, unter Couverte von Boie an Sie zu schreiben, und es war mir lieb, Ihren Vorschlag, es zu thun, zu finden.

Nachmittags.

Ich habe die Sache mit dem Briefe ein wenig untersucht und herausgebracht, es sey möglich, daß er erst Dienstags statt Sonnabends fortgekommen. Dieß beruhigt mich ein wenig. — Sie nehmen sich sehr viel Freyheit heraus, daß Sie sich unterstehen gegen Ihre Briefe, die ich so sehr lieb habe, solche verwegene Sachen zu sagen. Zur Strafe für diese Kühnheit sollten Sie es billig nicht erfahren, daß Sie, sobald ich in die Stadt komme, (d. h. wenn wir vom Lande hineingehen, denn eher geschieht es nicht) zu Meta's Briefen (ich habe nachdem ich alle verbrannt zu haben glaubte, doch ein kleines Paquet wieder gefunden) gelegt werden sollen. Ob sie nun gleich da liegen sollen, so werd ich doch ein Verräther an Ihnen werden, und sie ehestens Jemanden zeigen, dem ich in Allem trauen kann, und der sich in Sie verlieben wird, wenn er die Briefe sieht. Verräther hin, Verräther her, nichts kann, nichts wird mich davon abhalten, als die jalousie. Denn ich mag das nicht haben,

12*

daß man sich in Sie verliebt. Ich will mich heut meine
Freude ganz überlassen, und nichts von dem schreiben, was un
traurig machen kann, aber das muß ich Ihnen doch sagen, ba
damals, als ich das Mädchen liebte, die Ihnen nicht gefäll
(sie hat sich nachher verheyrathet und ist in ihren letzten Woche
gestorben), ich noch nicht wußte, daß meiner Meta Freundi
mich liebte; und daß sie gleichwohl die Ursache nicht ist, warun
ich fürchte, das süße Mädchen, das nach den Schiffen sieht, di
von Koppenhagen (kommen), zu besitzen. Nun darüber weg! Id
habe gelernt, daß man bisweilen das Herz haben muß, sid
mitten in der Traurigkeit zu freuen. Und das Herz hab is
jetzt. Nun also fein hübsch näher her. Warum wollen S
denn nicht? Fürchten Sie etwa, daß ich Sie unsanft an mei
Herz drücken werde? Sanft und unsanft, ich stehe weder für be
eine noch für das andere. Nun, wenn ich denn notwendig e
was versprechen muß, so versprech ich hiermit und halte es
gut als ich kann, ich will Sie denn nicht an mein Herz drücke
aber allerhand Fragen will ich Ihnen thun. Die erste m
eine Vorrede haben. Vorrede für erste Frage: Ich bin ein gr
ßer Zweifler, wenn ich liebe. Folget die Frage selbst, Frag
Lieben Sie mich denn wirklich? Jetzt ärgerts mich, daß i
Ihren Vornamen nicht weiß. Heißen Sie etwa Cäcilia
Denn Sie können so heißen. Gesetzt also, Sie hießen so (das ist s
schlimm nicht, nun kann ich die Frage noch Einmal thun). Lieben
Sie mich, Cilie? Wie wenig fehlt, so heißt es Cibli. Und wer
wehrt mir denn, daß ich das wenige hinzusetze und Cibl
sage? und das unter andern auch deßwegen, weil Meta ir
meinen Oden an sie Cibli heißt. Zweite Frage: Woller
Sie mich denn immer lieben? Nun Mädchen — — Sonnabend
Sonntag, Montag D. M. D. F. dann erst kömmt Ihre Ant
wort an, und Sonnabend bekomme ich sie erst. Aber ich werd

dafür sorgen daß ich sie Freitags bekomme, denn ich werde deß=
wegen Freitags in die Stadt reisen. Dritte Frage: Wollen
Sie mich auch noch lieben, wenn Sie sehen, daß ich unmöglich
ganz ernsthaft dabey bleiben kann, wenn ich etwas comisches
sage? Denn man hat mir erzählt, daß Sie bey dieser Gelegen=
heit ernsthaft bleiben. Ich ziehe dieß zwar auch vor, aber ich
kann es nicht. Vierte Frage: Wollen Sie mir denn versprechen
(aber auch halten, Mädchen!) . . . . Sie nun auch zur Genug=
thuung, diesem Briefe in ihrem ersten eine Lobrede halten werben?
Folget der Entwurf zu der Rede.

Einleitung: Ich Cilie bin ein süßes Mädchen. NB. die
Einleitung darf nicht kurz sein.

Eintheilung Nro. 1. Ich habe Briefe geschrieben, die von
Herzen gingen.

Eintheilung Nro. 2. Zu Herzen gingen.

Untereintheilung zu Nro. 1. a) Ich habe ein gutes Herz,
b) ein Herz das fühlen kann.

Untereintheilung zu Nro. 2. a) denn er hat auch ein
gutes Herz, ob er gleich ein Verräther ist, und den Leuten meine
Briefe zeigen will. (Den Leuten, Mädchen?) b) und ein Herz
das fühlen kann. — — Wenn ich nur erst wegen des Briefs
aus der Ungewißheit bin. Denn ich wollte nicht gern, daß man
sich unterstanden hätte, Besitz davon zu nehmen. — Wenn Sie
Ursach haben, für Ihre Briefe zu fürchten, so schlagen Sie
sie in Couvert à M. Resewiz Pasteur à l'Eglise . . . à C. Er
ist auch ein Mann, der . . . P. Boie gefällt . . .

93. Klopstock an Caecilie Ambrosius.

Bernstorff den 3. Octbr. 1767.

Den vorletzten Posttag, am Montag, hab ich keinen Brief
von Ihnen, und heut auch nicht, obgleich die Post gestern früh

gekommen ist, und ich also die Briefe schon haben könnte. Ic
habe Ihnen heut vor acht Tagen geschrieben und den Brief a
Hr. Bole eingeschlossen, und mache das heute wieder so. Wen
Sie nur nicht krank sind. Denn ich will doch nicht fürchte
daß man Ihnen die Briefe unterschlägt. Ich hatte darauf g
rechnet, Ihnen diesen Nachmittag zu schreiben, aber unvermei
liche Hindernisse haben mich davon abgehalten. Ich würi
Ihnen dieser Tage einen (Brief) geschrieben haben, aber ich ha
diese ganze Woche gearbeitet. Die Zeiten kommen selten, do
ich so hinter einander arbeiten kann und ich lasse sie nie ung
braucht vergehn. Wie oft denke ich an Sie, und wie lieb i
Sie. Doch das wissen Sie schon. Wenn ich nur erst wied
Briefe von Ihnen hätte. Denn ich bin so unruhig darübe
daß ich keine habe. Ich suchte in meinem letzten Briefe es ¿
vergessen, daß ich so viel Hinderungen vor mir sehe, glückli
zu werden; denn wie sehr würd ichs durch Sie werden; ab
jetzt kann ich es nicht so vergessen. Und ich würde Ihnen b
her doch auch nur wenig schreiben, wenn mir auch der nal
Abgang der Post Zeit dazu ließe. Das ist unterdeß gewi
niemals, niemals werd ich aufhören, Sie zu lieben. Aber schreib
Sie mir ja, daß Sie es auch so machen wollen. Wenn ich nur e
wieder Briefe von Ihnen hätte.   Ihr

                                                    Klopstock.

94. Klopstock an Caecilie Ambrosius.

Koppenhagen den 20. Octbr. 1767.

    Ich hätte Ihnen soviel zu schreiben — aber ich bin mitt
im Arbeiten, (ich habe selten erlebt, daß ich in so kurzer Zeit
oft habe arbeiten können, und ich darf mich hierinn nicht stören
und Sie werden daher heut nur einen kurzen Brief bekomme
Künftige Post will ich Ihnen den Ihrigen umständlich bean

worten. — — Waren die beyden Briefe die Sie an einem
Posttage bekommen haben, in einem Couvert, und so mit des
Geh. R. B. Petschaft versiegelt? oder war es jeder besonders?
Ich weiß noch nicht wie es zusammenhängen kann; ich werd
es aber, wenn es möglich ist, herauszubringen suchen. Ich werde
künftig meine Briefe nicht franquiren, machen Sie es auch so. —
Es ist manchmal recht unangenehm, wenn man bekannter als
andre ist. Z. E. Meine Meta war eine von den besten Haus-
hälterinnen die ich jemals gekannt habe; und doch hat man
Ihnen solche Sachen erzählt. — — Schreiben Sie mir doch
ein wenig umständlich, was Torstraten von meiner Munterkeit zu wissen glaubt. Ich bin so daran gewöhnt, daß man
falsche Nachrichten von mir hat, daß es mir ganz gleichgültig
geworden ist. Aber sobald man Ihnen etwas von mir erzählt,
so ist mir's nicht gleichgültig. Meta war mit der Philosophie
nicht unbekannt, und sehr bekannt mit den schönen Wissenschaften, sie verstand französisch, italienisch und englisch sehr
gut; aber was man ein gelehrtes Frauenzimmer nennt, war sie
gar nicht. Wiewohl auch selbst die Gelehrsamkeit sie nicht anders gemacht haben würde, als sie war. — Weil ich abbrechen
will, so hab ich Ihnen nur noch ein Paar Worte zu sagen.
Wenn ich Sie hätte noch mehr lieben können, als ich Sie schon
liebe, so würd es seit Ihrem gestrigen Briefe geschehen seyn.
Süßes, süßes Mädchen (ich würde noch etwas hinzusetzen, wenn
Sie meine Art mich auszudrücken, die ich nur gegen Meta
hatte, schon kennten.) Doch soll ich immer einen solchen Ausdruck wagen — — nun Mädchen, soll ich? — — — süßes,
dummes Ding, als wenn ich zu der Zeit da ich gern allein bin,
auch ohne Sie seyn möchte? (ohne Sie, ach, wenn nämlich,
wenn —) Was das für ein Gemisch von Traurigkeit und Freude
bei mir ist. — Doch ich muß mich davon losreißen. Künf-

tige Post einen langen Brief. Aber an mein Herz muß ich
Sie doch drücken, eh ich siegle.

Was meinen Sie, wenn Sie künftig ein wenig leserlicher
schrieben, als ich?

95. Klopstock an Caecilie Ambrosius.

den — Novbr. 1767.

Ich habe Ihnen heut einen langen Brief versprochen und
doch werd ich Ihnen nur einen kurzen schreiben, weil ich mitten
in meinen Arbeiten sitze, und ich mich sehr aufgelegt dazu fühle.
Ich muß Ihnen überhaupt sagen, daß es noch niemals eine
Periode in meinem Leben gegeben hat, wo ich so anhaltend hintereinander hätte arbeiten können, als ich seit dem September gethan habe.
Ich würde es selbst kaum begreifen, daß ich es könnte, wenn meine
Arbeiten nicht so abwechselnd wären, als sie sind. Ein The-
davon ist Erholung von den vorigen, nicht allein dadurch, daß
sie mit andern abwechseln, sondern auch wegen ihrer Leichtigk-
an sich selbst. — — — Ich habe fast Lust mit Ihnen zu zanken (wie derjenige zanken kann, der außer Ihnen gewiß Niemanden sonst heut schreiben würde) zu zanken also, daß
Sie von meinen Arbeiten, von denen ich Ihnen geschrieben
habe, nichts mehr wissen mögen. Dieß würden Sie unrecht
verstehn, wenn Sie es so erklärten, als wenn ich wünschte, daß
Sie nun ja in einem Ihrer nächsten Briefe davon redeten. So
meine ich's gar nicht, ich meine es nur so, daß es mir angenehm
gewesen seyn würde, wenn es Ihnen eingefallen wäre, es zu thun.
Ich bin sonst gar derjenige nicht, der viel von seinen Sachen
spricht; aber doch mag ich wohl mit denen, die ich vorzüglich
liebe, bisweilen davon sprechen. Ich möchte wohl, daß Sie mir
hübsch einige unwissende Fragen thäten, und daß ich Sie bei
der Beantwortung fein auslachen könnte, so auslachen versteht

sich, daß Sie eben so gern mitlachten. — — — 'Aber (ich habe
heut keinen Brief von Ihnen) Sie sind doch wieder besser?
Und Sorge wegen des Briefes machen Sie sich doch nun gewiß nicht mehr? — Wie wünscht ich Sie gestern bey mir, als
mir der sächsische Gesandte (einer meiner Componisten) einige
Strophen aus dem Triumphgesange spielte und sang. Ich muß
Ihnen sagen, daß er den Inhalt sehr auszudrücken weiß, ohne
etwas zu übertreiben stark oder sanft. Der Cantor, den Sie
mir beschrieben haben, kann Sie freylich nicht reizen, singen zu
lernen; aber die Noten zu treffen, wozu Sie ohne das schon
die Hülfe des Spielens haben, das können Sie doch von ihm
lernen. Und was das eigentliche Singen, nämlich den Ausdruck der Empfindung anlangt, das kann ohnedieß kein Sänger,
auch der beste nicht lehren. Das müssen Sie sich selbst lehren,
und ich vermute von Ihrem Herzen, daß es ein guter Lehrer
seyn wird. Pflegen Sie wohl vorzulesen? Lesen Sie mir einmal gleich die Strophe vor:

Wo ertönte so sanft, ach, wo lispelte so u. s. w.

Ich lese bisweilen recht gut vor, wenn meine Stimme dem,
was ich empfinde, gehorsam genug ist. Seyn Sie mir ja gesund, süße Kleine. — Gute Nacht.

96. Klopstock an Boie.

Koppenhagen den 24. Novbr. 1767.

Ich freue mich, daß Ihre Krankheit, nach der Beschreibung,
die Sie mir davon machen, nur ein starker Fluß ist, und ich
hoffe, daß es bald, besonders die Augenschmerzen, an denen ich
vornämlich Antheil nehme, weil ich sie so gut aus der Erfahrung kenne, vorüber sein soll. Der Ihnen die Nachricht von
Gleim gebracht hat, mein liebster Herr Boie, der hat Ihnen
die Wahrheit gesagt. Gleim ist mein älter Freund, und ich

kenne den Saal sehr gut worin er seine abwesenden Freund
versammelt hat. Dicht vor diesem Saale war es, wo mein sel
Vater und meine Mutter meine Meta zuerst sahen. Gleim
hatte uns einen Kerl zu Pferde über eine Meile entgegenge
schickt, um zu sehn ob wir wirklich kämen. Der Kerl sollte sic
nicht zu erkennen geben, ich erkannte aber ihn und das Pfert
Unterdeß ließ ich ihm das Vergnügen, zu glauben, daß er ei
glücklicher Spion wäre. — Sehen Sie, mein liebster Boie, z
solchen weitläuftigen Erzählungen von Kleinigkeiten verführe
Sie mich, weil Sie immer soviel von mir wissen wollen. Wo
dem Porträt muß ich Ihnen nur noch sagen, daß es (ich b
sinne mich nicht recht) wenn nicht eine Copie einer Copie, doc
dieses von einem Porträt ist, das in der Schweiz von mir ur
zwar recht gut gemacht wurde. — — Von Gleim's Tragödi
die alle Mädchen verjagen soll, weiß ich gar nichts. Ich eri
nere mich aber sehr wohl, daß ich von Hermanns Schlach
wie ich neulich in Hamburg war, sehr laut zu den Mädch
gesagt habe, daß ich Ihnen nicht eher erlaubte hineinzukomme
als bis Thusnelde erschiene. Gleichwohl als ich einmal b
Hermann vorlas, waren die Mädchen von Anfang dabey u
es schien mir, daß sie dazu gehörten. Ich arbeite jetzt (Ihne
will ich es sagen, ob es gleich noch ein Geheimniß ist) Her
mann und Ingomar. Ich vermute fast, daß Sie im Taci
tus nicht so belesen sind, als ich, ich rathe Ihnen also dort di
Schlacht der Deutschen mit Cäcina nachzusehn, wenn Sie sic
einigen vorläufigen Begriff von dem Bardiet (denn ich nenne e
weder Tragödie noch Trauerspiel) machen wollen. Bardiet heiß
in unserer ältesten Sprache ein Bardengedicht. Die Persone
sind Hermann, Ingomar, und noch fünf andere deutsche Fürsten
außer diesen Flavus, H. Bruder, Italicus, dieses Sohn. Theud
H. junger Sohn (Thusnelde ist abwesend und in Rom gefangen

ei Oberdruiden. Ein Führer des Bardenchors. Barden.
cenis, Hermanns Mutter. Römer. Iſtäwona und Her-
ne, Fürſtinnen der Katten. Viele von dieſen Perſonen ſind
n in H. S. dageweſen. Dieſe Begebenheit iſt etwa ſieben
re nach der erſten. Sehn Sie, wie ich mit Ihrer Neugierde
zehe, faſt wie mit der Neugierde eines Frauenzimmers. Doch
en Sie eigentlich noch nichts von dem Stücke. Denn er-
en werden Sie es doch nicht etwa wollen, welchen Ton ich
jene alten Zeiten gewählt habe. Wenn Sie unterdeß ein
ug im Tacitus die Geſchichte Hermanns und dann
ben Sitten unſerer Vorfahren nachläſen, und ich Ihnen
Anmerkung machte, daß ich der Geſchichte viel genauer folge,
ſonſt von Dichtern gefodert wird, und daß dieſes und jenes
ben Sitten unſerer Väter mit vorkömmt, z. E. (ich ſehe jetzt
H. Schlacht und H. und J. zugleich) das Looswerfen, der
nur beym Schwerte, das Lanzenſpiel, der Zweykampf zwiſchen
m Deutſchen und einem Feinde, jeder mit den Waffen ſeiner
tion, als eine Vorbedeutung des Siegs —) ſo wird — —
ſo wird Ihnen vieles unerwartet kommen. — — — Als
m ich gegen die Leute etwas hätte die nicht franzöſiſch
chen!

Das hätten Sie gar nicht einmal vermuten ſollen, daß,
n man mir etwas gegen Sie ſagte, ich es glauben würde.
wenn ich die Welt nicht kennte und als wenn ich Sie nicht
offenherzig fragen würde, wenn je etwas vorkäme, das mich
merkſam genug machte um Sie zu fragen. Sie können ſich
rauf und auf vieles verlaſſen, was Ihnen etwa noch künftig
ch Ihre Beſorglichkeit einfallen kann, ich meine, daß ich ſo
ey verfahren ſolle, daß Sie mit mir zufrieden ſeyn werden.
haben doch neulich vor allen Dingen Mad. Torſtraten
mir gegrüßt. Sie lieſt den la Bruyère und kann die Se-

vigné beinah auswendig. Ach es iſt Schade, daß ſie verhe
rathet iſt, ich würde Sie ſonſt bitten Ihr eine Liebeserklärun
von mir zu machen.

97. Klopſtock an Caecilie Ambroſius.

den 19. Dec. 1767.

Liebes ſüßes Mädchen, das ich ſehr, ſehr liebe, wie ich b
Ihr gehorſamer Diener! das ich haſſe — Nu weßwegen ber
aber, mein Herr? — Deßwegen denn aber, weil Sie ſich n
falſche Vorſtellungen machen. Da kömmt eben die neue b
mir an (die Poſt iſt heut ſehr ſpät gekommen), daß ich n
beßwegen hinauskommen würde, weil die B.(ernſtorf) hinau
kämen, und daß ich alſo ſonſt nicht kommen würde ... D
einem Wort (ich weiß nicht ob Sie das edle Wort kennen
das iſt Päperlepä und verdient eigentlich Schläge oder Kü
oder vielmehr beydes zugleich. — Das geht mir nicht wer
nah, daß Sie Ihr Bruder verlaſſen muß, und fürs Zwe;
auch, daß er zu dieſem norbiſchen Salomo kommt, wie ihn eir
der bortigen Pröbſte in einer Predigt genannt haben ſoll. -
Hier haben Sie einen Brief, den Sie leſen mögen, wenn S
Luſt dazu haben. Daß der kleine Boie mit den Oben ſo r
thut, das gefällt mir zwar an ihm, aber ich möchte doch gleid
wohl, daß Sie ſie hätten. Ich weis nicht einmal welche i
ſind. Will er ſie Ihnen denn auch nicht einmal vorleſen? E
bald der Hermann bey Ihnen ankömmt müſſen Sie mit be
Leſen deſſelben gleich die Anſtalt ſo machen, daß Sie ihn m
der nächſten fahrenden Poſt nach Hamburg ſchicken können.

Daphnis und Daphne iſt von ... demjenigen, der S
haßt. Siehe oben. Sie wird künftig Selmar und Selm
heißen. Von den Oben an die Schmidt kam allein in mei

Sammlung: „Wenn ich einst todt bin" . . . und: „Diesen fröhlichen Lenz ward ich" . . . Zanken Sie nicht mit mir, meine süße Kleine, daß ich ein Paarmal nicht an Sie geschrieben habe. Sie würden mir gewiß leicht verzeihen, wenn Sie wüßten, was ich für ein Nicht=Schreiber bin, und wie viele Briefe (ich halte nur dabey eine Lobrede) unbeantwortet liegen, und manchmal hab ich auch wirklich recht gute Entschuldigungen z. E. heute hab ich den ganzen Morgen am Hermann und Ingomar gearbeitet. Nach Tische hab ich diesen Brief an Gl(eim) geschrieben, der aus mehr als einer Betrachtung endlich geschrieben werden mußte, und nun bin ich müde und ich würde heute an keinen Menschen in der Welt mehr geschrieben haben als an Sie. Wie ist das nun zu erklären? Nach Ihrer Art so: wenn er mich lieb hätte, so kehrte er sich daran nicht, daß er müde ist, sondern er schriebe mir einen viel längeren Brief als dieser ist. Und das erkläre ich denn wieder nach meiner Art so, daß es Päperlepä ist, und Küsse, und daß andere verdient. — Nun warum denn aber Küsse? — Weil es von dem süßen Mädchen herkömmt . . . Ich denke in diesem Augenblicke wieder daran, daß Sie künftig ohne Ihren Bruder seyn werden . . . Schreiben Sie mir nächstens einmal was Sie gelesen haben. Das ist nicht Neugierde, ob ich gleich glaube, daß Sie gegen diese Neugierde nichts haben würden, wenn es Neugierde wäre; ich will nur wissen, was ich Ihnen noch zum Lesen vorschlagen kann. Lieben Sie die Geschichte? Sie können leicht denken, daß ich nicht solche Geschichtbücher meine, die viel mehr Abhandlungen als jenes sind.

Nun gute Nacht, Kleine. Denn ich will siegeln und ausruhen.

Gleims Adresse ist:

Secretaire à la Catedrale et Chanoine à Halberstadt.

98. Klopstock an Caecilie Ambrosius.

1767.

.. ja in Absicht auf die Aussprache recht viel thun wi
so halten Sie ein klein wenig länger als Sie in Prosa th
würden auf der langen Sylbe. Wenn Sie ein gutes Ki
seyn, und singen lernen wollen, so sollen Sie auch bald
Composition von einigen Stellen des Triumphgesanges hab
Componirt ist davon: Von Anfang bis: „o entflohen sind
dem Abgrund." — Dann die Strophe: wo ertönte so sanft
Vor den Rachetanz trat . . . Ertönt sein Lob . . . Selbst
diger . . . Geh unter, stürz hin . . . Todt erwacht, die Posau
hallt . . . Wehklagen und bange Seufzer . . . (Von dieser Stro
will ich Ihnen das Sylbenmaß zeigen. Ich bemerke die l
gen Sylben) „Begleit ihn zum Thron auf" ist dreymal com
nirt, unter anderm auch von dem alten Telemann. — M
nicht mit Maaß Endlichkeit . . . Ich will Ihnen eine Hau
schwierigkeit sagen die der Messias vom XI. Gesange an bis
Ende vor den ersten X Gesängen hat. Sie ist diese: Es
viel schwerer die Freude als den Schmerz auszudrücken. Fü
neue Gesänge werden nun bald herauskommen. Der XVI
auch angefangen. Und schon vor einigen Jahren ist ein groß
Stück einer Episode vom Weltgerichte fertig gewesen. Zu b
Triumphgesange, den ich Ihnen jetzt schicke, sind auch noch zie
lich große Stellen hinzugekommen. Das hat man Ihnen a
von mir erzählt, daß ich eben nicht viel von meinen Arbei
spreche. Dieses ist so wahr, daß ich sogar mit Ihnen nur b
weilen von selbst, und nur dann öfter sprechen werde, wenn E
es ausdrücklich haben wollen. Wie ich das zu machen pfle
können Sie aus folgender kleiner Geschichte sehen. 1753
Sommer machte ich den Tod Adams. 54 verheyrathete ich mi
55 den ersten Winter, den wir hier zubrachten, bin ich des Aben

einmal aus, und Meta bleibt zu Hause. Sie sucht etwas
und kömmt über einen Coffer, worin allerhand Sachen liegen,
und findet das M. S. vom Tob Adams. Ich war gewohnt
Sie des Abends im Bette anzutreffen, wenn ich nach Hause
kam. Sie kam mir aber jetzt entgegen gelaufen, und freute sich
über Ihren Fund und machte mich aus, daß ich ihr nichts da=
von gesagt hätte. Ob ich meine Reise verdiente, das ist jetzt
die Frage nicht. Zwar mach ich es gleichwohl nicht so. Und
den Adam hatte ich wirklich theils vergessen, theils wenn ich
daran gedacht hätte, mir vorgenommen, ich wollte ihn erst wieder
durchsehen, und dann Meta zeigen. Denn ich bin immer sehr
dafür gewesen, unvollendete Sachen nicht zu zeigen. Und ich
nenne unvollendet, wenn noch die geringste Politur fehlt. Nur
erst vor wenig Tagen hat Cramer alle meine Oden gesehen.
Mich deucht, daß ich Ihnen geschrieben habe, daß ich sie heraus=
geben will.

Wissen Sie wohl, daß ich am Montage keinen Brief von
Ihnen hatte, und daß Sie mehr von mir haben als ich von
Ihnen? Daß Sie mir ja fein alle die Nachrichten geben, um die
ich Sie in meinem letzten gebeten habe. Die Historie mit den
Klecksen und den Rosen muß ich auch wissen, denken Sie denn etwa,
daß Sie sich allein auf die Ankunft der Post freuen? Nun Sie
wissen schon, was Sie sind. Denn ich dächte doch, daß Sie schon
wüßten, daß mir alles Freude macht, was Ihnen Freude macht. —
Wie konnten Sie sich einfallen lassen, daß es Ihnen nachtheilig bey
mir gewesen wäre, von dem Dorn geschrieben zu haben. Unterdeß da
diese Sorge Sie veranlaßt hat, mir zu sagen, warum Sie davon ge=
schrieben haben, so will ich wider den Einfall weiter nichts
haben. Ich habe meine Briefe zurück bekommen, und sie ver=
brannt, sonst sollten Sie sie freylich sehen. Hören Sie, Kleine,
Sie müssen mir in Ihrem nächsten Briefe eine genaue Beschrei=

bung von der Stube machen, wo Sie wohnen, von dem Tische
woran Sie sitzen, und sogar von dem Stuhle worauf Sie sitzen.
Wo Ihre Bücher stehen, wo Ihre Nähsachen liegen, wo Sie
meine Briefe hinlegen, wo Ihr Clavier steht (Singen Sie auch?
oder mögen Sie singen lernen?) und von vielen andern Sachen,
die ich nicht frage, und die ich alle gefragt habe, wenn Sie mir
sie beantworten.   Z. E. noch, was Sie für musikalische Stücke
haben, die Sie spielen.   Im Vorbeygehen, oder vielmehr nicht
im Vorbeygehen, ich bin ein sehr verliebter Liebhaber der Musik,
und ob ich gleich selbst weder spiele noch singe, so habe ich doch
ein Flügel=Clavier auf meiner Stube. Ich singe wohl bisweilen
ein wenig mit, wenn es leicht ist, was gesungen wird.   Ger=
stenberg und seine Frau singen gut und sehr nach meinem
Geschmack (à propos ich habe einen Brief von der Gerstenberg
an Sie schon vor langer Zeit verbrannt.)   Wir haben eine de=
liciöse kleine Sammlung von Musik.   Wir lesen Melodien aus,
die uns vorzüglich gefallen.   Wir machen Texte dazu, wenn sie
noch keine haben, wir ändern andere Texte, oder wir nehmen
auch irgend einer Melodie, die uns nicht gefällt, einen Text,
der uns gefällt, und bringen ihn unter eine andere Melodie.
Wenn Sie ein hübsch artig Kind seyn und singen lernen wollen,
so sollen Sie Ihre Musik haben, die Ihnen gefällt.   Ich wette
fast darauf, daß Sie stabat mater nicht kennen.   Dieß ist ein
lateinischer catholischer Text zu einer außerordentlich schönen
Composition.   Ich habe einen deutschen Text dazu gemacht.
Dieser Text ist sehr ernsthaft. Wir singen aber auch viele scherz=
hafte Sachen z. E. die Gerstenberg muß mir sogar griechisch
singen.   Und da ist sie selbst Schuld daran.   Denn ein gewisser
Scherz veranlaßte sie es von mir absolut haben zu wollen.   Und
ich thats denn endlich, dafür muß sie ihn nun auch singen.
Kennen Sie Gleims Baum? Dazu ist diese griechische Strophe

Einleitung. Ob Sie mich gleich nicht nach dem Inhalte
Strophe (Sie wollen doch, daß ich mit Ihnen schmolle,
ß Sie mich nicht nach dem fragen, was ich arbeite) gefragt
ben, so will ich sie Ihnen doch sagen: „Ich will zu Gleims
yer singen, ich selbst süßer durch meinen Gesang. Ich verstehe
cht, was ich singe, denn ich bin eine Deutsche. Du lachst,
ein Mann, ach! ach!" Recht im Ernste, meine liebe Kleine,
ie werden mir eine große Freude machen, wenn Sie singen
nen. Ich meine eben nicht Arien. Und nun, und nun,
ädchen — ja freylich möchte ich lieber mündlich mit Ihnen
xubern, und nun, nun was meinen Sie dazu? Und wozu denn?
ozu? Was das für ein klein dumm Ding ist, daß es nicht
xrkt, daß ich es küssen möchte. Würden Sie etwa roth, daß
Sie geküßt habe? — Päperlepä! Sie sollen mich nun doch
ieber küssen, und singen sollen Sie auch lernen. Nun gute
acht, Kleine. Denn der Brief muß fort, sonst bin ich heute
plauderhaft, daß ich noch ein Blatt nehme.

99. Klopstock an Caecilie Ambrosius.

Koppenhagen den 2. Jan. 1768.

Das schöne Eis ist daran Schuld, daß ich keinen Brief
n Ihnen habe, aber gleichwohl wünscht ich, daß eine so gute
ache eine solche Schuld nicht hätte. Ich habe Ihnen den
ßten Posttag nicht geschrieben, weil ich wegen des anhaltenden
hönen Wetters in Lingbye blieb. Wie hab ich Sie bey mir
xwünscht. Es liegt da an der Lingbyer See, ganz dicht am
fer ein kleines Gartenhaus, in dem würden Sie dann viel-
eicht gewesen seyn, und wenn ich dann zu Ihnen unter das
enster gekommen wäre, so hätten Sie mir bisweilen eine Tasse
affee gegeben, es mir anvertraut, daß Sie mich haßten, und

ich wäre dann in dieser Anvertrauung, so groß Sie auch thun!
weiter gegangen als Sie; aber fortgelaufen wäre ich gleichwohl
wieder von Zeit zu Zeit, doch wiedergekommen wäre ich auch
oft, und hätte Sie vieles gefragt, und manchmal auch das: ob
Sie nicht hier ein holländisches Mädchen, und meine Schülerinn
auf dem Eise werden wollten. Nun, wie beantworten Sie das?
was meinen Sie, wie würde es damit gehen, wenn ich jetzt bey
Ihnen wäre? Ihr Hafen scheint vortreflich dazu zu seyn ...
Ich weiß nicht, wie es mit dem Hermann gegangen, und ob er
schon bey Ihnen ist. Vielleicht ist es schwer gewesen, mit den
Eisboten so bald über zu kommen. Ich denke, daß ich Ihnen
geschrieben habe, daß Sie ihn mit der nächsten Post fortschicken
möchten. Nun gehen Zwey weg von meiner Gesellschaft, denn
es hat bisher immer um mich herum geschwärmt. Ich sehe
mich jetzt ziemlich nah am Ende meiner Arbeiten. Auf den
Montag über acht Tage lasse ich anfangen am Messias zu
drucken.

Daß Sie mein süßes, geliebtes Mädchen sind, das wissen
Sie und vielleicht wissen Sie, oder denken Sie Aff Sie in diesem Augenblicke nicht, daß ich Ihnen dieß jetzt viel lieber sagen
als schreiben möchte. Wenn solche Wünsche recht lebhaft werden, so ist das Schreiben was recht unangenehmes. Und dieses
unangenehme — — —

100. Klopstock an Bode.

Koppenhagen den 19ten Jan. 1768.

Fast möchte ich mit Ihnen zanken, Bode, daß Sie mir sogar schriftliche Beweise Ihrer Unschuld herbeybringen, deßwegen
mit Ihnen zanken, weil das mir Schuld geben heißt, ich hätte
daran gezweifelt. Und ich bin doch völlig so unschuldig, als
Sie. Nun meine Herren Oberverleger, Domini Doctores Faustii

secundi, benen alles was Druder und Verleger heißt, Mönch
ſeyn wird, und die es endl. dem Publico nicht allein wirfl.
Schwarz auf wirfliches Weiß geben, ſondern es auch anders
geformt erſcheinen laſſen wollen, ein Paar Worte von einem
Ihrer Clienten, die ſie in den Tempel der Unſterblichkeit, oder
auch in das Luftſchloß derſelben, alles, nachdem es die Zeitungs=
ſchreiber entſcheiden, zu ſchicken gedenken — würde es (ich ſchreibe
Ihnen meine Einfälle hin, wie ſie mir kamen) nicht gut ſeyn,
wenn Sie gewiſſe Formate zur Poeſie und zur Proſa feſtſetzten
bey denen Sie blieben, ſo daß einmal ein Kritiker der künftigen
Zeit mit Wahrheit ſagen könnte: Nein, mein Herr, Sie irren
ſich gar ſehr. Dieſes iſt keine Ausgabe der Plautinianiſch=Fau=
ſtiſchen Druderey, denn dieſe hat dieß Format nie gehabt —
— — fürs erſte niemals 4. Aber was denn? Groß 8, nicht
in der Länge ſondern nur in der Breite groß für die Poeſie,
von ungefähr wie Lamprechts Leben von Leibniz, und flein 8
für die Proſa. Sie ſehen, daß ich die Breite wünſche, damit
die Verſe ſo ſelten als nur mögl. iſt, gebrochen werden, 'denn
das Brechen der V. dadurch vermeiden wollen, daß man die
Wörter dichter zuſammenrüdte, wäre ſehr unfauſtiſch gedacht.
Und welche Weite der Zeilen von einander? Ja, wenn Sie mir
einige gedruckte Zeilen zuſchicken wollten, ſo könnte ich Ihnen
mit meiner Unmaaßgeblich= und Ohnzielſetzlichkeit aufwarten.
Und welche Letterngröße? Keine kleine Frage, und die in das
Feld der erſten Grundſätze des Schönen dieſer Art gehört. Wenn
Sie mein Auge fragen wollten, ſo würde ich mit meiner Ohn=
zielſetzlichkeit aufwarten.

Ich glaube nicht, daß Sie jemals einen Anfangsbuch=
ſtaben mit dem Unweſen eines Holzſchnittes werden man=
ſeln wollen. Aber dieſen und jenen leeren Raum auszu=
ſüllen? Freylich ſimple Holzſchnitte. Vielleicht bring ich Preislern

13*

zu Zeichnungen.   Aber er hat iezt so viel zu thun.   Er
sticht das schönste Pferd, das jemals gezeichnet worden ist.
Vignette? Gute näml. aber die sind zu theuer für unsere an
die Maculaturpreise gewöhnten Käufer.   Und überdieß scheinen
mir die recht schönen Vignetten in neuen Zeiten ein übels omen
zu seyn.   Siehe mit mehrern einige neuere Schriften der Franzosen, die ihr Leben, so vignettirt sie auch sind, doch eben nicht
hoch bringen werden.

Sie   wissen,   Bode,   daß ich eben kein großer Eiler
bin, wenn es auf das Druckenlassen ankommt.   Die ersten
meiner Oden sind von 47.   Unterdeß möchte ich sie nun
endlich auch gern bald gedruckt haben.   Ich werde also auf
die neuen Lettern nicht warten (Sie bekommen mit künftiger
Sonnabendspost die Zeichnungen gewiß). Vielleicht machen Sie
einmal eine zweyte Ausgabe.   Da können Sie die neuen Lettern
brauchen.   Die jezige möchte ich gern in dem genannten gro-
8 Formate haben.   Und was halten Sie von den Lettern womit der Phädon gedruckt ist? Wenn Sie andere vorziehen, so
schicken Sie mir einige gedruckte Zeilen, und zwar mit den Zeichen der langen Sylben darunter.

Aber wissen Sie auch schon aus der Erfahrung, was das
heißt, Obercorrektor zu seyn? Und daß das eine sehr mechanische
Beschäftigung ist? Ich wollte gern, daß nur anderthalb Druckfehler hinein kämen, ein falscher Buchstabe, und ein falsches
Comma.   Das M. S. ist zwar dadurch ein sehr wunderlich
Ding, daß es von vielen Händen in kleinem und größerm Format geschrieben ist; aber was die Genauigkeit anlangt so ist es
für ein Correkterauge ganz delicieux.   Wenn Sie beym An-
blicke desselben nicht ein gleiches sagen: so müssen Sie erst bey
Lessing in die Schule gehn, ein solches Auge zu bekommen.
Denn ich traue seinem Selbstlobe.

101. Klopstock an Caecilie Ambrosius.

den 30. Jan. 1768.

Diesen Morgen eh ich aufstand, schrieb ich Ihnen einen langen Brief in Gedanken, und der nach meinem Vorsatze noch vor Tische fertig seyn sollte. Wie ich aber aufstand, da war so schön Wetter, und ich war so lange nicht auf dem Eise gewesen, und ich hatte auch die Bewegung wieder nöthig, daß ich statt zu schreiben, ausging, bis zu Tische auf dem Eise blieb, und nach Tische wieder hinausging, und eben erst jetzt, es ist nach 6 Uhr, den schönen Mond, Orion, und das Eis verlaffen habe, nicht, daß ich nicht gern noch geblieben wäre, allein ich wollte Ihnen schreiben, und das ging doch draußen nicht an. Aber den langen Brief werden Sie nun nicht bekommen. Wissen Sie auch was er unter anderm enthalten sollte? Ein Supplement zu den vielen Liebesgeschichten, die Ihnen der brave Mann, den Sie mir nicht nennen, von mir zu erzählen weis. Ja, Sie Aff und viel zu gütige Zuhörerinn, sie haben Sie künftig alle mit einander noch zum Besten. Unter anderen die in Pyrmont, da ich mich 1760 in ein Mädchen von 11 Jahren 5 Monaten 3 Tagen, und als unsere Liebe anfing, 3 Stunden und 2 Minuten, dermaßen verliebte, daß wir nicht allein untrennbar wurden, sondern daß auch allerhand tragische Thränen vergoffen wurden. Für dießmal mag dieser kleine Anfang genug seyn. Ich könnte Ihnen viel, viel über eine gewisse Stelle Ihres Briefes sagen, allein ich will lieber nicht. Ich habe Sie unter anderm beßwegen viel zu lieb daher, weil Sie auf dem Eise gewesen sind. Das werde ich Ihnen nebst vielen andern ähnlichen Sachen niemals vergessen. Und auch ohne die vielen Erfahrungen, die mir der erzählende Mann Schuld giebt, würde ich ein größer Kenner von Sachen dieser Art seyn; und das nicht allein, weil ich Talente zu solchen Kenntnissen habe, son-

bern auch weil ich allzeit der Vertraute von allen Liebes-
ſchichten aller meiner Freunde bin. In Parentheſe ſage i
weil mirs eben einfällt und damit ichs nicht vergeſſe, daß C
mir noch nichts weiter von den Briefen geſagt haben, die Glei
beſitzen ſoll. Wenn Sie Ihren Erzähler manchmal auf ein
kleinen Unrichtigkeit ertappen ſollten, ſo werden Sie, denke ic
wohl die Anmerkung machen, daß ſich vielleicht auch ſonſt no
Unrichtigkeiten mit ·eingeſchlichen haben möchten. — Es iſt mi
lieb, daß in dem Triumphgeſange nicht viel neues für Sie iſ
Das zeigt mir daß Sie mit dem Meſſias ſehr betraut ſinl
Zwar ich wußte das ohne dieß ſchon. Für Leſer, wie Ei
ſollte auch nicht viel neues darin ſeyn. Was die vorzüglic
Begeiſterung in Abſicht auf die verglichene Ode anbetrifft,
möchte ich Ihnen wohl den Triumphgeſang und auch die Ol
vorleſen, und Sie dann fragen: ob Sie noch von Ihrer Me
nung wären? Uebrigens iſt es eine Diſpute, die lange wähı
und die mündlich am Beſten vorgenommen wird, wenn mo
Gedichte von ſo allgemeiner Seite, als Begeiſterung u. ſ. v
ſind, vergleicht. Ich z. E. ziehe die wenigen Strophen: G
unter Geſängen hin . . . der ganzen Ode vor. — Ich leſe eb
Ihren Brief wieder, und da finde ich, daß mein ſogenannter Fehl
von meiner großen Luſtigkeit herrühre. Vermuthlich hat J
Hiſtoricus Sie auch hier mit Nachrichten verſehen. Ich ho
auch in dieſem Punkte Supplemente geben zu können, die il
fehlen. Z. E. ich ſpiele bisweilen, beſonders wenn ich in Ha
burg bin, Sprüchwörter. Sprüchwörter ſpielen heißt irge
eins, das ein wenig unbekannt iſt, pantomimiſch, ohne ein W
babey zu ſagen, ſo deutlich und ſo verſteckt vorſtellen, daß
eine andere Parthie Spieler rathen kann, und doch nicht le
räth. Wenn dieſe dreymal falſch gerathen hat, ſo müſſen
ſpielen, und ſo lange wir ihre Sprüchwörter rathen, ſo müſ

iß immer fort spielen. Unterdeß kommt die Hauptsache doch nicht so wohl auf die richtige und doch versteckte, sondern vornämlich auf die burleeque Vorstellung an. Und in dieser pflege ich denn sowohl was den Plan des Dinges als was die Ausführung betrifft, immer einigen Antheil zu haben. Die Mädchen und auch wohl ehrwürdige Matronen haben mich wohl eher wegen meines kleinen Antheils gelobt. Deßwegen bin ich gleichwohl, besonders auch bey den Mädchen, oft wieder sehr ernsthaft. Und dann loben sie mich auch wohl wieder, und sagen unter anderm dabey, daß ich zwar ernsthaft, aber ganz und gar nicht feyerlich wäre, und mich zu einer anderen Zeit auch wieder auf das Lachen recht gut verstünde. Sehen Sie, so wird man verführt, und so kömmt man in die Mäuler der Geschichtschreiber, die oft eine halbsehende Halbgottheit haben.

„Den Schluß machen" heißt bey mir nur: vermuten oder so etwas. Ich hätte Sie nicht mit meinem Freunde zugleich nennen sollen. Aber mein Herz hat das nicht so gemeint, als Sie es erklärt haben, und haben erklären können . . . Die Ode er Mond, die 12 Strophen haben soll, kenne ich gar nicht. Vielleicht ist es: die Zukunft. Ich will Ihnen diese und noch eine aufsuchen, in der im Anfange vom Monde die Rede ist. — Ich lasse diese weg, und schicke an ihrer Statt Sione.

102. Gespräch.

den 13. Februar 1768.

Warum erzählen Sie mir denn so viel von der Princessinn, und so wenig von dem schönen Eise? — — Bin ich denn eine Holländerinn, daß ich ewig vom Eise und nur wenig von einer Princessinn sprechen soll, die mich so oft gestört hat? — Mädchen, sind Sie denn nicht allenfalls ein wenig zu stolz dazu, mir es so oft anzuführen, daß die Princessinn bei Ihnen

sind, sondern weil sie soviel Charak
das Ding mit den Princessinnen soll
hingehen, weil Ihr Brief darüber so
Nun, was soll ich denn für Strafe l
sollen Sie gleich hören. Aber eh w
schreiben Sie mir denn so selten, und wa
genau ab? Ja nicht eher geschrieben,
Und dann warum erzählen Sie mir de
vielen Liebesgeschichten, die ich gehabt hab
hand Erzählungen wissen. (Es ist Gesell
aber ich nehme mir gleichwohl die Freit
was nun die vielen Liebesgeschichten anl
nicht eher damit aufwarten, als bis S
sie wohl hören wollen, wobei es sich nu
Sie in Absicht auf Ihre Nachrichten
Jetzt zu ihrer Bestrafung wegen der Pri
ich Ihnen nun auch etwas erzählen wil
gehört.

Vor einigen Wochen bittet sich H
laubniß bei dem Könige aus, Seine Tr
zu sehen. — — Das ist mir sehr lieb,
versteht's und er soll mir sel—

einer, der gegenwärtig war) so muß er also wohl ein Billet für das Parterre haben. — — Der Jemand: Aber da sind die Minister vom Conseil und überhaupt die Herren von der ersten Classe. — — Mais (denn man sprach französisch) son esprit est de la première classe. — — Nun schwieg der Jemand endlich still, und Herr Klopstock bekam ein Billet für das Parterre; aber er nahm sich gleichwohl die Freiheit nicht dahin, sondern in's Amphiteater zu gehen, ferner die zweite Freiheit, dem Könige nichts von der Vorstellung des Stücks zu sagen, welches er leicht durch einen Dritten oder selbst hätte thun können; und er hat ohne dieß sich noch vorbehalten, dem Könige zu sagen, daß ob Er gleich schön spielte, doch lieber nicht spielen möchte.

Nun, Mädchen, das war also hiemit die Strafe. — Ich habe gegen die Strafe eben nichts. — — Ja wenn es Ihnen keine Strafe ist, so muß ich eine andere aussinnen; doch jetzt gleich fällt mir keine bey, weil ich eben nicht sehr daran gewöhnt bin zu strafen. Und dann muß ich auch wohl aufhören, weil mein Besuch sonst verdrießlich wird. Nun ein bischen verdrießlich mag er werden. — — Dieser Brief kommt vermuthlich nach Schleßwig zu Ihnen. Wenn ich künftigen Posttag keinen Brief von Ihnen bekomme, so schmäle ich, und erzähle Ihnen unter andern eine Historie folgendes Inhalts: daß ich nun seit meiner letzten Abreise von Hamburg darüber negocire, ob die schönste Stimme, die ich jemals gehört habe, den ersten Brief an mich schreiben soll oder ich an sie; nämlich ich will, daß sie den ersten schreiben soll, und sie will nicht; und wir sind noch ziemlich weit auseinander. Wenn Ihre Geschichtschreiber in Hamburg gewesen wären; so wüßten sie hübsch, daß ich mich dort ein wenig in die Doctorin Grundt verliebt habe und daß sie mir auch ein bischen gut ist. Die Geschichte ist länger als dieß; also auf ein andermal mehr davon.

103. Klopſtock an Caecilie Ambroſius.

Koppenhagen den 20. Febr. 1768.

Sie ſcheinen meinen letzten Brief nicht bekommen zu haben, in dem ich Ihnen allerhand von der Prinzeſſinn ſagte. Wenn ſich meine Kleine manchmal ein wenig an meine Stelle ſetzte; (denn ganz kann ſie das nicht) ſo würde ſie auch etwas davon wiſſen, was das für ein beklommener Zuſtand wäre, wenn man ein Mädchen wirklich ſo ſehr liebt, als ich Sie liebe; und doch, durch ſeinen Geſundheitszuſtand veranlaßt, ſo zweifelhaft iſt, was man zu thun, und nicht zu thun hat. Wenn Sie unſere Situation nicht in dieſem Geſichtspunkt anſehen; ſo erinnern Sie ſich meiner vorigen Briefe gar nicht, und ſind dicht dabey, mir ſehr Unrecht zu thun. Und das wollen Sie doch gewiß nicht. Briefe, wie Ihr letzter war, (ich habe ihn eben bekommen) greifen mich ordentlich an. Als wenn ich nicht wüßte, wie liebenswürdig Sie wären; und als wenn ich es nicht fühlte, wie ſehr Sie es mir ſind. Da haben Sie in dem Schleßwig herum triſettet; und dann ſchreiben Sie mir endlich auch einmal, und machen mir Vorwürfe, ſüße Vorwürfe zwar, aber doch immer Vorwürfe. Nicht ohne Anlaß mit dem Könige nach Norwegen zu reiſen, überdieß bey allerhand guten Urſachen es zu thun, reiſe ich gleichwohl nicht mit; und was wollen Sie denn nur . . ff . . =Geſicht?

Wenn Sie nur Ihre Briefe leſerlich ſchrieben (es läßt mir zwar eben nicht, dieſe Bitte zu thun, weil ich ſelbſt noch unleſerlicher ſchreibe), ſo könnte ich ſie auch fein bald leſen. Wiſſen Sie denn gar nicht, wie es einem geht, wenn man Briefe von einem ſüßen Mädchen bekömmt? Man will die Briefe auf einmal aufſchmauſen; und man würde ſie kaum gleich recht leſen können, wenn ſie gleich von einem Schreibmeiſter geſchrieben wären. Nun, klein dumm Ding, werden Sie doch von unge-

fähr errathen können, wie es einem geht, wenn Sie die Schreib=
meiſterin ſind ... Ich bekomme eben Beſuch und fortſchreiben
will ich freylich, aber ob ich Ihren Brief noch einmal werde
leſen können, um ihn ganz herauszubringen, das weis ich nicht,
ich meine zur Beantwortung leſen. Denn ſonſt leſe ich ihn ge=
wiß dieſen Abend noch einmal, und Morgen früh wieder. Denn
mein ganzes Herz liebt das Mädchen, das ihn geſchrieben hat
... Von Wegner habe ich immer geglaubt, daß er ein
Mann von Urtheil wäre; er iſt mir aber auch immer ein we=
nig ſtolz vorgekommen, und ſo was laß ich zwar auf eine ganz
höfliche Art paſſiren, bekümmere mich aber auch nicht viel um
die Leute, welche die angeführte Eigenſchaft, oder eine ähnliche
haben. Und dieß iſt mein Fall mit W. — Warum ſpotten Sie
denn manchmal über dieß und das, das unter ihrer Satyre iſt?
Glauben Sie ja nicht etwa, ſüße Kleine, daß dieß ein Vorwurf
ſeyn ſoll. Als ich noch in Ihren Jahren war, hielt ich auch
mehr der Satyre würdig, als jetzt . . Mit Z. glaube ich iſt
es nur Scherz, wenn er Ihnen geſagt hat, daß er eine andere
liebt, und dieſe andere diejenige iſt, die ich meine; ich bekam
mit Ihrem Briefe auch einen von ihm, der ganz kritiſch über
gewiſſe Anmerkungen zum Hermann war ... Nun fällt mir
wieder dieß und jenes ein, was Sie mir über den Triumph=
geſang in Vergleichung mit der Ode an meine Freunde geſagt
haben, und was ich Ihnen darauf geantwortet habe. Aber
wenn ich dann geantwortet habe, ſo ſchweigt die kleine liebens=
würdige Eisgängerin, nämlich juſt alsbann wenn nun die
Sache zu der Reife der Ausmachung gekommen iſt, und über=
haupt allerhand ſolche Sachen thut ſie, z. E. noch, wenn Sie
mir aus allerhand Geſchichtſchreiber Munde Schuld gegeben
haben, daß ich vielerley Liebeshiſtorien gehabt hätte, und ich
dann ganz ernſthaft darauf antworte, ſo ſchweigt das flüchtige

Mädchen, das nicht lange über Einer Sache seyn mag, hernach mausestill. Auf ein andermal von dieser und anderen Sachen und besonders auf Ihren letzten Brief mehr.

104. Klopstock an Caecilie Ambrosius.

den 26. März 1768.

Ich kann Ihnen nur sagen, daß ich entweder in den letzten Tagen des Aprils oder in den ersten des Mays mit der Geh. Räthin Bernstorff verreisen werde, wenige Tage nämlich vor dem Könige, denn es ist noch nicht ausgemacht, wann der König verreisen will. Aber dann kann ich Sie gleich wohl fürs erste nur kurze Zeit sehen. Denn ich muß die Geh. Räthin bis Vorstel begleiten. Wir bleiben vermuthlich wie gewöhnlich die Nacht bei dem Amtmann in Appenrade, und dann wechseln wir in Flensburg nur Postpferde. Aber das ist mir zu kurze Zeit. Was halten Sie also von folgendem Vorschlage.

Hat P. B. keinen Bekandten in Appenrade, zu dem er mit Ihnen reisen kann? So säh ich Sie den Abend in Appenrade und führe mit Ihnen nach Flensburg, und bliebe da so lange bey Ihnen, bis unser Postillon das drittemal bliese. Aber der gute Freund in Appenrade müßte ein Mann seyn, der nicht für nötig fände mich deßwegen mit vielem Gespräch zu unterhalten, weil ich mit der Geh. R. reiste; denn andere Ursachen der Unterhaltung wird wohl eben kein Appenrader haben. Herr B. muß dann so freundschaftlich gegen uns seyn, und mit dem Mann recht viel schwatzen, und wenn er Jungfer Töchter hat, die gar höflich sind, und viel Knikse machen, so will ich die Mädchen schon kriegen, ich will ihnen allerhand Liebeserklärungen machen, die freylich nicht sie, sondern nur eine gewisse Zuhörerinn angehen, und das Ding will ich so lange fortsetzen, bis sie endlich dem Herrn Papa und B. zuhören. Wenn Sie so lange getanzt haben, so müssen Sie sich fein hinlegen und schlafen, und weder plaudern noch Briefe schreiben, so angenehm diese Briefe auch gewissen Leuten seyn könnten. Merken Sie sich das! Ich fürchte daß, wann dieser Brief bei Ihnen ankömmt, Sie noch von den Glücksburger Schwärmereyen ausschlafen werden. Was weckt ihr mich denn? Laßt mich schlafen. Wenn ich diesen Nachmittag um 3 Uhr frühstücke, so erinnert mich daran, daß ein Brief da ist . . . Mädchen! Mädchen!

105. Klopstock an Caecilie Ambrosius.

den 5. April 1768.

Nun hab ich Hoffnung, Sie ein wenig länger, als ein Paar Stunden zu sehen. Der Geh. Rath Bernstorff wird ein Paar Tage in Schleßwig bleiben, und nicht, wie sonst von Flensburg nach Kiel reisen. Also wenn Sie nach Schleß= wig kommen könnten! Da wird denn freylich, besonders bey der Postmeisterin, wo Sie vermuthlich logiren werden, immer ein großer Schwarm Leute beyeinander seyn, und da wird man sich sehen, ohne sich zu sehen. Doch ich hoffe ja, daß sich Ge= legenheit finden wird, das Ding ein Bischen vernünftiger ein= zurichten. Das müssen Sie hübsch ausdenken, wie das zu machen ist, denn Sie kennen ja die Gelegenheit des Orts. — So ist mir es schon oft gegangen, wie mit dem Herrn, der neulich sein Herz mit meinem verglich. Er ist bisweilen zu mir gekommen. Es kommen viele Leute zu mir, das ist es alles. Wenn man ein wenig bekannt ist, so geht es einem fast, wie gewissen Frauenzimmern, die das Glück oder Unglück haben, die Mannspersonen vorzüglich aufmerksam zu machen, jeder weiß von ihnen zu erzählen, daß er sie kennt, und, wenn er ein we= nig eitel ist, so ist ihm die junge Dame nicht ganz ungewogen.

— Und dann seine Erzählung von meiner Cousine. Was das
wieder für ein Geschichtchen ist. Ich glaube, er hat mich ein
Paarmal mit ihr spaziren gehen sehen. Ich werde mich nun
daran gewöhnen müssen, alle Frauenzimmer brummisch anzusehen,
und sie, sobald sie ein Wort sagen, anzufahren, denn sonst bin
ich vor so feinen Bemerkungen nicht sicher. Warten Sie nur,
ich will es so einrichten, daß mich alle die leise und langsam
sprechenden Mädchen in Schleßwig für mürrisch halten sollen,
und weil ich Sie denn doch wenigstens in der Gesellschaft nicht
ausnehmen kann, so müssen Sie es natürlicher Weise auch so
finden, wenn man es sagt. Wir haben heut schon den 5. und
den ersten oder 2. May werde ich verreisen. Da sind wir
etwa den 6. in Schleßwig. Wenn nur gutes Wetter ist, daß
man spaziren gehen kann. So kann man doch ein wenig mit
einander reden. Wenn man zu Hause ist und spielt, so muß
ich Ihnen sagen, daß ich das lange Sitzen am Kartentische nicht
leiden mag. Ich spiele daher niemals. Nur Schach spiele ich.
Da kann man aufhören, wann man will. Können Sie Schach
spielen? Oder wollen Sie es von mir lernen? Wenn Sie nur
erst meine Schülerinn wären. Doch die Zeit ist nicht lange mehr
hin. Heute habe ich keinen Brief von Ihnen, Kleine, und Sie
haben doch gewiß viel weniger (zu thun) als ich, besonders jetzt.

106. Klopstock an Caecilie Ambrosius.

den 19. April 1768.

Meine süße Kleine. Nun reist die Geh. Räthin Bernstorff gar nicht, und nun kann ich nicht eher kommen, als im
Julius. Freylich ist das spät, aber wenigstens in dem Betrachte
desto besser, weil wir dann einander ohne alle den Kram sehen
können. Aber wie ist es zu machen, daß ich ein wenig, ohne
daß darüber gesprochen wird, bey Ihnen bleiben kann? Was für

Geschäfte kann ich vorwenden, die ich hört habe? Denken Sie ein wenig darüber nach. Vielleicht kömmt noch vor dem May ein junger Mensch, den ich sehr lieb habe, zu Ihnen. Er heißt Matt und ist kaiserlicher Legationssecretär. Dem sage ich, daß Sie meine Correspondentin sind, ohne daß ich Sie persönlich kenne, und daß ich viel Freundschaft (Freundschaft, Aff!) für Sie habe. Wie dieß Ding zusammenhängt, darüber könnt ich Ihnen zwar etliche Bogen schreiben; aber gleichwohl muß ich, weil doch Briefe allerhand Gefahr ausgesetzt sind, kurz seyn. Die Sache ist gar keine Kleinigkeit, süßes Mädchen. Es kömmt auf nichts geringeres an, als einen Plan zur Unterstützung der Wissenschaften an den Kaiser zu schicken. Der Gesandte, der ganz dafür ist, nimmt ihn mit nach Wien. Die Sache ist so ernsthaft, daß ich Sie bitte, Gott mit mir dafür zu danken, daß ich diese Veranlassung habe, so vieles für die Wissenschaft, und durch sie, wie ich hoffe, auch für die Religion zu thun.

Ich will mit meiner Kleinen nicht zanken, daß sie mir nicht geschrieben hat, ob mir gleich Ihre Briefe so viel Freude machen. Ich schreibe nicht mehr, weil ich noch an dieser wichtigen Sache zu arbeiten habe. Sie können das Nicht-Schreiben durch nichts als dadurch wieder gut machen, daß Sie nicht von Wien, sondern von mir mit Matt sprechen. Da will ich schon mit der Zeit etwas von zu hören kriegen, ob Sie das gethan haben.

107. Klopstock an Caecilie Ambrosius.

Bernstorff, den 13. May 1768.

Ich habe Ihren süßen, schwärmerischen Brief eben gelesen, den ich aber nicht ganz verstehe. Ich weis z. E. nicht, was von Gleim und Jacobi für Briefe heraus sind. An den denken die Mädchen niemals, selbst mein süßes Mädchen denkt niemals

daran, daß man nicht verpflichtet iſt, Sachen zu errathen, b— ſie
unmöglich ſind errathen zu werden. — Es iſt mir ſehr ve—
brießlich, daß Sie die 6 Bogen des XI. Geſanges nicht bekom—
men haben. Aber warum ließen Sie denn auch nicht, aufpaſſe—
Ich warnte Sie ja, daß der Gr. W. wohl ſo durchwiſchen kann
wenn Sie das nicht thäten. Ueber eine Sache habe, ich L—ſt
mit Ihnen zu zanken, und die iſt, daß Sie mir kein Wort ü—er
das, was ich Ihnen anvertraut habe, geſagt haben. Denn ich —oll
doch nicht etwa von Ihnen vermuten, daß Sie von der Wichtigkeit dieſer Sache anders denken, als ich? — Wenn Ihr Bruder
recht geſehen hat, ſo war dieß ein Brief, der mich auf einige
Zeit, vielleicht noch weiter von Ihnen entfernt. Die Sache iſt
kurz dieſe: Ich habe vor einiger Zeit Luſt gehabt, mit dem
K(önig) zu reiſen; hernach hatte ich keine Luſt mehr, und ich
war völlig zu dem Nichtreiſen entſchloſſen. Aber der Geh. Rath
Bernſtorff will es noch, wenn es nämlich auf eine Art geſchehen
kann, die Ihnen und mir gefällt; und um Seinetwillen, wi—
ich es nun auch wieder. Ich glaube, daß ich Ihnen nächſten
Poſttag ſchreiben kann wie die Sache geht . . . .

108. Klopſtock an Caecilie Ambroſius.

Bernſtorff den 21. Juni 1768.

Mein Aufenthalt auf dem Lande, dieſe und jene kleine
Reiſe, die ich bisweilen thue, machen, daß ich auch meine liebſten Briefe oft ſpät bekomme. Wie mag ſich meine liebe Kleine
auf der Hochzeit ruinirt haben. — Ich fühle ſehr, daß Sie
mir von meiner Reiſe nicht ſchreiben möchten, ſo wie ich es
fühle, daß ich auch nicht mag. Der Erfolg von dieſer Reiſe
würde ſeyn, daß wir beyde betrübter würden. Und ach,
Sie ſcheinen manchmal nicht recht zu wiſſen, wie nah mir nur
der Gedanke daran geht. Ich habe aus Ihrem Briefe nicht

sehen können, in welcher Gegend der Welt die Laube ist, in der ich so gerne mit Ihnen seyn möchte. Aber das habt ihr Frauenzimmer, (bey dieser scherzhaften Gelegenheit sag ich ihr Frauenzimmer) das habt ihr Frauenzimmer an euch, daß ihr glaubt, man weis gleich alles, woran ihr denkt, ob ihr euch gar nicht die Mühe genommen habt zu sagen, wovon die Rede ist. Das ist mir sehr oft mit Ihnen so gegangen. Und wenn ich denn frage; so bekomme ich manchmal ein Wörtchen darauf zur Antwort; und oft muß ich in meiner Unwissenheit bleiben.

Und die Briefe von Gleim und Jakobi haben Ihnen so sehr gefallen? Diese vielen Tändeleyen gefallen Ihnen doch nicht in allem Ernste? Denn so müßte Ihnen ja auch das ganze Unwesen mit diesem Amor gefallen. — Undankbarer, werden Sie sagen. Nicht undankbarer sage ich, weil ich meiner Kleinen alles sagen darf, was ich denke. Aber thun Sie dieß auch? Geschwinde die Hand aufs Herz, obs pocht. Ohne Beziehung auf diese Untersuchung, warum denn kein Wort weiter von dem Domherrn? Warum denn kein Wort von einer gewissen Sache, die ich Ihnen anvertraut habe? Ist es Ihnen denn gleichgültig, wie es damit gehe? In Ihrem nächsten Briefe will ich wenigstens wissen, wie viel Bogen Sie vom Messias bekommen haben, damit ich Ihnen die folgenden schicken kann, und Sie die gar schöne Frage anbringen können: mit welcher Gelegenheit Sie sie zurückschicken sollen? Was hatte ich Ihnen denn gethan, Aff, daß Sie in dem Augenblicke der Frage so spöttisch gegen mich waren.

109. Klopstock an Denis.

Bernstorff, den 22. Juli 1768.

Matt wird Ihnen vor einiger Zeit ein Paar Worte von mir gesagt haben, und unter andern, daß ich Ihnen bald zu ſchreiben gebächte . . . . Sie haben mir durch Ihre Nachricht, daß noch illyriſche Barden durch die Ueberlieferung exiſtiren, eine ſolche Freude gemacht, daß ich ordentlich gewünſcht hätte, daß mir Ihr Oſſian weniger gefallen hätte, um Sie bitten zu können, ihn liegen zu laſſen und dieſe Barden zu überſezen. Ihre Nachricht konnte zu keiner gelegenern Zeit kommen. Sie traf mich mitten in der Unterſuchung einiger alten deutſchen Fragmente an. Denn ich habe vor, eine kleine Sammlung davon herauszugeben. Unter andern hat mir eine Entdeckung (es iſt ſonderbar genug, daß ich es ſo nennen kann) nicht wenig Freude gemacht. Ein ſächſiſcher Dichter (ich rede von Wittekinds Sachſen) hat unter Ludewig dem Frommen ſo gut geſchrieben, daß von ſeiner Zeit an bis zu der Reformation mir kein deutſcher Scribent vorhanden zu ſein ſcheint, der ihm gleicht. Es iſt eine poetiſche Umſchreibung der Geſchichte Chriſti. Ich bin jetzt dahinter her, eine Abſchrift der einzigen Handſchrift, die, und zwar nicht bei uns, ſondern in England übrig iſt, zu bekommen. In meiner Vorrede werden Sie mehr von ihm finden. Ich vermuthe, daß Sie einige Kleinigkeiten in Ihrer zum Oſſian ändern werden, wenn Sie Macpherſon von den Alterthümern der Hochländer geleſen haben werden. Wenn Rhabani Mauri deutſches Gloſſarium in der kaiſerl. Bibliothek iſt, ſo bitte ich Sie um einige Nachricht davon. Ueberhaupt wird mir jede Nachricht, die Sie mir von alten deutſchen Handſchriften geben können, ſehr angenehm ſein. Man muß nur ſuchen, man findet oft mehr, als man denkt. Es war mir eben ſo unvermuthet, als Ihnen meine Nachricht davon ſein wird, daß ich einen Angelſachſen gefunden habe, der in den wenigen Stellen, die ich von ihm kenne, Milton iſt. Es iſt eben der Inhalt. Satan redet, da er eben in der Hölle angekommen iſt, und die Hölle antwortet ihm. — Aber ich will auch einige Blumen aus Ih-

rem illyriſchen Kranze in meine Sammlung haben. Nehmen
Sie das Beſte unter den allerälteſten, laſſen Sie den illyriſchen
Text mit lateiniſchen Buchſtaben auf die eine Seite, und eine
völlig wörtliche Ueberſetzung auf die andere ſchreiben. Laſſen
Sie den Ueberſetzer ja genau verfahren, und unter andern nichts
verſchönern wollen. Denn er muß ſich vor mir in Acht nehmen.
Eh man ſichs verſieht, verſtehe ich auch illyriſch. Denn hören
Sie nur an, was für ein Sprachgelehrter ich bin. — Im go-
thiſchen und der höheren poetiſchen Sprache der Angelſachſen
könnt' ich, freilich auch beßwegen ſchreiben, weil ich niemand
kenne, der mir ſpitzfindige Anmerkungen machen könnte. In der
Sprache des Sachſen werde ich eheſtens einige dithyrambiſche
Strophen machen. Sie klingt vortreflich. Ach, daß wir ſie
verloren haben! Der cimbriſchen Sprache bin ich zwar eben nicht
ins Cabinet gekommen, aber ich habe mich doch ſchon ſo oft
in ihrem Vorzimmer aufgehalten, daß ich bald im Stande ſein
werde, einige beſſere Lesarten der Volu-Spa zu finden, als man
hat. In der frieſiſchen Sprache bin ich leider! noch in crassitie
Ignorantiae. Doch läßt ſich meine Urſache ſo ziemlich hören.
Ich habe nur etwa erſt zehn frieſiſche Wörter aufjagen können.
Gleichwohl iſt auch ſie mir ein Beweis, daß man in sing y an
das zweite gothiſche w, wie Ypſilon, leſen müſſe. Darinn hat
ſelbſt unſer Franciscus Junius gefehlt, und Ihrem laure
ich jetzt auf, ob er auch w haben wird. In dem Celtiſchen war
ich auch ſchon ziemlich weit, aber es erklärt uns nichts; und da
ließ ichs. Ihnen ins Ohr. Macpherſon (mit dem ich cor-
reſpondire), verſteht entweder Oſſians Quantität, oder das
Sylbenmaß überhaupt nicht genug. Wenn Sie mir wahrſcheinlich machen können, daß die illyriſchen Barden wenigſtens halbe
Deutſche waren, ſo bekömmt der Ueberſetzer einen ſchweren Stand
mit mir, wenn er falſch, nur ein wenig falſch überſetzt.

Ihrem Erzbiſchof bin ich nicht mehr gut. Warum ſe
denn der reiche Mann keinen Preis zur Findung der Barde
aus? Aber Sie dürfen ihm wohl nicht den zehnten Theil ſo
ſo etwas ſagen. Das iſt nicht gut. Wir Gelehrte müſſen we
nigſtens im Stande der Gleichheit leben. — Laſſen Sie mi
ja nicht lange nach den halbdeutſchen Barden ſchmachten. Si
ſehen wohl, daß ich große Luſt habe, dieſes halb zu vermuthen
Wiſſen Sie auch (ich plage Sie recht), was ich noch von Ihnen
wünſche? Eine genaue hiſtoriſche Entwickelung, wie es mit der
mündlichen Ueberlieferung bei ſo vielen Zerrüttungen der Nation
hat zugehen können — zugegangen iſt, wollte ich ſchreiben. —
Ach daß unſer große Franke, Karl, ſeinen liebwerthen Prinzeſ
ſinnen Töchtern ſo vieles nachzulaſſen für gut fand! Dem
hätt' er dieſe Schwachheit nicht gehabt, ſo hätte er ſeine Büche
nicht für die Armen verkaufen dürfen. Verzeihen Sie mir mei
Vielerlei durch einander. Aber das iſt nun einmal meine Ge
wohnheit, daß ich in Briefen an Freunde alles ſo hinwerfe, wi
es kommt. Leben Sie recht wohl, und ſchreiben Sie mir bal
wieder. Grüßen Sie mir ja meinen kleinen Grafen Bathian
vielmal von mir. Wenn er nur nicht von Hunnen herſtammte
ſo wär alles gut. Aber Heinrich, der in Hermanns Geburts
lande begraben liegt, hat ihnen ihre Sache ja gewieſen. Pate
Keppler-Hell hat mir ſehr gefallen. Ich beneide ihn wege
ſeiner Aſtronomie. Das nenne ich Wiſſenſchaft und das ei
Wiſſen, wie er ſie weiß.

Klopſtock.

P. S. In mein Vielerlei gehört noch, daß ich in Spanie
einen guten Commiſſionär habe, der mir eine Abſchrift von den
alten Teſtament des Ulphila, wenn es anders, wie ich doch
glauben kann, noch da iſt, verſchaffen wird.

110. Klopstock an Caecilie Ambrosius.

Koppenhagen den 15. Oct. 1768.

Ich bekam Ihren letzten Brief erst den vorigen Posttag, da die Post schon fort war. Sie machten nur einen undeutlichen Anfangsbuchstaben von dem Namen deffen, an den Sie geschrieben haben. Ich bin auf die Vermutung gefallen, daß es Leisching oder Carstens wäre. Ich überließ es Ihrer eigenen Entscheidung, ob Sie recht daran gethan haben, oder nicht. Warum sollt ich es Ihnen nicht verzeihen, besonders da Sie mir es selbst gesagt haben? Warum antworten Sie mir denn auf einen Punkt nicht, von dem ich Ihnen nun schon das zweitemal geschrieben habe, nämlich: Ob Ihr Herz (izt?) eben der Gesinnungen fähig ist, die ich bey meiner ersten Liebe hatte?

Noch Eins, davon ich Ihnen schon mehr als Einmal habe schreiben wollen: Ich vertraute Ihnen, weil ich nichts Geheimes vor Ihnen haben mochte, eine gewisse Sache, die mir höchst intereffant war, an, und die mit der Reise des Kaiserlichen Gesandten connexion hatte. Ihnen war sie also nicht intereffant, und gleichwohl war sie es mir so sehr! Wenn jenes gewesen wäre, so hätten Sie mir gewiß ein Wort davon geschrieben. Ich kenne doch die Liebe auch ein wenig, und weis, daß sie sich für alles zu interessiren pflegt, was den Geliebten angeht. Und sie ist ja dafür bekannt, ich möchte fast sagen, beschrien, daß sie dieß ihr Interesse bis auf die geringsten Kleinigkeiten ausbreitet; und vollends, wenn die Sachen so beschaffen sind, daß sie auch andern wichtig vorkommen.

Doch ich will über Ihre Gesinnungen in Betrachtung dieser Sache, nichts eher entscheiden, als bis Sie sich werden darüber erklärt haben.

111. Klopftock an Caecilie Ambrofius.

Koppenhagen den 10. Dec. 1768.

Künftig hoffe ich, foll es fich nicht leicht wieder zutragen,
daß ich es fo lange auffchiebe an Sie zu fchreiben. Und Sie
wiffen es doch, denke ich, in welchem Grade ich Ihr Freund
bin. Es ift eine nicht wundelofe Situation, daß ich mich der
Empfindung, Ihnen hierüber noch mehr zu fagen, nicht über-
laffen mag.

Alfo aus purer Zurückhaltung haben Sie mich nicht fragen
wollen, was hinter dem Vorhange vorgeht?

Ich kann Ihnen heute, wegen Kürze der Zeit, nur etwas
davon fagen. Ich habe theils auf Veranlaffung des Gefandten
Grafen Wallsperg und nach vielen warmen Unterredungen
mit demfelben, an den Kaifer (der mir nach allem, was ich von
ihm gewiß zu wiffen glaube, fehr liebenswürdig vorkommen muß)
einen Plan überfchickt, die Gährung in welcher jetzt die Wiffen-
fchaften in Deutfchland find, durch eine fich herausnehmende und
neue Unterftützung zu vermehren. Das eigentlich intereffante
für Sie würde feyn, diefen Plan felbft zu fehen. Denn es
kömmt noch mehr auf die Art, mit der man die Sache thut,
an, als auf die Sache felbft, wenn fie nur eben fo hingefchähe.
Ich glaubte diefen Plan auch durch feine Form angenehm machen zu müffen. Und dieß glaub' ich dadurch gethan zu haben,
daß ich ihn als ein Fragment aus der Gefchichte des XIX.
Jahrhunderts vorgetragen habe. Die Sache war alfo fchon gefchehen und hatte den und den Erfolg gehabt. Einige wichtige
Erläuterungen ftehen in einem nicht kurzen Briefe an den Fürften
Kaunitz. Und einige wenige Zeilen in einer Zufchrift von
Hermanns Schlacht an den Kaifer enthalten eine Art der Ankün-
digung deffen, was gefchehen foll. Unterdeß daß diefe Sache
reiften, und ankamen und da waren, war der Kaifer in Un-

garn und Böhmen, und wollte selbst sehen, ob seine Armee
furchtbar genug wäre, die erste in Europa zu seyn. Bald nach
seiner Zurückkunft erhielt ich die Nachricht, daß der Kaiser mei=
nen Plan angenommen hätte. Diese Nachricht war ein rechtes
Fest für mich, und ist es noch oft.

Aber ich liege mit der Ungeduld eines Seemanns, der nach
der Schlacht dürstet, vor Anker, und warte auf die Jagd, welche
mir den Befehl bringt, wenn, und wie ich schlagen soll. Das
Wie ist von mir in dem Plane (dieß Ihnen ganz leise in's
Ohr, so leise, daß ich Sie bitte, diesen Brief zu verbrennen)
so ziemlich bestimmt, und ich hoffe an den künftigen Bestim=
mungen auch nicht ohne Antheil zu seyn. Hermanns Schlacht
ist schon gedruckt, und der Herausgeber wartet nur auf die Zu=
schrift. Mit dieser Herausgabe wird der Anker gelichtet. Die
Sache kann viel wichtige Folgen haben, und ich danke Gott,
daß er sie nun schon so weit hat gelingen lassen. — Die Fort=
setzung des Messias kann ich nun erst mit künftiger Sonn=
abendspost schicken.

112. Klopstock an Caecilie Ambrosius.

Koppenhagen den 25. Dec. 1768.

Allerdings, meine liebe Kleine, glaubt ich Ihnen neulich eine
Freude zu machen; und auch heut, denke ich, wird mirs gelingen
es zu thun. Gestern Abend bekam ich Briefe von Wien, und
die enthielten die wiederholte Versicherung, daß der Kaiser die
Zuschrift von Hermanns Schlacht auf die edelste Art von der
Welt aufgenommen hätte, und daß ich sie nun bald würde
drucken lassen können. Sie werden mit der Art der Aufnahme
auch zufrieden seyn, wenn ich Ihnen noch sage, daß mir der
Kaiser sein Porträt mit Brillanten giebt. Es ist mir unmög=
lich Ihnen heute mehr zu schreiben.

113. Klopſtock an Ebert.

Koppenhagen den 18. Febr. 1769.

Ich hätte freilich noch viel mit Ihnen darüber zu zanken, daß Sie den vorigen Sommer nicht zu uns gekommen ſind; aber ſie ſchwatzen dann, wenn man Ihnen gerechte Vorwürfe macht, ſo viel, daß es Ihnen am Ende wohl ſelbſt vorkommen mag, daß Sie ſich Wunder wie gründlich vertheidigt hätten. Und warum ſollte man Sie eben aus dieſem ſüßen Schlafe aufwecken wollen. Alſo nur:

Eya Popeya!
Schlaf, Kindchen ſchlaf!
Dein' Selbſtlieb iſt ein Schaf u. ſ. w.

Gärtner und Janſen ſagen Sie, daß ich ihre Briefe vor 8ten erhalten hätte. Ich hoffte Ihnen bald zu ſchreiben.

Ich ſchreibe ihnen heute vornämlich wegen einer Sache, deren gute Ausrichtung ich Ihnen völlig zutraue. Denn wenn ich nicht dieſes große Zutrauen hätte, ſo müßte ich ſelbſt ſchreiben. Ich denke nun Hermann's Schlacht bald herausgeben zu können. Sie werden von Bode ein Exemplar bekommen, e dem Erbprinzen in meinem Namen zu übergeben. Es geſchieh dieß aus einer ſehr wahren, und eben ſo freyen Verehrung, und ohne alle andre Abſicht, als ſie auf dieſe Art zu bezeigen. Ich habe niemals einem unſrer Fürſten etwas von meinen Arbeiten überſchickt. Dieß iſt der Hauptinhalt von dem, was Sie bey der Uebergebung zu ſagen haben. Sie ſehen meine Geſinnung bey der Sache. Und von dieſer Geſinnung können Sie, wenn ſich etwa der Erbprinz Herm. Schl. von Ihnen vorleſen ließe, und ihm die Barden nicht mißfielen, noch hinzuſetzen, daß ich, in jenen alten Zeiten, hinter Ihm in der Schlacht geweſen ſeyn würde, um den Inhalt meiner Barbite in der Nähe zu ſehen — Ich will doch hoffen, daß Sie wiſſen, daß dieſe Nähe di

Pflicht der Barden war und doch redete ich vorher eben nicht von der Pflicht, sondern von Neigung, bey solchen Anläßen näm= lich. — Nun ich verlasse mich steif und fest auf Ihre gute Ausrichtung, ob mir gleich, selbst auch in dem Augenblicke dieses Zutrauens, sonst allerhand Böses gegen Sie einfällt, unter andern diese und jene Vermutung von relicta non bene parmula, wenn Sie nämlich andre gute Leute, Gärtner und ich z. E. etwa über= redet gehabt hätten, auch ein wenig von vorherbenannter Nähe zu kosten. Bitte, nicht übel zu nehmen, lieber Ebert

Ihr Klopstock.

114. Klopstock an Ebert.

Koppenhagen den 5. May 1769.

Wenn man so vielen Vorwürfen als Sie mir machen, lieb= ster Ebert, endlich einmal für allemal das Maul stopfen will, und sich daher wohl entschließen muß, sich in die große Lauf= bahn eines langen Briefes hineinzubegeben; so thut man, wie mich deucht, recht wohl, wenn man gleich nach dem Entschlusse anfängt, und hernach zusieht, wie man weiter kommt. Zur Sache, und zwar ohne alle weitere Ordnung, als ich sie in ih= rem Briefe vor mir finde. — Letzte Ausgabe des Messias. Ich studire sogar schon auf Lettern, Format, und auf eine Cor= rectur wie H. Steph. Bücher zu haben pflegen, ohne Einleitung, Inhalte, Zahl der Verse. Das sind freylich Nebensachen; aber zur Hauptsache habe ich schon lange Anstalt gemacht, und fahre oft damit fort. In meinen Exempl. wimmelts von Glättung, Wegglättung, vornämlich in Absicht auf das Sylbenmaß, und dann auch des Ausdrucks. Am Inhalte, dünkt mich, hab ich eben nichts zu verändern. David hat von den drey letzten Bänden, auch schon zwey bekommen. Cedo tertiam, sagen Sie mit Plautus und Moliere. Nun, was wollen Sie denn? Sag

ichs denn nicht auch? Dem König fehlen, was die beyden ersten
Acte anbetrifft (ich weis nicht, ob er Acte behält) fehlen nur
zwey Hände; aber der letzte Act fehlt ganz. Doch fängt er
schon an beinah bis zum Abfallen reif bey mir zu werden. Die
Fürsten (Sie können nichts anderes meinen, als Herman und
Fürsten) sind, mich deucht, bis auf das letzte Drittel fertig.
Hiervon weiter nichts. Denn um mit Siegmar zu reden, man
sagt nicht, was man thun will; man thut. Das Sylbenmaß. Nun das gedeihet immer weiter und weiter. Ob ich
gleich eigentlich nur von der Kunst des Verses rede, so kommt
doch nun auch unsre Prosodie hinein. Ich habe sie sehr ins
Kurze gebracht. Wenn mir Macpherson Wort hält; so bekomme ich einige alte Melodien nach Osfian, in unsre Noten
gesezt; und so kann ich auch vielleicht etwas nicht unwahrschein-
liches von dem Rhythmus der Barden sagen. Ich werde zwar
was ich von dem isländischen und angelsächsischen Sylbenmaße
weis, nicht unberührt lassen, aber dieß ist doch nicht genug um sagen
zu können, auf diese und diese Art war der Rhythmus der germa-
nischen Völker von dem griechischen unterschieden. Sehen Sie,
bin ich nun nicht die literarischen Punkte ihres Briefes sehr ordentlich durchgegangen. Und ich will Ihnen gar noch etwas
obenein geben. (Denn mich deucht, ich habe gegen Sie noch
nie etwas hiervon erwähnt.) Ich habe durch mancherley Hülfe,
unsre niedersächsische Sprache, wie sie zur Zeit Ludewigs des
Frommen war, gelernt. Sie existirt allein in einem Werke, dessen
einziges M. S. in Museo Britannico ist, und das mir der König abschreiben läßt. Ich werde dieß unter folgendem Titel herausgeben: „Die Geschichte des Erlösers, durch einen christlichen
Dichter bald nach Witekinds Barden." Ich gebe es zwar vornämlich heraus, um uns den Reichthum unsrer Sprache recht
kennen zu lehren; aber es hat auch seine poetischen Schönheiten.

und nicht wenige. Die Fragmente, die ich jetzt davon besize, habe ich schon bearbeitet, nämlich übersezt, fast wörtlich, versteht sich, und Anmerkungen dazu gemacht, kurze, (versteht sich ebenfalls) und wie ich mir schmeichle, auch gute. Ich werde einige angelsächsische und fränkische Fragmente beyfügen. — Sie haben mich durch Ihren Gedanken, etwas von meinem Leben zu sammeln, wieder an die und jene falsche Nachricht, die ich hier von mir gefunden habe, erinnert. Vielleicht schreibe ich einmal ein paar Worte von meinen Arbeiten für meine Freunde auf, zu dem Gebrauche, den sie davon machen wollen. — Das war ja ganz und gar meine Instruction nicht, mein Herr Ambassadeur, daß Sie meinen Brief dem E. P. lesen sollten. Denn er war ja nur so hingeschrieben, wie ich meine Briefe zu schreiben pflege. Ich hoffe, daß Bode Ihnen den Hermann nun bald soll schicken können. Wenigstens ist Alles bis zum Abdrucke der Zuschrift fertig. Diese Zuschrift betreffend würd ich Ihnen allerhand zu erzählen haben, wenn es nicht so viele Anschwärzer ehrlicher Leute gäbe, die z. E. von Ihnen sagten, daß Sie, um mich mit Horaz ein wenig urban auszudrücken, pellucidior vitro wären. Man weis nicht, was künftig etwa geschehen kann, wenn ich erfahren sollte, daß die pelluciditas oder wollen Sie lieber pelluciditudo, oder pelluciditamentum ein wenig angelaufen sei. Doch angelaufen, oder nicht; so kann ich Ihnen gar wohl erzählen, daß bald ein Kaiserl. Gesandter hier durch auf den Reichstag in Schweden geht und mir von dem Kaiser ein Medaillon mitbringen wird, auf dem des Kaisers Brustbild mit Laubwerk und Steinen eingefaßt ist. So lieb mir dies auch ist, so ist es doch ganz und gar die Hauptsache nicht; denn es gehet nur mich an. Unterdeß hab ich von der Hauptsache auch recht gute Hofnung. Aber ich bin in keiner Sache gern Vorausssprecher. Drum sag ich weiter nichts davon.

Der kleinen Hantelmann erinnere ich mich sehr wohl.
Richten Sie mir ja genau aus, was ich Ihnen hiermit an fü
auftrage.   Die abgeschnittene zinnerne Uhr, und die Aufmunte:
rung französisch zu lernen hätt ich zwar vergessen gehabt; aber
nicht unsern Abschied über die Weser. Das kleine Ding (ich
denke sie mir noch immer, wie in Pyrmont) weinte und ich
weinte auch.   Wie ich wieder über die Weser war, hätte ich
beinahe mit meinen Husaren die Nacht im Walde zubringen
müssen. Denn wir hatten uns auf den Holzwegen verirrt. Sie
wissen wohl, daß ich ein guter Wegfinder bin. Wir kamen also
endlich nach Pyrmont.   Als ich das letztemal in Braunschweig
war, wollte ich sie besuchen; aber sie war, mich deucht an eben
dem Tage, mit ihren Aeltern nach Hannover verreist. Sie ha
mir einmal geschrieben, und ich habe ihr nicht geantwortet. Ver
läumden Sie mich hier immer so sehr Sie können, und sager
ihr, was ich für ein Nichtschreiber bin. Was ich ihr am aller
wenigsten vergessen werde, ist ihre Betrübniß, mit der sie die er
dichtete Nachricht erfuhr, daß ich mit dem Pferde gestürzt wäre
Blut spie, und wohl schon todt seyn würde. Und wie sie mich
empfing, da ich lebendig zurückkam, und wie sie zu dem, der
ihr die Nachricht gegeben hatte, sagte: Niemals, niemals wert
ich ihnen das verzeihen! Dafür, Ebert, (fassen Sie meinen Auf.
trag fein deutlich) bringen Sie ihr von mir die schönsten Blu
men, die der Frühling hat. Es müssen nicht wenig seyn, und
Sie müssen sie mit dem Auge eines Kenners (ich will ja hoffen,
daß Sie das sind) auslesen. Sie habens doch recht verstanden!
Sehr schöne Blumen, und viele.

Ihr Klopstock.

Ich sehe beym Durchlesen, daß ich nichts von den Oben ge:
sagt habe. Sie warten auf den Guß neuer Lettern, die ich und
Preisler gemacht haben, und die Ihnen, wie ich denke, gefallen

sollen. Es sind noch ein paar neue hinzugekommen z. E. Unsre Sprache. — Doch endlich auch genug.

115. Klopstock an Caecilie Ambrosius.

Koppenhagen den 6. May 1769.

Ich sehe aus dem, was Sie mir vom Messias schreiben, daß es Ihr Buchbinder versehen hat. 4 Blätter sind umgedruckt, und da hat er die alten gebunden. Das neubrucken geschah wegen der schlimmen Druckfehler Ewigkeiten Ewigtobten. Ich rathe Ihnen daß Sie sich die 8te Ausgabe anschaffen. Ich vermute daß Sie die Quantität unsrer Sprache, ich meine die Länge und Kürze der Sylben größtentheils wissen; und da haben Sie gar keine Schwierigkeit die Verse richtig auszusprechen. Bilden Sie sich ja nicht mehr Schwierigkeiten bei diesem geringern Theile der Declamation ein, als dabei ist „die Schmerzen Marias sind kleiner als Eloas, Eloas Schmerzen sind für sie wie Unendlichkeit" — „Brami ist Benjamin, Rahels Sohn, mit dem sie in der Geburt starb" — „Der siebenarmige Strom," der Nilus. Das haben Sie recht gemacht, daß Sie so hübsch verschwiegen gewesen sind, daß man Ihnen Sachen erzählt, die Sie lange hätten erzählen können. Es ist kein Gemälde, wie ich anfangs dachte, und denken mußte, sondern ein Medaillon, worauf das Brustbild des Kaisers ist, mit Laubwerk von Brillanten umgeben. Ein Gesandter des Kaisers, der hier durch nach Schweden geht, wird mir es mitbringen. Vielleicht ist schon itzt die Jagd unterwegs, die mir den Befehl bringt meine ersten Anker zu lichten. (Ich komme zu dieser Metapher zurück weil sie Ihnen schien gefallen zu haben.) Sie werden vermutlich schon in Hamburg seyn, wenn Herm. Schlacht herauskommt. Wenn Sie dann Lust haben, sich an unsre Metapher zu erinnern, so können Sie sich immer, wenn Sie Hermann mit der Zuschrift sehen, ein

Schiff von der Linie in vollem Segeln vorstellen. Ich bi
mir doch ein wenig Nachricht aus, wie viel Kanonen Sie glaube
daß es führt?

Ich bat Ebert vor einiger Zeit, daß er dem Erbprinze
von Braunschweig von mir sagen möchte, daß ich noch nie einer
unsrer Fürsten eine Arbeit von mir zugeschickt hätte, und daß e
der einzige sey, dem ich den Herm. zuschicken wollte. Und wa
hat Ebert zu thun? Da geht er und liest meine ganzen Brief
dem Erbprinzen vor.

Doch ich kann Ihnen ja die Antwort an Ebert nur bey
legen — — Sie müssen Sie aber mit der ersten Post fort
schicken. Die kleine Hantelmann war damals noch nich
zwölf Jahr alt. In Eberts Briefe hatte sie mich sehr freund
schaftlich grüßen lassen. Zum Verständniß meines Briefes ge
hört noch, daß ich ihr einmal eine zinnerne Uhr, auf die (sie
stolz war, unversehens abschnitt und sie wegwarf. Ich kan
Ihnen nicht sagen, wie sie mir entgegenlief, als sie mich lebendi
sah, und mit welcher Miene sie mit ihren kleinen Füßen niede
stampfte, als sie dem Briefschreiber (denn man hatte ihr in mei
nem Namen geschrieben) sagte, daß sie ihm nie verzeihe
würde.

Cedo tertiam die dritte her! pelluc. vitro durchsichtiger al
Glas, aus dem Horaz.

116. Klopstock an Caecilie Ambrosius.

Bernstorff den 1. Aug. 1769.

Ich habe mehr als einmal Briefe von Ihnen erwartet, d
Sie in Hamburg waren. Wenn ich ein Zänker wäre; s
würd ich Sie fragen, wie es zugegangen ist, daß ich keine be
kommen habe? Ich wollte, daß Sie hätten dort bleiben können
Könnten Sie es nicht von neuem bey Ihrem Vater in Vor

schlag bringen? Wenn Sie es nicht auf einmal zu lebhaft ver=
langten, so ginge es vielleicht . . . Meine Freunde in Ham=
burg haben, wie ich jetzt sehe, es mit einer Art Gewißheit ge=
glaubt, daß ich diesen Sommer nach Deutschland reisen würde,
und dieß ist doch nur in dem Fall meine Meinung gewesen,
wenn es nötig seyn würde, ein wenig weiter jenseits der Elbe
zu reisen. Aber dieser Fall existirt noch nicht.

Wenn ich Ihnen erzähle, daß ich seit kurzem eine Cor=
respondentinn, die in London lebt, bekommen habe; so rathen
Sie gewiß nicht, was . . . ich Ihnen weiter zu erzählen habe.
Nun legen Sie das Blatt weg, und suchen Sie, ob Sie rathen
können. Ich setze mich an Ihre Stelle, und rathe: Eine En=
gelländerinn liest den Messias, und hat die Phantasie, dem Ver=
faßer zu schreiben. Gehorsamer Diener! Meine Corresponden=
tinn heißt Angelica, und so pflegen Engelländerinnen nicht zu
heißen. „Eine Italienerinn also.“ Noch einmal gehorsamer Diener,
Sie heißt Angelica Kaufmann. „Eine Deutsche also?“
Getroffen! „Und was schreibt Sie Ihnen denn?“ Wissen Sie
denn nicht mehr, daß Sie es errathen sollen? „Nun quälen
Sie mich nur nicht so. Ich kanns ja nicht errathen.“ Sie
schreibt mir, daß sie meine Freundinn ist, daß sie mir eine Ge=
schichte aus dem Messias, daß sie, was ihre Vorstellung anbe=
trifft, die sie sich von Oßian macht, diesen, und was sie selbst
anbetrifft (nun was denn mit diesem allem? sagen Sie) kürzer
also, daß sie mir eine Geschichte aus dem Messias, den Kopf
von Oßian, und ihr eigenes Porträt mahlen will. „Nun das
ist mir doch lieb, daß ich es endlich errathen habe,“ sagen Sie
ferner. Freylich errathen; aber Eins haben Sie doch noch ver=
geßen, nämlich, daß sie eine so gute Mahlerinn ist, daß ihr
die Herren Großbritannier 50 Guineen für ein Porträt bezahlen.
Ich bitte noch ferner zu errathen, wie diese Correspondenz ange=

fangen hat. Ich bin sehr mit Ihren Nachrichten von unseren
Hamburger Freunden zufrieden. Wenn Sie mir mit der Zei
einmal auch ein wenig umständlicher schreiben mögen, wie Si
in Hamburg so recht eigentlich gelebt haben, so machen Si
mir kein kleines Vergnügen.

Ich habe das Geschenk des Kaisers vor kurzem bekommen,
eine Medaille mit Brillanten. Das Brustbild (welches sehr
ähnlich seyn soll) ist mit Laubwerk umgeben, und über demselben
eine Krone. Dieß alles ist sehr hübsch gearbeitet, und nimm
mehr Raum ein, als die Medaille selbst. — Was das für Vor
würfe sind, als wenn ich nicht vorzüglich Ihnen viel vor
gewissen Sachen geschrieben hätte? Ich muß den Brief zumachen
die Post will fort. Sie schreiben mir doch bald wieder?

117. Klopftock an Ebert.

Bernsdorff den 30. Sept. 1769.

Der Geh. R. Bernsdorff ist einer von den wenigen
mein lieber Ebert, der Jerusalems vortreffliches Werk übe
die Religion nach seinem ganzen Werthe schäzt. Es ist schon
einige Zeit her (und ich mache mir Vorwürfe, daß es schon
einige Zeit ist) daß er mir aufgetragen hat, mich durch Sie be
Jerusalem zu erkundigen, wenn die Fortsetzung herauskommen
wird. Uebertreffen Sie einmal sich selbst, lieber Ebert, und ant
worten mir bald hierauf. Wenn Sie mir sogar noch etwas vor
dem dritten Bande sagen könnten, so wären sie vollends ein
Mann von Ihnen ganz neuen und ungewöhnlichen Verdiensten
Ich würde mich über dieses Ihr neues Lob schon jezt noch meh
ausbreiten, wenn ich Zeit hätte. — — Nach meiner Veranstal
tung sollte der Hermann für den Erbprinzen Ihnen schon vo
Ihrer Reise nach Hamburg zugeschickt werden. Wenn Sie e
nicht für überflüssig halten, so sagen Sie ein Wort hiervon

Eben fällt mir ein, daß Sie mir in Ihrem lezten Briefe sagen, daß Sie dem Erbprinzen meine Briefe gelesen hätten; aber Sie erwähnen nichts davon, was Ihnen der Erbprinz darüber gesagt habe. Und Sie pflegen doch eben nicht Sachen ganz zu übergehen, die Ihren Freunden interessant seyn können. In dem Falle (den ich nur seze, und nicht annehme) daß der Erbpr. diese uneigennüzigste aller Bezeigungen der Verehrung, die man iemals einem Fürsten erwiesen hat, nicht so aufgenommen hätte, als ich ihm zugetraut habe, daß Er sie aufnehmen würde, in diesem Falle bitte ich Sie, den Herrn. nicht zu übergeben, und wenn Sie etwas über diese Nichtübergebung zu sagen hätten, zu sagen, daß Sie noch kein Exemplar von mir bekommen hätten. Und wenn dieses alles aber überflüssig ist, so geben Sie es nicht mir, sondern sich Schuld, daß ich den Fall habe als möglich denken müssen.

Ich habe vor kurzem mit meinem lezten Briefe eine Nachricht bekommen, die den Werth des Geschenkes, das mir der Kaiser gemacht hat, noch erhöht. Die Medaille ist mir zum Tragen gegeben. Van der Swieten, der einzige, der auch eine besizt, trägt sie. Ich sahe wohl, daß sie dazu eingerichtet war; allein der Chargé d'Affaires, der sie mir im Namen des Kaisers übergab, sagte mir nichts davon, und so fragte ich auch nicht darnach. Auch habe ich die angeführte Nachricht, ohne sie durch eine Nachfrage zu veranlassen, erhalten. Leben Sie wohl, liebster Ebert, ich schreibe Ihnen auf ein andermal mehr. Die Post geht jezt.   Ihr Klopstock.

118. Klopstock an Angelica Kaufmann.
Kopenhagen den 8. März 1770.

Ich habe es bisher aufgeschoben, Ihren lezten Brief zu beantworten, weil ich auf eine Gelegenheit gewartet habe, Ihnen

die Komposition einiger poetischen Fragmente von mir zu ü[
schicken. Aber ich kann nicht länger darauf warten, noch
ausseßen, Ihnen, meine wertheste Freundin, zu sagen, daß S
mir, durch Ihre Nachricht von dem schon vollendeten Samm
eine ungemeine Freude gemacht haben. Wie verlangt mich na
dem Besiße dieses Gemäldes. Wenn Sie mir es schicken, [
müssen ja auch einige Abdrücke von der Kopie desselben i
Kupfer dabei seyn, die ich meinen Freunden schicken will. S
vertrauen es doch keinem andern Schiffer an, als der vornehm
lich auch darin zuverlässig ist, daß er es auf dem Schiffe g[
aufbewahrt?

Ich weiß nicht, ob Sie Hermanns Schlacht vielleicht no
von Hamburg aus erhalten haben? Sie hätten dies Gedic
schon den leßten Herbst haben sollen. Ich habe in Han
burg eine zweite Ordre zur Ueberschickung gegeben. Machen S
mir doch die Freude, mir bisweilen einige umständliche
Nachrichten von Ihren Gemälden zu geben. Wenn ich e[
Samma und Ihre Art zu malen daraus gesehen haben werd
so denke ich mir aus diesen Nachrichten in Gedanken ein kein[
Kabinet von Gemälden anzulegen. Wenn Sie folgenden Au
trag Jemanden thun können, ohne daß Sie Mühe dabei habe[
so würden Sie mich durch die Ausführung desselben Ihnen sel
verbinden.

Könnten Sie nicht in Edingburgh, oder auch weiter hina[
gegen Norden, durch Hülfe Ihrer Freunde, einen Musikus au
treiben, der mir die Melodien solcher Stellen im Ossian, b
vorzüglich lyrisch sind, in unsere Noten seßte, oder vielmehr, oh[
auf die Wahl der Stellen zu sehen, es mit einigen derer M[
lodien thäte, die für die ältesten, und zugleich für solche gehalte
werden, die am meisten Charakter haben. Doch müßte zugle[
der Originaltext richtig geschrieben und genau unter die Note[

die dazu gehörten, gesetzt werden. Sollte hierzu vielleicht mehr Zeit erfordert werden, als ich mir vorstelle, so wäre ich für's erste mit 1 oder 2 solcher Melodien zufrieden. Machen Sie mir die Freude, bald wieder einen Brief von Ihnen zu lesen, und seyn Sie versichert, daß ich mit wahrer Freundschaft bin

Klopstock.

P. S. Wie angenehm würde es mir, wenn Sie mir Stellen aus Ossian schickten, auch deswegen seyn, weil man mich, nach dazu gegebener Commission, schon lange vergebens darauf hat hoffen laffen.

119. Klopstock an Ebert.

Koppenh. den 3. April 1770.

Dieser Brief, lieber E. untersteht sich weiter nichts als eine Vorrede zu einem künftigen zu seyn. Sie werden dieses desto mehr entschuldigen, weil Sie mit mir in Ansicht auf das Brief= schreiben, einen gleichen Erbfehler haben. Aber, auch selbst in einer Briefvorrede muß ich Ihnen sagen, daß mir das, was Sie mir vom E. P. in Beziehung auf mich schreiben, keine kleine Freude gemacht hat. In einer gewissen Betrachtung, nämlich wenn es auf die Neigung gegen Ihn ankommt, verdiene ich es. Und, wenn ich es sagen darf, so kann Ihm diese Neigung aus zwei Ursachen nicht ganz gleichgültig seyn, die erste, weil sie frey ist, wie der Adler in der Luft; die zweite, weil ihr es genug ist, dem, den sie angeht, nicht unbekannt zu seyn. Ihnen I. E. vertraue ich noch ins Ohr an, daß ich eben nicht verschwende= risch damit bin, wer es auch sey, einen Deutschen zu nennen. Denn ich bin unsäglich stolz auf Uns! Aber so sehr ich auch Knicker hierin bin, eben so sehr ist mir der E. P., in dem eigent= lichsten und stärksten Verstande des Worts, ein Deutscher. Ich mag mich nur nicht darauf einlassen, was das ist (denn sonst

15*

wird aus einer Briefvorrede ein Brief) ein Deutscher, was
ist, geistvoll, offen, schnell, kühn, entschlossen, als Vorbild
europäischen Nation zu seyn. Ob alle Deutsche so sind? A
Frage. Muß denn der Kern keine Schale haben? Aber
immer eine Schale, die zu diesem Kern gehört.

Herr Hegewisch, der Ihnen dieses bringt, ein recht[
sener und gescheidter Mann, wünscht Sie, unsre übrigen Fr[
in Br: und besonders den Abt Jerusalem, seinen Landsm[
kennen zu lernen. Ich hab' Ihm unter anderem anvert[
wenn er unsre Sprache wollte aussprechen hören, wie sie
keiner im ganzen heiligen Reiche ausspricht, so muß er Sie
lesen hören. Ihr   Klopsto[

P. S. Ihren Damen empfehlen Sie mich mit meiner
läufigen Ehrerbietung. Die süßen Sachen, die ich denselb[
sagen habe, sollen bald folgen.

120. Klopstock an Ebert.

Bernsdorff, den 14. Juli 17

Hätten Sie Ihren Brief einen Posttag später geschri[
so würde ihm einer von mir begegnet seyn. Denn ich [
Ihnen schreiben, daß mir Glover die neueste Ausgabe des
nibas (die fünfte) die, wie er sagt, corrected and enlarge[
geschickt, und daß ich sie Ihnen lieber E. bestimmt hätte[
demjenigen, der einen solchen Leonidas mehr als irgend Je[
in Deutschland zu besitzen verdient. — — Es ist noch bie[
ungewiß, ob ich dieses Jahr nach Wien reise. Die Sachen[
zwar so weit, daß ich Morgen reisen kann, wenn ich will[
ter andern ist mir die Ersetzung der Reisekosten schon angeb[
allein ich möchte gern noch mehr Einladung, und dadurch,
mehr Hoffnung zur Ausführung der vaterländischen Sache h[

Erhalt ich jene ſtärkere Einladung nicht, ſo bin ich immer noch
Meiſter, auf weniger Hoffnung hin, zu reiſen; und ich habe
durch meine bloß ſcheinbare Zögerung an der Sache, von der ich
noch immer ſo warm als jemals bin, nichts verdorben. Dieß
Alles unter mir und Ihnen und Gärtner. Ein einziger Grund
iſt ſchon zureichend, daß ich Verſchwiegenheit von Ihnen erwarten
kann, nämlich die Verunſtaltung, welche die Sachen bei wieder=
holtem Wiedererzählen zu bekommen pflegen. — — Sie reiſen
alſo nach Sachſen. Denn wenn ich meine Reiſe thue, ſo will
ich Sie dort ſchon aufſtöbern, ob ich gleich nicht über Dresden,
ſondern über Regensburg reiſe, um die Donau hinunter durch
die Weinleſe zu fahren. Sie kommen gewiß nach Leipzig, und
dort müſſen Sie notwendig meinen Freund Tidemann, der
bey Weidmann wohnt, ſehn. Ich hoffe von dem mächtigen
Pyrmonter viel Gutes für Ihre Geſundheit und wünſche ſehr,
daß Sie mir es bald in einem Briefe ſagen können, daß dieſe
Hoffnung gegründet geweſen ſey.

Vergeſſen Sie ja nicht, mich S. Durchl. dem Erbprinzen
zu empfehlen. Sie wiſſen, wie ſehr gut Er bey mir ſteht.
Folgenden Scherz müſſen Sie auch nicht einmal als einen Scherz
wiederſagen: Wenn ich der Erbprinz wäre, ſo lieſſe ich Her=
manns Schlacht unter freyem Himmel im Harz, juſt auf einen
ſolchen Felſen am Thale der Schlacht, als zum Schauplatz an=
gegeben iſt, aufführen, und lübe, außer einigen Kennern, auch
einige preußiſche Bataillons, die ſich in dem letzten Kriege be=
ſonders hervorgethan hätten, dazu ein.

In allem Ernſte wird der Hermann in Wien im künftigen
Jahre aufgeführt werden. Gluck arbeitet ſchon an der Com=
poſition. Ich traue dieſem Componiſten aus vielen Urſachen
viel zu. Künftig mehr. Denn ich muß noch andre Briefe
ſchreiben; und möchte doch auch gern ſpazieren gehn. Ich er=

ziehe mir jezt ein junges Pferd, das bisweilen einen ~
guten Saz mit mir thut. Sie wissen, ich mag so
was wohl.　　　　　　　　　　　Ihr Klopstock.

Bald hätte ich vergessen und ich würde mir einen Vorwu
daraus gemacht haben, wenn es geschehen wäre, Sie zu bitte
mich denen jungen Damen, mit denen Sie bisweilen den Me
sias, auch wohl Herrn. Schl. lesen, mit derjenigen Hochachtun
und Dankbarkeit zu empfehlen, die sie so sehr verdienen, un
woran ich sie, wenn ich etwa in die dortigen Gegenden kom
men sollte, selbst zu unterhalten wünsche.

121. Klopstock an Ebert.

Bernsdorff den 14. Aug. 70.

Weil Sie denn meinen Leonidas nicht haben wollen,
muß ich das Blatt nur wieder herausschneiden, auf welches i
geschrieben habe: „Diesen Leonidas schickte mir Glover; un
ich gab ihn meinem Freunde Ebert, weil ihn Niemand so seh
als er, zu besitzen verdient . . . Kl." Das ist doch ein beso
deres Schicksal der epischen Dichter, daß sie blind werde
Meiner Augenschmerzen ungeachtet will ich gleichwohl nic
fürchten, es auch zu werden, ob ich mir gleich schmeichle, kei
so gute Ansprüche auf das nicht blind werden zu haben, a
Voltäre. Gewiß diese Ansprüche müssen sehr gut seyn, w
sie sogar die Angriffe des hohen Alters so tapfer aushalte
und Ich soll mich etwas kostbar machen, sagen Sie. Trau
Sie mir immer zu, daß ich einen ganz guten Mittelweg zwisch
dem kostbar, und dem Gegentheile zu treffen wisse. Ich ha
zwey Hauptcorrespondenten in Wien. Der eine hatte mich v
langer Zeit dahin gebracht, daß ich reisen wollte; ich mac
schon Anstalt dazu und ich hatte dem Geh. R. B. schon dav

geschrieben; vor kurzem bekam ich von meinem andern Correspondenten einen Brief, woraus ich deutlich sah, daß sich der
erste in vielem irren müsse und daß die Sache noch nicht reif
genug sey, ich möchte fast sagen, so wenig reif, daß viele andre,
an meiner Stelle, sie vielleicht ganz aufgegeben hätten. Allein
ich hoffe, Sie trauen mir zu, daß ich just dann das Treffen
am wenigsten verlassen werde, wenn es am gefährlichsten zu
seyn scheint, so wie ich Ihnen zutraue, daß Sie einsehen, was
die Versprechungen in der Zuschrift für gute Waffen sind. Freylich kommt es auch sehr darauf an, sie zu führen. Das weis
ich sehr wohl; aber eben weil ich es so gut weis, so werde ich
mich auch besto mehr bestreben es zu thun — — Ich brauche
Ihnen, nach dem, was Sie gelesen haben, nicht zu sagen, daß es
nun keinen Schein hat, daß ich dieses Jahr reisen werde. Mich
deucht ich habe Ihnen einmal Schuld geben müssen, daß Sie
nicht verschwiegen genug wären; gleichwohl ich will Ihnen Verschwiegenheit zutraun, und Ihnen, und durch Sie, Basedow
und Bosel sagen, daß ich dem Kaiser selbst schreiben werde,
und zwar einen Brief, der zwar bescheiden freymüthig seyn,
aber doch auch mit Deutlichkeit, an's gethane Versprechen erinnern soll.

Es kann vielleicht zur Beförderung der Sache etwas beytragen, wenn Sie und unsre andre Freunde, sey veranlaßt,
oder ohne Veranlassung, auf gemachte Einwürfe gegen die
wahrscheinliche Ausführung der Sache, Einwürfe, die etwa
hauptsächlich aus der jetzigen Beschaffenheit des Geschmacks in
W. hergenommen werden, laut behaupteten, daß man deswegen
an der Ausführung nicht zweifeln dürfe, weil es der Kaiser versprochen hätte. Ich wünsche, daß Sie dieses so laut und so
oft behaupten, daß es der Kaiserl. Gesandte in Hamburg erfahre. Erfährt ers, so schreibt er gewiß davon nach W.; froh,

daß er endlich einmal etwas anders als das Tagtägliche zu schreiben habe. Sie werden mir keine kleine Freude machen, wenn Sie mir mit Wahrscheinlichkeit oder gar Gewißheit schreiben können, daß er davon erfahren habe. — Ich habe vor Kurzem ein vortreffliches Gemälde aus London bekommen. Ich kann nicht eigentlich sagen, daß es aus dem Meff. sey, denn es ist nach dem Meff. Samma umfaßt die Urne Benonis, und drückt die Stirne daran. Joel bittet mit Thränen und ge= fesselten Händen Johannes, der ihm mehr hinterwärts als seit= wärts steht, auf ihn sanft herunterstieht, und seine rechte Hand auf Joels Schulter, und die linke etwas unter der Schulter auf den Arm gelegt hat. Unten steht: Angelika Kaufmann mahlte dieses für ihren Freund Klopstock London 1769.

Wie gerne wär ich bei Ihnen und spräche über alle diese Sachen noch viel ausführlicher mit Ihnen. Sie schreiben mir doch bald wieder?

So sieht das M. S. aus, das ich nun endlich mit dieser Genauigkeit copirt aus dem engl. Museo bekommen werde. Dieses Blatt gehört Alberti, als einem genauen Kenner der Sache.

Sie wissen doch, Ebert, daß das, was Sie da lasen, deutsch, und zu Ludewigs des frommen Zeit von einem Dichter geschrieben ist, der Wittekinds Barden auch kann gekannt haben. Unter Ihren beiden und obigen sechs Augen (macht acht) bleibt, daß ein gar klein Werklein, welches Sie auf Michael in der neuen Ausgabe des Hypochondristen unter der Aufschrift finden werden: „Gesetze für die Gelehrtenrepublik in Deutschland" nicht wie in der Vorrede steht; von Salogast und Wlemar ver= faßet worden ist, sondern von Ew. Liebden

gehorsamen Diener

Klopstock.

122. Klopstock an Caecilie Ambrosius.

Bernstorff den 2. October 1770.

Ich könnte zwar wohl ein wenig mit Ihnen zanken, daß Sie mir so lange nicht geschrieben haben; aber jetzt soll aller Zank bey Seite gesetzt seyn. Sie wissen höchst vermutlich, daß der Geh. Rath Bernstorff nicht mehr in dem Dienste des Königs ist. Er verreist Morgen auf seine Güter. Ich werde ihn begleiten. Wir werden sehr wahrscheinlich nicht früher als den 7ten nach Flensburg kommen, und auch wohl nicht später als den 8ten. Ich werde also die Freude haben, Sie an einem dieser Tage zu sehen. Richten Sie es ja so ein, daß ich Sie allein sehen kann. Denn ich mag diese kurze Zeit mit Niemand anders zubringen.

Ich werde, sobald wir ankommen, mich nach Ihrem Hause erkundigen, und gleich zu Ihnen kommen. Leben Sie bis dahin wohl.

Klopstock.

123. Angelica Kaufmann an Klopstock.

London den 11. Jan. 1771.

Hochgeschätzter Freund was mag wohl die ursach sein daß ich schon so lange nichts von Ihnen gehört habe? Ich hoffe Sie seind gesund, mein Freund werden Sie ja doch auch noch sein. Mein Letztes so ich den 4. December von hier an Sie abgeschickt habe wirt Ihnen ja zu Handen kommen sein, in der nehmlichen stunde da ich den Brief an Sie auf die Post geschickt, hab ich Ihren wertesten vom 27. Nov. erhalten. ich hätte ehender ge= schrieben aber ich dachte mein schon abgeschickter Brief dient zur antwort in verschiedenen Puncten. übrigens bitte ich fahren Sie doch fort meine Parthey zu nehmen gegen denen die etwan noch spitzfindige anmerkungen machen wollen.

ich wollte daß ich denjenigen in das gesichte sagen kö
daß Sie mein Freund, Recht gut bey mir stehen obschon
Portrait noch nicht in Ihrer stuben hankt, es wirt schon daß
kommen, die falsche Urtheil zu bestrafen las ich Ihnen üb
nur bitte ich strafen Sie mich nicht mit einem so langen sti
schweigen, ich bin weis Gott unschulbig, ohne scherz, gönn
Sie mir doch die freude öfters von Ihnen zu hören, i
weis Sie habend andre geschäffte — und darf es kaum wage
Sie zu ersuchen mir einige augenblicke zu schenken. allein
die Freundschaft die Sie mir schon erzeigt habend mach
mich Kühn.

wenigstens will ich Sie nicht blagen mit ein gar zu lange
Briefe, ich rede und widerhole was ich schon öfters gesagt hab
— nehmlich daß ich alle erdenckliche Hochachtung gegen Sie
habe, und daß ich Ihre Freundschaft schätze mehr als ich e
sagen kann. Leben Sie wohl ich verbleibe in aller aufrichtigkei ⸺t
Dero dienerin und Freundin   Angelica.

124. Klopstock an Ebert.
Bernsdorff den 11. Jun. 1771.

Schieben Sie es nun nicht länger auf (mich deucht ja da
ich Ihnen schon davon geschrieben habe) dem Geh. R. Berns —
dorff den letzten Theil Ihrer neuen Ausgabe von Young z
schicken. Es versteht sich ein Exemplar auf gut Papier. S
werden Ihm ein wirkliches Vergnügen dadurch machen, beson
ders wenn Sie es bald thun. — Was soll ich mit Glei
anfangen, der mir in der Vorrede die Schuld der Herausgab
der Spalbingischen Briefe gewissermaßen beymißt! Ich kan
freilich wohl einmal so etwas gesagt haben. Es ist möglic
Wer kann sich so genau auf das, was man etwa in der Le
haftigkeit sagt, besinnen. Aber es drucken zu lassen! Und da

hätte Gleim sehr wohl wissen können, daß ich, nach einem
solchen Einfalle zu handeln, niemals im Stande wäre. Kurz
es hat mich recht verdrießlich gemacht, nicht weniger ist mir es
unangenehm gewesen, daß er, ohne eine Anmerkung hinzuzusetzen,
eine Stelle der Briefe mitdrucken läßt, in welcher mich Spalding eines Verbrechens unfähig erklärt. Was sollen die Leser
dabey denken, da ich selbst kaum eine Vermutung habe, wovon
die Rede in dieser Stelle seyn kann? Meine Vermutung ist,
daß Spalding mochte gehört haben, wie Sulzer über
meine Zwistigkeit mit Bodmer, oder vielmehr Bodmers
Zwistigkeit mit mir, urtheilte. Sein Urtheil war sehr partheiisch
für Bodmer.

Schreiben Sie doch dieser Sache wegen an Gleim; ich
möchte zu lebhaft werden, wenn ichs selbst thäte. Die Zeit ist
vermuthlich ganz nahe, daß man mir in Dänemark meine Pension, (von der ich ohnedem schon seit ziemlich langer Zeit etliche
80 Thlr. Abzug gebe) entweder ganz oder doch zur Hälfte
nimmt. Wenn auch das letzte nur geschieht, wie wenig habe
ich alsdann, und erlaubt es die Ehre, dies wenige anzunehmen?

Sie wissen vielleicht, daß der König von Engelland, vornämlich aber die Königinn recht wohl mit mir zufrieden sein
sollen. Schon vor ziemlicher Zeit hat mir der König durch
Haller, mit dem Er correspondirt, ein Compliment machen,
und sagen lassen, daß seine Gemalin meine Schriften liebte,
und Sie sich gleich kommen ließe, sobald sie herauskämen;
Haller aber hat dieß Compliment nicht ausgerichtet, und ich
habe erst bey meinem Aufenthalte in Hamburg erfahren, daß
es gemacht worden ist. — Wenn der Erbprinz wirklich mit mir
so zufrieden ist, als Sie mir sagen, daß Er es ist, so hat Er
es, deucht mich, in seiner Gewalt, mir es zu zeigen. Ein Wort,
daß Er für mich mit dem Könige oder der Königinn von E.

ober auch mit beyden spräche, könnte mich der Unruh entziehen,
die mir meine jezigen Umstände notwendig machen müssen. Ich
verlange keine Pension, ich wünsche sie nicht einmal, aber was
ich wünsche und auch hoffe, sobald sich der Erbprinz für mich
interessirt, ist ein Geschenk, zwar kein großes, aber doch ein solches, das, auf Leibrente gegeben, oder in der Handlung angewandt, mich unabhängig von Dänemark machte und vielleicht
ist es nicht überflüssig noch hinzuzusetzen, daß ich nirgends in
der Welt Professor seyn mag. Ein schöner Professor, der unter
andern das Untalent zum Professorat hat, daß er gar zu gern
in Minuten sagt, womit andre Stunden zubringen.

                                        Ihr Klopstock.
Meine Adresse à Hamburg bey Hr. von Winthem.

125. Klopstock an Ebert.

Hamburg den 29. Jun. 1771.

Sie wiederholen mir auch in Ihrem lezten Briefe, daß
Sie mich lieben, Sie haben mirs oft gesagt, und ich hab' es
immer mit Vergnügen von Ihnen gehört; hieraus pflegt man
wohl ein wenig Partheylichkeit zu folgern, aber unter andern
nicht eine solche Ungerechtigkeit wie diejenige ist, die Sie dadurch
gegen mich begehen, daß Sie mich, ohne selbst einmal Alberti
gegen mich gehört zu haben, gewissermaßen zum voraus verurtheilen, ich sage gewissermaßen, um Ihren Brief so gelinde als
nur möglich ist zu erklären. Ich frage Sie: hätten Sie durch
dieses Betragen nicht verdient, daß ich diesen Brief hier schlöffe,
und erst von Ihnen hörte, warum Sie denn so ungerecht gegen
mich gewesen wären, ehe ich Ihnen antwortete? Aber ich will
verfahren, wie ich es gewohnt bin, und wie ich viel lieber ver-
fahre, ich will Ihnen Ihre Ungerechtigkeit, eh Sie sich noch
vertheidigt haben, vergeben.

Ich sage die genaueste Wahrheit, die ich auch dann, wenn Sie aus einem Freunde ein Richter werden wollen, durch viele mir sehr traurige Detail erweisen kann, solche Wahrheit sage ich Ihnen, daß Alberti fast seit einem halben Jahre mich beleidigt hat und der allein Beleidigende gewesen ist, und daß ich so früh und so gut ich auch die Sache gewußt habe, nicht allein nicht wieder beleidigt habe; sondern auch, ob ich gleich wußte, daß er unaufhörend fortfuhr, unter andern, um seiner Gesundheit auf keine Weise nachtheilig zu seyn, zu ihm gegangen bin, und ihm begegnet habe, als wenn er mich nicht beleidigt hätte. Ich habe mich sogar bemüht, daß wenn er zu dem Geh. R. Bernsdorff komme, und dort den Brunnen trinken wollte, die Schwierigkeiten zu heben, die dadurch entstanden waren, daß er ohne die Gesellschaft seiner Frau dort nicht seyn konnte. Und diese Schwierigkeiten waren wirklich gehoben, als uns Alberti abschlug dorthin zu kommen. Endlich, da er gar nicht aufhörte, ich auch keine Hoffnung haben konnte, daß er aufhören würde, habe ich, weil alle Sachen in der Welt ihr Maaß und Ziel haben, eine Gelindigkeit und Nachsicht für übertrieben gehalten, und den Umgang mit ihm abgebrochen, doch ohne auf einige Weise so gegen ihn zu sprechen, als er gegen mich thut. Alles, was ich gethan habe, ist, daß ich etwa ein Paarmal, und dieß gegen Freunde mich über ihn beklagt habe. Albertis Betragen gegen mich hat unter andern auch das schlechterdings unverantwortliche, daß er nicht etwa unsre Freunde, sondern auch viele andre zu Zuhörern von dem macht, was er gegen mich zu sagen hat. Er hat mich auch bey meinen Freunden in Koppenhagen verklagt. Ueberhaupt ist Alles, bis auf Einen Brief an mich, den ich als Freundschaft aufnahm, aber nun nach dem Ton, den alles übrige hat, beurtheilen muß, hinter meinem Rücken geschehn. Auch habe ich es ihm allein beyzumessen,

wenn nun verschiedene, die mich nicht kennen, nachtheilig von
mir urtheilen. Denn, ohne ihn, wäre die ganze Sache, ein
Stadtgeschwäz, wie ihrer hier oft sind, geblieben. Seine Meinung, die er mir mit hundert Dingen in der Faust aufbringen
will, ist, daß ich mit meiner Nièce, der v. Winthem nur sehr
wenig umgehen soll. Hätte er sie mir (allenfalls so hart, wie
er gemocht hätte,) allein gesagt; so hätte ich es mit warmer
Dankbarkeit eines alten Freundes aufgenommen: aber diese Aufnahme würde mich gleichwohl nicht gehindert haben, von anderer
Meinung zu seyn, und dieß aus sehr vielen und sehr guten Ursachen, und unter andern auch aus der, daß es meinem Herzen
sehr zuwider gewesen seyn würde, wenn ich die v. W. bey ihren
nicht wenig veränderten Glücksumständen ohne meinen Rath
und ohne meine Aufmunterung hätte lassen sollen. Mein
Nièce, Ebert, verdient Ihre ganze Hochachtung, auch deßwegen
weil Sie ihr Schicksal, so jung sie auch noch ist, mit einem
Mute und einer Standhaftigkeit erträgt, die wenige Männer
haben würden, und die sogar durch Leute von engem Verstand
und Herzen an ihr gelobt werden. — — Verlangen Sie mehr
Detail von mir, so muß ich ihn geben; aber es ist mir so traurig, daß Alberti so lange und oft zu diesem allen fähig gewesen ist, daß ich lieber davon schweige. — Nun noch eine
Frage, Ebert: Ist es möglich, ist es in der Natur des Menschen (ich sage nicht einmal, ist es in meiner Natur), deffen
wirklicher Freund wieder zu werden, der so sehr und so
anhaltend beleidigt hat? — Von allem andern künftig
Adressiren Sie Ihre Briefe: bei Herr von Winthem in
Grimm.

P. S. Schicken Sie den von Ihnen genannten Theil von
Young nur an mich. Der Geheime Rath soll ihn von mir
bekommen. — Den 1. Juli. Sagen Sie mir die Umstände

der Giſeken genau, und wo Sie ſich jetzt aufhält. Ich hoffe etwas für ſie thun zu können.

126. Klopſtock an Syndicus G. Sillem R.

à Hambourg ce 1 Juillet 1772.

Monsieur,

Madame la Comtesse de Bernstorff m'a chargé, de Vous faire de Sa part beaucoup de remercimens que vous aiez bien voulu Vous emploier auprès du Sénat, pour Lui obtenir les Franchises et Immunités, pour lesquelles je m'etois adressé à Vous.

Elle ne pretend pas de faire changer quelque chose à ce que Vous Lui proposez de souscrire. Je Vous prie donc, Monsieur, de m'envoier un de ces jours le Revers proposé, pourvû qne Madame la Comtesse de Bernstorff le puisse signer.

Je Vous remercie encore une fois Monsieur, que Vous avez bien voulu me permettre de m'adresser à Vous dans cette affaire là, etant avec la consideration la plus parfaite Monsieur,

· Votre tres humble et tres obeissant Serviteur

Klopstock.

127. Th. G. von Hippel an Klopſtock.

(1772.)

Ihnen, den ich in dieſer Welt wohl ſchwerlich umarmen, den ich aber gewiß in einer beſſern finden werde, widme ich dieſe Sammlung geiſtlicher Lieder, zur Beurtheilung und zur Verbeſſerung. Vielleicht hätten Sie meinen Aufſätzen, ehe ſie gedruckt waren, dieſen Dienſt erwieſen; allein, ich wollte durchaus ſie Ihnen vor den Augen der Welt zum Beweiſe vorlegen, daß ich's mir zur Ehre anrechne, von einem Manne, wie Sie, zurechtgeholfen zu werden.

Ich bedarf dieſer Güte ohne Zweifel um ſo mehr, da ich

kein Geistlicher bin, sondern in einem Posten stehe, der mit
Geräusche der Welt in einer besondern Verbindung ist; und
ich außer Ihnen keinen kenne, von dem ich lieber belehrt
werden wünsche: so mögen Sie es bestimmen, ob ich Beruf zu
geistlichen Lieberdichter habe, oder mit diesem Versuche aufhören so

Sie wußten, theuerster Herr, auf dem geraden Wege zu
Himmel, einen Pfad zum unsterblichen Ruhme in dieser We-
zu finden, und so viele zu beschämen, die sich auch nicht b
Hälfte dieses Ruhmes wegen um die Ruhe dieses Lebens un
um die lebendige Hoffnung des künftigen hintergingen.

Ihr Leben als Schriftsteller war ein Leben in Gott, un
ihre letzte Stunde kann Ihnen nicht schwer werden, wenn si
mit dem Gedanken diese Welt verlassen, keine Sylbe geschriebe
zu haben, die Ihnen im Sterben gereuen könnte.

Ich und Viele mit mir werden es Ihnen vor dem Thron
des Richters, dessen heilige Religion wir bekennen, einzeugen
daß Ihre Lieber uns erbauet, gestärket und getröstet haben, un
wie Viele sind uns schon zuvorgekommen, die Ihr Verdienst un
die Religion Christi unter den Vollendeten des Herrn verbreiter

Es walte Gott mit seinem Geiste über Ihnen, und schenk
Ihnen Trost bei den Leiden dieser Zeit, und nach späten Jahr
das Ende der Gerechten.

128. Klopstock an Ebert.

Hamburg den 20. Februar 73.

Ich würde gewiß, mein Ebert, öfter und vorzüglich an
schreiben, wenn ich an meine Freunde kurze Briefe schreib
möchte. Ein kurzer Brief an einen Freund ist eine rechte Qu
Man will dann gerne so viel und so willig schreiben; und m
dann so kurz wegschreiben. Denn wo die Zeit zu Briefen h
nehmen, wie man sie an Freunde schreiben möchte, besonders

einen Ebert, dem man es dann in ſeiner ſo angenehmen Ge-
ſchwäzigkeit doch gar zu gern ein wenig gleich thun wollte?
Glauben Sie mir mein Lieber, dieß iſt die vornehmſte Urſache
meines Nichtſchreibens. Wie oft iſt mein Herz ganz voller
Dankbarkeit wegen der vortrefflichen Verſe (die Eigenliebe
pflegt·mich denn doch ſonſt eben nicht zu verblenden) gewiß und
wie oft habe ich Ihnen von dieſer meiner Dankbarkeit ſchreiben
wollen. Nun, ſo thu ich es denn doch endlich jezt! Ahlemann
kam mir neulich damit entgegen, und ſagte ſie mir auswendig
her; und als ſie neulich in der Leſegeſellſchaft Teone vorgeleſen
wurden, bemühte ich mich, da ſie mir näher kamen, theils vor
Vergnügen, und theils auch ſonſt nicht roth zu werden. Was
Sie von und für Young geſagt haben, iſt auch beßwegen eben
ſo vortrefflich, weil Sie es zu dieſer unſrer Zeit, da die Begat-
tungsverſe ſelten ſind, geſagt haben. — Aeußerſt wunderts mich,
daß ſich Gleim mit Wieland confundirt. Zürnen möchte
ich mit Ihnen, daß Sie mir nichts eher davon geſagt haben,
daß Sie lieben, und geliebt werden. Gleichwohl viel, viel
Glück dazu, und ſehr viel Grüße an Ihr Mädchen! — Für die
Druckfehler dank ich recht ſehr, und auch nicht ohne eine kleine
Schadenfreude, daß Sie würden einige haben durchwiſchen laſſen.
— — höhren muß hehren heißen, däucht muß deucht heißen.
Mich deucht es ſind noch etliche da. Ich habe mein Exemplar
nur nicht bei der Hand.

Euphrat — freylich muß Euphrätus ausgeſprochen werden.
Daran ſind wir und andere Gelehrte von Kindesbeinen an gewöhnt; aber werden wir beßwegen gegen einen ehrlichen Deutſchen etwas haben, der, weil er nicht wußte, wie ein Fluß in
Indien ausgeſprochen wird, Euphrätus ausſpräche?

Ich komme mit dieſer andern Feder (wie Sie ſehen) zu
dieſem Briefe zurück, um Ihnen nur noch zu ſagen, daß ich eben

damit fertig geworden bin meine Wiener Correspondenz in Ordnung zu bringen, mit dem Legen und Nummeriren nämlich,
denn das Schwerste steht mir noch bevor. Denn ich muß meine
Concepte genau durchsehen, damit sie wenigstens auf einigen
Grad leserlich werden. Ich thue dieß für meine Freunde. Sobald ich fertig, und diese Papiere auf meiner Stube werden gebunden seyn; so überschicke ich sie Ihnen, Gärtnern, Zacha-
riän, Schmidten. Soll ich auch Lessing? ist er mein
Freund? das heißt unter anderem, wird er gewisse Punkte, die
eine völlige Verschwiegenheit erfordern, auch verschweigen? ———
— Sie werden bey der Ankunft des Bandes, der nicht weniger
als fünfzig Nummern hat, haben wird, denn zwei nun bald zu
schreibende Briefe fehlen noch (meine Briefe an Matt fehlen
ganz erstaunen, daß der Nichtschreiber auch ein solcher Viel-
schreiber seyn kann.   Der Ihrige   **Klopstock.**

129. Klopstock an Ebert.
(1773.)

Ach Falke! Einmal bist Du über ein ganzes Vogelne__
Druckfehler weggeflogen. . . Wo denn da? wo denn? wo denn
. . Denk nur Falke, so ganz unbesehens drüber weggeflogen
Aber wo denn? wo? wo? wo? — Liebes Fälklein, wo ha__
Du dießmal Deine Aeuglein gehabt? Das Käplein hattst D__
denn doch nicht auf, und warst ja hoch oben in der Luft. ———
Nun, Adlerauge, wo? wo? sag ich! . . Freylich unterdrückt___
Adlerauge, meine Schadenfreude; aber kaum kann ich mich do__
überwinden, Dir das Nest zu zeigen. Geschwebet! den Kop__
-herunter! da, da, da! nun sieh doch, da: Seite dreizehn, Zei__
zwei von oben. Hab ich Dir gut geleuchtet, Fälklein? ———
Es versteht sich, daß auch dieß Blatt umgedruckt wird; aber i__
solchen Correctorhänden bin ich. Viele vergeßne (nicht von mi__

Einrückungen haben der Herr von Falken zum Falkenſtein auch
nicht angemerkt. Zu geſchweigen, zu geſchweigen, daß Sie auch
noch da und da nicht recht geſehen haben. Geſtern brachte mir
Kautz ſch Ihren Brief, und ich las ihn, da eben der von Winthem und die Grund nicht ſangen. — Doch dieſen Abend
will ich Ihnen mehr ſchreiben. Ich bin eben mit Durchſehung
des zwanzigſten Geſanges beſchäftigt. Ich ſchicke ihn noch dieſe
Woche fort. Gott ſey noch einmal, und noch einmal, und
wieder, und wieder gedanket.

den 17. März.

Dieſer Brief iſt wenigſtens ſchon vor vierzehn Tagen geſchrieben. Ich habe ihn ſchon etlichemale fortſchicken wollen.
Jezt finde ich ihn eben ſehr zur rechten Zeit. Denn Sie haben
nun wieder einen Bogen, und werden gewiß bald mit Ihrer
Aufſpürung von Druckfehlern ankommen. Aber mein Brief ſoll
Ihrem wenigſtens begegnen. Nun hab ich endlich erfahren, wer
der Mann iſt, der die ewigen Häkchen ſezt, wo ſie nicht hinge-
hören und gewiß nicht im Manuſcript ſtehen, der ſonſt noch faſt
immer: däucht für beucht, immer öffnen für öfnen, und ähnliche
Wörter ſetzt, kurz, der mich gar weislich johannballhornt. Es
iſt, rathen Sie, es iſt M. Schwabe. Dieſer letzte gehörnte
Siegfried aus der gottſchediſchen Schaar mußte alſo noch den
Meſſ. wenigſtens in dieſen Kleinigkeiten . . . Aus großer Liebe
zu den Häkchen hat er ſchon Ungeheu'r, und nun in dem Bogen H. wurd' die geſetzt. Aber nun zu meiner früheren
Anzeige: S. 103 Ein Vers zu lang, S. 126 Ein Vers zu
kurz, S. 136 Ein Vers zu lang. Von den Druckfehlern (es
ſind in den letzten Bogen gleichwohl denn doch einige weniger)
nur ein Paar. S. 94 letzte Zeile nur nun, S. 104 Zeile fünf
von oben: Höhre hehre, S. 173 Zeile vier von oben: Rach Nah.

Wenn Sie wüßten, mit welcher großen Sorgfalt ich das Manuſcript für Sezer und Corrector ganz zu recht geſtrählt und gepünkticht habe; ſo würden Sie mir nicht einen halben Vor= wurf über die Druckfehler machen. Beygelegte Ode müſſen Sie nothwendig zuerſt ſehen, denn Sie haben ihre f r ü h e r e Verfer= tigung und zugleich das veranlaßt, daß ich mich von neuem entſchloſſen habe, ſie hintenan drucken zu laſſen. Schicken Sie ſie an H e m m e r d e in meinem Namen. Er weiß ſchon, daß er ſie bekömmt, und auch, daß er ſie nicht mit paginiren ſoll

130. Bürger an Klopſtock.

Alten Gleichen den 2. April 1773.

Wohlgebohrner, Hochzuverehrender Herr Legationsrath.

Hr. C r a m e r, der über Hamburg nach Lübeck reiſt, ſchme= chelt mir mit dem Verſprechen, Ihnen meinen Nahmen zu nen= nen, und wohl gar ein Fragment einer verdeutſchten Iliad womit ich mich bisweilen beſchäfftige, vorzulegen. Sonſt hä= ichs vermuthlich noch lange nicht gewagt, mein unbedeutendes Hier bin ich! aus dem Haufen Ihrer Verehrer herauszurufe Wer rühmt indeſſen nicht gern von ſich: ich habe den Kön gegrüßt, er hat mir gedankt und über meine Sache mit mir g ſprochen?

Meine deutſche Iliade wird vermuthlich nur wenigen g fallen; ich wollte, daß dieſe wenigen Kenner wären; und b der größte Kenner und Dichter, den ich weiß, mir dafür bürg C r a m e r will und ſolls auf ſich nehmen, mir darüber den höc ſten Spruch Rechtens von Ihnen einzuhohlen; und — doch i ſchweige von noch ſtolzern Projecten. Ahndungsvoll, wie b der auf Antwort aus Dobona wartet, aber doch, ſie mag falle wie ſie will, mit unwandelbarer Verehrung, bleib' ich Ew. Wo= gebohren gehorſamer Diener und Verehrer   B ü r g e r.

131. Klopſtock an Ebert.

Hamburg den 11. April 1773.

Ich bekam geſtern Ihren Brief in einer kleinen Geſellſchaft;
und kaum hatte ich das vom Canonicus geleſen, ſo ſagte ich
die Reuigkeit, die . . . die Meiſten ſchon wußten, und erfuhr
bey dieſer Gelegenheit, daß es ſchon Jahre her wåren, daß Sie
dieß obwohl noch gelbloſe Canonicat beſåßen. — Freylich hatten
Sie neulich „rieſeſt“ nicht angezeigt. — Ich habe es endlich da=
hin gebracht, daß das Manuſcript wie es iſt, abgedruckt wird;
und daher kommt dann nun das überkluge: „wolte glücklich.“
Sie wiſſen doch, daß man nach und nach die nur ſichtbaren
und nicht hörbaren Conſonanten wegwirft. Das wollte man,
wie Sie auch wiſſen werden, ehemals auf einmal thun; und
ſo ging es nicht. Aber nach und nach wird es denn doch zuletzt
gehn. Freylich Sie, hellleuchtender und vollkommener Gramma=
tikus, werden mit Hånden und Füßen auch gegen dieß nach
und nach zappeln. Doch wenn Dominus canonicus dafür halten,
daß die Ableitung zu Grunde gehe, wenn man die Verdoppe=
lung der Conſonanten nicht ſchreibe; ſo laboriren dieſelben, was
dieſen Punkt anbetrift, quasi quadam crassitate ignorantiae.

Die neulich zurückgenommene Beſchuldigung (ich ziehe heute
nun einmal wider den Herrn Canonicus zu Felde) wegen des
χεοντων wurde dießmal nach der Sitte und Weiſe der Ausflücht=
linge entſchuldigt.

Wenn ich in Ihrem Stifte wåre, ſo wår ich unſtreitig
Scholasticus; und ich hoffe, daß Sie das Lob, das ich Ihnen
hiermit als Scholasticus gebe, gehörig kützeln ſoll: Die Anmer=
kung: „Triumphgeſånge“ zeigt ein Ohr, das mit dem Adlerauge
verglichen werden kann. Was Sie hinzuſetzen von der bisweilen
erlaubten Abweichung von der Regel, haben Sie zwar, wie klar
am Tage liegt, aus Ihren eigenen Fingern geſogen, aber Sie

hätten es doch auch aus des Scholaſtici Fingern ſaugen können.
Siehe Einleitung Seite 7. — Aber nun doch auch ein Paar
Worte ernſthaft... Wie ein verſtummendes Lamm... Fühlten
Sie denn nicht, woran Chriſtus hier mit dieſen wenigen Worten
erinnerte? Stehen denn nicht nach denſelben ein Paar Punkte,
welche die Stelle von der folgenden abſondern? Und dann ſezen
Sie ſich an die Stelle der Jünger, die ſich eben, wie ſie 147
finden, beſprochen hatten. Schon auch in dieſer eingeſchränkten
Weite ſchon unermeßlich. — Wenn auch Sie beitreten wollen,
mein Liebſter, ſo denke ich ſoll folgendes noch vor der engliſchen
Ueberſetzung des vierten Bandes fertig werden:

Messias poema epicum e Germanico latine versum a Socie-
tate Amicorum. Pars IV.

Ich ſchicke Ihnen hiebey etwas, das ich gemacht habe.
Leider kann ich den erſten Bogen der Stelle aus dem ſechszehnten
Geſange nicht finden. Numerus, denke ich, werden Sie darin
finden, und Latein da, wo man lateiniſch bleiben kann.

Ich habe den verlornen Anfang der Stelle aus dem ſechszehnten Geſange nun ſchon ſo oft geſucht, daß ich die Hoffnung
ihn zu finden, aufgebe. Was meinen Sie, wenn Sie ihn über-
ſetzten. Wenn ich Ihre Ueberſezung läſe, würde ich mich gewiß
vieles wieder erinnern.

Finitum finita iſt ein gutes lateiniſches Wort und heiß
Endlichkeit.

132. Klopſtock an Ebert.

Hamburg den 21. April 73.

Ich kann Ihnen, mein Lieber, was die St. angeht, deßwegen nicht beantworten, weil ich zu viel und zu vielerley ſchre-
ben müßte. — Glauben Sie mir, daß ich bey Dingen von
dieſer Wichtigkeit wie Ihre, gute Gründe zu meinen Handlung

habe. Ich könnte Ihnen durch einen Brief, den ich von der B.
die St. betreffend im Hause habe, vieles klar machen. Doch ich
mag nun einmal gerne schonen, und nicht gerne sprechen oder
zeigen. — Ich habe mich ja über etliche Ihrer Scrupel schon
erklärt; und die andern, dachte ich, würden Sie schon von selbst
heben. Ich wollte, daß sie auf die Paar Augenblicke mit Kautz sich
gekommen wären; so hätte ich Ihnen eine Aenderung in den
ersten zehn Gesängen, die größtentheils das Sylbenmaaß angehen
zeigen können. (Thun Sie bei erster bester Gelegenheit so einen
kleinen Ausflug.) — Da hab ich aber den Recensenten des
dritten Bandes in der allgemeinen Bibliothek gelesen. Was diese
Leute doch für Sophisten sind, wie sie alles als ausgemacht annehmen, was entweder falsch, oder nur unter vielen Einschrän-
kungen wahr ist. Also ist das, was Christus zu seiner Ver-
herrlichung auf Erden thut, (denn er ist es ja, der diese Todten
auferweckt) episodisch? Wenn der Mann den Seelenschlaf
nicht annimmt, so muß ihm die allgemeine Auferstehung der
Todten auch eine sehr unbedeutende Sache seyn. — Doch ich
höre auf. Denn selbst in Briefen an Freunde, mag ich diesen
Leuten nicht antworten. (Ich glaube gewiß, daß ich es noch
nie in einem Briefe an Sie gethan habe.) Lessing würde
wirklich mein Freund, sagen Sie. Ich zweifle gleichwohl noch
immer ein wenig daran. Warum ist denn das erste lateinische
Epigramm, das ehmals ad Kl. überschrieben war, nicht ganz
weggeblieben? und warum denn auch nicht das erste deutsche?
Und warum denn so etwas sagen, wie er über mein Urtheil
vom goldnen Spiegel (das er noch dazu nur durchs hörensagen
wußte) und gegen Sie gesagt hat? Kurz, Ebert, das Ding ist
nicht so ganz in der Ordnung. Und dann (Cramer geht mir
so nah an, als ich mir selbst) jene Erzsophisterey gegen Cramer
und das wegen des elendesten unter allen jezigen Kupferstechern.

Rechtfertigen Sie nur, wenn Sie können. — Die Grafen Stollberg haben mir viel Freude durch ihre Ankunft und auch dadurch gemacht, daß sie mir eine kleine Sammlung von jungen
Dichtern, welche sich, Dichter der Religion und des Vaterlandes
zu seyn, ordentlich verbündet haben, mitgebracht haben. Es ist
ein Brief dabey, unter dem Aller Namen stehn, und in welchem
sie nur mich zum Beurtheiler haben wollen. — Mich hinzusetzen,
und Ihnen einen Aufsatz von meinem Leben zu machen, dieses
kann ich gewiß nie. Ich will Ihnen aber einen Rath geben,
wie Sie es mit mir anfangen müssen. Thun Sie mir Fragen;
so will ich sie Ihnen und zwar recht genau beantworten; aber
zugleich so, als wenn ich nur an einen alten vertrauten Freund
schreibe; woraus denn unter andern das folgt, daß Sie zu
Ihrem Gebrauche nur das herausnehmen, was Sie herausnehmen
mögen. — Kurz vorher, ehe ich diesen Brief anfing, war ich
mit dieser Strophe fertig geworden. Sie gehört in die Ode:
der Bach (216) zwischen: Es wendet noch . . und Wohllaut
gefällt:

> Inhalt, den volle Seel', im Erguß
> Der Erfindung, und der innersten Kraft,
> Schnell entwarf, lebet, und hat schon Gestalt;
> Zeigt sich durchs Wort Hörenden nur.

Ich nehme eben diesen Brief wieder zur Hand, um ihn
fortzuschicken. Ich habe Ihnen nur noch ein Paar Worte zu
schreiben. Bey diesem Berliner Recensenten ist mir verschiedenes
wieder eingefallen. Ich habe seit Johann Christoph Gottsched bis auf diesen letzten Ehrenmann, seit 1748 bis 1773,
gegen diese Leute geschwiegen; und hätte es doch so ziemlich
immer in meiner Gewalt gehabt, sie nicht allein bis zu ihrem
völligen Unrecht, sondern auch zu ihrer völligen Lächerlichkeit,
auch nicht allein bis hierher, sondern auch bis zu ihrer gar be-

sonderen Abgeschmacktheit herunter zu bringen. — Aber meine
Freunde haben auch geschwiegen, Ebert unter andern, Cramer
nicht. Das ist eine Aufforderung an mich! sagen Sie. Es ist
eine, und ist auch keine. Ich nehme sie, in so fern es eine ist,
nämlich in so fern ich sie jezt so an Sie hinschreibe, vielleicht
den nächsten Posttag zurück; aber es sey eine oder keine, was
haben Sie denn gefürchtet? Wenn Sie irgend Jemand gefürchtet
haben; so muß ich Ihnen sagen, daß Sie vielmehr als alles
fast, hätten fürchten sollen, daß ich auch einmal gereizt werden
könnte, gegen die Leute hervorzutreten. Kennen Sie etwa meine
Empfindlichkeit nicht? Wenn ich Lust hätte, mir ein Compliment
zu machen, so würde ich mir es hier machen, daß ich auch der
Waffen ungeachtet, die in meiner Hand sind, doch zurückgehalten
habe. Aber warum sezen Sie denn voraus, daß ich mir dieses
Compliment immer und immer, und immer würde machen können?

133. Klopstock an Herder.

Hamburg den 5. Mai 1773.

Claudius wollte, ich sollte Ihnen vom lezten Band des
„Messias" schicken. Es war mir angenehm es zu thun. Sagen
Sie mir, welcher der lezte Bogen ist, den Sie bekommen haben,
so sollen die fehlenden folgen. Ich habe noch in meinem Leben
an keinen Criticus, selbst an keinen im guten Verstande des Worts,
geschrieben; Sie sollen die Ausnahme machen; und werden auch
wohl die einzige bleiben. Die Hauptursache davon ist, weil Sie
durch Ihre eigne sehr starke Empfindung Criticus sind. Ob
Sie nicht bisweilen die Bilder, in welche Sie Ihre weitsehenden
Gedanken hüllen, ein wenig vom wirklich Wahren wegtäuschen,
das werden wir schon mit der Zeit unter einander ausmachen.
Glauben Sie aber gleichwohl nicht, daß ich ein Bilderstürmer
sei, weil ich Ihnen so etwas Bilderdienst Schuld gebe; auch

dann nicht, wenn ich Ihnen sage, daß mir bei der Untersuchung
das dürrste Wort das liebste ist. Ich würde Ihnen auch ohne
die beigelegten Blätter geschrieben haben. Die Absicht meines
Briefes ist: von Ihnen zu hören, warum Sie „Hermanns
Schlacht" ohne Handlung finden? Wenn mir (dies) die Critici,
die Ihnen nicht gleich, sagen, so habe ich nicht einmal die Neu=
gierde, die Ursache zu wissen; bei Ihnen aber würde mir es
sogar interessant sein, sie zu wissen. Es versteht sich ja wohl
von selbst, daß ich Sie um Ihre ganze offne Meinung bitte.
Wenn Sie hieran auch nur im geringsten zweifelten, so möchte
ich Ihnen lieber nicht geschrieben haben. Vielleicht macht es
daß wir ohne viel Vorrede mit einander zu dem rechten Punkte
kommen, wenn ich Ihnen sage, daß in der Theorie der Poesie
mir nichts gilt als Erfahrung, eigne und solcher Andrer, die
erfahren können, und nach ihr nichts weiter als was geradezu
so recht mit der Thür ins Haus, aus der Erfahrung folgt.

Wenn Ihnen das nicht auch gilt, wissen Sie auch, wo
Sie dann hinmüssen? Dahin, daß Sie, aus der Natur der
Seele erweisen, das oder das poetische Schöne müsse nothwendig
in ihr die oder die Wirkung hervorbringen. Uebrigens kann
man freilich auch, bei Gelegenheit da man die gehabte Erfah=
rung untersucht, bis zur Definition allgemeiner Begriffe, also
in unserm Falle bis zur Definition der Handlung kommen.
Nur noch ein Wort in Beziehung auf „Hermanns Schlacht;
ich setze es nur, daß wir desto kürzer sein können. Die Per=
sonen in „Hermann's Schlacht" handelten nicht in der Schlach
sondern außer der Schlacht in Absicht auf die Schlacht. Auch
die Barden sind handelnde Personen; denn sie helfen siegen.
Und nur, mein Werthester nicht nach den Zwecken und Mitteln
in „Oedipus" oder „Lear" sondern in „Hermann." — Ich
möchte, daß Sie nur auf kurze Zeit, nur in einem Brief

mich, die dürren Worte wie ich liebten. Wenn Ihnen die Liebe
zu dürren Worten bei einem Dichter nicht natürlich vorkommt,
so kann ich Ihnen nichts antworten, als daß es gleichwohl bey
mir so ist, und daß ich den Degen nur ziehe, wenn ich schlage.

Da ist nun dieser Brief doch weitläuftiger geworden, als
ich wollte, da ich mich zum Schreiben hinsetzte.

Der Ihrige

Klopstock.

134. Klopstock an Ebert.

Nur noch an sehr wenige, mein lieber Ebert, thue ich die
Bitte, die ich hiermit an Sie thue, nämlich: „Mir das, was
Sie in der Theorie der schönen Wissenschaften glauben Neues
gesehen zu haben, für die deutsche Gelehrtenrepublik zu geben."

An den Abenden des Landtages werden unter andern
auch Unterredungen über die schönen Wissenschaften gehalten.
Kommt es den Geschichtschreibern nun vor was sie in diesen
Unterredungen gehört haben; so zeichnen sie es auf.

Einen Laut: ob Sie Collecteur oder Beförderer seyn wollen?
wenn das letzte; den Namen eines Collecteurs für Braunschweig.
— Die Sache hat einen sehr guten Fortgang. Fast überall
her bekomme ich gute Briefe. — Wenn Sie wüßten was ich
iezt für eine weitläuftige Correspondenz zu führen hätte, und
führte!!! Boie, mein Premierminister, hat eine noch größere.
Ich habe ihn late tyrannum und der Graf Stollberg hat ihn
gar Xerxes Boie genannt.

Ihr

Klopstock.

An Herrn Langer meinen freundschaftlichen Gruß, nebst
der Nachricht, daß in Breslau Hermans Collecteure wären;
sonst hätt ich noch keinen in Schlesien, auch nicht in der Lausiz.

den 30. Juni 73.

P. S. Herr Dorxien (sagen Sie Herrn Langer) hätte mir noch nicht geschrieben. Wenn er, und hiervon bäte ich mir Nachricht aus, etwa nicht in Leipzig seyn sollte, so muß ich mir dort einen andern Collecteur suchen. — Eben erfahre ich von einem hier angekommenen Hirschberger, daß er in H. einen Collecteur zu finden hoffe.

135. Bürger an Klopstock.

Alten Gleichen den 5. Juli 1773.

P. P.

Vermuthlich wird H. Cramer Ew. Wohlgebohren scho[n] vor einigen Tagen einen Brief von mir aus Göttingen zugesand[t] haben. Es ist mir izt viel daran gelegen, daß der einliegend[e] Brief an H. Schönborn gelange. Ich weiß ihn nicht grade[z] an ihn zu bringen, weil er vielleicht nicht mehr in Hamburg si[ch] aufhält und nehme mir daher die Freyheit Ew. Wohlgebore[n] damit zu belästigen. Ich weiß dieselben sind zu gütig, um besse[re] Besorgung auszuschlagen.

Ich verharre übrigens mit unveränderlicher Hochachtung
Ew. Wohlgeboren gehorsamer Diener

Bürger.

136. Gluck an Klopstock.

Wienn den 14. August 1773.

Wohl Edelgebohrner,
Insonders Hochgeehrtister Herr Legations Rath!

Der Pater Denis hat mir zu wissen gemacht, daß Sie ein Verlangen tragen, diejenigen Strophen, so ich über Dero Herrmannsschlacht componiret, zu erhalten. Ich hätte Ihnen schon lange damit gedienet, wenn ich nicht geometrisch versichert

wäre, daß viele keinen Geschmack daran finden würden, weil sie
mit einem gewissen Anstand müssen gesungen werden, welcher
noch nicht sehr in der Mode ist; denn obwohl Sie vortreffliche
Thonkünstler haben, so scheinet mir doch die Music, welche eine
Begeisterung begehret, in Ihren Gegenden noch gantz fremde zu
seyn, welches ich aus der Recension, die zu Berlin über meine
Alceste ist gemacht worden, klar ersehen habe. Ich bin ein so
großer Verehrer von benenselben, daß ich Ihnen verspreche:
(wenn Sie nicht nach Wien gedenken zu kommen) künftiges
Jahr eine Reise nach Hamburg zu machen, um Ihnen persöhn=
lich kennen zu lernen, und alsbann verbinde ich mich, benenselben
nicht allein Vieles aus der Herrmanns Schlacht, sondern auch
von Ihren erhabenen Oden vorzusingen, um Ihnen ersehen
zu machen, in wie weit ich mich Ihrer Größe genäheret oder
wie viel ich sie durch meine Music verbunckelt habe.

Indessen überschicke benenselben etliche Gesänge, welche gantz
impel genommen, und von leichter Execution seyn. Dreye dar=
nter von Teutschen Caracteur und drey von mehr modernen
lischem Gusto, von welchen letzteren ich zur Prob zugleich
ei Melodien auf alt Barbischen Geschmack hinzugefüget habe,
aber immer wieder weg zu werfen seyn. Es wird noth=
big seyn, einen guten Klavierspieler darzu zu erwählen, ba=
sie Ihnen weniger unerträglich vorkommen mögen.   Der
übrigens die Ehre habe mit erbenklicher Hochachtung mich
ränderlich zu nennen, Ew. Wohl Edelgebohren gehorsam=
Diener   Chevalier Gluck.

137. Der Bund an Klopstock.

Göttingen den 27. Dec. 1773.

illers Collecteur in Lissabon hat das Verzeichnis der
Subscribenten überschickt.

Sie verlangten einige unserer Sinngedichte. Wir fürchten ihrethalben keinen Vorwurf, sie sind wider Wieland.

Die aufgeschobene Uebersetzung der alten Inschrift wollen wir nicht rechtfertigen, höchstens nur entschuldigen, wenn wir Klopstock daran erinnern, daß wir Jünglinge sind.

Jacobi hat Sie gemeynt. Seine Vertheidigung ist vielmehr eine Selbstbeschuldigung. Ueberdies sollen in der Klotzischen Bibliothek die Recensionen von Hermanns Schlacht und Rothschilds Gräbern sein.

Wir ergreiffen diese Gelegenheit, nochmals zu erklären, daß wir nur über die Fähigkeit eines Jeden Urtheil gebeten. Unter uns war keiner dieses Urtheils fähig. Richterblick und Richterwürde sind nicht Eigenschaften des Freundes, am wenigsten des Jünglings. Einen andern, als Klopstock, zu bitten verbot unser Herz.

Aber eben dieses gebot auch, nicht allzuviel zu bitten; und iezt schon über die Güte unsrer Arbeit Seinen Ausspruch zu verlangen, wär Stolz.

Der Bund.

138. Boie an Klopstock.

Göttingen den 10. Febr. 1774.

Wo soll ich anfangen, wo enden, mein theuerster Klopstock, da ich zum erstenmale wieder von Göttingen aus Ihnen schreibe, Ihnen schreibe, nachdem ich Sie gesehn, so lange, so vertraut, so offen mit Ihnen umgegangen bin? Ich kann Ihnen nicht sagen, edler, großer, vortreflicher Mann, wie sehr ich Sie liebe, Sie bewundre, verehre! Wie glücklich ich mich fühle, Ihr Freund zu seyn!

Diese Tage in Hamburg waren mit die seligsten meines Lebens. Wie tief fühl' ich es, daß sie nicht mehr sind, daß ich

wieder in Göttingen bin! .. Ich bin vorgestern Nachmittag
hier angekommen, sehr zerstoßen und sehr mürbe von einer
Schneckenreise von 96 Stunden. So lange dauerte sie, diese
Reise, während welcher mich allein das Andenken an Hamburg
und die Briefe beschäftigten, die ich von jedem Ruhepunkte dahin
schrieb. Ich hoffe, daß Frau v. W. einen aus Celle bekommen.
In Hannover war ich nur die Nacht und sahe niemanden. Hier
war ich schon seit drei Posttagen erwartet. Voß war der erste,
der mir entgegenflog, Hölty kam bald nachher geschlichen. Ich
sagte Ihnen nichts; denn die rechte Freude verspart ich, bis wir
alle beyeinander wären. Ich fand eine Menge Briefe vor,
darunter diesen an Sie, einen sehr freundschaftlichen von C r a =
m e r und einen von G e r s t e n b e r g , der mich selbst auf einen
Augenblick vergessen machte, daß ich von Ihnen käme. Welch
ein Mann! Welch ein Brief! Sie sollen ihn auch lesen und
meine Freude theilen . . . . Abends ging ich zu H a h n, der
krank war. Ich fand M i l l e r und Voß und H ö l t y auch da,
und nun ward erzählt und Brief und Buch hervorgezogen. Die
Freude hätten Sie selbst sehen müssen. Ich kann sie Ihnen
nicht lebhaft genug beschreiben. H a h n ward gleich wieder ge=
sund, und der ganze Abend war Ein Taumel. Ich schreib Ihnen
nächstens weitläuftiger. Heute kann ich alles nur berühren.
Die Hand thut mir schon weh vom Schreiben. Ich fing diesen
Morgen an und bald ist es Abend. Ich erschrecke, wenn ich
die Arbeit ansehe, die ich noch vor mir habe. Lauter Rech=
nungssachen — Sie bedauern mich. Ich bin nun sehr froh,
daß ich nicht hier gewesen bin, wie der Engländer seine tollen
Streiche gemacht. Ich würd in Gefahr gewesen seyn. Ich hätte
mich doch widersezen müssen, und er war wie wüthend . . . .
Sie wollten mir noch eine Nachricht über das angelsächsische
Manuscript geben, die ich mitzunehmen vergeßen habe. Ich

will Alles anwenden, eine Abschrift davon herauszubringen. Rektor Bock in Nürnberg schreibt mir, daß er nicht bezahlen kann, ehe er die Exemplare hat, weil er den Plan unrecht verstanden, und seinen Subscribenten erst beym Empfang abfordern kann. Zu Ihrer Sicherheit weist er Ihnen aber einen Kaufmann in Hamburg an. Sein Brief wird das mehrere sagen. Ich warte mit meiner Antwort bis auf Ihre Erklärung. Un— — ich bekomme doch bald einen Brief? Wie sehnlich werde ich nun den Posttagen entgegensehn! Briefe von Hamburg! von Klopstock! von der Stolberg! Vielleicht von der Winthem! — — o ich glücklicher Mann!   Boie.

Sie haben wohl die Güte, die Inlagen bestellen zu lassen. Die folgenden Bogen bekomm ich doch wenigstens gleich, wenn Sie auch nicht gleich schreiben!

139. Der Bund an Klopstock.

Göttingen den 24. März 1774.

Da die Eichen rauschten, die Herzen zitterten, der Mond uns stralender ward, und Bund für Gott, Freyheit und Vaterland in unserm Kuß und Handschlag glühte; schon damals ahndet' es uns, und wir sagtens einander, Gott habe uns gesegnet. Großer Mann! Sie wollen unter uns seyn! Ach jetzt nicht Ahndung mehr, es ist Gewißheit, Gott hat uns gesegnet! Anders können wir nicht reden, wenn unser Herz reden soll; und diesesmal wird es doch reden dürfen. Gott hat uns gesegnet! Nicht nur bey der ersten bestürzenden Nachricht war dieses Ueberzeugung, wir empfinden sie noch, auch wenn wir ruhig beysammen sind, einander ansehn, und wärmer uns lieben, indem wir sagen: unter uns Klopstock! Aber dann erwacht die Ungeduld der Erwartung, und sie würde schwer zu überwinden seyn, wenn nicht die Dankbarkeit für das schon Gegenwärtige unser ganzes Herz von neuem und allein erfüllte. Gott hat uns gesegnet! Unter uns Klopstock!

Der Bund.

140. Carl Friedrich von Baden an Klopstock.

Carlsruh, den 3. Aug. 1774.

Mein lieber Herr Klopstock,

Der Kirchenrath Böckmann bringt mir die angenehme Nachricht, daß Sie dem Rufe, welcher Ihnen durch denselben zugegangen ist, zu folgen gedenken. Ich freue mich, Sie persönlich kennen zu lernen, und den Dichter der Religion und des Vaterlandes in meinem Lande zu haben. Sie begehren einen uneingeschränkten Aufenthalt, und werden denselben bei mir jederzeit haben; die Freyheit ist das edelste Recht des Menschen, und von den Wissenschaften ganz unzertrennlich.

Ich wünsche Sie bald persönlich versichern zu können, wie sehr ich Ihre Verdienste schätze, und mit wie vieler Achtung ich sey Ihr wohlaffectionirter

Carl Friederich,
M. z. Baaden.

141. Die Grafen C. und F. L. Stolberg an Klopstock.

Kopenhagen den 21. Merz 1775.

Ich kann mein langes Schweigen dadurch nur wieder gut machen, mein liebster Klopstock, daß ich selbst komme, Sie in CarlsRuh besuche, oder Sie auf Ihrer Rückreise begegne. Ja mein Liebster, freuen Sie sich mit uns, mein Bruder und ich wir werden unser liebes Vaterland besuchen, wir werden den Sommer in den schönsten Gegenden Deutschlands und in der freyen Schweiz zubringen, am Ende des April sind wir in Frankfurt, hier finden oder erwarten wir unsern Freund Haug-

witz und mit ihm machen wir unsre Reise. Antworten Sie m=
so bald Sie können, mein liebster Klopstock, und sagen mir wi
lange Sie noch in CarlsRuh bleiben.   Gar zu sehr wünsch=
ich Sie dort zu sehen, denn überhaupt sehen werden wir uns
das versteht sich.   Ihre Antwort kann uns hier nicht mehr fir
den, schließen Sie sie, ich bitte, an unsre geliebte Frau vo
Winthem ein, so bekommen wir sie in Hamburg.

Ich bin entzückt, wenn ich an die Freuden denke, die m=
bevorstehen, das Wiedersehen meiner besten geliebtesten Freun=
und die Erfüllung meines sehnlichsten Wunsches das Land =
Freiheit, der alten Treue, der großen Natur und der heit=
Freude zu besuchen.   Ich weiß es, mein liebster Klopstock, S=
theilen diese Freude mit uns, drum muß ich's Ihnen gleich sag=
wie froh ich bin.

Schon jetzt habe ich immer die Land=Karte vor Augen u=
spühre unsern Weg nach, die kleinen schlängelnden Fußpfa=
zeigt sie uns aber nicht, und diese sinds doch, die uns die Freu=
an ihrer eigenen Hand leitet.

Auf die Weinlese freue ich mich besonders, schade daß =
noch so weit hin ist; da werden wir auch solche dicke rot=
Bacchus Köpfe sehen wie Sie in CarlsRuh.

Leben Sie wohl mein liebster bester Klopstock, ich lie=
Sie mit der allerzärtlichsten Liebe, das fühl ich jetzt recht, =
ich die süße Hofnung habe Sie bald zu sehen.   Mein Brude=
meine Schwester und mein Schwager grüßen Sie herzlich. I=
umarme Sie aus der Fülle meines Herzens.

C. Stolberg.

Ich habe nur einen Augenblick Zeit Ihnen zu sagen, da=
ich mich unaussprechlich darauf freue, Sie bald an mein He=
zu drücken.

F. L. Stolberg.

142. Göthe an Klopstock.

den 15. April 1775.

Hier lieber Vater ein Wörtchen an's Publicum, ich ging ungern dran, doch mußts seyn.

Ich bin noch ziemlich in dem Zustande, in dem Sie mich verlaßen haben, nur daß es manchmal schlimmer wird, und dann von oben herab wieder ein Tautropfe des Universal Balsams fällt, der alles wieder gut macht. Ich beschäftige mich so viel ich kann, und das thut denn was. Indeß muß ieder seinen Kelch austrinken spür ich wohl, und so fiat voluntas. Gedenken Sie mein unter Ihren lieben.

Ein Brief von Frau v. Winthem wird wieder zurück gelangt seyn. Schreiben Sie nur ein Paar Worte von Ihrer Reise.

N. B. Der Wagner, von dem das Blätchen sagt, ist eben die Personage die Sie einen Augenblick auf meiner Stube des Morgens sahen, er ist lang, hager. Sie standen am Ofen. Adieu. Goethe.

143. Carl Friedrich Markgraf zu Baden an Klopstock.

Carlsruhe den 28. May 1775.

Ihre Abreise mußte vor mich allezeit mit einem leidenten Gefühl verbunden sein, der Abschied würde es noch höher getrieben haben, ich bin Ihnen also vor deßen Unterlaßung verbunden. Ich schreibe Ihnen wie mann einem Freund schreibt, gantz ohne Complimenten, und erwarte von Ihnen das nehmliche. Sie glauben nicht welch ein Lehres Sie in unserer hiesigen Gesellschaft gelaßen haben. Wenn mann Sie einmahl Persöhnlich kennt, so gewöhnt mann sich nicht so geschwinde an Ihre Abwesenheit. Wir haben iezo den Hertzog von Weimar und seinen Bruder hier. Der Hertzog ist an einem starken

17*

Catar Bettlägerich gewesen, heute ist er zum erstenmahl wied
auf eine Stunde in die freye Luft gegangen. Die Grafen v
Stollberg, von Haukwitz und Göbe sind hier gewesen, m
war es sehr angenehm ihre Bekanntschaft zu machen. Kneb
ist mit den Franzosen nicht zufrieden, ihr Nationalstolz und t
wenige Gerechtigkeit die sie Fremden wiederfahren lassen, h
ihm nicht gefallen. Er ist ganz teutsch, so wie es sich gebüh
aus Frankreich zurückgekommen. Sagen Sie mir doch be
was von ihrer Wiederkunft, oder sagen Sie nichts, kommen S
wie Sie abgereiset sind.

Machen Sie's wie Sie's gut finden, ich verlasse mich a
Sie! erinnern Sie sich nur oft daß Sie auch Freunde in Ob
teutschland haben, und daß darunter an Wahrheit und Wär
ich gewiß nicht der letzte sey.

Carl Friederich
Markgraf zu Baaden.

144. Graf Christian von Stolberg an Klopstock.

Strasburg den 24. May 1775.

Ich muß Ihnen noch manches von CarlsRuh schreiber
mein allerliebster Klopstock. Gestern haben wirs verlasse
und sind gestern Abend hier angekommen. Sie haben Rec
gehabt sich in die Prinzeß Louise und die Ratzehause
zu verlieben. Sie hätten sich auch ein wenig in die Erbpri
zeß verlieben können. Beide Princeßinnen, jede in ihrer A
haben mir überaus wohl gefallen. Louise hat unstreitig meh
Geist, und doch ist die andre auch sehr interessant. Und bei
so gut! so edel! Louise hat mir von der Schweiz, von b
Freiheit und von Lavater in einem Tone gesprochen der mi
entzückt hat. Den Markgraf muß man ehren und lieben. D
Markgräfin vertieft sich stark in die Botanik und ist mir zu g

lehrt, sonst gefällt sie mir, ich habe auch Anecdoten von ihr gehört, welche ihrem Herzen viel Ehre machen. Den Grammond hat sie einmal in der Krankheit selbst gepflegt und ihm vorgelesen — Grammond und Leisering hab ich sehr lieb gekriegt.

Der Herzog von Weimar und sein Bruder kamen noch 2 Tag vor unsrer Abreise an. Beide haben mir gefallen. Prinz Constantin vorzüglich. Er sprach wol eine halbe Stunde mit mir von Deutschen, Engländern und Franzosen. Ich war erstaunt einen jungen Prinzen von 17 Jahren so gut sprechen zu hören. Von der Charlatanerie der französischen Philosophie sprach er mit so viel treffender ironie und zugleich mit so viel bonhomie, daß ich ihn bewunderte. Er frug mich was ich von Wieland dächte. Ich sagte ihm frei meine Meinung ziemlich trocken. Ich denk just wie sie, sagte er, Wieland ist gewaltig eitel und schreibt sich selbst immer aus. Er könnte gut werden wenn er jung wäre. Il pourrait se former encore waren seine Worte. Sie und Gluck wären der Stolz Deutschlands. Die Engländer wären die erste Nation. Ich hoffe Ew. Durchlaucht nehmen uns Deutsche aus? O das versteht sich! ich rechne uns nicht mit unter die andern, wir über alles! Wir thaten zusammen warme Wünsche, die Deutschen bald gegen die Franzosen fechten zu sehn. Aber — mein liebster Klopstock! ein Unglück! Wir haben aus schändlicher Vergessenheit Böckmann ganz vergessen. Erst hier fiel er uns ein, wir waren sehr betroffen und sind es noch. Wir wollen desfals an Leisering schreiben.

Der Anblick des Rheins eine Stunde von hier, wo wir auf einer breiten Brücke über ihn fuhren, hat mich wieder sehr gerührt. Es ist ein herrlicher Strom. Aber das Herz im Leibe that mir weh beim Anblick des bezwungenen nun franzö-

den 30. Juni 73.

P. S. Herr Dorrien (fagen Sie Herrn Langer) hätte   e
mir noch nicht geschrieben.   Wenn er, und hiervon bäte ich mi—— r
Nachricht aus, etwa nicht in Leipzig seyn sollte, so muß ich mi   r
dort einen andern Collecteur suchen. — Eben erfahre ich vo———n
einem hier angekommenen Hirschberger, daß er in H. eine——n
Collecteur zu finden hoffe.

135. Bürger an Klopstock.

Alten Gleichen den 5. Juli 1773.

P. P.

Vermuthlich wird H. Cramer Ew. Wohlgebohren schon
vor einigen Tagen einen Brief von mir aus Göttingen zugesandt
haben.   Es ist mir itzt viel daran gelegen, daß der einliegende
Brief an H. Schönborn gelange.   Ich weiß ihn nicht gradezu
an ihn zu bringen, weil er vielleicht nicht mehr in Hamburg sich
aufhält und nehme mir daher die Freyheit Ew. Wohlgeboren
damit zu beläftigen.   Ich weiß dieselben find zu gütig, um deffen
Besorgung auszuschlagen.

Ich verharre übrigens mit unveränderlicher Hochachtung
Ew. Wohlgeboren gehorsamer Diener

Bürger.

136. Gluck an Klopstock.

Wienn den 14. August 1773.

Wohl Edelgebohrner,
Insonders Hochgeehrtister Herr Legations Rath!

Der Pater Denis hat mir zu wissen gemacht, daß Sie
ein Verlangen tragen, diejenigen Strophen, so ich über Dero
Herrmannsschlacht componiret, zu erhalten.   Ich hätte Ihnen
schon lange damit gedienet, wenn ich nicht geometrisch versichert

145. Gluck an Klopstock.

Wien, den 24. Juny 1775.

hoffe fie werden von dem Herrn Graffen von Co-
ie Verlangte arien richtig Erhalten haben, ich habe
rch diefe gelegenheit wegen Erfpahrung deren Poft
hnen gefchickt, die anmerkungen habe ich müffen wech-
len ich nicht wüfte 'mich auß zubrücken wie ich Es
    ich glaube Es würde ihnen Eben fo fchwer vor
wan fie follten jemanden durch brieffe belehren, wie,
was vor Einen außbruck Er ihren Meffias zu decla-
te, alles diefes beftehet in der Empfindung, und kan
  explicirt werden, wie fie böffer wieffen als ich; Ich
  zwar nicht zupflanzen, aber handlen habe bies dato
    können, dan kaum war ich in Wien angekommen,
  e der Kaifer, und ift · noch nicht zurücke gekommen,
  s muß man auch annoch die gutte Wirtl ftunde beob-
  nb Etwas effectuiren zu können, bey grofen Höffen
    felten gelegenheit Etwas guttes an zubringen, indeffen
    dannoch, das man will Eine Acabemie der fchönen
  aften allhier Errichten, und das der Eintrag von be-
  ngen, und Calendern foll Eine portion des fondi auß-
  nb die Koften zu beftreitten, wan ich werbe böffer von
  unterrichtet feyn, werde nicht Ermanglen ihnen alles
  n. Indeffen haben fie mich Ein wenig lieb, bief ich
  ˏ fo glicklich bin fie zu fehen, Mein Weib und Tochter
  nen Ihre Complimenten und freyen fich fehr von ihnen
      hören, und ich verbleibe dero Ihnen Ergebenfter
                                              Gluck.

de Vienne.
sieur Monsieur Klopstock
        à Hambourg
   in der Königs-ftraffe.

146. Fürstenberg an Klopstock.

Münster den 2. Aug. 1775.

Ew. Wohlgeboren an mich unterm 14. Juni erlaßnes ☞ trauliches Antwortschreiben hat mir ein außerordentliches B. gnügen gemacht. Ueber die Verzögerung meiner Antwort mu ich um Verzeihung bitten. Gesundheits=Umstände, Beschäftigunge hatten mich zu Brühl in allen meinen Correspondenzen zurüc gesetzt. Unentschloffenheit, was in einem so häcklichen Gegen stande, wovon die Umstände mir sehr entfernt sind, zu rathen sey.

Ein unchristlicher Religions=Eifer ist der Fehler des beste Theils meiner Landsleute nicht: es bleibt allzeit etwas übrig aber im ganzen ist man sehr tolerant. Ein großer Theil ha viel Enthusiasmus für Sie; dennoch siehet, wie man sich leic vorstellen kann, nur der geringste Theil den Einfluß ein, welche der Rath und die Gegenwart eines Mannes, wie Sie sind, i unsern Veranstaltungen haben kann. Man hat noch nicht be ständig die nämliche Wärme für die Ausführung. Dem alle ohngeachtet, bilde ich mir ein, daß wenn es die Umstände vo: Ew. Wohlgeboren leiden sollten, sich einige Tage hier aufzuhalte ich mein Vorhaben ohne außerordentliche Schwierigkeiten z Stande bringen könnte. Dieses ist gewiß, daß man Sie m Distinction betrachten wird. Ich kann es vom Kurfürsten un meinen Landsleuten versichern. Der Hof wird biß gegen Anfan Septembris hier bleiben, von der Zeit biß Anfang Octobri zu Clemenswehrt sich aufhalten: demnächst hiehin zurückkomme und im November nach Bonn zurückgehen. Das gemächlichst für Sie würde wohl der Sejour von Clemenswehrt wegen de Nähe von Bremen seyn. Sonst würde gegen die Mitte de Octobris die Zeit seyn, wo ich Sie mit den meisten vom Ad-

bekannt machen könnte: es liegt mir mehr daran Sie mit letzten persönlich bekannt zu machen, als dem Kurfürsten zu präsentiren. Jetzt können Sie die Zeit wählen, welche für Sie die schicklichste ist: wenn vielleicht Ihre Gelegenheit seyn sollte, dieselbe noch später zurückzusetzen: nur bitte ich mir Nachricht davon zu geben, damit ich meinen Aufenthalt darnach einrichten kann.

Unser philosophischer Erziehungs=Plan ist viele Menschen, und zu Gelehrten diejenigen zu bilden, welche dazu berufen sind. Aufgeklärte Religion, warme thätige erhabene Menschen= und Vaterlandsliebe, folglich richtige Begriffe von Recht, Sitten, Freyheit und Ehre, gemeinnützige Wissenschaften und Künste und dem zufolge den Unterricht so einzurichten, daß weder die Empfindungen die deutlichen Begriffe verdrängen, noch die Abstractionen die Experimental=Erkenntnisse, oder gar das Herz austrokknen.

Wie viel könnte ich zu Erhaltung dieser Absichten von Ihnen lernen?

Für Leibnitzen habe ich die größte Verehrung und bin stolz darauf. Wie sehr hat dieser alles umfassende Denker, auch in diejenige Erkänntnisse gewirket, welche man zu seiner Zeit gewiß nicht geglaubt hat, in so naher Verbindung mit seiner Philosophie zu stehen? Ohne ihn wären wohl nicht einmal Winkelmann und Mengs das geworden, was sie sind. — Ich danke Ihnen für den Gedanken, und werde auf welche Art es mir möglich seyn wird, durch einiges Ehrenmal für diesen großen Mann meinen Landsleuten Ehre zu machen suchen. Ich bin mit der vollkommensten Hochachtung

Ew. Wohlgeboren

Ganz gehorsamster Diener

Fürstenberg.

147. Göthe an Klopſtock.

Carlsruh den 26. Aug. 1775.

Sigmars Freund iſt wieder gekommen, liebſter Freund. Kaum hatten wir die Eis=Berge verlaſſen, ſo flohe ich in die kühlen Schatten nach Steinbach. Da habe ich, nicht in Muſ= ſondern in Faulheit etliche Wochen hingeſchlendert, die ich nicht zu meinem Leben rechnen dörffte, wenn ich mir nicht einbildete ſo viel Kräffte geſamlet zu haben, daß ich nunmehro aus eine= Tag zwey machen kann.

Morgen rennen Wir nach Sponheim und dann wieder Sponheim herum wie der wilde Jäger.

Neues, neues von Ihnen will ich haben und Hofnung und Zuverſicht. Der guthe junge Rathſamhauſen empfiehlt ſich. Ich bekome vermuthlich meine Schweſter zu einer Gehülffin. Anfangs Octobers iſt des Herzogs Hochzeitfeſt, und das meinige, wenn ich in den Armen meiner guthen Freunde bin.

H. Klopſtock.

148. Klopſtock an Bökmann.

Herrn Herrn Kirchenrath Bökmann in Carlsruhe.

Hamburg den 14. Oct. 1775.

Ich hab es ſo lange ausgeſezt, Ihnen, mein Wertheſter, zu ſchreiben, weil ich Ihnen gern etwas Entſchiedenes über meine Verrichtungen in Münſter ſchreiben wolte; aber das kan ich auch jezo noch nicht. Dieß iſt auch die Urſache, warum ich dem Herrn Geh. R. Edelsheim bisher nicht geſchrieben habe. Ich bitte ihm dieſes, in meinem Namen nebſt meiner ſehr freund= ſchaftlichen Empfehlung, zu ſagen. — Ich glaubte Ihnen ge= ſchrieben zu haben, daß Sie die Bezahlung für meine Zimmer in Ihrem Hauſe bis Oſtern abziehen möchten. Ich muß es alſo wol nicht geſchrieben haben. Denn ſonſt würden Sie nicht,

wie Sie mir schreiben, zu meinem Vortheil einen Miethmann
nach Ostern eingenommen haben. Denn meine Meinung konnte
ja nicht wol seyn, die Zimmer auch in meiner Abwesenheit zu
behalten. Meine paar Tische bitte ich in Ihrem Hause, wohin
Sie wollen, zu setzen, und den Wein in Ihrem Keller zu behalten. Für beides bezahl ich was Sie dafür verlangen werden.
Schreiben Sie mir ein wenig umständlich, was Sie insgesamt,
besonders die Frau Markgräfin (denn Ihrenthalben bin ich besorgt) machen. Es ist mir ein wahres Vergnügen, mich Carlsruhe oft zu erinnern. Wenn Sie bey uns wären, so würden
Ihnen meine hiesigen Freunde davon zu sagen wissen. Der
Herzog von Weimar wird jetzo bey Ihnen seyn. Vielleicht
ist das Beylager schon gewesen. Ich bitte Edelsheimen,
mich ihm und seiner Braut oder Gemalin recht sehr zu empfehlen. Andre Empfehlungen trag ich nicht auf. Denn ich
werde bald selbst schreiben. Unterdeß der Herzog und Luise
könnten fortseyn, eh meine Briefe ankommen. — Die Reise in
die Schweiz möchte ich mit gethan haben.

Was hat Lavater für Wunder vor Ihnen gethan?
Warum hat er denn, was so sehr das Gegentheil von einem
Wunder ist, zugelassen, daß der Markgraf so unrichtig gezeichnet
vor sein Werk gekommen ist! Es ist was recht Dummes (ich
drücke mich nicht zu stark aus) daß der Fürst, dem die Physiognomik zugeeignet ist, so vor derselben erscheint. Kurz, ich wurde
... [unleserlich] als ich es sah. Schreiben Sie mir bald.
Ich bin der Ihrige   Klopstock.

149. Fürstenberg an Klopstock.
Münster den 28. Oct. 1775.
Ew. Wohlgeboren Schreiben vom 16. dieses Monaths habe
ich erhalten. Der Begriff den man Ihnen von dem Stolze des

westphälischen Abels gegeben, ist übertrieben. Ich spreche i
nach dem verschiebenen Maße der Einsichten nicht ganz dav
frey. Wenigstens werden Sie jederzeit mit Distinction auf;
nommen werden.

Non obtusa adeo etc. Es kömmt nur darauf an, wie w
die Art Ihrer Anherokunft in meine Ihnen eröfnete Absicht e
fließen, und sie erleichtern oder erschweren kann. Dieses n
mit einer von den Gründen, warum ich wünschte, daß Ih
Ankunft gelegentlich wäre, und keine Absicht verrieth, indem a
diese Art das persöhnliche von Ew. Wohlgeboren seinen völlig
Eindruck macht, wo in dem andern Falle ein sicherer Oppo;
tionsgeist mir bei verschiebenen Schwierigkeit erregen könnte. S
wissen nicht, wie hoch ich Sie schätze; wie sehr ich folglich Ih
persönliche Bekanntschaft wünsche. In diesem Betracht ist m
der erste Augenblick der liebste: zu Erreichung meiner dabey h
genden Absicht aber ist eine gelegenheitliche Reise die schicklichst
wenn selbige auch erst über brey oder vier Monathe erfolgte.

Ueber unsere Einrichtungen werde ich Ihnen die Instru
tionen, welche für die Lehrer geschrieben sind, zuschicken. I
habe mir alle Mühe gegeben die Unterrichtungs=Art, so gen
wie möglich ist, zu bestimmen. Ich beharre mit vollkommen
Hochachtung Ew. Wohlgeboren

Gehorsamer Diener
Fürstenberg.

150. Schubart an Klopstock.

(Ulm 1775/76.)

— — Ja, ich habe den Messias zu Augsburg öffentli
auf dem Dasigen Concertsaale beclamirt. Erst fing ich mit einig
Auserwählten an, denen gefiel's. Die Gesellschaft wurde f
mein Stübchen bald viel zu groß, und nun räumte mir b

Magistrat einen öffentlichen Platz ein, und die Anzahl meiner Zuhörer stieg bald auf einige Hunderte. Alle Exemplare der Messiade ächter Druck und Nachdruck wurden bald aufgekauft. Hurter in Schafhausen machte großen Profit, indem von seiner fehlerhaften Ausgabe just die meisten vorhanden waren; Hohe und Niedre, Geistliche und Weltliche, Katholische und Lutherische kamen mit Messiaden unterm Arm in die Vorlesung.

O das war ein festlicher Anblick, wie alles so in feierlicher Stille dasaß, wie die Empfindung auffuhr, und in Verwunderung und Thränen ausbrach. Klopstock! Klopstock! scholls von allen Lippen, wenn eine Vorlesung geendigt war. Ich machte meine Sachen, wie ich glaube, ziemlich gut; denn von Jugend auf lernt ich Declamation aus dem Messias und habe sie schon in Aalen, Nördlingen, Nürnberg, Erlang, Eßlingen, Geißlingen, Mannheim, München, sonderlich Ludwigsburg beinah unzähligemal vorgelesen. In Ludwigsburg sind Handwerksleute, die den Messias statt eines Erbauungsbuches brauchen, und nach der Bibel (wie's denn auch wahr ist) kein göttlicheres Buch kennen, als dies. Was ich oft den Leuten für Freude machte, wie ich mich mit freute, und wie mich die Leute dafür belohnten, ist kaum auszusprechen. In Augsburg trug mir oft Eine Vorlesung 50 bis 60 fl. ein. Der Eintritt war gewöhnlich 24 Kr. Da konnt' ich meinen Kindern manche Wohlthat erweisen, und manch gutes Glas Wein auf Ihre Gesundheit trinken. Sehen Sie, welchen Dank ich Ihnen schuldig bin, vortrefflicher Mann! Dafür will ich Sie auch ewig lieben und hochschätzen, und einmal, wenn ich sterbe, soll man mir eine Messiade auf's Herz legen und mich damit begraben.

Die erstgedachte große und weite Erfahrung auf Ihre Messiade hat mich gelehrt, daß je frömmer, je unverdorbener,

je einfältiger das Herz des Menſchen iſt, deſto mehr wir[k]
meine Declamation auf ihn.   Ich habe Fürſten, Miniſte[rn]
Kriegsleuten, Hofdamen, Prieſtern, Rechtsgelehrten, Aerzten, B[ir]
tuoſen, Handwerkern, Bauern, Weibern, Mädchen an der Kur[e]
und am Nähpulte Ihre Meſſiade ganz oder ſtellenweiſe vor[ge]
leſen, und allemal fand ich, daß der der beſte Menſch war, a[n]
den ſie den tiefſten Eindruck machte.   Und das wird immer ſ[o]
ſein, und ſollte allen Kunſtrichtern dieſer und der ſpätern Ze[it]
auf ewig Zunge und Hand lähmen. — So lange Ihre Meſſiad[e]
unter uns an Beifall zunimmt, ſo lang glaube ich auch, daß
unſre Nation vorwärts geht — und ſie nimmt zu.

F. in R. druckt jetzt den Meſſias und die geiſtlichen
Lieder, und weg gehen ſie, zwar nicht, wie Brod zur Zeit be[r]
Hungersnoth, reißend und ſtürmend, aber doch wie tägliche[s]
Brod. —

151. Guſtchen Stolberg an Klopſtock.

Ueterſen, den 25. April 1776.

Im Garten.

Ja im Garten liebſter Klopſtock! ich gieng eben herum
es war ſo ſchön, die Vögelchen ſangen, die Veilchen und Blu
men dufteten mir entgegen, und da dachte ich denn mit Rüh
rung an alles waß ich liebe, ſehr liebe, und da kam ich den[n]
ſehr bald zu meinem guten lieben Klopſt. der gewiß keine Freundi[n]
hat, die es mehr iſt als ich es bin, ob gleich es Ihm vielleich[t]
viele mehr ſagen.   Sie haben meiner . . . Schweſter Brief ge
leſen — an nichts hat er mich erinnert waß ich mir nicht alle
wie geſtern geſchehen erinnerte — und ich weiß es auch gar z[u]
gut, wie wir uns alle freuten, wenn es hieß Klop. komt! wi[r]
ſteckten gleich die Köpfe zuſammen und ſagten es uns recht of[t]
aber wir Mädchens ärgerten uns, daß wir ſie immer ſo weni[g]

sahen — Dank Dank für Ihren lieben allerliebsten kleinen Brief, wie er mir lieb war sag ich Ihnen nicht — kan's nicht — hören Sie wir wollen einen accord zusammen machen, Sie sollen mir erlauben, daß ich von Zeit zu Zeit an Sie schreibe, und ich verspreche Ihnen, daß ich discret seyn will, und keine Antwort erwarten will — der accord ist nicht zu eigennützig, nicht wahr? aber dafür ist es auch ein so sehr großes Vergnügen für mich, an Sie zu schreiben. Eben Klopst. ward es mir so ums Herz, daß ich schreiben mußte, so ganz auf einmal — o Klopst. wie mögte ich den schönen Tag mit Ihnen genießen! wenn sehe ich Sie nun wohl? bald — nun bin ich bald ganz gut, lieber Klopst. heute kan ich schon die Luft recht gut vertragen, und 2 mahl bin ich schon spazieren gefahren, und das letzte mahl ohne Schmerzen — nun habe ich nur eine Furcht, ich habe zwey mahl einen kl. Anstoß von Fieber gehabt, ich trinke aber seit gestern so viel China, daß es weichen soll und muß —

Du liebes bestes Hanchen hast ja doch wohl meinen Brief gekriegt? wie geht es dir, denkst du auch an mich? Erinnerst du dich nicht ein wenig, daß ich nun so wohl bin? ja gewiß. Und unsere liebe Büschen ist nun so gut! o Gottlob — sage ihr, daß ich mich recht von ganzem Herzen dazu freute, wir wollten uns auch einmal recht zusammen über unsere Beßenung freuen — wir habens doch einem Arzt zu danken — o Hanneken, waß ist es schön heute! — unser Ob. grüßt euch beyde so recht herzlich — grüßt von mir die große und die kl. Meta, die Schmidten, die Seumemann, die kl. Hübinger, Passavant, — alle unsre Freunde und Freundinnen mit einem Wort. Für Hanchen, vergeß mir das gelbe Zeug nicht, kan ich es aber nicht bald kriegen, und du hast es nicht à part für mich bestellt, so will ich lieber etwaß anders nehmen. Aber ich hätte dies am liebsten — wenn ich diese kl.

nun sehe dann hoffe ich, daß ich ganz wohl bin, und ohne d
alten fatalen Schmerz, den ich auch nicht los werden kan, i
mich doch aber nur auf einige Minuten mehr heimsucht — ab i
ihr guten lieben, ich umarme euch beyde mit meiner ganz
Freundschaft —

Gustchen St.

152. Gerstenberg an Klopstock.

Lübek 8. May 1776.

Was mir Staak da für eine unsägliche Freude machte
Es war ganz gewiß: Victor Klopstock hatte ihm ausdrücklich geschrieben, daß er einen Wagen für drey Personen, für
Sie, mein Klopstock, und für einen Freund, vielleicht gar ein
Freundinn, hinbringen sollte: am Donnerstage würden Sie hie
seyn, bey mir abtreten, vier Tage bey mir bleiben! Wie mein
Herz dem Donnerstage entgegenschlug! Wie meine liebe Sophia
nach Ihnen und nach der herrlichen Winthem aussah! Si
kommt zuverlässig mit; es kann nicht fehlen, der Freund ist sie
sie hats ja gesagt, daß sie uns, uns, besuchen will, dich liebt
meine Sophia, viel Gutes von dir gehört hat, ganz dein
Freundinn ist. Ach Klopstock! Donnerstag kam, Freytag, Sonn
abend; endlich Staak: aber kein Klopstock! keine Winthem
nichts von allen! Nie will ich dem Jäger und Versucher meh
trauen.

Taub bin ich, spricht man mir von Thaten, die man thu
will, vor. Es sey denn, daß Sie mir selbst schreiben, wie ic
Sie nun herzlich darum bitte. O über eine fehlgeschlagen
freudige Erwartung geht kein Misvergnügen!

Daß ich weder Ihnen, noch Ihrer lieben Freundinn, für
Ihre so sehr freundschaftliche Aufnahme gedankt habe, kann wo
nicht Gleichgültigkeit für Ihre Güte seyn, Sie werdens m

glauben. Ich warb krank, mein Bester, bins noch ein wenig.
Gestern vor acht Tagen wollt ich Ihnen schreiben: da kam Lo=
renzo, da mußte gesungen, gefragt und wieder gefragt werden.
Er war mit Hemmerbe schlecht zufrieden, hatte in Hamburg
nichts gefunden, als das Winthemsche Haus und Bachen.
Von Bach war seine ganze Rede voll. So was Mannichfal=
tiges! so was Reues und Reifes und Vollendetes hatte er nie
gehört. Den Abend sang er: wir hatten in aller Eile Bio=
linen, Flöten, Oboen, Hörner, Bässe zusammengebracht, machten
da in der Geschwindigkeit ein kleines Concert, das sich hören
ließ. Was sagen Sie nun von uns Lübekern, wie stolze Frau
von Winthem? die Sie außer Hamburg die Welt mit Brettern
vernagelt finden! Wagen Sies sicher darauf: nehmen Sie Ihre
besten Roten mit, Gluck, Salieri, Händl, was Sie wollen:
singen Sie, ich stehe Ihnen davor, es soll schon gegeigt werden
— oder Lorenzo müßte uns denn gewaltig geheuchelt haben.

Von Cramern habe ich Brife voll trauriger Ahndungen.
Es scheint, daß Alvensleben itzt, der ihm die 1500 Thaler
gebothen hat, Ausflüchte sucht, sich auf seine Verwandten in
Berlin verläßt, und das Recht zu verdrehen sucht. Buchholz
meynt, man müsse ihn, als einen bösen Verlasser seiner Frau,
vors sächsische Gericht heischen; das versteht keinen Scherz, und
er wird dann schon bessere Worte geben. Vielleicht bringts
Carl dahin, daß der Proceß diese Wendung nimt. Der arme
Carl! was muß er aber unterdessen nicht leiden!

Ich schreibe Ihnen hier, mein gütiger Klopstock, weil Sie
doch etwas von meinen Sachen sehen wollen, den Anfang mei=
ner Oper ab. Daß es meine Absicht sey, Gesang und Instru=
mente zu motiviren, werden Sie daraus bemerken: ob ich meiner
Absicht genugthue, werden Sie mir sagen; oder vielmehr ob ich
auf dem rechten Wege bin.

Peleus.

(Während der Ouvertüre drückt Peleus die Empfindungen feiner Berwun-
derung und feines Bergnügens durch ftummes Spiel aus. Er fucht die
Töne auf, die nah um ihn her entftehen. Er horcht an den Felfen, horcht
nach den Wellen, betaftet Stauden, Bäume, alles; bricht denn in Ausruf
des Erftaunens aus:)

Bey allen Wundern diefes Meeres! war es das?
Diefe füßen Töne, die mich rings umwallen,
Sind ein Spiel erzitternder Corallen?
Ein Spiel der Lüfte, die, aus düftern Hallen
Der Felfenwände, Schall der Cymbel fchallen?
Die, wie durch Kehlen fanfter Nachtigallen
Durchfchlüpfen durch die hohlen, fchwebenden Kriftallen
Am Hange diefer Grotte? Wie? Dieß Silbergras,
Dieß Schilfrohr ifts, gekreuzt mit Perlen, was
Diefen Laut der Wonne fliftert? Wie? es jagen
Auf Wellen, die im Tanze das Geftade fchlagen,
Diefe hohen Harmonieen fich?
Ha! ftürzen, da ich ftaune, fich ganz in mich!
Und meine Stimm ift Wohllaut! bin ein Gott Apollon ich!
Wo aber, Geniushauch! wo ach verbirgft Du dich,
Der diefer Welt des losgerißnen Schalles Seelen
Einathmet, die mit meiner Seele fich vermählen?
Die zu ihr reden? Fremdling, fagen, ich liebe dich!
Mit zauberifchen Schmeicheleyen fich
Hin über jede Nerve meines Herzens wälzen?
Wund von der mächtigen Entzückung mich
Bis tief durch Mark und Blut zu Thränen fchmelzen?
O wenn Du, unfichtbarer Geift im Wind,
Ein Hauch der fchönen Nereide bift,
Die zwifchen diefen Klippen mir entronnen ift:
O lehre mich, wo ich die Göttinn wiederfinde u. f. w.

Ich umarme Sie, Freund meiner Seele, und bin ewig mit
der wärmften Bewunderung, Ehrerbiethung, Liebe Ihr getreuer
ganz eigner   Gerftenberg.

Empfehlen Sie mich den beiden Mumfen, Ebelingen,
Paffavant, Büfchen, Leiftern, den trefflichen guten Män-

nern, die mir so viele Freundschaft bewiesen haben: insbesondere
dem liebenswürdigen deutschen Mädchen!

Die jüngste Hake prangt alle Sonntage in Ihrem Bande:
es sind ihr aber schon verschiedene Endchen davon abgeschnitten
worden: eins hat eine junge Frau von Wickede in ihrem
Nähbeutel, sogar Stein trägt ein Endchen in der Tasche.
Kurzmann trägt sich damit wie mit einem Amulet.

Wegen des Bandes und der Seide habe ich der Frau von
Winthem noch von meiner Frau schönen großen Dank zu sagen:
sie wünscht jenes als ein Angebinde ansehen zu dürfen, womit
sie sich durch dieses an die Frau von Winthem annäht; ist
das schön und groß genug gesagt, meine liebe Freundinn? Noch
soll ich Ihnen sagen, daß sich diese Nacht (den 12. May) ihre
ersten Wehen eingefunden haben.

Wollten Sie wohl die Güte haben, liebster Klopstock, mir
zwey Abdrücke von Ihrem Gips=Porträt zu verschaffen? Ver=
muthlich wird Herr Leister wohl die Mühe übernehmen, Sie
mir mit der Abschrift von Salieris Armide herüberzuschicken.
Den 13. May. Glücklich überstanden! Von einem Mädel ent=
bunden, das sich gewaschen hat!

153. Klopstock an Schönborn.

Kiel den 1. Aug. 1776.

Ich bin heute, liebster Schönborn, der Urheber einer recht
guten Sache. Wir sind hier eine nicht kleine Anzahl bey ein=
ander, und ich glaube, die meisten von uns, vielleicht alle, werden
auf meine Bitte heute an Sie schreiben. — — Ich habe ·in
Carlsruh nur den kleineren Brief von Ihnen bekommen. Wo
der größere in der Welt herumtreiben mag, weis ich nicht. —
So oft ich gekonnt habe, hab ich davon gesprochen, daß man
Sie armen Verwiesenen aus dem afrikanischen Sande wieder in

die schwarze vaterländische Erde versetzen möchte. Vor ein Paar Monathen war auch die Hofnung dazu sehr nahe. Denn es war schon Jemand an Ihre Stelle bestimmt, der es aber nicht angenommen hat. Dieß war das notwendigste. Ich komme noch einmal wieder.   Ihr Klopstock.

Hamburg den 8. August 1776.

Hier bin ich wieder, lieber Schönborn. Ich kam gestern Abend zurück, und traf zu meiner nicht kleinen Freude Lessing an. — Nun auch ein Paar Worte von unsrer Reise. Sie hat vierzehn Tage gedauert. Zuerst nach Lübeck, wo ich denn nach so langer Zeit die Gerstenberg wiedersah. Ihren vier fri= schen und guten Jungen hab ich die Anfangsgründe des Tau= chens und Schwimmens in der Wagniz beygebracht. Den ersten Schultag saß die Henne, (Gerstenberg nämlich, nicht Sie,) im Bote und sah den Enten zu, doch ohne Geschrey, sie müste ben etwa heimlich bey sich gewimmert, gejammert und gewehklagt haben.

Den Tag vor unserer Abreise nach Kiel kam Carl Cramer zu uns. Er, Gerstenberg und Roobt reisen mit uns nach Eutin zu Friz Stolberg. Denken Sie einmal, mein Liebster, der Idiot Friz war schon über acht Tage in Eutin, und hatte in dem dortigen schönen See noch nicht einmal eine Stelle entdeckt, wo man ungesehen von Hofdamen und ihren Käzchen baden könte. Die große Entdeckung war also mir vor behalten. Wir gingen, von Vermutung einer nahen unsichtbar machenden Bucht angeflammt, aus dem Schloßgarten mit den Schuhen in der Hand durch Wasser und über gesunkene Einhe= gungen, und schrien wie Xenophons Griechen bey Erblickung des Meers, da wir die Bucht fanden. Ohne Ruhm zu melden: Ich war's, der noch eine vermutete, da Karl und Friz schon verzweifelten. Sogar Blut wurde bey der Expedition vergossen. Als ich aus dem Waffer aufstand, rief Friz: Sie bluten in der Seite! Und so war's auch; und ich hatte doch weder einen Stein noch einen Blutigel in der Seite gefühlt, so daß wir uns vergebens die Köpfe zerbrachen, wie das Ding zugegangen seyn könnte. — Die erste Meile von Eutin nach Kiel geht durch eine vorzüglich herrliche Gegend. Sie kennen sie gewiß; wenn man zur Mühle hinunter kommt, so sieht man einen nicht klei= nen Theil des Plöner Sees. Ich sah ihn aufs Baden an; aber daran war leider! jetzt nicht zu denken. In Kiel trafen wir auch Bergern und seine Tochter, Oedern, Bofteln und Greilichen an. Wir sind acht Tage dort gewesen. Manchen Tag haben wir uns zweymal dem Kieler Jungfernstiege gegenüber an einer Stelle, wo sich die Küste erhebt, gebadet. Einmal sind wir von braven Leuten mit einem Teleskope bekukt, und ein an= dermal von Professoren bemäkelt worden, und zwar folgenderz= maßen: Da sind denn nun diese Herrn her gekommen, um ihre giftigen Aufwallungen in der Ostsee abzukühlen.

Zur Ehre der Henne Gerstenbergs sey es gesagt, daß sie die Bemäkelung mit verdient hat. Stolberg declamirte einmal Verse aus Homeren: (bald aus dem Originale, bald aus seiner Uebersetzung) und ich machte die Gestus dazu, auf der Fläche des Waffers nämlich und ihm oft ins Gesicht. Wenn er es mit Poseidaonen zu laut machte, und es gar selbst seyn wollte, so bekam er selbst Wellen ins Gesicht, daß er fliehen mußte. Warum ich Ihnen von nichts als von Baden erzähle? Dazu hab ich, wie der Haushofmeister im Gespenste mit der Trommel, drey Ursachen. 1) Weil mirs Vergnügen macht; 2) weil ich in der großen Hitze, die wir hatten, ohne Baden die Freuden des Wiedersehens nur halb würde haben genießen können und 3) weil ich Ihnen kein Buch schreiben mag.

P. S. Leiber! kont ich mich bey Aſperg im Plöner S…
des Schilfes wegen, nicht baden und in der Alſter beim He…
kruge auch nicht, weil Regenwetter eingefallen war.

Den 17. Aug.

Ich komme noch einmal wieder, lieber Schönborn. D…
Brief hat ſo lange gelegen, (morgen ſoll er endlich ſeine Rei…
antreten) weil er mir immer noch nicht dick genug war. — Fü…
Voſſen denke ich etwas beym Markgrafen thun zu können. Di…
Veranlaſſung dazu, und wie es damit geht, wäre zu weitläufi…
zu erzälen. — Ich habe nun ſchon viel Fragmente meine…
Grammatik fertig, und manchmal die Freude, daß ich ſie noc…
mehr verkürzen kan. Ihnen brauche ich nicht zu ſagen, daß dieſ…
Arbeit gar nicht ſo trocken iſt, als ſie ſo vielen vorkommen wir…
Nur Ein Wort daraus: Wir haben 3 Arten die Wirkungswört…
umzubilden: 1) Mit dem Umlaute fingen ſang; 2) mit dem te ehre…
ehrte; 3) mit beyden müſſen muſte. — Wie oft wünſchen wir Si…
bey uns, lieber Schönborn. Z. E. geſtern, da wir vier neu…
Simphonien von Bachen mit 40 Inſtrumenten aufführen hörte…
und dann den Abend bei Büſchens mit Leſſing waren. — D…
Churfürſt von der Pfalz hat jetzt ſo einen geſcheiten Miniſte…
daß er ein Nationaltheater haben will. Man hat auch mi…
darüber befragt. Ich habe den Churfürſten auf meiner Rei…
kennen lernen, und ihm, ohne ihn auszunehmen, eine gan…
Stunde lang in ſeinem Kabinette geſagt, daß unſre Fürſt…
nichts für die Wiſſenſchaften thäten. Meine Unterhaltun…
die ſehr lebhaft war, ſchien ihm zu gefallen; und doch wollte
mir immer entſchlüpfen; allein feſt, feſt hielt ich den Aal. Ei…
mal hatt ich es ſchon auf der Zunge, ihm zu ſagen, daß …
als Reichsrichter, ſein goldnes Beil am Kaiſer verſuchen ſol…
weil dieſer ſein Wort, das er durch mich hätte geben laſſen, ni…

gehalten hätte; aber ich ließ es doch, weil ich befürchtete, er würde den Scherz nicht recht verstehn. — Ich lasse hier noch ein wenig Raum für die v. Winthem.

154. Klopstock an Bökmann.

Hamburg den 21. August 1776.

Beygelegte Briefe bitte ich dem Herrn Markgrafen in meinem Namen zu übergeben. Ich glaube dem Herzoge die Schonung schuldig zu seyn, daß sie geheim gehalten werden. — Ich mußte allerdings fürchten, daß Ihnen meine Aufträge, meine Penfion zu heben und sie mir zu überschicken, beschwerlich fallen würden. Denn Sie schrieben mir einmal, daß Geld für mich bereit läge, das ich sogleich heben lassen könnte; ich bat mirs aber erst etliche Wochen hernach aus; und Sie schickten mir es gleichwol erst ziemlich lange Zeit nach meiner Bitte. Hatte ich also in meiner Besorgung wohl Unrecht? Ob sie völlig ungegründet sey, können Sie mir jezo zeigen. Ich ersuche Sie nämlich, meine Naturalien, sogleich nach Empfang dieses, zu Gelde zu machen und dabey gar nicht auf einen mir vortheilhaften Preis zu sehen, sondern Sie für den zu verkaufen, den sie jetzt haben. Ich habe Sie mich deucht schon einmal gebeten, beym Verkaufe nicht auf den Preis zu sehen. Fahren Sie also nicht fort, wider meine ausdrückliche Erklärung über die Sache, zu meinem Vortheile zu handeln.

Wenn Sie einmal bey Laune wären, mir etwas umständlicher über die Schweizer Reise, die Sie mit dem Markgrafen gethan haben, zu schreiben, so würd ichs mit Vergnügen lesen. Der Geh. Rath Edelsheim ist wol noch nicht wieder zurückgekommen; sonst empfehlen Sie mich ihm auf das Freundschaftlichste. Was macht unser lieber Molter? Könnte ich nur so viel Briefe schreiben als ich schreiben möchte. Bringen Sie den

faulen Mann doch dahin, daß er mir ſeine Fragmente der ita-
lieniſchen Ueberſetzung des Meſſias ſchicke. Ich bekomme nun
bald eine von den erſten Geſängen, auch in Verſen. Ich möchte
ſie gern mit Molters ſeiner vergleichen. — Durch Edelsheim weiß ich, daß die Erbprinzeſſin wol iſt, und das freut
mich von Herzen. Schreiben Sie mir doch von der Fortbauer
des Wohlſeyns.

Schreiben die Hofdamen in Ihrem phyſikaliſchen Collegio
auch hübſch nach?

Meinen beſten Gruß an Ihre Frau und die gute Kleiner-
Klopſtock.

155. Klopſtock an Ebert, Gärtner, Zachariä und Schmidt.

Hamburg den 3. September 76.

An Eberten, Gärtnern, Zacharian und Schmidten.

Ich kenne wenig Sachen, die ſo ſchwer ſind als ſein eigenes Leben zu ſchreiben. Man ſoll umſtändlich ſeyn, (denn ein
kurzhingeworfenes Leben iſt keins) und zugleich ſelbſt den Schein
der Eitelkeit vermeiden. Gleichwohl muß ich mich aus verſchiedenen guten Urſachen dazu entſchließen. Eine derſelben iſt dieſe:
Man hat mir nicht ſelten dieſes und jenes von mir erzählt,
das zwar wohl recht ſchmeichelhaft für mich, aber doch zur Hälfte,
oder gar völlig falſch war. Solcher Erzählungen können mehr
von mir herumgehen, als mir bekannt geworden ſind. Eine
gute Lebensbeſchreibung, das heißt eine, die in Hauptſachen umſtändlich und durchgehends genau wahr iſt, trift dieſe Erzählungen auf ihrem Wege an, und macht, daß ſie nicht weiter in
Betrachtung kommen. — — Ich wünſche, daß mir meine
Freunde bey der meinigen helfen. Ich bedarf dieſer Hülfe; denn
manches von dem, was mich betrift, habe ich ſo rein vergeſſen,

ß ich wol eher, wenn mir Augenzeugen davon erzählten, ziem=
ße Zeit mit der Unwiſſenheit eines Fremden zuhörte, bis mir
endlich gewönlich kleine Umſtände, und die dann ſehr lebhaft,
rückbrachten. Sogar Briefe, und nicht etwa gleichgültige, ſon=
n Briefe an Freunde habe ich beym erſten Durchleſen blos
meiner Hand gekannt. Wenn mir meine Freunde von dem,
s Sie von mir wiſſen, dasjenige anzeigen wollen, was ihnen
die Lebensbeſchreibung zu gehören ſcheint, ſo werde ich dop=
ten Nuzen davon haben: Sie werden mich an manches, das
nicht mehr wußte, erinnern; und ich werde von ihnen unter
n, was mir bekannter als ihnen iſt, wählen lernen. Es iſt
ien unverwehrt, mich auch zur Aufzeichnung dieſes und jenes,
ß ſie wiſſen möchten, und das ich ſonſt vielleicht übergehen
rde, durch Fragen zu veranlaſſen.

Vorzüglich angenehm werden mir auch Nachrichten von
rbrücken, die meine Arbeiten auf Ungelehrte gemacht haben,
b Erinnerungen an Zeiten ſeyn, da wir ſo recht von Grunde
s Herzens mit einander glückſelig geweſen ſind. Ich erkenne
mit inniger Dankbarkeit, daß ich es ſo oft in meinem Leben,
b in ſo hohem Grade geweſen bin. Auch hab' ich mirs
ndhmal zum eigentlichen Geſchäfte gemacht, tief und anwend=
r darüber nachzudenken, was Glückſeligkeit ſey. Denn es hat
r immer ſehr nahe am Herzen gelegen, worauf es dabey ſo
ßt weſentlich ankomme.

Ich verlange und erwarte von meinen Freunden nicht, daß
ie mir in dem gütigen und partheiiſchen Tone der Freund=
ßaft über die Sache ſchreiben. Der Ton eines richtig und
lt urtheilenden Nachkommen iſt wol derjenige, der, in Abſicht
if ſie und mich, den Vorzug verdient.

Für dießmal nur von dieſer Sache Meine lieben, alten
eunde. Der Ihrige   Klopſtock.

P. S. Ich bitte, die Antwort nicht lange auszusezen. Schicken Sie, l. F. eine Abschrift dieses Briefes an Gleimen.

156. Lessing an Klopstock.

Wolfenbüttel den 20. Oct. 76.

Verzeihen Sie, mein lieber Klopstock, daß Sie die italie nische Uebersetzung Ihres Messias so spät erhalten. Es sind auch nur die ersten drei Gesänge, die ich noch davon besitze Die übrigen, bis auf den zehnten, erwarte ich nächstens. Denn bis dahin hat sich der Uebersetzer vors erste nur sein Ziel stecken wollen, nach einer Idee, die ich aber nicht zu der meinigen ma chen möchte.

Zugleich lege ich das Fragment aus dem Renner bey von welchem wir in Caden sprachen. Das deutsch Geschrieben ist der Text des Gedruckten; das mit lateinischen Buchstaben ist aus unserm ältesten und besten Msste. genommen; und di Lesarten aus einem zweiten, nicht ganz so guten. Die Stelle

> Wer teutsch wil eben tihten
> Der mus sein herz rihten
> Uf mangerley spraoch. —

Und ferner

> Die landsprachen davor genannt
> In teutschen landen sein bekannt.
> Wer aus den iht gutes nimt
> Das wol in seinem getiht zimt
> Mich dunket der hab nit missetan
> Thut ers mit Kunst und nit nach wan —

Die sind es, worauf ich mich als Beweis bezog, daß ma bie deutsche Büchersprache, oder das sogenannte Hochdeutsche fü nichts als eine Auswahl aus allen Mundarten Deutschlan zu halten; wenigstens, daß unsre älteren Schriftsteller sie in di sem Lichte betrachtet und bearbeitet haben. Ihr ganz ergebenst

Lessing.

157. Fr. Jacobi an Klopstock.

1776/77.

— — Vielleicht kennen Sie jemand, der sich diese Idee zu nuße machen kann. Eine Art von Plutarchischer Vergleichung müßt' es geben.

Ueber vieles noch möcht ich Ihnen schreiben. Ueber Herbers Urkunde, die ich nun recht studiert habe; über Lavaters Physiognomik; über — nein, über Bürger und Stollberg schrieb ich Ihnen nicht, wenn ich auch Muße hätte. Die Stollbergische Ueberseßung ist mir erst vor 14 Tag in die Hände gekommen. Ich habe lange keine solche Freude gehabt. Es wäre mir aber leid wenn Bürger zurückträte. Er will, hör' ich, weil es scheine es sey den Deutschen um seine Ueberseßung nicht zu thun. Der wunderliche Mensch sollte sich deutlicher erklärt haben.

Ich schreibe ißt einen Roman, wovon ich, zu meinem großen Herzeleid einen Theil in den Merkur habe zerstückeln müssen. In der dritten Fortseßung werden sie ein paar Briefe finden, die ich vorzüglich lieb habe, weil mir deucht, es ist etwas Klopstockischer Geist darin. — Ich hatte mein Recht an dem deutschen Merkur meinem Bruder geschenkt, und dieser sollte nun mit Anfang des Jahres statt meiner die Beyträge liefern. Nun ergab es sich, daß Haude und Spener, die ihm wegen Iris allerhand Chicanen gemacht hatten, auf einmal sich in alle Bedingungen ergaben, und für die 3 fehlenden Theile das Manuscript verlangten. Mein Bruder war in großer Noth, und ich mußte, ganz gegen meine Erwartung noch ein Jahr fortfahren den Merkur zu unterhalten; so gieng mein armer Woldemar in die Brüche. Aber die zweite Hälfte der Geschichte werde ich zurückbehalten und dann alles zusammen besonders drucken. Ich schmeichle mir das Ganze wird Ihren Beyfall erhalten. —

Leben Sie wohl, mein Bester; ich will in Zukunft fleißiger schreiben, wenn Sie wollen und mit dazu thun.

Soll ich Ihnen meinen Schattenriß schicken? der in Lavaters Physiognomik ist abscheulich. — Um alles in der Welt und mehr, liebster Klopstock, wenn Sie einen guten Mahler antreffen, Ihr Bildniß!!

Noch einmahl, leben Sie wohl, mein Bester, ich umarme Sie mit grenzenloser Liebe.   Ihr

Friz Jacobi.

158. Klopstock an Ernestine Boie.

Hamburg den 27. Februar 1777.

Ihr Brief hat mich sehr gerührt, meine wertheste Freundin. Ich wollte, daß ich mit Ihnen sprechen könnte, so würde ich umständlicher über das seyn, worüber ich jezo nur wenig schreiben kann.

Beruhigen Sie Ihre Frau Mutter vor allem dadurch, daß Sie Ihr sagen, daß schlechterdings nichts ohne ihren Willen geschehen soll. Ich wiederhole dies nur; denn Sie wissen es schon durch Voß.

Was die Sache selbst betrift, so wissen Sie, daß Voß ein guter Haushälter ist, daß sein Wirt sich auf keine Weise eigennüzig gegen ihn betragen hat, und gewiß nie betragen wird; und daß er wahrscheinlich nicht ohne Amt bleiben wird.

So lange er übrigens vom Musenalmanach und einigen kleinen Nebenverdiensten lebt, ist sein Zustand sicherer, als gewöhnlich der Zustand der Kaufleute ist.

Beruhigen Sie sich selbst, und sei'n Sie so glücklich, als ich Ihnen von ganzer Seele wünsche. Der Ihrige

Klopstock.

159. Angelica Kaufmann an Klopstock.

London den 22. September 1778.

Werthester Freund, vergebens habe ich das Vergnügen ge= hofft auf mein Letztes (vor einiger Zeit an Sie geschrieben) eine antwort zu erhalten; Sollten Sie etwa meiner vergessen haben, so wirt bießeß Sie erinnern daß ich unaufhörlich in der Zahl der jenigen bin und sein werde, so die größte Hochachtung gegen Sie haben, daß ich Ihre freundschafft mehr schätze alß ich be= schreiben kann — und daß einige Zeillen vohn Ihnen, mir eine wahre Freude machen werden. mehr will ich dießmahl nicht sagen, alß daß ich mit unveränderlicher Hochachtung verbleibe wie allezeit dero aufrichtige Freundin und Dienerin

Angelica K.

160. Klopstock an Ebert.

(1778.)

„Mein liber, bester, guter Ebert."

Warum klagen Si, und brummen Si, und zanken Si doch immer in Iren Brifen an mich? Und ich mach es doch am Ende immer, wi Si es gern haben wollen; als da ist z. E. daß ich nun bald zu Inen komme. Weil ich dis nicht auf ein Iar zu bestimmen weis; so nenn ich auch den Tag nicht. Fi= leicht, aber nur fileicht, kommt Stollberg noch mit. Ich schreibe Inen noch for meiner Abreise. Sehn Si das tu ich; und habe gleichwol jezo

150

Korrespondenten, wi so vile Mülsteine auf dem Halse; oder hatte si filmer noch vor Kurzem da; denn abgewelzt sind mir wenigstens

140.

Alles Ir Gebrumme ist son ungefär eben so ein Gebrumme,

als Ir Gebrumme über Ire jezige große Schwächlichkeit
Denn wenn Si kein Mülstein, z. E. Ire Korrespondenz
mir, erschlägt, so läben Si wenigstens noch 10 Jare. — Wa
können Stollberg und ich dafür, daß Claubius one un
ein Wort zu fragen, unserm liben Gleim den Tag benannte
dän wir selbst nicht wußten. Das war nun so auf sein
Miste gewazen, ... Was Ire Reise wegen Ir
Gesundheit betrift, so kann ich si filleicht mittuen: und wer
nicht, doch bitten nachzukommen. Ire liben Spaldinge grüße
Si recht herzlich son mir. Es ist mir äußerst empfindlich, da
wir uns nicht haben sehen können. Für Iren Leonidas mu
ich Inen schon izt danken; ich kan das nicht bis zum Münd
lichen, das ich doch sonst so ser libe, aufschiben. Was das fü
eine Uebersezung ist! Aber was unsre Sprache auch für ein
Donna ist. Wenn unsere Sönlein, die Angelsazen, Geschmack
genug hetten zu wissen, was inen hir sälte, wi würden si alle
ire zän Finger nach der Sprache irer Herrn Urelterfäter leffen.

161. Klopstock an Ebert.

Hamburg den 29. Mai 79.

Ich warte noch immer auf Stollberg, dän ich Inen so
gern mitbringen möchte, und dän Sie ja auch gern haben
wollen. Der Fürst von Dessau, där ein fortreflicher Man
ist, und zu däm ich son H. reise, wil auch, daß ich noch auf
Stollberg (Si kennen Sich) warte.

Aber das Warten hat auch nun sein Zil. In 3 Wochen
spätstens hof ich bei meinem lieben Ebert zu sein. Aber mit
Fersendung der Subskripzionsbletter hatte es nicht lenger Zeit.
Ich schikke Inen 50. Machen Si nach Irem Gefallen die
Eintheilung
    für Braunschweig

Halberstadt
Queblinburg (Pastor Göze)
Wernigerode (Regier. Ab. Blum)
Ellrich (Göfingk.)

Ueberschiffen Si mir mit nächster Post die empfangenen 100 Thaler. Klopstock.

162. Klopstock an Ebert.

den 20. November 79.

Di Kopi auf folgender Seite solte Jnen l. E. gleich ge=schikt wärden; si ist aber leider ligen geblieben. — Di Buchhenbler haben in Leipzig den Nachdruk des Meff. beschlossen. Ich fer=lange bahär bi Zeit der Subskr. noch, nicht öffentl. aber in Brifen an Einige. Möchten Si bis wol mit ein Par Worten an Klügel nach Helmstedt schreiben. — Ich kenne Riemand, l. E. der mir ein historisches Register zum Meff. so gut als Si machen könte. Was sagen Si zu meiner Bitte? Si könten das so nach und nach wenn es Jnen so äben einfile machen. Di Seitenzalen ließen sich zuletzt leicht eintragen. — Ich habe ganz for Kurzem ein Fragment einer Uebersezung in hollenbischen Hexametern bekommen, das, so weit ich die Sprache erraten kan ganz fortreflich ist. Man left in Amsterbam schon mär Lettern zu einer schönen Ausgabe biser Ueberf. gißen. Ich wärde si aber, hof ich, forhär sehen. Umarmen Sie Louise fon mir.

Ihr Klopstock.

Einlage.

Ich würde heute Ew. Durchl. viel vom Herzog Ferbi=nanb schreiben; und auch etwas von dem Wiener, der mich bekehren wollte und nicht bekehrt hat. Allein ich bin mit so vielen kleinen Geschäften, die den Druk des Meff. betreffen (in Anspruch genommen), daß ich es noch aussezen muß. Sie können es sich kaum vorstellen, was alles dazu gehört, die Ausgabe ohne alle Druck= fehler zu machen.

Ich bekam mit lezter Post einen Brief von Ebert, worin er mir, nach seiner Art, sehr wehmüthig sagt, daß bey ihm wäre angefragt worden, ob er mir das von Ew. Durchl. über= sandte Reisegeld ausgezahlt hätte?

Ich habe es mir ziemlich lange vorher, ehe ich Ew. D. die Ursache schrieb, warum ich dieses Jahr nicht kommen könnte, zu der Zeit, da ich glaubte alle Tage verreisen zu können, von ihm schicken lassen. Ich erwähnte in meinen Briefen an E. D. wenn ich mich recht erinnerte, deswegen nichts davon, weil ich dafür hielt, es verstünde sich von selbst, daß ich Gelder, die Ebert für mich anvertraut würden, bekommen müsse. Ich glaubte anfangs, da ich Ew. D. die Ursache meines jetzigen Nichtkommens anzeigte, es wäre meine Pflicht, die zur Reise be= stimmten Gelder zurückzusenden; weil mir aber selbst der Schein, als ob ich gar nicht kommen wollte, zuwider war, so unterließ ich es.

Ich erinnere mich nichts mehr so lebhaft von Ew. D., als den lezten Abend, den ich mit Ihnen zubrachte. Ich glaubte zu sehen, daß Sie Sich mir als mein Freund zeigen wollten; und an diesen werde ich es nächstens schreiben, was mir, in Be= ziehung auf mich, an dem Herzog Ferdinand eben keine Freude gemacht hat.

163. Herzog von Rochefoucauld an Klopstock.

Paris 29. Fer 1780.

Je viens d'apprendre Monsieur, par M. de Montbree, Consul de France à Hambourg, le présent que vous vouliez bien me destiner, et je me hate de vous en temoigner ma reconnâis-

sance. Le Messiah jouit dejà partout de la plus grande répu-
tation, nous en aurons surement bientôt une traduction, mais
que de beautés seront perdues pour ceux qui ne pourront pas le
lire dans la langue originale; Vous allez me donner un puissant
aiguillon pour parvenir a ce plaisir.

Permettez moi de vous offrir une très belle edition du Poëme
des Mois qui vient de paroitre. Cest l'ouvrage d'un vrai Poëte.
Il n'est pas sans défauts, mais il a de grandes beautés, et j'ima-
gine qu'il pourra vous faire plaisir. M. de Montbree veut
bien se charger de vous porter, ou de vous faire parvenir ce
paquet.

Recevez, je vous supplie, l'expression de la reconnoissance
que j'ai de votre souvenir, celle des remercimens que je vous
dois pour votre beau présent et celle enfin de tous les sentimens
d'estime, et de consideration avec lesquels j'ai l'honneur d'être,
Monsieur, Votre très humble et très obeissant serviteur.

Le Duc de la Rochefoucauld.

M. Klopstock, Conseiller de Legation du Roi de Dannemark
a Hambourg.

164. Klopstock an Angelica Kaufmann.
Hamburg d. 14. Merz 1780.

Difer Brif, libfter Schönborn, ift an Angelica. Ich schiffe
in indes an Si, weil ich nicht weis, ob A. noch in golben
Sqare wohnt, und ich fer ungern fehe, wenn ĕr ferloren ginge.

Meinen wermften beften Dank, libfte Freundin, baß Si
Zeichnungen zum Meffias machen wollen. Ich mogte Inen bas
nur nicht fagen, weil ich glaubte, baß Si zu fil zu tun hätten,
fonft hatte ich es lange for. Wenn ich jemals lâbhaft gewünfcht
habe, Si zu fehen, fo ift es jetzt. Was würden wir uns ba
in kurzer Zeit über bi Sache fagen; unb wi wenig wârb' ich

Inen dafon in einem langen Brife schreiben. — Di Engel also
mit Flügeln? meinen Si? Können Si sez Flügel schön zeichnen?
So sa der Profet bi Engel, und ich möchte wol, daß Eloa unt
Gabriel so gezeichnet würde. Aber bi Engel müßten auch am
Flügel kenbar sein. Etwas leichtes, schwäbendes, helles, kaun
Körper. So auch bi auferstandenen Heiligen; aber doch for
den Engeln ferschiben, nicht blos daburch, daß si keine Flüge
haben. Das alles, Angelica, müssen Si erst noch erfinden
Den es ist noch nicht da. — Raphael selbst (ich rede freilig nu
fon Kupferstich) hat, bis auf St. Michael, noch keinen Enge
gemalt. Und nun Christus! Unter allen Christusköpfen, die id
gesehen habe, hat mir nur Einer fon Guido gefallen; allein
auch där war noch zu sanft. Das Erhabene muß hir über dae
Sanfte herforragen. Ich zittre for der Schwirigkeit där Sache
aber Si brauchen nicht zu zittern, wenn Si sich bi Formirung
Erhaben und sanft, das erste herschend, nur recht bestimmt denken
Nun der zweite große Punkt: Diser Christuskopf, bei allen fer
schibenen Empfindungen, immer wieder, immer der Bildung un
dem Karakter nach, äben derselbe. Si sind über alle Berg
weg, Libste, sobald Si di Ideale fon Christus, den Engeln unt
den Auferstandenen, läbhaft und fest in Irer Seele haben. In
des sind um das Kreuz auch Seelen noch Ungeborner mit ete
rischen Körpern. Aber können Si dise im Zeichnen nicht mer
unterscheiden; so mag es sein. Ich unterwerfe dis Alles na
türlicher Weise Iren Urteilen. Fon den Menschen Petrus, Jo
hannes, Judas u. s. w. sagen Si mir Ire Meinung. Fileicht
kann ich Inen einige nicht ganz überflüssige Anmerkungen darüber
machen. Aber die Hölle. Hir zittern Si nicht for der Schwi
rigkeit der Forstellung, sondern for der Sache. Erholen Si sich
Libste. Nichs Scheusliches; aber Schreckliches, ser Schreckliches.
Ser Schreckliches, sagen Si, kan ich nicht zeichnen; ich mag es

nicht denken. Keine Hülfe, Beste; Si müssen. Ich will Inen
indes einen guten Moment gäben, dän, da Abbabana Satan
widerspricht. Wir wollen immer die Ferse des gewälten Augen=
blikkes darunter sezen. Aber hir müssen Si sich fil noch Schreck=
licheres für einen andern Auftrit der Hölle, dän, da sich die
bösen Engel für Tobtengerippe halten, auffsparen. Si erlauben
mir, Inen die Entwürfe zu machen. Si sagen mir ban, was
Si zeichnen und nicht zeichnen können, ich meine, was, gezeich=
net, Wirkung herforbringt. Ich enbre ban an meinen Entwürfen;
und zulezt kommen wir über jede Mine und Stellung überein.
— Wi fil könnten wir in kurzer Zeit tun, wen Si über Ham=
burg nach Italien reisten. Sie wälen das Format. Mich beucht,
es muß groß Folio seyn — damit Si Raum haben. Wi fil
Kupfer? Di Zal der Gesenge bestimmt hir nichz. Wenn gewisse
Sachen forgekommen sind; so müssen gewisse anbre auch for=
kommen. So nur kan bi Samlung zu einem ferheltnismässigen
Ganzen wärden. Ich sehe gegen fufzig Kupfer foraus. Ich
benke, wir gäben es stückweise heraus; auf Subskripzion. Ich
mag nicht noch einmal auf den Messias subskribiren lassen. Si
tun es also. Ich lasse an Zeichnungen neuer beutscher Lettern
arbeiten. Mein Saz babei ist: One alles Ueberflüssige, das
Effichte stumpf, und bi einförmigen Züge (bise herschen in un=
sern Lettern) so schön wi möglich. Si sollen aber alles forher
sehen. Haben Si gute Formschneider in England? Ich kene
in Deutschland keine recht gute. Haben Si mer gute; besto
besser. So können wir die Lettern ferteilen und bekommen sie
besto eher. Es ist eine langsame Arbeit. — Ich kan Inen
nicht sagen, Libste, wi ich mich zu biser Ausgabe des Messias
freue. Man hat mir imer von Kupfern forgesagt, und ich habe
imer geantwortet: Ich wil keine. Aber wenn st Angelica zeich=
net, so wil ich si. Allein wär sol si stechen? Mer als Einer;

denn ſonſt wårt es eine unenbliche Zeit. Ich weis nicht, ob Si
ſon Preislern, dem Koppenhagner, etwas kennen; ſon Willen
gewis: Beibe wünſchte ich als Mitarbeiter. Preisler, mein
alter Freunb, wolte for langer Zeit brei Kupfer zum Meſſias
machen, unb babei wolt år ſoweit gen, baß år, nach föllig be=
richtigter Zeichnung, bi Figuren in Ton bilben, ſt for ſich hin=
ſtellen, unb barnach ſtechen wollte. Si ſehen, baß ber Mann
ſeine Kunſt kennt unb liebt. — Machen Si mir bi Freube,
mir balb über biſe Sache, bi mir ſo ſehr am Herzen ligt, zu
ſchreiben. — Ich würbe Inen fil eher barüber geſchrieben haben :
wenn ich Inen nicht ſchon jetzt Entwürfe hätte mitſchiffen wollen.
Aber ſo weit bin ich noch nicht, unb bas, was ich Inen jetzt
geſagt habe, wolt ich nicht länger aufſchiben. Könten Si boch
nach Hamburg kommen; ſo würbe unſere Unternåmung in we=
nigen Tagen Riſenſchritte tun. Ich umarme Sie ſon ganzen
Herzen. Der Irige			Klopſtock.

165. Klopſtock an Denis.
Hamburg, ren 15. April 1780.

Ich habe Inen, mein Wårteſter, bi erſte Fortſetzung ſon
meinen Fragmenten geſchickt. Den Anfang ber Zweiten hat Inen
Matt fermutlich gezeigt. Si iſt jezt fertig; unb Si ſollen ſi
bekommen, ſobalb ich Gelägenheit habe, ſi zu ſchiffen. Denn mit
ber Poſt flägen ſolche Päckchen ferloren zu gehen. Si wiſſen
ſchon, baß bie zweite Fortſetzung mein leztes Wort von unſrer
Ortografi enthält. — Wi iſt Inen babei, fühlen Sie nicht auch
ein wenig Mut bei Sich?

Es macht mir keine kleine Freube, baß ber Italiäner (Matt
nennt ihn anbers, als år ſich auf bem Titel bes erſten Teils
ſelbſt nennt) mit ſeiner Ueberſetzung fortfahre, unb baß år Si
babei zu Rate zihen wil. Ich werbe im, ſobalb ich kan, ſo fil

son der neuen Ausgabe fertig ist, zuschikken. Emfälen Si mich ihm auf das Beste. Aer muß, denk ich, besonders in Ansehung Einer Sache auf seiner Hut sein, nämlich, daß är das Weiche, worin di sanfte italiänische Sprache nicht selten ausartet, so fil wi möglich ist, vermeide. Denn dis Weiche schickt sich gerade am allerwenigsten für den Messias.

Sagen Si mir ein kritisches Wort über meine lateinischen Fragmente. Si sind einer son den Wenigen, där meine Forrede ganz ferstehet. Nach dieser rechtferstandenen Forrede will ich allein beurteilt sein. Wenn ich Inen den Ton getroffen habe, so bekommen Si filleicht Lust, noch mehr Stellen unter Irer Auffsicht übersetzen zu lassen. Meine Idee ist nicht, daß der ganze Messias lateinisch übersezt wärben sollte, sondern nur fil Stellen son ferschidnem Tone. Dise Uebersetzung könte für bi, welche unsre Sprache nicht ferstehen, in Ansehung der Ueber= sezungen in di neueren Sprachen ein Wort der Entscheidung reden. Es wird jezt an einer in holländischen Hexametern gear= beitet, über bären Genauigkeit und Schönheit Sie Sich wundern wärben.

Lassen Si mich bald etwas von Inen hören, wenn anders ein solcher Nichtschreiber, wie ich bin, darum bitten darf. Der Irige   Klopstock.

166. Gluck an Klopstock.
Wien den 10. May 1780.

Ich komme ihnen zu benachrichtigen, Wertester Freynbt, das Herr Schröter allhier Einen vollkommnen Beyfall, so wohl von den Hoff, als Publico Erhalten hat und Er verdient es auch, den er ist wahrhaftig, Ein ganz besonderer und sehr na= türlicher Schauspieler, ich zweiffle auch nicht, das Er mit Wien wird sehr zufrieden seyn.

Sie machen mir jeber Zeit Vorwürffe, das ich ihnen keine
explication schickte, wie Alceste soll producirt werden, ich würde
Es schon längstens gethan haben, wenn ich Es hätte praticable
gefunden, was das Gesang anbelangt, so ist es leicht vor eine
Persohn die Empfindung hat, sie darf sich nur den trieb ihres
Hertzens überlassen, allein die Bekleitung, derer Instrumente be=
gehren so viele anmerkungen, das ohne meine gegenwart nichts
anzufangen ist, wenige noten müssen gezogen, andere gestoßen,
diese halbstark, jene stärker oder schwächer producirt werden, ich
geschweige das mouvement anzubeiten zu können. Ein wenig
langsamer oder geschwinder verderbt Ein gantzes stück, dahero
ich glaube, wertester Freyndt, sie werden viel leichter ihre Reye
Ortographie denen Teutschen geläuffig machen, als ich eine opera
nach meiner methode, zumahlen in ihrer gegend, wo zuforderst
die setzkunst in betrachtung gezogen wird, und die Einbildungs
Kraft wird verkönnet und verwünscht, bieweilen bey ihnen die
mehresten TonKünstler nur Maurerer aber keine Architäcten seyn
wollen.

Obschon sie meiner Verstorbenen Kleinen nichts auf ihren
tobt haben componirt, so ist boch mein Verlangen Erfüllt worden,
denn ihre tobte Clarissa ist so analog auf das Mäbgen, baß
sie mit allem ihren grosen Geist, nichts bösseres hätte hervor=
bringen können, biese ist jetzund meine Favorit Ode, und sehr
wenige hören sie, denen sie nicht Thränen auspreßt. Sie wüssen
nicht warumb ich so lange mit der Herrmannsschlacht zau=
bre, weil ich will mit selbiger meine musticalischen arbeiten be=
schließen, bishero habe ich es nicht thun können, weilen mich
die Herrn Frantzosen, so sehr beschäfftiget hatten, obschon nun
die Herrmannsschlacht meine letzte arbeit seyn wird, so glaube
bennoch, das sie nicht die unbebeitenste von meinen productionen
seyn wird, weilen ich den Haubtstoff barzu gesammlet habe, in

der Zeit ehe mir das alter die Denkenskrafft geschwächet hat. Leben sie wohl, ich verharre vor allzeit. Ihr VerEhrer und Bewunderer Gluck.

A Monsieur Monsieur Klopstock   Hambourg.

167. Angelica Kaufmann an Klopstock.

London den 4. Juli 1780. Golden Square.

Was werden Sie doch von mir gedacht haben, bester Freund, daß ich Ihren Brief, nach dem ich das größte Verlangen hatte, erst jetzo beantworte. Wie oft sagte ich zu unserm Schönborn, Klopstock hat mich vergessen. Die Freude die mir Ihr Brief gemacht, können Sie sich besser vorstellen als ich beschreibe. Wie gerne werde ich Zeichnungen zum Messias machen, aber wann werden die Mußestunden kommen, dieses große Werk allein in meinen Sinn zu nehmen? Denn wahrhaftig, es braucht etwas mehr als nur menschlichen Sinn, ein und andere Stellen zu zeichnen, die Sie mein Freund so göttlich beschrieben. Ich hatte mir verwichener Wochen vorgenommen Ihren Brief ordentlich zu beantworten und Ihnen (zu) sagen, erstlich daß eine neun Monat währende Krankheit meines Vaters (der Gottlob wieder besser ist) mich hier in London aufgehalten. Die Sorgen, so mir dies verursachte, und die Menge der Geschäften, haben mir nur müde Augenblicke übrig gelassen, die ich aber nicht hab anwenden wollen an einen Freund den ich schätze, zu schreiben. Verwichener Wochen wurde ich krank und das gefährlich — nun aber ist die Gefahr vorüber, ich muß suchen mein Gemüth zu ermuntern. Mit was? ich will die angenehmste Unterhaltung suchen. Klopstock soll mir Gesellschaft leisten, ich will den Brief lesen, und überlegen, obschon meine Kräfte es mir noch nicht zulassen, zu beantworten, welches aber bald geschehen soll. Fällt nichts widriges vor, so ist die Reise nach Italien fest gestellt auf Anfangs künftigen September. Hoffe während dieser Zeit von Ihnen zu hören.

Graf Marshall hat mir schon vor langer Zeit einige Zeilen von Ihnen eingehändiget. Wie oft hatte ich schon die Feder in der Hand selbe zu beantworten, aber weil ich auf zwei Briefe, die ich geschrieben hatte, keine Antwort erhalten, traute ich mir nicht wieder zu schreiben. Und dieses ist nur um Ihnen zu sagen daß ich Ihr Letztes mit außerordentlichen Freuden empfangen habe, daß ich niemal aufhören werde Sie zu schätzen und Sie zu bitten mich in Ihrer Freundschaft zu erhalten. Wäre ich gesund, so sollte mein Brief erst jetzt nach dem ich das übrige schon gesagt, den Anfang nehmen, muß aber enden und nur noch sagen, daß ich mit wahrer Aufrichtigkeit bis an mein Ende verbleiben werde, mein werthester Klopstock, Ihre Freundin und Dienerin   Angelica Kauffmann.

168. Miller an Klopstock.

Ulm den 14. Octb. 1780.

Verehrungswürdigster Mann!

Schon seit dem Ende des Junius hab ich einliegenden Brief an Sie in Händen, und erst jetzt schicke ich ihn ab. Ich muß gestehn, die Erzählung der Prof. Schubartinn von dem was der Herzog in Absicht auf Sie und Schubart geäußert haben soll, schien mir so ziemlich fabelhaft und leeres Geschwätz eines Hoffschranzen, der gerne etwas wissen will, zu sein. Ich dachte also, noch nähere Erkundigung einzuziehen, ehe ich Ihnen den Brief zuschickte. Ich habe seit der Zeit die Prof. Schubart selbst gesprochen, und da erzählte sie mir so viele Umstände von jener Aeußerung des Herzogs, daß ich die Sache nun weniger fabelhaft fand, und beschloß, Ihnen ihren Brief sogleich zuzuschicken. Allein tausend Zerstreuungen und Geschäfte, die die

Veränderung meines Standes mit sich führte, hinderten mich bis jetzt an der Ausführung.

Und nun, Verehrungswürdigster! Können Sie für den armen braven Schubart etwas thun, o so thun Sies! Wenden Sie Ihren Ruhm, Ihr Ansehen dazu an, einen Unglücklichen, Unschuldigen aus seiner traurigen Lage und Gefangenschaft, die nun schon drey Jahre dauert, heraus zu reißen! Doch, ich weiß, Sie thuns, wenn Sie können. Wenigstens gönnen Sie doch Schubarts braver leidender Frau den Trost, daß Sie einige Zeilen an sie schreiben, und das recht bald! Sie wartet so sehnlich darauf, setzt auf Sie alle Hofnung. Lassen Sie sie nicht vergeblich hoffen! Sie ist gewiß eine würdige Frau, und alles, was sie in ihrem Briefe schrieb, sind, das weiß ich aus hundert Erfahrungen, die wahrsten Gefühle ihres Herzens. — Lassen Sie, das bitt ich, in Ihrem Briefe nichts davon einfließen, daß ich Ihnen ihren Brief erst so spät schickte. Ich durfte sies nicht merken lassen, daß ich an der Wahrheit jener Aeußerung des Herzogs zweifle.

Und nun sagen Sie mir doch, mein Verehrungswürdigster, ob das wahr ist, was die Schubartin mir auch als etwas Zuverlässiges sagte: Sie hätten nehmlich schon vor einiger Zeit an den Herzog geschrieben: Er soll Schubarten los geben, oder Sie würden sich an den Kaiser wenden? Es liegt mir viel daran, den Grund oder Ungrund dieser Sage zu wissen.

Schubart hat jetzt Festungsfreyheit, d. h. er darf, ohne Wache, auf dem Walle und in der Festung — ich weiß nicht, ob nur zuweilen, oder so oft er will? — herumgehn. Ich habe schon ein paar Personen gesprochen, die ihn gesprochen und mit ihm bey'm Obersten von Rieger — der auch an Sie geschrieben haben soll — gespeist haben. Er soll ziemlich munter seyn.

Lesen und Klavier spielen darf er, aber nicht schreiben. Doch
soll er ein sehr freyes Gedicht „die Fürsten" gemacht haben.

Ich bitte Sie nochmals, erbarmen Sie sich, wenn Sie kön
nen, des Armen und seiner Frau!

Schon vorhin sagte ich von einer Veränderung meine
Standes. Ich weiß nicht, ob Sie schon davon gehört haben
Schon im April wurde ich, ganz unvermuthet, zu einem Pfarr
in Jungingen, nahe bey der Stadt in der ich auch wohne, e
nannt, im Junius meiner Gemeinde vorgestellt, und hab a
Ende des Junius mein Mädchen geheyrathet, mit der ich
glücklich lebe, als man leben kann. Die mir so über alles schä
bare Liebe, der Sie mich schon lange würdigten, ist mir Bürg
daß Sie sich über diese Nachricht freuen werden.

Schon an der Ostermesse bath ich Sie in einem Briefch
um Nachricht von der neuen Ausgabe des Messias, wegen t
mir meine Subscribenten beständig anliegen, und jetzt wiederf
ich diese Bitte.

Und haben wir Schwaben denn gar keine Hofnung me
Sie wieder in unserm Vaterland zu sehen? Ich weiß, daß
edle Marggraf sich noch immer damit schmeichelt. Und wie vi
andre brave Leute thun das auch!

Und nun hier noch eine, Ihnen gewiß nicht unangeneh
Erscheinung aus Wien. Ein Denkmal, das Ihnen dort
Piarist errichtet, der Sie verehrt und liebt, wie wohl wen
Menschen. Vielleicht hat Ihnen Ihr Neveu Herr Dimpf
schon davon geschrieben, denn der war, das weiß ich, bey b
Deklamation gegenwärtig.

Wie viele Stunden mußt ich dem braven Pater Sieg
fried, da er noch in Günzburg, ein paar Meilen von hie
war, von Ihnen erzählen! Sie sind ihm alles, alles. — Scho
vor etlichen Jahren ließ er in Günzburg auf einem einzeln

Bogen eine Ode an Sie drucken, die ich hier auch beylege. —
Von den Oden zum Denkmal hat er mir schon einige zugeschickt.
Die übrigen nebst den Abhandlungen wird er mir bald nach=
schicken; Und dann soll ich sie hier drucken lassen. — Noch im=
mer war der edle junge Mann zu schüchtern, selbst an Sie zu
schreiben. Ich hab ihn aber neuerdings dazu aufgemuntert. Und
so wie er ganz Sie verehrt, so verehren Sie, das weiß ich,
noch viele seines Ordens in Wien, Böhmen, Mähren, Steyer=
mark und Oestreich. Seine Schwester, eine Nonne aus dem
Stift der englischen Fräulein in Günzburg, wo ich sie oft be=
suche, verehrt Sie so sehr, wie ihr Bruder. Die Messiade liegt
immer auf ihrem kleinen Bethaltar. Ich sah da nie keine andre
Bücher, als die Ihrigen, ein Gebetbuch und die Bibel. Ueber=
haupt siehts in unsern Gegenden, selbst unter den Katholiken,
viel heller aus, als man in Sachsen gewöhnlich glaubt. Ich
kenne zwo katholische Comtessen nahe bey Ulm, die ich oft be=
suche, die, besonders in der Charwoche, immer die Messiade,
schwarz eingebunden in die Messe mitnahmen und da drinn lasen.

Darf ich wohl bald auf einige Zeilen Antwort hoffen?
Der theuern Fr. von Winthem, Mumsen, Büsch,
Hensler ꝛc. bitt ich gelegentlichst die herzlichsten Empfehlungen
zu machen. Ich bin mit unvergleichlicher kindlicher Verehrung
ganz Ihr   J. M. Miller.

den 1. Nov.

Durch einen Zufall blieb dieser Brief bis jetzt liegen. Seit=
dem erfuhr ich aus Wien daß P. Siegfried ein Paket an
Sie und den jungen Cramer hat abgehen lassen, worinnen
vermuthlich Ankündigungen des Denkmals mit lagen. Also
brauch ich Ihnen kein Exemplar davon zu schicken. Doch möch=
ten Sie vielleicht die Ode nicht haben.

Da ich den jetzigen Aufenthalt von Graf Fritz nicht
weiß, so bitt ich Sie gefl. ihm einliegendes Briefchen zu
schicken.

169. J. G. Hamann an Klopstock.

Königsberg den 15. Oct. 1780.

Höchstzuehrender Herr,

Ich bin der Mann des Todes — der alte Mann vom
Berge bin ich, der die 2 Scherflein ausgefertigt hat. Mach
mit dem Bekenntniß meiner Schuld den Anfang, weil eben die
Gründe, für den Kundbaren Niemand ein Anonym zu seyn, mich
zu einer individuellen Erklärung gegen einen Mann von Ihrem
Namen und Verdienst bestimmen. Ihre Orthographie kam mir
wie des Alcibiades Hund vor, und hatte allen meinen Beyfall
als ein politisches fascinum, als ein magischer Talisman, den
unumgänglichen Neid zu besprechen und die Verlegenheit eines
lebenden Schriftstellers gegen seinen Eustathius Cuper zu büßen
Daher machte ich mir kein Gewissen, diese materiam publicam
privato iure zu behandeln, als ein vortreffliches vehiculum
meinen alten Groll gegen unsre unpolitischen Reformatoren aus-
zulassen, welche nichts zu glauben empfehlen, als was sich hören
oder mit Händen greifen läßt. Nach dem gewöhnlichen Schicksale der Einkleidung aber ist die Sache selbst pars minima ei
geworden. Anfang und Ende zeigen wenigstens, daß es mir
eigentlich nicht um Orthographie zu thun gewesen.

In Ansehung der Grundsätze, worauf Ihre Orthograph
beruht, bleibt noch immer mein Unglaube und Skepticismus
salvo. Meine Hauptzweifel fließen aus der allgemeinen Theo
der Sprache, welche ich größtentheils der unseligen Mühe,
mir Reden und Schreiben macht, zu verdanken habe. Mei
Kenntniß der Muttersprache geht nicht weiter, als, Ihre u
Anderer Ueberlegenheit bewundern und ungefähr beurtheilen

können; daher ich mich auch mit fremden Federn behelfe. Die unsere zu einer gebenedeyten Ausnahme von allen lebendigen Sprachen und ihrer Weise zu machen, und die vorgeschlagenen Mittel, diese Ausnahme zu erhärten, sind und bleiben für mich ἀπροςδιόνυσα.

Wollen Sie, höchstzuehrender Herr, mich h i e r meines Irr= thums, am liebsten unter vier Augen, vorläufig überführen, so wird mir Ihre Zurechtweisung sehr willkommen sein, und ich erbiete mich zu einer schuldigen Verbesserung derselben; so wie ich auch von Ihrer Seite die Billigkeit voraussetze, keine Stellen, welche lediglich die leidigen — aner und Herr — Herr — Sager angehen, zu mißdeuten, mir Ihre Freundschaft und den Beweis davon, ich meyne das mir einst zugedachte Exemplar Ihrer Messiade zu seiner Zeit nicht zu entziehen; denn Ihre Oden und Republik besitze ich, sonst nichts, trotz meiner Wünsche nach Allem.

Ueber den Ton und die Physiognomie meines laconischen Schnabels mag ich kein Wort verlieren, sondern wir wollen beiderseits mit dem weisen Frühprediger der Mitternacht dem Können und Wollen eines Jeden seine Andacht und Nothburft anheimstellen. — Die Geduld unseres Herren für unsere „Se= ligkeit achten."

Ich habe die Ehre mit der aufrichtigsten und ergebensten Hochachtung zu seyn Meines höchstzuehrenden Herrn verpflich= tetster Freund und Diener   Johann Georg Hamann,
Packhofverwalter.

170. Miller an Klopstock.
Ulm den 20. Jan. 1781.

Bester Mann

Immer hoffte ich und noch mehr die arme Prof. Schu= bartinn, deren Brief Sie durch mich doch gewiß werden er=

halten haben? auf eine Antwort. Sie hat wenigstens schon
dreymal beßwegen bey mir angefragt. Nun erhalt ich eben
wieder einen Brief von ihr mit der Nachricht, vorgestern früh
sey der Herzog von Stutgard abgereist, er nehme seinen Weg
über Frankfurt, Göttingen, Hannover, Hamburg, hauptsächlich
in der Absicht alle große Gelehrte Deutschlands und vor allen
Sie zu sprechen. Nun beschwört sie mich bey allem was heilig
ist augenblicklich ihre bringendste Bitte an Sie zu schreiben, doch
ja für Ihren armen Mann alles zu thun, was Sie können!
Und mit dieser Bitte verbinde ich auch die meinige. O, mein
Theuerster, wenn Sie wüßten, wie so alles Sie S c h u b a r t e n
waren und noch sind, mit welcher kindlichen Verehrung, Bewunderung und Liebe sein Herz an Ihnen hieng, wie er brannte,
alle Welt zu Ihnen zu bekehren — Sie würden alles, was Sie
könnten, auch für ihn thun. — Noch mehr. Sie retten dadurch
auch seine Frau, die am Rande des Verderbens und der Ver=
zweiflung schwankt. Ich bebte zurück vor dem Ton, der i
ihrem, vor mir liegenden Briefe herrscht. Vor ein paar Woch
hoffte sie, und jedermann in Stuttgard auf eine Aeußerung de
Herzogs gegen ihren Sohn, S c h u b a r t werde allernächstens frey
Jeden Tag hoffte sie ihn in ihre Arme zu schließen — Ma   n
sprach schon überall in Schwaben, selbst in Stutgard er f   y
frey — Man schrieb schon in den Zeitungen; und die   se
aufs Höchste gespannte Hofnung trog wieder. Nun ist die ar   me
Frau der Verzweiflung nah. Sie will zum Herzog, ihm   für
das bisher genossene Gnadengehalt danken, alles künftige a   us=
schlagen, und die ganze Christenheit — ihre eignen Worte   —
um Hülfe und Rettung anrufen 2c. Und das wäre sicher   ihr
eignes und S c h u b a r t s Verderben. Auch er ist, bey der f   hl-
geschlagenen Hoffnung, die auch er genährt haben muß, n   iß-
muthiger als jemals.

Mehr, mein Verehrungswürdigster, brauch ich Ihnen nicht zu sagen. Wer weiß mehr das Glück, ein Retter seiner Brüder zu seyn, zu schätzen als Sie? — O wenn Sie was ausrichten, darf ich hoffen, daß Sie mirs gleich schreiben? Wollen Sie mir die Freude gönnen, die erste frohe Nachricht der bekümmerten braven Frau schreiben zu dürfen? Wie würd ich Ihnen auch für diese Wohlthat danken!

Und darf ich nicht meine Bitte wiederholen nur um ein paar Zeilen wegen Herausgabe des Messias? Ich werde von den Subscribenten so oft gefragt.

Ist es wahr was von Jena hierher geschrieben wurde, daß der brave Graf Magnus dort erstochen worden sey? Das wäre schröcklich!

An die Theure Fr. von Winthem, Mumsen, Claudius rc. bitt ich, meine besten Empfehlungen zu machen.

O, erbarmen Sie sich Schubarts und der Seinen! Verzeyhen Sie der Eile! Der Brief kommt mir nicht schnell genug fort.

Mit der reinsten, kindlichsten Liebe und Hochachtung ganz
Ihr J. M. Miller.

Mein bestes Weib empfiehlt sich Ihnen auf das Ehrfurchtvollste.

171. Klopstock an Ebert.

Hamburg, den 9. März 81.

Lessings Tod ist mir innig nahe gegangen. Wann ist är denn eigentlich gestorben? Wenn Seine Stelle wieder besetzt wärden soll, so kann sťs durch Niemand besser, als durch Vossen. Denken Si hierüber wie ich; und arbeiten Sie daran. — Bernsdorff ist nicht mer in Dänemark, und man rüstet dort Schiffe aus. Meine Pension könte jezt fileicht ein wenig in

Cäsar sein. Was meinen Si, wenn Si, aber als für Sie
den Herzog Ferdinand beten, diesem Dinge bei Sein
Schwester zuforzukommen. Ich umarme Si beide herzlich.
                                           Klopstock.

172. Schönborn an Klopstock.

London den 19. October 1781.

A Monsieur Monsieur Klopstock Conseiller d'Ambass
de S. M. Danoise à Hambourg.

Verzeihen Sie, Liebster, Bester. Daß ich den Auftrag,
ich an Sie habe, so lange bey mir behalten, ehe ich ihn ab
geben.. Die Ursache davon ist meine Schreibefaulheit. Sch
vor mehr denn 7 Wochen hätte ich deßhalb an Sie schrei
sollen. Dieser Auftrag ist von Angelica,, die Ihnen viel Zä
liches durch mich sagen läßt und wie sehr sie gewünscht h
Sie einmahl zu sehen. Wie offen hat sie mir das wiederh
Hab ich je Verlangen gehabt einen Mann zu sehen, Ihm se
zu sagen wie sehr ich ihn hochachte, so ist es Klopstock! So spr
sie offen mit mir. Sehr hat sie es bedauert, daß ihr alter
brechlicher Vater — Sie ist ein Muster von kindlicher Zärtli
keit — dessen Schwächlichkeit sie 2 Jahre länger in Engla
aufgehalten als sie zur Absicht hatte, sie auf ihrer Reise hinde
einen Abweg zu Ihnen zu nehmen. Diese Reise ist angetret
und allem Vermuhten nach wird sie nun schon in Venedig a
gekommen seyn. Ich soll Ihnen sagen daß sie in Italien er
lich an das Bewußte denken und von daaus Ihnen schreib
werde, daß überhäufte Arbeiten Zeit ihres letzten Daseyns
England sie gehindert hätten, einen vernünftigen Gedanken
fassen um sich gehörig mit Ihnen über die Zeichnungen zu M
sias zu unterhalten, daß es aber ihr voller Ernst sey in ih
Ruhezeit in Italien sich damit zu beschäftigen. Sie hoffe d

ihr Geist da neue Nahrung und auch neue Munterkeit bekommen werde, der sich hier wie sie sagte ziemlich erschöpft habe.
Diese Erschöpfung ist ihr wohl nur so vorgekommen nach ihrer
großen Bescheidenheit. Denn man merkt sie nicht in ihren letzten
Stükken. Sie ist von ungemeiner Fruchtbarkeit. Welche Menge
ihrer Gemählde ist allein hier in England. Alles wird weggerissen was von ihr kommt. Ein Kupferstecher hier, der fast
nichts als ihre Gemählde sticht, sagte mir einmahl the whole
World is angelicamad. — Sie befürchtete, als sie von hier abrei-
sete, daß sie genöthigt seyn würde diesen Winter in Lothringen
oder in der Schweiz zu bleiben, wegen der Schwächlichkeit ihres
Vaters, allein nach dem Briefe so sie unterweges hiehergeschrie-
ben, hat dieser sich wieder alles Vermuthen so guth befunden, so
daß sie nun schon kann in Venedig angekommen seyn, wo sie
glaubte erst künftiges Frühjahr anlangen zu können. Sie wird
sich an diesem Orte etwas aufhalten, weil er der Gebuhrtsort
ihres nunmehrigen Mannes Herrn Zuchi ist, nach weldem sie
sich inskünftige Angelica Kauffmann Zuchi nennen wird. Dieser Zuchi ist auch ein ganz guther Mahler, sonderlich hat seine Rui-
nenmahlerey was vorzügliches. Er ist lange in England gewesen, und hat sich lange um Angelicas Neigung bemüht, er ist,
so weit ich ihn kenne, ein ganz guther Mann von Gesinnung.
Der Satan soll ihn holen, wenn er sich nun anders, da er Ehemann worden, gegen sie bezeigen sollte, als da er ehrfurchtsvoller
und flehender Freyer war. Nichts wünsch ich so sehr als daß
es dem lieben herzlichen Weibe wohlgehen möge. Wie freue
ich mich, daß ich sie habe kennen lernen! Auch Ihnen dank ich
dieses, lieber Klopstock. Denn es fielen einige Strahlen von
Ihnen auf mich, die mich ihr mehr sichtbar machten. Eine der
edelsten herrlichsten Seelen ist sie! Milde und sanft und unbe-
wußt des hohen Genius, der sie emporhebt, ist ihr Herz, schmilzt

es eben der Himmelstrahl, der ihren Geist anleuchtet und Kraft
gibt; es ströhmt eben so schöne Thaten aus wie jene Gebilde.
Sterbliche und unsterbliche Grazie schmückte sie, jene in ihrer
Jugend, diese auf immer.　O viel Himmelsblühte wurde in die
Bluhmen der Erde miteingebunden! Sie hat eben so entschiedene
Gabe zur Musik als zur Mahlerey.　Ich habe sie dann und
wann singen gehört, welche treffliche Stimme! — und die alle
Farben und Gestalten ihres empfindenden Herzens annimmt. —
Eben so entschiedene Gabe zur Philosophie wie zu jenen beyden
Schwesterkünsten! Aus dem Umgang habe ich gemerkt, daß sie
dem tief nachgespührt, woran sie die Wirkungen auf Leinwand
zeigen wolte.　Sie hat überdieß viel Kenntniß und Belesenheit.
Im Umgange zeigt sie davon aber nichts.　Eine Bescheidenheit
die wenig ihres gleichen hat! — Sehen Sie lieber Klopstock,
schreib ich nicht als ein Verliebter? das bin ich auch, und
möchte Sie auch so machen.　Daher bin ich so redeseelig; und
wie sölt ichs nicht sagen? sprach ich das nicht von einem herrlichen Weibe zu einem herrlichen Mann? Solte einem, der zwischen zwey solchen Feuern steht, nicht warm werden? ihm nicht
die Zunge an zu tanzen fangen.

　　Ich muß schließen, Liebster.　Ich danke Ihnen für den Messias, welchen Sie mir durch Mumsen haben ankündigen laßen.
Ich werde hier, wenn ich vom Lande in die Stadt komme, wieder
an meine Bekannten anfragen laßen, es Ihnen alsdann melden,
wieviel Exemplare ich werde absetzen können.　Leben Sie wohl,
Beßter.　In Eile.　　　　　　　　　　　　Schönborn.

173. Klopstock an C. F. Cramer.

Hamb. den 10 X 82.

　　Dank, l. C. für di Ueberschickung des ital. Meß.　Si bekommen
in nächstens wieder. (Schneider hat Ihren Brief gleich bekommen).

Ire Parallele paßt nicht; denn das fligen u. s. w. ist nicht mögl. Als Filosof würde ich gesagt haben: Es ist mögl. daß in den Sternen wider Sterne sind; einigermaßen warscheinlich, daß sich Monde um Monde brehen; jene müsten dan freilich ser leicht sein, und dahär aus dünnem Stoffe zusammengesetzt u. s. w. Als Dichter darf ich nicht sagen: es ist mögl. sondern ich mus es gewis wissen; zugleich ist es gut, wen ich bi Sterne rüre, in welchen und um welche u. s. w. Scheint Inen dort der Filosof in seiner Mutmaßung zu weit gegangen zu sein? Wenn nicht; so mus es Inen hir auch som Dichter nicht so forkom= men. Di Ursache, warum mir Monde um Monde einigermaßen warscheinl. forkomt, ist bi Einrichtung des Weltsistems, näml. Sterne um Sterne, fileicht in Jartausenden alle Fizsterne um einen mittelsten. Ich ferglich also das einigermaßen warscheinl. mit dem blos mögl. — — Ei haben in beiden Erklärungen recht; ich würde mich anders, wen ich prosaisch umschreiben wollte, hie und da noch etwas bestimter ausbrücken. Den girig grausamen Lozen gehet es gar nicht an, ob die Ertrunkenen leichter zu zälen*) sind, als die Tonnen, in welchen är sich die teuersten Waren träumt; är wil nur dise haben und kümmert sich ganz und gar nicht darum, wi fil oder wi wenig Tote da herumtreiben. An die Stelle hin, wo wegen filer Schifbrüche, schon fil weißes Gebein ligt und wo Flut oder Strom (es gibt vile solche felsichte Buchten) gewönl. di Ertrunkenen hintreiben. Vossens Ausbruck ist gut; aber meiner (ich glaube nicht einen gleichen zu haben) würde es, wenn ich das damit gemeint hätte, nicht gewäsen sein. Ueber das hätte es ja heißen müssen: strömt zu weißem Gebein. Ich freue mich ser über die Nach=

---

*) Sie sehen, daß es hir auf das zälen können gar nicht ankömt; är wil nur di Tonnen zälen. In Irer Umschreibung stand: „daß är nun nur di Tonnen zälen kan.“

richt fon B. Butterbrot, Lichtenberg hat fon neuem (ich
habe es noch nicht) noch fil faunischer wiber in geschrieben. Aer
ist gewis Mans genug nicht zu antworten, doch fileicht einige
kurze unb gute Ursachen, warum er so einem nicht antworten
könne. Ir   Klopstock.

P. S. Ueber Zignos Uebersetzung, bi ser fil fortrefliche
hat, möchte ich Si wol sprechen. Zum Schreiben ist es zu weit
läuftig. Wenn Si Iren Schwigerfater zum Umschlage abholte
so könten Sie ja bei bär Gelegenheit ein paar Tage zu uns
kommen.

Wär kan anders über bi Ortografi benken, als Franklin
unb ich? Ich bleibe babei, mein einziges Ferbienst bei ber Sache
sei, baß ich ben Mut gehabt habe, si vorzuschlagen. Ich hatte
bies äben geenbet, als ich beiligenben Brif fon Gleim bekam.
Si wärben gleich sehen, baß boch etwas baran ist, wen ich fon
Mute rebe. Nun läsen Si (bas jetzt überflüssige Blat schicken
Si an Boß). Ich seze foraus, baß Si geläsen haben. In ein
so heißes Feuer ist meine Freundschaft noch nicht gefürt worben;
aber ich fürchte auch beina, baß si barin bleiben wirb. Wollen
Si barüber an Gleim schreiben, so tun Si es. Ich selbst
habe im über einen solchen Brief nichtz zu sagen.

174. Klopstock an C. F. Cramer.

Hamburg, ben 22. Nov. 82.

1) Von ben beiben Also St. 2 unb 3 ist bas erstere boch:
Sic, unb bas zweyte: Ergo? ober ist beibes Sic?

Beibes sic.

2) Das Wenbe ist mir bunkel. Es ist Zuruf an bas
Gesez, seh ich wohl —¯ aber was wollen Sie eigentlich sagen?
Wie würben Sie bas Wenbe paraphrasiren?

Zuruf an dän, ſon däm kurz forhär geſagt war, daß är
irre walte.

2) „als Getrennte ſichs, ſtrahlt eben der Tag, zu ihrer ꝛc.“
doch richtig ſo erkärt: als Menſchen die an verſchiedenen Orten
leben, an welche die Erleuchtung der Verſtandesbildung hinge=
brungen iſt, denen alſo ebendieſelbe Erleuchtung ſtrahlt, ſichs
zum G. ihre M. erſehen.“?

Di an verſchiedenen Orten, zu Einer Zeit oder an äben
dem Tage — — —

Vorletzte Strophe: Worauf bezieht ſich, ſo durch=
walt? Was oder wer durchwalt? Ich vermiſſe das Subject.
Ich rieth auf einen Druckfehler: ſo durchwalts (das Werk).
Aber wer ſind die andern, die nicht frembes Ur=
ſprungs ſind.

Es heißt: ſo durchwalt bi (bi fält wol in Jrem Exempl.?).
Die Tat, welche durch bi Rürung entſtand. — bi andern, bi
man, unferanlaßt durch bi Rürung eines andern) hir durch das
rürende Werk) ſon ſich ſelbſt tut.

Da ich in Hamburg war, ſo erinnere ich mich, ſprachen Sie
von der Stelle: alt von der Kelter baß das alt von einer
Sache analogiſch nach einer andern Redensart wäre. Die habe
ich vergeſſen und möchte ſie gerne wiederwiſſen.

Sie iſt: Drei Wochen fom Kinde alt. Aber mein Aus=
druck iſt fil natürlicher als der angefürte, und hat ſeine Unter=
ſtützung nicht nötig, um deutlich zu ſein.

Ich danke Jnen, libſter Cr. für Jren zu freundſchaftlichen
Brief. Weniger kont ich wol nicht wieder gäben. Aber wär
mit ſo wenigem auf eine ſo eble Art für lieb nimt, där mus
was haben.

Was doch immer for Sachen erzält werden. Warum ſollte
Hensler mein Medicus nicht mer ſein? Mein grichiſcher Aus=

faß ift so zimlich im Abzuge, nur som Schinbeine, wo ich
am ungernften habe, wil är noch nicht weichen.

Ich habe heut Zignos Forrede zur Ueberf. des Meff. so
Wien bekommen. Ich wollte, daß Sie bei mir weren, si m
zu erklären, denn ich ferftehe si nicht ganz. Ich wil si Ine
zuschicken, aber noch nicht gleich. Den ich mus si hier einige
zeigen. Il Sig. C. F. Cramer, il Figlio, degno amico del nost
Autore kommt auch darin for. Jr

Klopftock.

175. Herder an Klopstock.

W. den 3. Juli 83.

Ich schäme mich, liebfter Klopftock, daß ich so viel Zeit
habe hingehen laffen ohne Ihnen den beften Dank zu sagen —
ben ich Ihnen schon von der erften Rückftation sagen wollte.
Wie ein Geift wars, das mich wegtrieb, auf der lüneburger
Heide wurd's mir immer enger und ich gab alles weitere auf,
was ich sehn und besuchen wollte, kam nach Hause und —
ein Sohn ward mir auf den Armen entgegengetragen, der gerad
des Tages gebohren war, da ich mich auf der Heide am meifte
zurücksehnte. Nun fiel ich in das Wirrwarr meiner Geschäft
und in das Drückende des Nebels zurück, der ungewöhnlich je
seit mehr als 8 Tagen mit Dürre und Beklemmung in unserm
engen Nebelthale liegt und — so schreibe ich leider! erft heu
da ich so oft, oft an Sie zurückgedacht habe.

Ja, liebfter Klopftock, ich wünschte, daß mein Besuch be
Ihnen mehr als Besuch gewesen wäre — Freundschaft werde
könnte. Hochgeschätzt hab ich Sie immer, jetzt liebe ich Sie,
und die Ruhe, die um Sie schwebt, ift oft vor mir — Ich
wünschte, daß ich in Ihrer Nachbarschaft, in dem glücklichen
Holftein wohnen könnte; aber! und doch

— oft erfüllet Er auch, was das verlangende ꝛc.

ober giebt etwas Besseres. Ich wünsche in dieser Sterblichkeit
nichts mehr!

Hier ist mit bestem Dank die Ode wieder. Eilen Sie,
Bester, uns bald das süße Geschenk Ihrer Muse zu geben und
darf ich bitten, Lieber! je mehr Herzensoden, desto besser,
wenigstens für mich. Sie haben die Sprache des Herzens, wie
sie niemand in Deutschland hat; und obgleich auch Ihre Ver=
standes= ꝛc. Sprache immer nur die Ihre ist, so dünkt mich,
ist doch der lyrische Flug, den Ihnen der Geist von oben gegeben
und gegönnt hat, am meisten jener edleren Erhabenheit und
Rührung werth. Ich nehme indeß alles gern, was Sie geben.

Mit welchen Worten soll ich Ihnen liebe Fr. v. Wint=
hem für Ihre Güte und Liebe danken! Ich weiß nur Eins,
daß mein Wunsch erhört und Sie völlig gesund würden. O
daß ich Ihnen Kühle und Stärkung senden könnte, die Sie
brauchen. Glauben Sie mir, Ihre Seele reibt den Körper auf.
Sie mögen nun sagen was Sie wollen. Schonen Sie sich doch
und hüten sich für allen Affekten, auch selbst den süßen Affecten,
die Sie beim Clavier wie eine Feuerflamme durchströmten und
jeden Ton zur Sprache Ihrer eigensten Empfindungen beseelten.
Ruhe! Ruhe! — Aber wer das Recept dazu hätte! Sie habens
in sich. Leben Sie bestens wohl.

Und auch Sie bestens wohl, lieber Klopstock! Ich umarme
und liebe Sie herzlich.   Herder.

P. S. Ich wollt' Ihnen beinah den 2ten Theil der Ebr.
Poesie, der bis über die Psalmen geht, zuschicken; auch Ihr
Name ist in demselben. Ich weiß aber nicht, ob Sie etwas
von mir lesen mögen.

Meine Frau, die noch wie ein Schatte umherwandelt, em=
pfielt sich unbekannter Weise aufs Beste.

Gottfried beßgleichen. An Meta und das ſchalkhafte Mädchen, das ihre Augen verſchleiert, viel Schönes. Adieu, Adieu.

176. Klopſtock an C. F. Cramer.

c. 1783.

Ich kann Inen, mein libſter, beſter Cramer, nicht wägen meiner Unfähigkeit zum Briffchreiben, ſondern weil wir heut das erſtemal auf unſerm Garten ſind, und Geſelſchaft haben, und bi Poſt gleich gehen wird, nur ein par notwendige Zeilen ſchreiben. Bringen Si (es gehet mir herzlich nahe, daß ich es ſagen mus) den jungen Kauz nicht mit. Es iſt jezt unmöglich im ein Konzert zu ferſchaffen, bei däm är, one Schaben wegkommen könte. Wollen Si in indes, one Rückſicht auf Konzert mitbringen, ſo hab' ich nichs dagegen. Wen Si uns bei Irer Ankunft nicht in unſerm Hauſe finden, ſo finden Si uns auf dem Garten, dicht for dem Teichthore zwiſchen dem Makler Streſow, und dem Razherrn Weſtpfalen, aus Pulver in Golb.   Ir Klopſtock.

177. Klopſtock an Profeſſor Tetens.

Hamburg den lezten Dez 84.

Herr Stöhr, ein hiſiger Buchhendler, bringt Inen diſen Brif. Es iſt ein guter dinſtfertiger Mann, und läßt nicht lange warten, wen man etwas fon im haben wil. Si wärden aus dem beigeſezten Preiſe ſeiner Bücher ſehen, daß Si in emfälen können. Ich ſchreibe Inen, liebſter Tetens mit Fleis in ber neuen Ortografi, um Si zu reizen, Iren Gift und Galle bawiber auszuſchütten. Sie erinnern ſich fileicht, daß Si mir einmal etwas bargegen ſagten. Tun Si bis (ich will izo di lezte Hand baran lägen) ſchriftlich. Kurze Seze mit dem scharfen Erweise dabei. Si sollen es eben so son mir wider haben. Ich denke, wir kommen bald in unserem Kamfe dahin, daß einer son uns bleibt; und dazu sind wir gewis ufrichtig genug, daß keiner son uns, wenn er tobt ist, sagt, daß er noch läbe. Ich umarme Si son ganzen Herzen. Der Ihrige

Klopstock.

178. Klopstock an Tetens.

Hamburg den 1. Febr. 85.

Ich bin überzeugt libster Tetens, daß Si meine Kürze für nichts anders halten wården, als sie ist. Ich libe sî um irer selbst willen und bei mir ist sî nicht der Ton eines Mannes, bår entscheiden wil. Den es ist mir nichts so ser zuwider als diser Ton.

Si haben fergeffen, was ich über bi Ortografi geschriben habe. Ich bitte Si bahår es wider zu läsen und ban Iren ersten Angrif zu tun.

Ueber Iren Saz: „Sichtbare Bezeichnung der Sachen nach der Analogi mit der Sprache" erkläre ich mich erst dan, wen Si mir durch Beispile seine Anwendbarkeit gezeigt haben wården.

Doch etwas Forleufiges. „Di analogische Schreibung kan nur das Ungehörte in sich begreifen." Si schreiben z. E. Sieht's. Wenn h das Denungszeichen sein sol, so wird das geblibne e åben so wenig gehört, als das weggelaßne, und durch das Håkchen bezeichnete. Sollen bie beiden e (ich frage nur weil ich mich über Iren Saz noch nicht erkläre) sichtbare Bezeichnung u. s. w. sein? Wen sî sollen; Welcher Sachen? und was heißt hier Analogi mit der Sprache? Uebrigens scheinen mir dise e des Sieht's, wen es auf Bezeichnung son Sachen ankomt, eine åben so unbedeutende Rolle zu spilen als der

Pabſt und ſein Nunzius in Wien ſpilten, da ſi dort große
Dinge auszurichten meinten.   Der Irige

Klopſtock.

179. Klopſtock an Tetens.

Hamburg den 15. Febr. 85.

Was Si auch ſagen libſter Tetens, ſo erinnern Si ſich
doch nicht, was ich über bi Ortografi geſchriben habe. So etwas
muß man beweiſen. Das ſol geſchen. Si ſagen: „Wir würden
auch auf die Frage kommen, nach welcher Ausſprache unter ben
ſilen, geſchriben wärden ſolle?" Und nun leſen Si, wi ich mich,
Fragmente zweite Fortſetzung Seite 7 bis 10 hirüber erkläre.
Dis ſol gleichwol nicht der einzige Beweis ſein, ob är gleich
hinreichend iſt; ſondern ſo oft ich Inen außer däm, was ich ſonſt
wider Ire Seze ſage, die Fragmente anfüre, ſo haben Si biſe
Anfürung, als fortgeſezten Beweis anzuſen. Si erklären ſich
„über bi ſichtbare Bezeichnung nach der Analogi mit der Sprache"
in Sezen, bi, wenn ſi auch zur Sache gehören, mir doch überflüſſig forkommen. Die Beſtimmung des Ueberflüſſigen ligt oft
in ſer feinen Begriffen. Diſe hier zu entwikkeln würde mich
zu weit füren. Ich darf, glaube ich, bei Einem Punkte ſten
bleiben, und biſer iſt: die originelle Zeichenkunſt wie Si es
nennen, komt in der jezigen Ortografi ſo ſelten for, daß ſi blos
als Ausnahme anzuſen iſt. Und Ausname kann doch wol nicht
Grundſaz ſein. Ich habe mich über bi Schreibung des Unge-
hörten erklärt: Fragm. erſte Fortſez. S. 6, zweite Fortſez. S.
59 bis 70. Dis müſſen Si widerlägen, oder Si überzeugen
mich nicht. Bei dem Worte: ſieht's haben Si ſich nicht gut
herausgeholfen. Der leiſe Hauch h (ſigtbar und ſichtbar gehören nicht hirhär, weil ch nicht h iſt) diſer Hauch iſt kein
Stambuchſtabe; und das weggelasne, durch ein Häkchen bezeich-

nete e (warum haben Si es -übergangen?) ist wenigstens kein gutes Beispil zu dem Saze: „daß die Bezihung der Zeichen der Bezihung des Sazes gemäs sein müsse. Ich habe recht gut ferstanden, was Si mit der sichtlichen Bezeichnung meinten. Als ich Si bat, daß Si mir durch Beispile Anwendbarkeit zeigen mögten, so dachte ich, daß Si bei Auffuchung der Beispile fileicht bemerken würden, was das eigentlich for Dinge weren, an welche Si Ire Seze ferschwendeten. Ich bitte mir übrigens künftig alzeit Beyspile zu den Sezen aus. Den ich mus Inen sagen, daß ich überhaupt bei allem, was in irgend einem Fache Regel heist, gar ser für di Anwendbarkeit bin. Hirbei ferstet sich son selbst, daß bi Dinge welche bi Regel lert, doch auch nicht alzu unbedeutend sein müssen. Weil ich einmal di Beispiele fil mer libe als Si, so wil ich Si selbst mit einem fersen. Nur bie Lengen haben Modifikazionen des Tons, entweder des ofnen, oder des gebenten, oder des abgebrochnen. Der Artikel bie ist unferenberlich kurz; är hat weder Ton noch Modifikazion des Tons, gleichwol hat är das Denungszeichen e. (Ich überge, das är, wenn är eines Tons fähig were, den ofnen haben würde.) Ich leugne Inen nicht, daß wen ich mir bie als Folge Ires Sazes benke: „Di Schrift ist nichts anders, sol und mus nichts anders sein, als eine sichtliche Bezeichnung der Gedanken nach der Analogie mit der hörbaren Sprache" mir der Saz wi der Berg der Fabel und das e des bie, wi bi Maus forkomme.

Si sagen, daß wen ich for Bekanntmachung meiner Ortografi mit Inen barüber gestritten hätte, es mir nicht möglich gewäsen sein würde, Si zu Boden zu bringen. Es wird mir also auch jezo nicht möglich sein und Si sehen foraus daß ich erligen wärde. Si bebenken hirbei nicht, daß bis Drohung ist, und daß tapfere Feinde nicht bron. Wider brohen wärbe ich also gewis nicht; aber fileicht erschrecke ich Si ein wenig, wen

ich Inen einen tragiſchen Forfal erzåhle, dår ſich for Kurzem er
eignet hat. Ein Filoſof, welcher bie Runde der Wiſſenſchafte
machte, ſtrit auch wiber bi neue Ortografi. Aer tat bis nic
allein mit ſchwachen Grünben, ſondern ſer file ſeiner übrige
Behauptungen waren auch ſo beſchaffen, baß ſi ſo fil Wunde
wurben, bi år, in ſo fern år Grammatiker ſein wolte, ſich ſelb
beibrachte. Di angegrifene neue Ortografi wurbe durch bi
Behauptung nicht wenig gerechet. Was geht bas mich an, ſag
Si. Ueberhaupt gehet es Si freilich nichts an, aber boch ſi
ſofern als ein måßiger Mann auch burch einen ausſchweifenbe
gewarnt unb burch in feranlaſſet, nur noch måßiger wirb. Allei
ſagen Si ferner, warum warnen Sie mich ben, ba bie Warnung
mir nüzlich wårben kann unb ich boch ir Gegner bin? Si hätten
mich bis nicht fragen ſollen. Den ich mus Inen eine Antwort
gåben, bie ſtolz ſcheinen kann. Si haben einen Gegner, då
grosmütig iſt. Doch ich mus ben tragiſchen Forfal auserzålen
unb Inen bie tiefſte Wunde beſchreiben, bi ber Filoſof ſich ſelbſt
beigebracht hat. Aer hatte forhår casus burch Bigungsſilb
ausgebrükt (ein zwar wunderliches Wort, weil bi Ferenbrung
ſon Strom in Stromes nicht Bigung iſt, bas aber zur Ro
boch noch angehet), allein nun ferlibte år ſich auf Einmal ber
maßen in bas Kunſtwort Fallenbung, baß er auch Caſuſenbun
unb Enbfal bafür brauchte. Aer ferlibte ſich fermuthlich in be
Begrif, welchen bas Wort Fallenbung hat, unb konte bahå
nicht eher raſten unb ruhen, als bis er in auf alle möglich
Arten ausgebrückt hatte. Gleichwol kan bis Wort nichts anber
bebeuten, als Enbeſenbung, wobei noch obeinein casus burc
Fal åben ſo buchſtåblich überſezt wirb, als ber Abt zu St. Galle
bi Regel bes heil. Benebiktus überſezte ober wi ich wol ehe
Carpſern überſezen hörte, wen år über bi Germanismen ſpottet
bi unſre Fererer ber Franzoſen ſo oft machen. Z. E. S

nimt ſich fil heraus. Elle se prend beaucoup dehors. Und
nun die Krone, die der Filoſof diſem allen aufſetzt. Aer fer-
wikkelt ſich ſo in ſeinen Kunſtwörtern, daß ǎr ſagt: man gibt
oft dem Nominativ einen Conſonanten aus den Bigungsſilben
der andern Endfälle, als in Client u. ſ. w. Aer hette unbe-
ſchadet ſeiner Regel (die falſch iſt) auch ſagen können: aus den
Endeſendungen, oder: aus den Caſuſendungen der andern Caſuſendungen, oder, oder ꝛc.

Si haben mir durch den Schlus Ires Briefes keine kleine
Freude gemacht. Si wiſſen ſchon wi ſer ich Si ſcheze und wi
wǎrt Si mir ſind. Ein Beweis hirfon iſt, daß ich Si zu dem
Streite, den wir jetzt füren, aufgefordert habe, nicht herausge-
fordert, wi Si es zu nǎmen ſcheinen. So müſſen Si es ſelbſt
nicht im Scherze nǎmen. Den diſes könte Si wider Iren
Willen ferfüren, der Mönchsortografi, diſer runzlichen Donna,
lenger treu zu bleiben, als es ſich für einen Filoſofen, wi Si
ſind, ſchikken würde. Trauen Si Iren Gründen nicht, denn die
blenden Si. Was hat man nicht for Gründe, wen man fer-
libt iſt. Der Irige

Klopſtock.

Indem ich das, was ich Inen geſchrieben habe, wider durch-
lǎſe, felt mir ein, diſe und jene meiner Waffen, wodurch ich Si
ferwundet habe, mit Irem Blute zu bezeichnen. Si wiſſen alſo
jetzt, was das unterſtrichne bedeute. Ich kan auch hir und da
eine Bezeichnung weggelaſſen haben. Ferzeihen Si mir meine
Sorgloſigkeit. Ich habe auch ſonſt noch ein paar Worte hinzu-
zuſezen. Zu folgendem Saze: (Aer iſt zu lang, ich bezeichne
in nur durch den Anfang ſeiner Teile) Di Sprache hat Töne
gehabt und hat ire . . . Sind diſe ganz oder halb . . . ſo
laſſe di Schrift ſi ganz weg oder ſchreibe andere an irer Stat . . .
Zu diſem Saze bitte ich um Beiſpile.

Laſſen Si ſich keine graue Hare waxen, daß man ſich be
wägen auch an den übrigen, zweimal zwei iſt fir, meiner Gr
matik ſtoßen würde, weil man ſich an den zweimal zwei iſt
meiner Ortografi geſtoßen hat. Den das man auf Irer u
auf meiner Seite, bis man, welches nur erſt ein par Jare
iſt, iſt nicht (wie Sie es nennen) die Razion. Die Razion
flägen einen Ausſpruch etwas ſpäter zu tun; und bi unſri
oder wi uns Denina nennt, i gravi e lenti Alemanni, ſind
wen es auf Endurteile ankommt, einen beſondern Geſchmak
der Zögerung. Auch das könnte Si aufmerkſamer auf I
Meinung machen, daß Si auf der altortografiſchen Seite b
einzige ſind, der herforträten darf, da auf meiner Seite b
Menner mer ſind, di Bart haben und mitſprechen dürfen. Doc
ich mus abbrechen und ſage Inen nur noch, daß ich auflaun
ob der Filoſof Tetens

> Ut hydra secto corpore firmior
> Vinci dolentem crescet in Herculem.*)

180. Klopſtock an Tetens.

(1785.)

Ich danke Inen, liber Tetens, daß Si mir bi Nachrid
ſon Irer völligen Ferblutung und dem darauf erfolgten Hintritt
mit ſo ungemeiner Behutſamkeit gegäben haben. Unfermerkt
und feiner iſt wol ni eine Trauerpoſt angebracht worden. A
ich in Irem Brife an das Wort: Ende kam, merkte ich freili
etwas, allein ich dachte doch noch, es könte ja fileicht auch nic
ſein. Doch Si ſezten gleich Collegien hinzu, und zilten dan
offenbar auf: colligere ossa. Nun mußte ich es alſo n
glauben; und es war föllig überflüſſig, daß Si in Irem Br

---

*) Glossema. Hercule non intelligitur is, qui cum philosopho
in conflictu, sed natura rei, de qua configitur.

an bi von Winthem noch dafon erwänten, daß Si forhetten, ir in Eckhof zu erscheinen. — Ich habe mich in folgender Grabschrift auf Si einer Ortografi bedint, welche Ire Seze leren, wen man auch nur einen Teil für dum?? annimt, was daraus folgt. Den wolte man si blos wie ich hir getan habe, auf di Wörter anwenden, in so fern bise durch Umenbrungen und Um= bildungen ferendert wären; so ferstünde man si nur nicht föllig so fehl, als wen man si allein auf di wenigen und ser unbe= deutenden Kleinigkeiten anwendete bi jezo mit dem Gehörten zu= gleich geschriben wärden. Ire Seze laden zu einer grossen reichen Ernte ein; *) und bi jezige Schreiberei ist weiter nichts als eine kümmerliche Stoppelsamlerin. Zu der Ernte gehört, daß man auch dasjenige Ungehörte schreibe, welches die Wörter erfordern. Z. E. Köni(n)g. (Dis ist keine fon den zweifelhaften Etimo= logien. Kün, oder Kun heißt Geschlecht und Tacitus sagt: reges ex nobilitate. Also: ein Geschlechtsson oder Geschlechter.) Ich habe indes nur auf dem Rokkenfelde ein wenig gemät und das Waizenfeld unberürt gelassen.

Hier lie (ie a e) gt und schlä (a — ie — a) ft
ein Ritter, der umka (o — oe — o) m,
indem er für die ächte Orthographie
eine Lanze bra (e — i — o) ch.
Er erschie (ei — ie) n,
ihre Schönheit und ihre Keuschheit
zu vertheidigen,
weil man sie
verbo (ie — eu — o) tenes Umgangs mit Mönchen beschuldigte.
Er hatte kurz zuvor eh er verschie (ei — ie) r,
ein mathematisches Werk geschrie (ei — ie) ben,
und darin gezeigt, wie sehr er lebte.

---

*) So fil Ire Seze auch enthalten, so habe ich doch di Ursach darin nicht gefunden, warum man auch da di Denung bezeichnen müsse, wo si nicht ist, z. E. ih=nen.

(cogito, ergo sum)

Jetzt ging der Zweykampf an.

Der Ritter dachte, daß der Zorn

mit dem er so (e — i — o) cht,

$ουλ$ (1) $ομενος$

sey (bin — war — wes) n wü (e — i — u — o) rde;

allein er verlo (ie — o) r bald die

$ελπις$ (d),

und hatte das Unglück

zu si (a — u) nken, damit fortzufah (ae — u — a) ren

und zu fa (ae — ie — a) llen,

kurzum

zu blei (ie — ie) ben.,

Sein Gegner rie (u — u) f zwar aus:

Vi (n) ci!

Allein er setzte auch nicht ohne Rührung hinzu:

Eheu amicus meus desiit

Viv (u) ere.

181. Klopstock an Fanny.

(1785.)

Sie vermuthen, liebste Cousine, gewiß eben so wenig einen
Brief von mir, als ich noch vor kurzem selbst dachte, daß ich
einen schreiben würde. Ich komme ohne weitere Einleitung
zur Sache. — Ich veranstalte jetzt eine neue Ausgabe meiner
Oden, die Oden an Fanny, (so sollen sie in der Sammlung
heißen) wurden für Sie, für mich und Ihren Bruder, vielleicht
noch für ein paar Freunde gemacht, aber ganz und gar nicht in
der Absicht, daß sie öffentlich erscheinen sollten, das sind Sie
gleichwohl, und zwar in sehr schlechten Abschriften. Ueberdas
fehlte ihnen die letzte Hand. Ohne diese, (die Veränderungen
wurden mir, wegen des erinnernden Inhalts immer von neuem
schwer) sind sie nun endlich nichts mehr. Ich muß davon notwendig in einem Vorberichte etwas sagen, aber nicht allein von
den Oden, sondern auch von der, an die sie gemacht wurden.

Ich habe hierzu Gründe, die mir sehr wichtig sind. Ich kenne
Fanny nicht genug, wenigstens nicht mit Gewißheit. Ich getraue
mich daher nicht mit genauer Richtigkeit von ihr zu urtheilen.
Allein kein Zweifel wird mir, glaube ich, mehr übrig seyn,
wenn Sie mir offen sagen wollen, wie Sie damals, da ich
Sie so sehr liebte, gegen mich gesinnt waren. Sie würden mich
mißverstehn, wenn Sie dafür hielten, daß der Inhalt Ihrer Er=
klärung in meinen Vorbericht übergehen sollte. Das ist die Mei=
nung ganz und gar nicht. Der Gebrauch, den ich davon machen
werde, wird sich allein in meinem Urtheile von Ihrer Denkungs=
art und Empfindungsart zeigen. Auf diese kommt es mir alleine
an. Ich werde den Punkt, ob ich allein geliebt habe, oder nicht,
unberührt lassen. Ich möchte nur bestimmen können, in welchem
Grade die liebenswürdig war, die ich so sehr und so lange
liebte. Sollten Sie diesen Brief unbeantwortet lassen, oder in
einer Antwort über die Hauptsache weggleiten, so wird mir
auch dieses Aufschluß seyn, und zur Festsetzung meines Urtheils
beytragen.

Seyn Sie glücklich. Klopftock.

182. Elifa von der Recke an Klopftock.

Berlin den 25. Dec. 1785.

Vielleicht haben Sie, mein Verehrungswürdiger, nun schon
die Antwort der wahren Fanny; denn ich schickte unsrem Bode
den 12. dieses Ihren Brief zur weiteren Beförderung, noch hab
ich aber von diesem Freunde keine Antwort.

Seit 12 Tagen bin ich nicht ganz wohl, und daher erscheint
meine saumselige Antwort auf Ihren willkommenen Brief
erst jetzt.

Mit Mühe schlepp' ich meine Glieder aus einem Zimmer
in das andere; manche Stunden muß ich ganz still und gedan=

kenlos liegen, wenn ich in meiner kranken Seite nicht heftige Schmerzen fühlen will. So lange dieser körperliche Zustand dauert, kann ich Berlin nicht verlassen. Mein in Fannys Seele hineingedachter Brief, wäre bey mehrerer Gesundheit besser gerathen: nun hab ich aber meine Gedanken nur in holprichten Perioden sagen können. Lassen Sie, mein Verehrungswürdiger, mir es doch wissen, in wie weit ich mit der wahren Fanny mit meiner Antwort übereingekommen bin.

Wie oft meine Seele bey Ihnen verweilt, werd ich Ihnen gar nicht sagen, denn ich glaube Sie edler Mann müssen dieß selbst wissen.

Ob ich meinen Wunsch künftiges Jahr wieder in Hamburg zu seyn erfüllen kann, ist ungewiß. Gewiß aber ists, daß ich ihn so viel ich kann möglich machen suchen werde.

Ihren Freund hab ich noch nicht gesprochen, die erste Zeit war ich beständig in Friedrichsfelde, und iezt kann ich, weil mir das sprechen meiner Seite wegen schwer wird, fremden Besuch nicht annehmen.

Leben Sie wohl mein Verehrungswürdiger, unsrer von Wihndem, ihren Töchtern, Stolbergs, allen meinen Hamburgschen Freunden, vorzüglich aber Ihrem eigenen Herzen, empfehlen Sie bestens Ihre Sie verehrende Freundin

Elisa.

183. M. S. Streiber an Klopstock.

Eisenach den 3. Januar 1786.

Ihre werthe Zuschrifft ist zwar mir unerwartet, aber um desto angenehmer gewesen, da ich mich zuvor ganz von Ihnen vergessen glaubte. Sie haben mich wieder recht lebhafft an den Zeit Punkt unser ersten Bekandtschafft und jugendlichen Umgang erinnert, einen Zeit Punkt, dessen Andenken meinem Herzen immer theuer bleiben wird. Sie müßen mich in der that nicht recht gekant haben, wenn Sie nur haben glauben können, daß ich Ihre mir vorgelegte Frage entweder gar nicht, oder durch Ausweichung beantworten würde. Die Zuneigung eines Mannes, beßen Verdienste so allgemein anerkant waren, hat mir immer in meinen Augen einen Werth gegeben, und ob ich Ihnen gleich anitzo von meinen ehemaligen Empfindungen nicht gantz genau Rechenschafft mehr ablegen kann, so können Sie doch ficher annehmen, daß ich bey der so eblen Liebe eines der beßten Menschen nicht gleichgültig geblieben, und wenn es in meiner Gewalt geftanden Ihn glücklich zu machen, ich es gewiß gethan haben würde — —

Wenn mir diese Auffrichtige Erklärung Ihre Achtung ver=schafft, so werde ich mich vor meine Offenhertzigkeit hinlänglich belohnt halten.

Sie werden der Welt ein sehr angenehmes Geschenck machen, wenn Sie durch eine neue und verbeßerte Ausgabe Ihren Oden ihre ursprüngliche Schönheit wieder geben. Ich wünschte nur sehr, daß Sie in Ihrer Vorrede davon nichts von Fanni sagten, denn da sie gekant ist, so würde jedes Lob, jeder Tadel die Augen der Welt so sehr auff sie ziehen. Doch vielleicht bin ich zu furchtsam, und ich glaube daß ich mich hierrin vollkommen auff Ihre Delikateße verlaßen kann. Ihr Wunsch mich glücklich zu sehen, ist schon so weit als es in diesem Erdenleben möglich ist, in Erfüllung gegangen, ohne Reue über das Vergangene, und ohne Furcht über die Zukunfft lebe ich in dem Schoße meiner Familie ruhig und zufrieden, und ich habe überdem nicht selten von Ihren guten Freunden und Bekandten die mir so angenehme Nachricht gehört, daß Sie ebenfals glücklich und zu=frieden leben. Gott erhalte Sie darbey, und laße jeden Ihrer zukünftigen Tage heiter seyn, so werden meine liebften Wünsche

21*

erfüllt werden, denn ich habe nie auffgehört zu seyn Ihre
auffrichtige Freundin

M. S. Streiber.

P. S. Ihren Brieff von 5ten December datirt habe i—
erst den 28ten Decbr. erhalten.

184. Klopstock an A. G. Carstens.

Hamburg den 8. April 1788.

Zwei Dinge, mein liebster, alter Freund, haben mir vor
Kurzem nicht wenig Freude gemacht. Ich habe den Geheime
Rath Hardenberg-Reventlow, durch den Sie diesen Brie
erhalten werden, kennen gelernt; und ich habe Sie ihm, als
denjenigen genant, welchen er, worin er nur wolte, am beste
um Rath fragen könte.

So oft ich Jemanden spreche, der von Kopenhagen kömt,
so rede ich auch von Ihnen, und höre dann, daß Sie sich nich
etwa nur wohl befinden, sondern daß Sie auch immer noch arbeiten mögen; und was wäre auch das erste, ohne das letzte.
Ich muß Ihnen doch bei dieser Gelegenheit sagen, daß Ihr
fortwährende Gesundheit ein Wunder vor meinen Augen ist,
weil Sie nicht reiten. Doch was erlebt man auch nicht all
vor Wunder in unserer Zeit? Lavater manipulirt Mädchen,
die Schwedenborger Geister, und Karstens wird, ohne ein
Pferd zum Leibarzte zu haben, hundert Jahre alt. Ich befinde
mich zwar wohl, aber Ihren Schwung nehme ich gewiß nicht,
ob ich gleich der Leibärzte (mein jetziger heißt Harald, er verdient den Namen) wol zwanzig gehabt habe. Arbeiten mag
ich auch noch, und wenigstens eben so gern an meine Freunde
denken, ob ich gleich nicht an sie schreibe. Ich bin, wie
ich war, seitdem ich Sie kennen lernte, der Ihrige

Klopstock.

185. Klopstock an Ebert.

Hamburg, den 24. Sept. 88.

Der Herzog ist also mit der Unpartheilichkeit, die ich in dem Fragmente gezeigt habe, nicht zufrieden, er, den ich, in vollem Ernste, sehr verehre und dem ich unter vielem andern auch zutraute, daß er dieser Göttin, die mehr als Grazie, selbst opferte. — Doch ich wollte heut von etwas ganz anderem schreiben. Sie wissen, daß Dänemark mit Nordens Oberceremonienmeister Krieg führen muß. Es wird, wie ich aus mehr als einer Ursache fürchte, dahin kommen (ich sage es im Vertraun), daß die Pensionen nicht ausbezahlt werden. In diesem Falle kann Bernsdorff mich nicht ausnehmen, nicht als Minister, noch weniger als mein Freund. Ich habe mir keinen Nothpfennig gespart, und der Bruder der v. W. hat durch die Handlung so viel gewinnen wollen, daß er (Sie reden hiervon nicht, denn es könnte ihm sehr schaden, wenn es auskäme) seiner Schwester jetzo nichts, und wer weiß wann wieder etwas geben kann. Der jetzige König von Preußen ist ja deutsch gesinnt, und erklärt sich für die Religion, zwey Ursachen, warum es dem Herzog vermuthlich nicht mislingen würde, wenn er den König veranlassen wollte, für mich etwas zu thun. Ich habe es nicht, und werde es nie vergessen, daß der Herzog an mich dachte, da zu Struensee's Zeit meine Lage in Dänemark mislich zu werden schien. Ich fürchte nicht, das bei der jetzigen Mislichkeit meine Wünsche ihm unbescheiden vorkommen werden. Sollten Sie es indeß für besser halten, nicht in meinem Namen zu reden, so schreiben Sie mir Ihre Ursachen, eh Sie es, als von mir nicht veranlaßt, thun. Denn es macht mir Vergnügen, dem Herzoge Vertraun zu zeigen, und mich ihm, so bittscheu ich auch sonst bin, mit einer Bitte zu nahen. — — Das beygelegte müssen Sie mir bald zurückschicken. Der Ihrige   Klopstock.

186. Klopstock an Ebert.

Hamburg, den 29. October 88.

Schicken Sie mir L. E. mit nächster Post die Fragmen[..]
zurück. Lassen Sie sich von dem Postmeister einen Schein g[..]
ben; denn es ist mein einziges M. S. Es wird mir lieb sey[..]
wenn Sie mir die Gründe sagen wollen, warum Sie die Fra[..]
mente verurtheilen. Blättern Sie indeß vorher ein wenig
Xenophons Zehntausenden, oder im Cäsar. Sie wissen, daß i[..]
kein Nachahmer bin; aber in diesen Mustern liegen Regeln, [..]
nicht alle in den Lehrbüchern stehen. Sie haben mich, L. E[..]
(ich wußte es schon vor Ihrem Briefe) gedauert, daß Sie sich[..]
brüchig gewesen sind. Ich reite seit dem Anfange des letzt[..]
Sommers das vierte Pferd. Meinen geliebten Harald (den S[..]
leider nicht gesehn haben) mußte ich abschaffen, weil er dara[..]
verfiel, mit der ihm eigenen Schnelligkeit zurück zu gehn, um si[..]
im Bäumen zu üben. Ich gab ihn Stolberg zurück. Hierau[..]
bekam ich vom Herzoge von Oldenburg ein vortrefflich[..]
Pferd, welches mir, nach kurzem Besitze, ein sächsischer Bedienter
der in Rußland gebildet war, zu Tode ritt. Der Herzog glaubte[..]
er müsse mir wieder ein Pferd geben. In seinem Stalle fand[..]
er keins, und so bekam ich eins (gewiß ohne seine Schuld) mi[..]
dem ich auf ebener Erde stürzte. Ich entschloß mich, Gott sey[..]
es gedankt! so schnell, und so gut, und warf mich so weit auf
die Seite, daß ich nur meine Knieschnalle zerbrach. Erst am
folgenden Morgen, denn der Huf des aufstehenden Pferdes hatt[..]
mich leider berührt, hinkte ich ein paar Minuten. Dies dritt[..]
Pferd hat der jüngste Reventlow zu freundschaftlich vertausch[..]
Ich reite jetzt eine sechstehalbjährige Stute, die wie ein Heng[..]
wiehert, und leicht wie ein Vogel ist. Hingst! Hingst! rie[..]
neulich ein Kutscher, vor dem ich vorbeyritt; ich hätte dem Ke[..]
gern ein Trinkgeld gegeben. — Dem H. sagen Sie nie wiede[..]

ein Wort von mir; am wenigsten in Beziehung auf den Um=
stand, daß Dännemark kein Geld zum Kriegführen hat. — —
Ich wollte erst noch sagen, daß ich gestern bey Julchen Re=
ventlow war, und daß sie dem Hingst den Namen Malvine
gab. Der Ihrige   Klopstock.

187. Canzleirath Ambrosius an Klopstock.
Glücksburg am Sonntag Abend (1788).

Nicht leicht hätte mich eine traurige Nachricht mehr betäu=
ben und kränken können, als die Sie mir gestern ertheilten.
Gott weiß, ich habe es ganz gefühlt und noch kann ich mich
nicht fassen. Unglücklich bin ich, wenn Sie mein Gefühl nach
dem beurtheilen wollen, was ich Ihnen hierüber sagen werde.
Denn gemeiniglich kann ich alsdann am wenigsten sagen, wenn
ich am meisten empfinde. Ueberdem schmeichle ich mir, daß Sie
mich gewis so sehr nicht verkennen werden um zweifeln zu können,
ob ich an dieser traurigen Begebenheit den freundschaftlichsten
Antheil nähme. Glauben Sie mir, ich thue es gewis und wenn
ich es nicht so sehr thäte, so könnte ich vielleicht noch gantze
Seiten über eine Sache schreiben, von der ich jetzt kein Wort
mehr sagen kann — Mein gantzes Hertz leidet bey dem Ge=
danken, daß zwo so edle Seelen als die liebe v. Winthem und
Sie jetzt so bittern Kummer fühlen.

Dunkel scheinen die Wege der Vorsicht besonders bey solchen
Fällen, wo Tugend und Verdienste leiden, doch nur hier hinter
dem Vorhange. Vielleicht kommen bald lichtere Tage — wo
nicht, so kommen sie ja doch gewis dann, wenn wir von allen
den elenden Sorgen befreiet blos nach dem wahren innern Wehrt
gelten.

Nicht murren oder wenigstens nicht seufzen, wenn eine v.
Winthem ein Klopstock leiden, das ist gewis schwer. Nennen

Sie es wie Sie wollen, ich gestehe Ihnen, ich habe geweint, als
ich Ihren Brief zuerst las. O hätte ich mehr als Thränen,
würde ich es gewis nicht gethan haben.

Doch ich kann Ihnen nichts mehr hievon sagen. Ganz
ohne die geringste Unbequemlichkeit kann ich Ihnen die 40 Rthlr.
für meine Subscribenten auszahlen lassen, und ich erkenne es
als eine der größten Gefälligkeiten, daß Sie mich bey dieser Gelegenheit mit einem Zutrauen beehren, das mir unschätzbar ist.
An Ahlmann werde ich mit nächster Post schreiben, nur bedaure ich, daß dies erst am Mittwochen geschehen kann. Eben
so gerne als ich, wird er Ihnen hierin einen Beweis seiner
wahren Ergebenheit zu geben suchen, das weis ich gewis. Soll
ich auch an Piehl im Dittmarschen schreiben, daß er seine
Subscriptions=Gelder an Sie auszahlen lasse? Seyn Sie so
gütig und beantworten mir diese Frage, empfehlen Sie mich der
lieben Fr. v. Winthem aufs beste und machen Sie mir die
Freude Ihnen noch öfter Beweise der wahren Ehrfurcht und
Hochachtung geben zu können mit der ich stets bin der Ihrige.

Ambrosius.

188. Klopstock an C. F. Cramer.

Ende December 1789.

Ich verdiene Ihren vollsten Pokal, quod de Belgarum (si
Cattorum sunt) republica non desperaverim. Von dieser republica würde ich mit Ihnen einen halben Tag fortsprechen, wenn
man die Worte nicht schreiben müste, sondern sie ins Papier
hineinreden, und sie dann auf die Post schicken könnte. Denken
Sie sich einen recht langen gesprochenen Brief von der nova
Nur unter dieser Bedingung komme ich jetzt schrei-
te verlangte Erklärung und schenke Ihnen, zwar

keinen Pokal, aber doch auch kein Zwerggläschen dafür ein, quod de loco plane desperato non desperaveris.

Katwald, einer von den*) Urältervätern der Belgen, die ſich jetzt freymachen, ſagt, indem er ſich ſeiner kattiſchen Kürze enthält, welcher er ſich leider ſchon zur Zeit der Lagerſchlacht überließ, er ſagt: Wenn auch die ſtolze Vorſtellung von eurer Größe nicht immer ſo ſehr Wolluſt geweſen wäre; und ihr eurer, in ſo ferne ihr nicht gerechte Römer, ſondern ehrſ. und menſchenver. Erob. wart, manchmal vergeſſen, und daher nun auch beſſer gehandelt hättet: ſo hätten euer die Götter auch nicht vergeſſen, beſonders zu den Zeiten nicht, da ſie euch wider die Deutſchen nicht beyſtanden.

Das Wort Vergeſſen muß nach der Verſchiedenheit des Gegenſtandes, das erſtemal anders genommen werden als das zweytemal. Katw. bezieht ſich bey dem erſten Gebrauche auf Cottas: Vergiſſeſt du, daß — — Katw. kehrt ſich bey ſeinem Vorwurfe der Ehrſucht und der Menſchenverachtung daran nicht, daß Cotta das nicht zugeſtehen wird.

Uebrigens frage ich Sie, den beiſpielloſen Gatten (der Cotta unrecht thut) und die Gattin, die Seine ganze Liebe verdient, ob Sie ſamt und ſonders wollen, daß ich die Stelle ſo ändern ſoll:

Nur die Erinnerung an euch, als gerechte Römer, darf euch Wolluſt ſeyn. Aber oft wart ihr das nicht, ſondern ehrſüchtige, menſchenverachtende Eroberer. Wenn ihr eurer, als ſolcher, vergäßt, und dann wirklich groß handeltet: ſo vergaßen euer —

Erlauben Sie mir, l. C. etwas von dem zu wiederhohlen, worüber ich, mich deucht, wohl eher mit Ihnen geſprochen habe. Es verdient, nach meiner Meinung eine beſondere und ſehr

---

*) Sie ſehen, wie voll ich von den Belgen bin, weil ich darüber vergaß, daß K. ein Marſe war.

genaue Unterſuchung, in welchem Grade der Dichter (um jetzt
nur von dieſem zu reden) leicht oder ſchwer ſein dürfe. Ein
ſolches oder ein anderes Wort, oder auch ein weggelaſſenes, ode
noch hinzugeſetztes kann die ſchönſte Stelle verderben.*) Wähle
Sie mir Stellen aus den Alten, die Ihnen den Vorwurf be
zu ſchweren zu verdienen ſcheinen, und ich will ſie Ihnen, (u
nur hierbey ſtehn zu bleiben) durch ein einziges hinzugeſetzt
(verſteht ſich gutes) Wort verderben. Wählen Sie Stellen an
den Neueren, an denen Ihnen beſonders auch die Leichtigke
gefällt, und ich hoffe ſie Ihnen manchmal durch dieß oder jen
weggelaſſene Wort verſchönern zu können.

Deutl. — Dunkel. — Beſonders die Neueren haben ni
wenig Stellen, die Jedermann (ich rede auch von guten Leſer
deutl. ſehr deutl. vorkommen, und in denen doch die Gedank
nicht richtig und die Empfindungen nicht genau beſtimmt ſin
Sobald der Leſer dieſe Unrichtigkeit nicht ſieht, dieß Ungenau
nicht fühlt, und ſieht: ſo verſteht er im Grunde ſolche Stelle
nicht, wie laut er auch von ihrer Deutlichkeit rede. Es ka
manchmal ſeyn, daß er an ſolche Stellen ſo ſehr gewöhnt iſt
daß er ſie, ſobald man ihnen die gehörige Richtigkeit oder Genauigkeit giebt, dunkel finden wird.

Den 8. Jan. 1790.

So weit war ich, gegen das Ende des vorigen Jahres mi
dieſem Briefe gekommen, als ich unterbrochen wurde, und ihn
dann, nach meiner ſchlimmen Gewohnheit, liegen ließ. Ich wollt
ihn im Anfange dieſes Jahrs eben fortſetzen, als ich mir de
Finger klemmte, und daher nicht ſchreiben konnte, hieraus könne

---

*) Dadurch, daß ihr jenes fehlt, wird ſie nämlich zu kurz; un
durch dieſes hinzukommende verliert ſie von der Kürze, die ſie hab
muſte.

Sie sich die Lehre ziehen, daß selbst der verstockteste Nichtschreiber auch wohl einmal unschuldig seyn kann.

S. 157 haben Sie recht erklärt. — Bode hat es angefangen das Barbiet zu sagen; ich sage nach Barbiten der Barbiet; und so solten auch Sie. — Wenn Th. S. 75 Ohne Fessel! sagt, so denkt sie nicht daran, daß die Deutschen bloß einsperrten. Sie erinnert sich nur, was sie litt, da sie gefesselt war; und ist mitleibig genug gegen die Römer, um sie nicht gefesselt sehn zu wollen. Sie haben sich auch Gelahrten und Gelehrten noch passender als Rousseau ausgedrückt. Ihren Brief von Campe haben Sie beyzulegen vergessen.

Den 19. Jan.

Ich bin recht im Ernste böse auf mich, daß ich diesen Brief bis heute habe liegen lassen. — Und wir haben unsre liebe, liebe Holk verloren. Es ist mir recht durch das Herz gegangen. Was hat es für einen Eindruck auf die Reventlow gemacht? Grüßen Sie, diesen Engel im eigentlichen Verstande, von mir.

Ihr Klopstock.

189. Klopstock an den Herzog von Rochefoucauld.

25. Juni 1790.

Duci de la Rochefaucauld, Senatori Galliae, Klopstock non S. D. P. sed de salute publica et ab ipso data Patriae, gratulatur.

Non Tua Tibi lingua scribo, quoniam in leges illius, quae iam heroum civicorum est, linguae, peccare, quod fieri possit facile, nolim; non scribo mea, nam sum nesciens, an, quod transiens olim Hafniam Tibi ipsi mihique promittebas, ei addiscendae dederis operam; at scribo Romanorum, et recte me facere arbitror, res enim geritis antiquas. Saepius fueram recordatus voluptatis ejus, qua tenebar, quum inciperem noscere Te, proficiscentem

in Sueciam; inciperem, inquam, non enim ibas ad Suecos, s ed
volabas. At cum subito adpareres in Senatu post hominum me e-
moriam maximo (Romanus imprimis de gentibus debellandis con-
sulebat) plurima mihi observata est Tui imago; tum vero annis us
sum noscere Te omnem; et nisi mirifice fallor a meta hac non
aberravi. Gallia igitur iam super caeteras Europae nationes
ascendit, longo super eas, quae libertate orbae sunt, intervallo,
et super liberas tali, quod a iusto mensore perbreve dici nequeat.
Etenim meliora quam hae vidit, probavit, secuta est. Et super
se ipsam uno anno ascendit, quamvis inde a sacerdotis despotae
aevo, tanto annorum spatio, praecipue fuerit bellatrix, atque talis
existens, iniusta nempe, excellere sibi visa sit. Vix haec scri-
pseram, cum me ipsum viderem esse injustum. Non enim mihi
Gallia accusanda, sed reges illius, coronati minus quam et horum
non coronati, sunt accusandi. Si unquam sensi, rem esse severam
verum gaudium, id hoc sensi tempore, quo novus inter Vos natus
est saeculorum ordo. Si mihi essent filii (habui unicum, qui cum
matre pariente mortuus est) essentque illi viri boni, linquerem,
quam amo, patriam, atque filios, quamvis iam senior, in Galliam
ducerem, enixe petens, ut cum patre cives reciperentur eius rei-
publicae, quae Europae regnis illustre hoc exemplum dedit, qua
via eatur ad libertatem. Sed carens filiis, necesse est, ut et in-
signi caream felicitate qua, insertus civibus Galliae, essem frui-
turus.

Jam sub finem anni 1788 non male auguratus sum de
Vestra maxima republica; rivulos deinde quosdam patriae fortasse meae olim salubres duxi ex amne, qui vobis

. . fervet immensusque ruit.

Hoc Te scire volui. Sine hac causa odas, quas vides junctas
litteris, Tibi non mitterem. Extinguente enim versione haud
vivunt

. . . . . commissi calores
        Teutonicae fidibus Camoenae.

Liceat mihi, Vir bone et sapiens, dubium, quod ad Legem de jure belli et pacis a vobis latam spectat, in gremium tuum effundere. Si regis imperium in legatos atque exercitus terrae marisque est omnino liberum, potest ille simulare timorem imminentis sibi e vicinia belli, et tamen sic ostendere atque movere arma, ut vicinia, vero anxia belli timore, quod sibi facturi sint Galli, et lassata tandem longa incertitudine, bellare incipiat. Ecce tunc bellum, quod illatum vobis videtur ab exteris, et quod tamen intulerit rex, cui dati non sint ephori, qui imperantem legatisque et exercitibus observent, quique detegant astu plenum (non mihi sermo de Ludovico XVI est) Rubiconem non quidem transeuntem, sed altera ripa fluminis manentem excitatos a sese hostes.

Finiendae tandem mihi sunt litterae, finiendae, at nequeo finire, ad addenda quaedam grata quasi abreptus vi. Semper amabilis me ludit insania, qua Vos intueor, alloquor, Teque (quem etiam vidi sanus) et Lutetiae consulem et Imperatorem Washingtoni amicum, Patres patriae. Ah, si Vos coram, Vos vere post exantlatos diei labores adspicerem, cum Viro immortali, qui postquam et contra Antonium stetisset, firmusque et audax, in patria a se saepe servata caesus est, cum illo exclamarem: O noctes coenaeque Deûm! De consule loquebar. Is vero non solum eo, quod profunde noverit, quibus sidera legibus moveantur, sed eo etiam, quod agat in terra, moveatque ipse, vir caelestis est. Dicitur linguae germanicae studuisse, philosophos nostros lecturus. Si falsa audii, velim mihi parcas, neque dulcem retegas errorem. Imperatorem si viderem, forsitan illi narrarem, dixisse ducem Brunsvicensem, quod aqiem praelii (in Poemate de eo scripto) non male instruxerim, quo Arminius per tres dies continuos morti pro libertate patriae devotus, die tertio Vari le-

giones non vicit, sed delevit; adderemque fortasse gloriosum
dignoscere me duces, qui admiratione praesint.   Valeas, V
optime, diuque intersis populo, quem et Tu reddidisti beatum
Scribebam Hamburgi 1790, die 25 mensis, qui in memoriam
vocat sessionem regis.

190. Klopſtock an den Freiherrn A. F. F. L. von Knigge.

Hamburg den 5. Januar 91.

„Sie wiſſen einmal (ſchrieb ich vor Kurzem in einem nothwendigen Briefe), daß ich an der Krankheit des Nichtſchreibens
jämmerlich darniederliege, alſo kein Wort weiter von dieſem
Greuel.“

Das wußten auch Sie, liebſter Knigge; und gleichwohl
ſind Sie ſo grauſam, mich, gerade wegen des Nichtſchreibens,
grauſam zu nennen.   Weil ich denn das einmal ſeyn muß; nun
ſo will obenein ich rachſüchtig ſeyn, und Ihnen die bitterſten
Vorwürfe darüber machen, daß Sie ſich als Nichtverfaſſer des
„Barth's mit der bleyernen Stirn“ den Leuten haben
anzeigen wollen.

Nun iſt meine Rache abgekühlt und ich freue mich von Herzen,
daß Sie wieder beſſer ſind.   Schreiben Sie mir doch, (nämlich
wenn Sie eben Luſt und Laune dazu haben; aber wenn Sie
die nicht haben, ſo thun Sie's ja nicht) wie es Ihnen in Oldenburg gegangen iſt, vornämlich aber, wie Ihnen die Be-
gräbnißcapelle gefallen hat.   Der Herzog hat mir aufgetragen,
Ihm Grabſchriften zu machen, und ich habe ſie Ihm geſtern
geſchickt.   Sie ſollen ſie nächſtens von mir bekommen.   Seyn
Sie gerecht oder ungerecht gegen mich; ich bin gleichwohl

Der Ihrige
Klopſtock.

191. Klopstock an C. F. Cramer.

Hamb. den 11. Jan. 91.

„Sie wissen einmal (schrieb ich neulich nach Paris) daß ich an der Krankheit des Nichtschreibens jämmerlich darnieder liege." Für Sie, l. C. hätte ich gleichwol, nach Empfange Ihres angenehmen überraschenden vierten Theiles, gleich genesen sollen. Sie sehen daraus, daß es nicht geschehen ist, die Bösartigkeit des Uebels. Ich will den guten Augenblick ergreifen, da ich mich eben ein wenig erhohle. *Κακοφωνιαι γερμανικαι!* (horresco repetens) Wollen Sie sich auf diese Weise mit Ihren Lästerungen wider den Klang der Sprache vor den Ungelehrten verkriechen? Die heilige, die nach Ihnen auch zuweilen wohl in Ansehung des Ech eine Sünderin ist, ist es vielmehr so oft, daß Sie von ihr, wie Pater Abraham von Maria Magdalena, nichts weniger als ein Thränenmeer der Reue fordern müssen. Sie fängt die Worte nicht nur wie *χαριτες* an; sondern sie setzt das Ech auch nach dem Selbstlaute, wo es stärker, und also sündhafter klingt, z. E. *μαχη*. Laufen Sie ein griechisches Lexikon durch, und sehen mit Augen, wie oft Sie das Ech, selbst bei flüchtigem Durchblättern, nach dem Selbstl. antreffen werden. Verurtheilen Sie es daher immer, als eine *κακοφ. ελλενικογερμανικην.*

Mit welcher Wollust würden Sie den Ausländern den Uebelklang unserer Sprache bekannt machen, wenn sie das wirklich übelklingende um der Lateinischen hätte. Celeberrimum illum virum omnium linguarum exterarum admiratorem. Ich bedaure Sie, daß dieser Strom kein Wasser auf Ihre Mühle ist.

Ende der ersten Erhohlung.

P. S. Wie verführbar Sie in der Sache sind, können Sie unter andern daraus sehen, daß Sie es gleich als ausgemacht annehmen, wenn man der Sprache z. E. das Wort Al=li=ben=de

als Rauhigkeit aufbürdet. χαριεντε wäre also, wegen des ▬
für El noch rauher.

Ich erinnere mich nicht mehr, was man Ihnen öffentlⁱch,
wie Sie sagen, aufgemuzt hat. Die beiden Strophen wie   *in*
meiner Ausgabe S. 89 nur daß ich: „die ganze — sich mir,
in der neuen Ausg. in Parenthese setzen werde. Die . . . nach
dieses bleiben da weg, weil ich diese Punkte jetzt nur da brauche,
wo die Periode oder Saz abgebrochen werden. — „Greise des
Haines,“ die älteren Bäume, die nun ihren vollen Wuchs er=
reicht haben, und mit hohem Wipfel dastehen, durften der Nach=
tigall so merkwürdig seyn, daß sie sie mit den Unsterblichen
vergleichen konnte. Doch „Nachtigallen“ geht unmittelbar vor=
her; und so sagen Sie mir, ob ich es vielleicht ändern soll —
Die Nachtigallen können indeß die Greise nicht seyn; denn was
sonst noch im Walde lebte, hätte auch Ansprüche darauf. Ich
habe in dem v. Th. angezeichnet; und werde jetzt hier und da
davon nehmen, wie es mir vorkömmt. S. 357 (?) Wenn ich
für mich als Engel mit der Stärke käme, die mir Gott gegeben
hat, so würde ich dich zwar auch entfernen: aber jetzt soll
ein Wink thun, doch nicht mein Wink, sondern . . . . S. 261. -
Die Engel bewundern sie s e l b s t d a n n n o c h, wenn sie durch
Leidenschaft etwas verlieret: aber die Menschen bewundern sie
nur, nach diesem Verluste. Denn o h n e L e i d e n s c h a f t wäre
sie für sie zu erhaben, sie könnten sie dann nicht bewundern.
Man kann auch mit Grunde sagen: Ignoti est nulla admiratio.
— „Ewigkeit dir!“ (Ich finde nicht gleich, wo es steht, ' aber
es fällt mir eben ein) der W i r k u n g nach; denn der Tag
muste endigen. Christus hat eine e w i g e Erlösung erfunden,
die in einer bestimmten Zeit vollbracht wurde. Wenn Elsa
nicht sänge; so würde ich: „Kom, werde geboren angefangen,
und mit . . . . . Wirkung des Bluttages (ich weiß jetzt nicht,

mit welchem Ausbruce) geſchloſſen haben. S. 391. Die menſch=
lichen Seelen (der Ungebohrnen) die auf dem Planeten
Adamida ſind, erſtaunen bey dem Anblice der ihnen neuen
Sonne, unſerer Sonne nåmlich, welcher ſie ſich nahen. Gieb
mir (håtte ich zu Ebeling ſagen können, aber ich habe es nicht
gethan) die Urſachen an, warum Cramer hier Schwierigkeiten
gefunden hat; et eris mihi magnus Apollo. S. 239 Die Seelen
bekommen nach dem Tode einen åtheriſchen Leib (Leibniz nennt
ihn vehiculum animae aethereum). So hatte Adams Seele einen,
der bey ſeiner Auferſtehung, dem neuen Leibe zur Verklärung
wurde; ſo bekam die Seele Mariens, der Schweſter Lazarus,
einen: der, welchen die Seele Judas bekam, mußte denn doch
wohl anders beſchaffen ſein, als die der vorher genannten. S.
238 Hier habe ich nicht an alarum verbera gedacht, Turnus
hört etwas wirkliches, Judas wird nur durch die Einbildungs=
kraft getåuſcht. S. 217 Hiervon einmal mündlich. Es thut
mir dabey weh, daß Sie eine Anmerkung, die Sie hätten machen
ſollen, nicht gemacht haben, nåmlich, daß ich die Ewigkeit der
Höllenſtrafen nicht annehme. Ich habe dieß ja durch Abbadonas
Erlöſung und auch ſonſt im Meſſ. gezeigt. S. 347 Dieſe
beyden Erklärungen ſind richtig. Heil, als επεξηγεσε von Blut
würde hier ein wenig gezwungen ſeyn. S. 134 Freylich Seiner
auch auf Chriſtus. Ich ſehe nicht wie V. 286 verleiten konnte;
denn da geht ja der notwendig auf Tod. — (Eben finde ich
im Blättern seram resipiscentiam. Dafür will ich denn auch,
dåmoniſcher Phrygier, zur Dankbarkeit die Worte im Anfange
des Briefes, borresco und Wolluſt in: indignor und Ver=
gnügen verwandeln, und Ihnen zugleich verſprechen, daß wenn
Sie mich noch einmal ſo zur Dankbarkeit hinreißen, ich die
χαριτας anflehen will, Ihnen zu verzeihen.) — Ich ſchließe mit
der Parentheſe; denn ich bin doch wirklich ein wenig müde, ob=

gleich mein Pferd mit mir heute recht nett geſprungen h⸗
Ueberdieß muß ich Ihnen auch noch ein paar unſcholiaſtiſ⸗
Worte ſagen. Ich ſchicke Ihnen mit der fahrenden Poſt
ſchwediſche Ueberſetzung vom Meſſ. und wenn Sie mir verſp⸗
chen, ſie noch für ſich zu behalten, auch Grabſchriften in
Kapelle des Herzogs von Oldenburg: Rochefoucaulb hat ⸗
Matthieſſen (ſie ſind beyde Mitglieder des Clubs 87) ſe
warm von mir geſprochen, und ſogar geſagt, man würde mi⸗
wenn ich nach Paris käme, wie Voltären aufnehmen. Ich ha⸗
an Matthieſſen geſchrieben, und ihm geſchickt: Sie, und ni⸗
Wir. Elegie an La Rochefoucauld. Sie fängt ſo an ꝛc.

Ihr Klopſtock.

192. Klopſtock an C. F. Cramer.

Hamb. den 4t. Febr. 91.

Ich will jetzt noch eine kleine Nachleſe im vierten Thei⸗
halten. S. 151 den Corridor. Ich erinnere mich nicht, da⸗
dieſer Corrib. mich veranlaßt hätte. Es kan indeß ſeyn, da⸗
ich es Ihnen erzählt habe; und ſo hätte ich mich denn damal⸗
erinnert. 155 Contraſt. Dieſe, Füße haben keinen Contra⸗
162 ſie empor. Sie geht allerdings auf Poet. Gedank⸗
iſt zu entfernt, als daß es darauf gehen könnte. bloß ſynz⸗
nymiſch für ſein. Hier muß ein Druckfehler ſeyn; ich kan⸗
Ihnen das nicht geſagt haben. Die Juden wurden dadurch g⸗
richtet, daß Jeruſalem und der Tempel zerſtört wurde. 17⸗
in dieſem Strom mit fortgeriſſen, Duo cum faciu⸗
idem, non est idem. 185 nicht bewundern. Man kan ni⸗
anders von Gott denken, und dieſe Vorſtellung von Gott h⸗
weder mit dem Metaphyſiſchen noch mit dem Antiken etwas ⸗
thun. 290 bey dem andern das braucht der Nachbruck, we⸗
chen das erſte hat, nicht wiederholt zu werden: ihn wiederhohl⸗

würde etwas gesucht seyn. 399 nur Schatten. Nur: der Schatten eures Sternes.

53 Mit Gl. Sie haben nicht aufgehört, und besonders nicht durch Glover. 59 jener Beyfall. Ich dachte dabey nicht an Beyfall, sondern verlangte nur ein gerechtes Urtheil, welches man, ohne Kentniß der Sache nicht fällen konte. 37 zu dem ganzen Plan. Das habe ich nicht gesagt, sondern nur: zu seinem übrigen Plane; ich hätte auch sagen können: gehören in seinen Plan. Sie müssen auch nicht bey dem Exempel des hervorzubringenden Schmerzes stehen bleiben, sondern sich überhaupt hervorzubringende Leidenschaften denken. Bilder — Wahrheiten — Leidenschaft, — Ich nehme hier die Sache in ihrem ganzen Umfange; und das mußte ich als Theoretiker thun. Aber: Bilder; dann Leidenschaft; oder: Wahrheiten, dann Leidenschaft, auch das ist schon nicht wenig. Doch es komt Ihnen hauptsächl. auf Beyspiele an, die ich Ihnen aus dem Meff. anführen soll. Bedenken Sie nur, bester Cr., was Sie da von mir verlangen. Ich, ich selbst, ich der Verfasser, soll Ihnen aus meinem eigenen Gedichte Beyspiele anführen? Sie kennen mich, und wissen, daß mir das ganz von Herzen geht. Allein was thut man nicht, um die Seele eines Freundes, und hier muß ich auch sagen, eines Lesers, wie Sie sind, durch Berschweigung der Prämissen nicht zu martern. Was also die abwechselnde Scene, wo hier Bilder, dort Wahrheit, und da die Leidenschaft herschen, anbetrift, so verweise ich Sie auf die Auferstehung (Ges. XI) und auf (doch da sind Sie schon gewesen) auf das erste Gericht (Ges. XVI). Ich könte Sie auch auf das Weltgericht verweisen: doch da kämen wir in ein neues Feld der Theorie; denn da wechseln in jeder einzelnen Scene Bilder, Wahrh. und Leidensch. aber in sehr merklichen Abständen ab. Wir kommen jetzt zu dem besonderen Punkte: „Ohne

dieß zum Plane; und jetzt, aus dieſer Urſache ſo anordne⏐
Zum Plane gehört, daß ſieben Todesengel (vor dem erſten ⏐
Todesengel) und zwar nicht unerwartet, dem Meſſ. den ⏐
ankündigen ſollen. Ich hätte auf mancherley Art ihre Ankur⏐
erwarten laſſen können; allein ich ließ ſie Eloa begegnen, ⏐
zu dem Throne des Richters geht, und dies bereitet auf b⏐
furchtbare zu, was Eloa dort ſehen wird. Zum Plane geh⏐
ben leidenden Ababona zu zeigen. (und was hat je ſo ſehr
einem Plane gehört als Ababona?) Ich konte ihn auf vielerl⏐
Art zeigen; aber wenn er den Meſſias am Oelberge leiden ſieh⏐
ſo kan ich, durch ihn, die Leiden des Meſſ. in einer Erhabenhei⏐
zeigen, wie es mir ſonſt kaum möglich war. Ich kan Ihnen⏐
ſagen, daß ich auf Ababona am Oelberge ſtolz bin; obgleich da⏐
mals, als ich ihn dort ſchauen und trauern ließ, aller Stolz⏐
auch der edle, weit von mir weg war. Ich habe indeß jene⏐
Stolz leider geſtanden. Sie ſehen, daß ich über der Anführun⏐
von Beyſpielen aus meinem Gedicht ruhmredig geworden bin⏐
Da haben Sie es denn nun, näml. Sie haben das auf Ihre⏐
Seele. Sed manum de tabula . . . . Sie reden auch (ich ſind⏐
die Stelle nicht gleich) von dem Anſchauen Gottes. Denen, di⏐
anſchauen, wird die Herrlichkeit Gottes, von ihm ſelbſt (die⏐
muſte ſie) offenbart. Woburch? Nehmen Sie einen Anſchaue⏐
an, der hundert Sinne hat. Ich brauche Ihnen nicht zu ſagen⏐
was der Allmächtige alles hervorbringen kan, um dieſem An⏐
ſchauer ſich als hier beſonders gegenwärtig und als gnädig z⏐
offenbaren; und dann einem Anſchauer, der tauſend Sinne hätte⏐
Meinen Sie nur nicht, daß ich von dem Allmächtigen und All⏐
barmherzigen fable.

Gegen Abend.

Sie haben unrecht, daß Sie mir den Brief des pariſe⏐
Kupferſtechers nicht zurück geſchickt haben. Ich brauche ihn not⏐

wendig. Ich habe Ihnen neulich die Parenthese in der Ode
Wingolf falsch angegeben. Aufgebracht gegen die Kritler, die
so gern an Ihnen zu Helden würden (Seyn Sie nur ruhig;
man verurtheilt Sie, aber Sie werden nicht verurtheilt) habe
ich die Strophe zu flüchtig gelesen. Die Parenthese fängt vor:
die ganze Seele an, und endigt nach: schöner. Sie soll jetzt
wegkommen. Ich habe es so geändert:

In dem die ganze Seele mir sichtbar wird. Daß Sie in:
Und der in Zähren: der lesen müssen, sehen Sie aus: dieses
Auge. Noch ein kleines Nachträglein zu χαριτες. Homer haucht
(Il. ψ V. 100 und 101) das angefeindete χ viermal aus, aber
freylich nicht so aus der Tiefe des Halses, wie die Spanier und
die Schweizer. Aber hauchen wir es denn wie diese aus?
Daß wir dieß nicht thun, deß hättest du dich erinnern sollen,
Δαιμονιε, eh du uns wegen Ech so angefahren hättest. Wie
würdest du uns vollends anfahren, Δαιμονιε, (um dich auch
Einmal mit der von dir selbst für dich selbst sehr gutgewählten
Titulatur anzureden) uns anfahren, sage ich, wenn von unserm
ερκος οδοντων das ξ so oft ertönte, als von dem der Griechen,
Allein vor so etwas nimst du dich klüglich in Acht. Ihr

Klopstock.

193. Vorschlag
zu
einem Friedenstraktate
zwischen
Herrn von Bourgoing und Herrn Klopstock.

Art. 1.

Es wird als ausgemacht angenommen, daß der letzte allen
möglichen Antheil an dem Schicksale der rechtschaffenen Männer
nehme, welche durch die Revoluzion Vorrechte verloren haben,

ohne deren Aufhebung sie nicht werden konte, was sie geworden ist.

Art. 2.

Es muß ihm verziehn werden, wenn er der Absetzung der
Rohan, Rochefoucauld u. s. w. von ganzem Herzen Beyfall giebt.

Art. 3.

Er muß deßwegen nicht als Kezer verbrant werden, weil er
glaubt, daß in der neuen Constituzion und besonders in ihrer
erhabenen Einleitung von den Rechten der Menschen, sehr viel
praktisches Christenthum, er sagt nicht, verborgen liege, sondern
vielmehr wie die Perle im Golde glänze.

Art. 4.

Er muß nicht verpflichtet seyn, auf Kosten der jetzigen
Größe der Franzosen ihre ehmalige zu bewundern: oder um noch
mehr nach seinem Herzen zu reden: nicht verpflichtet seyn, daß
er, da seit jeher die Menschenopfer verabscheut worden sind,
daß er gar Götter Menschen opfre.

Separatartikel.

Armand besucht ihn diesen Sommer oft auf seinem Garten,
und zwar nicht selten in der Uniform eines Offiziers von der
Nationalgarde, und nie anders als mit der Nationalkokarde.

Hamburg, den 17. April 1791.

194. Klopstock an C. F. Cramer.

Hamb. den 18. Jun. 91.

(Fortsetzung der Elegie.)

den 23ten.

Ich dachte neulich diesen Br. zu vollenden und fortzuschicken.
Aber da kam des Nachmittags der Baron Hompesch, der

Deutsche, und der Ungar (Sie kennen ihn vermutl. von Emken-
orf aus) zu mir, und blieb, bis es zu spät war. Noch ein
Wort von der Paranthese, mit der ich neul. schloß. Wenn
Rubens einen Herkules mahlt, so giebt er ihm, wie er thun muß,
arke Muskeln. Das ist der Klang unserer Spr., wenn der
Dicht. sie recht braucht. Ein Mahler, der den Herkules vor-
ellt, giebt ihm, wie er nicht thun solte, zu starke Muskeln,
er Klang unserer Spr. wenn der Dichter sie nicht recht braucht.
Der Herkules ist die mediceische Venus nicht; das weiß ich so
ut wie einer; aber darf denn Herkules deswegen nicht er selbst
yn, weil die Medicea mit dem lieblichsten aller Kniße sich
usbittet, auch sie selbst seyn zu dürfen? Und dürfen denn
Deutsche, mein Cramer z. E. auf allen Straßen und Gassen
lle Keulen aufsuchen, die sie nur immer finden können, um den
erkules damit beßwegen ins Gesicht zu schlagen (eine Sache
e freylich bey der Annäherung unterbleibt) weil er keine Me-
cea ist? — Ich komme wieder in mein Gleis: S. 205 so
r von zwey Wörtern. Die Rede besteht aus Sätzen, aus
erioden oder verbundenen Sätzen. (conf. Scaliger, poetica p.
3.) Zwey Wört. machen nie eine Periode. S. 206. durch
cht zu schnelle Pausen. Sehr richtig. S. 215. Hier suchte
eine Anmerkung und fand keine. Der Tode, die Mehr-
it von Tod ist schon eine andere Spr. und ich habe sie nur
fgenommen. Der Dichter kann also sagen: Der Feldherr ver-
eitet Tode um sich. Sehr kühn ist es, mit unsern Franken zu
gen: il a souffert mille morts. Töbtlichster. Wenn ein schwaches
ind und ein starker Mann sterben, so scheint es, daß der Tod im
ßten Fall mehr zu schaffen hat, er scheint (wenigstens der Einbil-
ungskraft und der Leidenschaft) töbtlicher zu seyn. Dieß vor-
usgesetzt, so sieht man, wie stark es ist, wenn der Gottmensch
ur dem töbtlichsten der Tode unterliegen kan. Uebrigens ist

dieß bey weitem nicht so kühn, als wenn Einer mille morts leidet. Es kann einem hier: der Geschichten Ewigste einfallen, ob es gleich genau genommen, nicht hierher gehört. Ewig heißt auch langbauernd; also: die Geschichte, welche am längsten bauern wird.

den 24ten.

S. 238. erwürgte sich heißt nur: er tödtete sich. Das Lam, das erwürgt ist. S. 244. Sie hätten trochäische und amphibrachische sagen sollen; denn die nur gehören hierher. Daß bann auch die Beispiele von jambischen wegblieben, versteht sich von selbst. In den beyden angeführten Versen sind: Ueber die Felsen, und: eilte schon Wortfüße. Sobald Sie zu mir kommen, lese ich Ihnen meine etwas vermehrte und veränderte Abhandl. von Hexam. vor, und spreche mit Ihnen darüber. Unser Hexam. hat drey Formen, die griechische, die griechisch=deutsche und die deutsche. Man kann es gegen jede von ihnen versehen; und bann hat man nichts so sehr zu wünschen, als daß die negligentia grata seyn möge. Aber die gute Beobachtung der deut= schen Form ist weder negligentia noch Verleugnung des Tanz= schrittes. Sie hält nur einen andern Tanzschritt, als die gleiche Beobachtung der griechischen und griechisch=deutschen Form hält. Homers Ueberhäufung der Längen (ich nenne es längenreich) ist für mich ingratissima negligentia, und ich möchte ihr lieber einen Gehschritt als einen Tanzschritt geben. Denn was kan vom Tanze in einer Bewegung seyn, die sich übertrieben langsam fortarbeitet, und noch dazu keinen Tonverhalt hat. S. 251. Nicht mehr, sondern allein Charakterisirung d. E. d. M. S. 261. Sie enthüllte sich mir wenig, im eigentlichen Verstande. S. 279. Zahl, und Maaß, und Wagschal, wägen, und zählen, und messen. Von dem einsilbigen Wortfuße werde in der Grammat. noch mehr sagen, als ich in den Fragm. davon gesagt habe. Der Vers fehlt wider die Regel des Abschnitts. (Wenn nach Wagschal ein Punktum stünde, so wäre der Fehler weniger bemerkl.) Ich kann indeß meine Blöße durch Homer decken, wenn Sie es anders für eine Decke halten wollen.

Καὶ γὰρ δη νυ ποτι Ζην (zusammengesetzter Wort=
fuß) ασσατο.

Ου γὰρ πωποτ' ἐμας βους (zus. Wortfuß) ηλασαν.

Ουδε πυρη Πατροκλον (einfacher Wortfuß) καιετο.

S. 283. Ja, als Bestätigung, weis hin, und zwar in dem starken Verstande, welchen Wolf diesem Worte zuerst gegeben hat. S. 296. Dieß Verweilen findet allerdings hier statt. Der ich beucht aber der Stellen sind viel mehr, wo es nicht statt findet, z. E. in: Lavinaque' venit — litora dürfen Sie nach venit nicht allein nicht verweilen, sondern das Beywort reißt Sie zu der Benennung fort. S. 297 sehr abwechselnd. Ich mag gern, daß Sie hier und da von dem Acct. sprechen. Thun Sie's nur öfter. Sie setzen dadurch vieles in sein rechtes Licht. S. 299. Beynah Oxymoron. Sehr gut erklärt. S. 303. als Ernst. Er mußte wenigstens sehr zweifelhaft bey dieser Aufnahme seyn. Dazu kommt noch, daß Pil., wenn sein An=trag auch sein völliger Ernst gewesen wäre, er doch, wenn ihm sein Ausspruch nicht gefiel, ihn mit der Laune des römischen Gebieters sehr leicht verwerfen konnte. S. 316 ihr wißt, ich. Warum lang? Es liegt ja kein Nachdruck darauf. S. 317 allenfalls. Kann nicht anders als im Vergl. mit dem Kom=parativ genommen werden. S. 319. Getöse Staub. Es braucht gar keine Rücksicht auf stampften genommen zu werden; denn eine so große lernende Versammlung ist nie ohne Bewe=gung. S. 347. 2) findet gar nicht statt. Er hat ja nur einmal ausgerufen: Es ist vollenbet. S. 355 erwartet. Von Großsprechern erwartet man nicht viel. S. 370 Pole.

Es ist keine Ursache da, warum man annehmen sollte, daß die
kleinste Rotazion an der Achse nicht donnerähnliches Geräusch
hervorbringen könte. Ewigkeiten Aeonen. Unsterblich-
keiten. Die Engel wandten alle ihre unsterblichen Kräfte zur
Aufmerksamkeit auf den großen Gegenstand an. Astronomi-
ben D. Es kann hier von astronomischer Kenntniß die Red
gar nicht seyn. Die Sterne bewegen sich in verschiedenen bestimmte:
Entfernungen. Nun stehen sie auf einmal alle still, das heiß:
sie bleiben in eben der Entfernung, in welcher sie bey der auf
hörenden Bewegung waren. Diese beyden Sätze zu deuten erforderte gewiß keine Kenntniß der Astronomie. Ich setze noch
hierher: Die Schöpfung stand deßwegen bis zum Tode des
Meff. nicht still, damit die Bewohner der Himmel das ihnen
bekanntgemachte Zeichen desto gewisser erkennen sollten; denn
auch durch die fortbewegte Schöpfung von gewissen ihnen bekanntgemachten Entfernungen der Sterne an, bis zu gewissen
andern, ihnen auch bekanntgemachten Entfernungen hätten sie es
erkannt; aber die stillstehende Schöpfung hatte eine Feyerlichkeit,
von der ich Ihnen nichts zu sagen brauche. Strafprediger?
Das hoffe ich nie gewesen zu seyn. S. 401. All' ungeb.
Ja: vom Tod erwacht, zieht man hinüber, man spricht es näml.
aus: vom To—berwacht, aber nicht in: All' ungebohren; man
spricht nicht Al—lungeb. aus, all klingt hier völlig wie Al;
allein es klingt stärker als Alle, und darauf kam es mir
hier an.

Ich habe Ihnen mit der heutigen Fahr-Post die schwedische
Ueberf. des Meff. und den letzten Theil der holländischen geschickt. Ich kan meinen Brief an Rochefoucauld, den Sie,
mich beucht, in einer Abschrift besitzen, schlechterdings in meinem
goufre, wie Sie meine wenigen Papiere bespotten würden, nicht
finden. Ich möchte ihn gern haben. Auch den Brief des Ungers,

der den Meff. übersetzt, finde ich nicht. Helfen Sie mir aus meinen Nöthen; beygelegten Brief muß ich mit der ersten Post zurückhaben. Doch beynah lege ich ihn nicht bey; denn Sie haben eigentl. ein goufre, und nicht ich. Ihr   Klopstock.

195. Lavater an Klopstock.

Zürich v. 30. I. 93.

„Ich soll," lieber Klopstock, sagte der alte ehrliche Rahn in unserer Dienstagsgesellschaft, zu mir, „Ihnen auch eine Zeile schreiben — Es mache ihm Freude" was kann man auf ein so gutherziges Wort anders, als sogleich kindlich Ja sagen ohne weiter zu denken, warum? wozu? was schreiben? . . .

Rahn sendet mir so eben Toblers Brief an Sie, dem meine Zeile beygelegt werden soll — den ich mit Vergnügen las, auch um deßwillen, weil er Ihnen Vergnügen machen muß · — . Die Sache Frankreichs, die dort herrschenden, alle Grund= sätze umkehrenden Grundsätze und der so leidenschaftlich und so kalt, so unförmlich und förmlich betriebene Königsmord, und was damit verbunden ist, gehen mir itzo so sehr zu Herzen, und bewegen und binden meine Kräfte dergestalt, daß ich nichts an= ders beynahe berühren mag. An dem Tage, da ich dieß schreibe, es ist Mittewoche der dreißigste Jenner 1793, ich glaube es ist der Hinrichtungstag Karls des Ersten — erwart ich nun alle Augenblicke nähere Nachrichten von dem Ende des mir durch seine Güte, Geradheit, Stärke, Ruhe, Religion und Würde lieben, und verehrungswürdig scheinenden Königs Ludwigs des sechs= zehnten — Ich hoffe, sie seyen so, daß ich sie hinten an mein neues Testament schreiben kann — so, daß (Lassen Sie mich, ehrwürdiger Mann, ganz offen reden) so, daß Sie auf das Ihnen angebotene und geschenkte französische Bürgerrecht keinen großen Werth mehr setzen werden . . . Ich wenigstens —

könnte mich durch nichts in der Welt bereden lassen, mich von
Repräsentanten einer Nation bürgern zu lassen, bei welchen es
nur in die Frage kommen kann „ob ein gefangener
König — (der zumal gefangen ward, da Er sich, in seinem
Pallast überfallen, Schutz suchend in ihren Schoos begab —!!)
verhöhnt werden soll" — In welcher Versammlung das Wort
— „Ein gebohrner König zu seyn, ist Verbrechens genug" wo
nicht beklatscht, doch ungestraft angehört wird — von Volksre=
präsentanten — die mit Inviolabilität, Konstitution, Eid, Eigen=
thum, Leben, Unschuld ein so tausendfach notorisches, alles un=
vergeßliche vergessendes Spiel treiben, und die unerhörtesten
Greuel, wo nicht begünstigen und selbst veranstalten — doch un=
gestraft und ungeahndet hingehen lassen. Ein Wort, das Sie
lieber Klopstock, darüber bereits zurückgeschrieben haben sollen —
läßt mich nicht zweifeln, Sie werden sich mit Abscheu und so
notorisch, wie möglich, von aller Theilnahme an einem Bür=
gerrechte mit Menschen zurückziehen, die den allerheiligsten Rechten
der Bürger und der Menschen — mit einer beyspiellosen Kälte
und einer schaamlosen Mordsucht Hohn sprechen. — Nein, edler
Mann, vor ganz Deutschland, und wenn die Anmaßung nicht
unbescheiden und lächerlich wäre — im Namen von ganz Deutsch=
land mögt' ich Ihnen zurufen — „Ich weiß, Sie werden Ihre
letzten preiswürdigen Tage nicht mit einer Gemeinschaft, oder
dem Schein einiger Gemeinschaft mit diesen Inviolabilität schwö=
renden Königsmördern beflecken" — und obgleich ich alle Wetten
verliere, so wollt' ich doch wetten — „Klopstock hat sein Diplom
an das Nationalkonvent zurückgesandt, bevor dieses Schreiben
in seinen Händen ist" — oder „Er wird es, so gewiß der
zweyte September nicht gerochen ist, und keine Stimme gegen
die gesetzwidrige Verurtheilung Ludwigs Rache fordert, zu=
rücksenden."

O Lieber, Edler! wenn ich nicht sicher wäre: Aus dieser Verwirrung kommt eine Ordnung, die man nicht wollte, besser als man sie wollte, eine Ordnung, wie keine ohne diese Verwirrung je möglich gewesen wäre — mein Blut würde mir zu allen Poren herausspritzen.

Freyheit — wie kann ich's stark genug sagen? — welcher Sterbliche kann sie Sterblichen herzlicher gönnen — und wünschen als ich? wer allem Despotismus so bitter gram seyn, wie ich? wer aller Tyrannei bitterer fluchen, als mein Mund? — Aber was soll mich abhalten zu sagen — Noch mehr als aller Despoten Monarchismus verabscheu ich eine Mörderrotte, die mit aufgehobenen Dolchen — Freyheit gebeut, sich frey nennt, Freyheit verheißt und eine Sklavin des Verderbens ist.

Ich höre nicht gerne eine Gassenhure ernsthaft von Scham und Keuschheit sprechen, aber noch weniger ein Prostibulum von Tyrannei von Freyheit. —

Eine Oligarchie, die wider alle Oligarchie wüthet — höhr ich nicht ohne Abscheu demokratisieren

Für Eigenthumssicherheit,
für Ehresicherheit,
für Lebenssicherheit

sind Staaten — und ohne diese drey Sicherheiten ist das Wort Freyheit — das abscheulichste Wort, das in eines Regenten Mund kommen kann, ist, was Sie von der Religion sagen — die würgen lehrt, „schwarz wie die ewige Nacht, voll Grauen, wie das Blut der Erwürgten —"

Ich weiß kein Beispiel in der Geschichte, wo mit so satanischer Kaltblütigkeit, so scheinbarer Regelmäßigkeit leidenschaftlicher und regelloser gegreuelt worden sei, als in diesen Tagen in Paris gegreuelt wird.

Eine Freundin von dort aus schreibt mir — und
Freundin, die im Anfange der Revolution Enthusiastin für
Franzosengröße war — „Die Sprache ist zu arm an Wor
„um die Greuel zu bezeichnen, die täglich unter meinen Aug
„vorgehen. Das Wort Exekration ist ohne Bedeutu
„geworden. Wer etwas von Empfindung merken läßt, ist da
„Gespött aller."

Und was soll ich von dem — „Ohne Gott alles!
sagen? —

Kann man mehr trutzen, als Frankreich trutzt? —
Kälter, frecher, verachtender das heiligste höhnen?
Doch dieß fällt zu sehr auf, als daß man weiter ein Wo
verlieren sollte — man denkt dabey gern, was im zweyte
Psalme steht.

Lieber Klopstock — Dieß Jahr 1793 hat den Königen ein
Lektion gegeben, wie sie ein Jahrhundert keine erhielten —
Mögen sie lernen und die Lektion nicht vergessen — Mögen ft
zittern bey dem Namen Majestät und beben wenn man ft
gnädig nennt! Mögen sie sich das Wort über ihr Cabinet —
und in ihre Hand schreiben: „Wenn dieß am grünen Holz
geschahe, was wird dem dürren geschehen?"

Aber dieß Jahr 1793 wird, denk ich, wenn der alte Go
noch lebt, den Nationen auch eine Lektion geben, die für e
Jahrhundert gute Dienste leisten wird — die, über welche i
so Gott will, nächsten Sonntag predigen werde: „wer hat
„seine Hand an den Gesalbten des Herrn gelegt, und ist
„gestraft geblieben?"

Lieber Klopstock — „wer Böses thut, damit Gutes darau
„erfolge — dessen Verdammniß ist gerecht."

Ich bin ein armer, schwacher, geistloser Sterblicher, und fühle täglich die Armseligkeit und Erbärmlichkeit alles meines Thuns und Wesens, aber Ein kleines Eigenschäftlein, Respekt für meine Bibel, bring' ich einst zum Gotte der Bibel — in die andre Welt hinüber. Fänd' ich nicht alles in meiner Bibel — wie könnt ich an sie glauben?

So oft werd ich diesen Morgen an dem Schreiben dieses Briefes unterbrochen — daß ich gar nichts ganz ausreden kann. Ich muß also enden — Adieu lieber Vater Klopstock, dem ich mehr als keinem Sterblichen zu danken habe — Sie werden nicht träumen, daß ich von einer Antwort träume. — Ich habe Freund Rah= nen kindlich entsprochen, und geschrieben wovon mein Herz, ich hätte bald gesagt, meine Tinte voll ist. — Oft bin ich nahe dran, den enormen Grundsätzen Frankreichs laut und bitter zu fluchen . . . . .

Ach! daß Frankreich nicht zu gangrenirt wäre, um noch wollen zu können, was es zu wollen vorgiebt! Freyheit von Tyranney! — aber ach, ich sehe eine siebenhundertköpfige Hyder statt des gutherzigen Kopfes des Sohnes von Louis le bien aimé, des Louis XVI. Restaurateur de la liberté — Ich sehe Frankreichs möglichstes Verderben näher als nahe und beweyne den erbärmlichen Ausgang des größten Unternehmens.

Lavater.

Ich komme noch einmal zu Ihnen, lieber Klopstock. Don= nerstags Morgen den 31. Jenner — seit ich gestern die letzten Momente Ludwigs, des redlichen, frommen, seiner Religion und Ueberzeugung getreuen, las — freut es mich noch, Ihnen zu sagen, was Sie schon wissen — Ich kann seine letzten Worte hinten an mein neues Testament schreiben: — „Franzosen! Ich

„sterbe unschulbig — Von diesem Schaffot herunter, in dem
„Augenblick, da ich bereit bin vor Gott zu erscheinen — sag
„ich Euch diese Wahrheit — Ich verzeihe meinen Feinden und
„wünsche daß Frankreich — — (durch meinen Tod glücklicher
„werde!" Die Freiheitstrommel erstickt die letzten Worte des
Edeln — sein Haupt fiel — — und die Rasenden schrien —
Es lebe die Republik! —

Ich denke hiebey so gern an die Stelle — schreibe mir
sie so gern ab —

„Also stehn um den sterbenden Christen, mit bleichen Gedanken
„Und mit halber Freude, die gern sich freute, die Haufen
„Niedriger Spötter und athmen leiser, und stammeln Erwartung;
„Auch ihm wird der muthige Traum vom unsterblichen Leben
„Wie er selber vergehn; Er bekennt's noch! — aber der Weise
„Bethet für sie und für sich und lächelt die Gräber vorüber." —

O Klopstock, mir blutet mein Herz über unserm Zeitalter
— Doch, es muß also zugehen, wie würde sonst die Schrift
erfüllt?

Erst straft Könige Gott, dann ernster der Könige Mörder!
Ich kann nicht aus meiner Bibel herauskommen —

Wenn das am grünen Holze geschieht, was wird am dürren
geschehen? — So der Gerechte nicht erhalten wird — wo will
der Gottlose und Sünder erscheinen — Ludwig war kein Heuch-
ler, so wenig er ein Tyrann war. Wer mit dem Gefühl und
Bekenntniß der Unschuld stirbt, wie Ludwig starb, der ist
unschulbig.

Wie der Baum, so die Frucht. Ein fauler Baum mag
nicht gute Früchte bringen — Mirabeau und Orleans — wer
konnte Feigen von den Disteln erwarten!

O edler, großer, vielbedeutender Mann, sprechen Sie edle,
große, vielbedeutende Worte an die Repräsentanten einer erst von

Durst nach Freiheit schmachtenden — nun von dem Schwindel-
geiste der Ungebundenheit berauschten Nation — — — Wenn
sie auch, nach so vielen Umwandlungen ihrer eigenen Grundsätze und Konstitution — nicht mehr — zu ruhiger Prüfung
und Wahl des Beßten fähig seyn sollte — so geziemt es sich
doch einem ernannten Bürger — auch ein Gebeindurchbringendes,
unsterbliches Wort mitzusprechen.   Lavater.
Donnerstagsmorgen den 31. Jenner 1798.

Zu diesem Briefe gehört noch ein gedrucktes Blättchen (Gedankenschnitzel)
welches lautet wie folgt

An Klopstock. (geschrieben)
Schreib, als wär's dein Letztes!
an meine Freunde.

Oft wollen wir uns unsers Daseyns, unsrer Menschheit,
unsrer Freundschaft, und der Kraft freuen — einen Gott zu
glauben, der Vater ist — Vater des Einzigen Menschen, der
mehr werth ist als die ganze Schöpfung, der die ewige Liebe
klärer zeigt, als die Wundervolle Natur. Wir wollen die kurze,
schnelle, wichtige Zeit unsers irdischen Lebens möglichst benutzen,
immer weniger von den uns vergönnten Augenblicken verschwen-
den täglich — was Ewiges in uns aufnehmen, und immer ernst-
licher streben, unvertilgbare wohlthätige Spuhren unsers Daseyns unsern Zeitgenossen und Nachkommen zurückzulassen.
J. C. Lavater.
16. I. 1798. (geschrieben) 21. I.

196. Bürger an Klopstock.
Göttingen den 17. April 1793.

Theurer Klopstock.

So wenig den dringenden Bitten, als den übrigen Umständen des jungen Mannes, der Ihnen diese Zeilen überreicht,

kann ichs verweigern, ihn damit bei Ihnen einzuführen. Er heißt Staudinger und ist aus Nürnberg gebürtig. Ich lernte ihn schon vor 3 Jahren in Stuttgard bei dem sel. Schubart kennen, der sich seiner annahm, und ihm Bildung, so weit ers vermochte, sonderlich zu Declamation und Gesang, zu geben suchte. Wäre Schubart leben geblieben, so hätte er ihn wohl bei sich behalten, und endlich vielleicht zu irgend einem Auskommen verholfen. Nach dessen Tode hat er sich an verschiedenen Orten umhergetrieben und declamirt.

Vor einigen Tagen kam er hier an und wandte sich an mich. Allein es war unmöglich, eine Zuhörerschaft für ihn zusammenzubringen, weil theils die gegenwärtigen Ferien unser academisches Publicum geschwächt, theils vor kurzem einige Stümper, die bei uns aufgetreten waren, die Kunst allzu gröblich geschändet hatten. Er will nunmehr seinen Stab weiter nach Hanover und Hamburg fortsetzen, und ich wünsche, daß es ihm an diesen Oertern besser gelinge.

Sollte es nicht möglich seyn, ihm in Hamburg irgend ein erträgliches Unterkommen zu verschaffen? Vielleicht beim Theater — wenn nur nicht einige körperliche Mängel Hindernisse in den Weg legten. Er ist indessen bescheiden genug, keine hohen Ansprüche zu machen, und würde sich, glaube ich, selbst zum Lichtputzer-Geschäfte verstehen. Uebrigens scheint er mir nicht ohne Talent, selbst nicht ohne allerlei Kenntnisse im Gebiete des Schönen zu seyn. Vielleicht könnte er auch zu einigen Geschäften des Unterrichtes, der Schreiberei u. s. w. gebraucht werden. Er würde, so viel ich ihm ansehe, sich willig und folgsam bequemen, brauchbar zu werden, wo er es auch noch nicht ganz wäre. Können Sie, theurer Klopstock, ihm durch Ihre Empfehlung beförderlich seyn, so bestimmt Sie gewiß zwar schon Ihr Herz, ohne meinen Brief! aber ich schreibe dennoch diesen troß meiner Briefscheu, sehr gern, um bei Ihnen ein freundliches Andenken an mich zu erwecken und Sie meiner unwandelbaren Liebe und Verehrung zu versichern.

Bürger.

197. Lavater an Klopstock.

Hamburg d. 8. VI 1793.

Schreib, als wär's dein Letztes! (gedruckt)

Klopstock und Lavater müssen so scheiden, daß sich beyde freuen sich einst wieder zu finden. Daß ich mich unschuldig fühle der Vorwürfe halber, die Sie mir schriftlich und nicht mündlich machen — ist freylich nichts vor Menschen, aber — nicht wenig vor Gott gesagt.

Ich lasse mir alles gefallen, um deß willen, der es geschehen läßt. Sie, lieber Klopstock, bleiben mir einer der verehrtesten Menschen — obgleich Ihre Mißkenntniß meiner, die eine Stunde harmlosen Beysammenseyns höchst vermuthlich gehoben haben würde, ich will es der Entscheidung des Himmels überlassen — ob meine Eigenliebe oder — nur mein Herz verwundet. Ich mag wohl warten — und habe Gott Lob keinen Grund, Ihre persönliche Nähe und alle mir gemachten Vorwürfe — zu fürchten, doch, will ich gar nichts erzwingen, von Zudringlichkeit — kann die Rede nie seyn.

O wie viel erquickender wär' es mir gewesen, wenn Sie mir dieß alles, was Sie abhalten soll mich zu sehen, persönlich gesagt hätten; Sie würden über die Ruhe meiner unschuldfühlenden Beantwortung stutzig geworden — aufgestanden seyn, non putaram gesagt und mich umarmt haben — so wahr Sie Klopstock sind, und so wahr ich Lavater bin.

23*

198. J. G. Fichte an Klopstock.

Zürich den 22. Juni 1793.

Verehrungswürdigster Mann,

Dem Einzigen, der im frühsten Knabenalter meinem Auge die erste Thräne der Rührung entlockte, — der zuerst den Sinn für's Erhabne, die einige Triebfeder meiner sittlichen Güte, in mir weckte, würde ich meinen Dank auf ein Leben aufgespart haben, in welchem die Entfernung der irdischen Schlacken am Dankenden nichts zu denken übrig läßt als den Dank, wenn ich nicht jetzt auf eine vielleicht nicht ganz ungültige Art bei diesem Einzigen eingeführt würde.

Guter, großer Mann, möchten Sie die Tochter Ihrer Schwester, die aus Klopstockischem Blute erzeugte, kennen — möchten Sie von ihr wissen, was ihre Mitbürgerinnen, was ihre Freundinnen, was ihr Vater, was ich weiß: und Sie würden sie aus der Fülle Ihres tiefen allumfassenden Herzens segnen, wie Sie vielleicht seit Ihrer Meta keine segneten; und der glückliche Sterbliche, der alles Verdienst, was er im lebenslänginen Ringen nach Menschen bessernder Wahrheit einst erstreben könnte, dem einzigen unterordnet, daß er von ihr gewählt worden ist — dieser glückliche Sterbliche würde auch eines Theils dieses Segens theilhaftig geworden zu seyn glauben.

Verzeihen Sie den Ausbruch langverhaltner tiefer Empfindung Ihrem innigsten Verehrer

J. G. Fichte.

199. Lavater an Klopstock.

Altona Freytagsmorgen fünfuhr den 19. Julius 1793.

Es ist, lieber, väterlicher Klopstock, eine glückliche Stunde meines Lebens, da ich Sie, nach so vielen Jahren der Entferntheit, und nach einem schnell verschwundenen Mißverständnisse,

durch die kluge Veranstaltung Ihrer wackern Gemahlin, so un-
verhofft noch sahe.

Ich danke Ihnen für Ihre gütige Aufnahme und Ihre
freundliche Geduld, mich über gewisse Punkte, welche uns zu
trennen schienen, ruhig und unpartheyisch zu vernehmen — Noch
mehr aber dank ich Ihnen für die, Ihrer so würdige, so edle
Aufforderung, ein allenfalls vorweisliches Wort an Sie zu
schreiben wegen des Ihnen durch Freund Reichardt einseitig
bekannt gewordenen Mißverhältnisses zwischen der Fürstin von
Dessau und mir.

So wenig ich mir, nach allen vorgegangenen vergeblichen
Versuchen — nur zu einem Verhöhre zu kommen — und nach
dem mir eben so befremdlichen als für Belehrungsmöglichkeit
ungünstigen und unfreundschaftlichen Ausweichen besagten Freundes
Reichardts, etwas vortheilhaftes für irgend eine Wiederver-
einigung versprechen darf — so sehr ich in solchen Fällen, nachdem alles Pflichtliche gethan worden, die endliche Entscheidung,
ruhig der gerechten und väterlichen Fürsehung zu überlassen
pflege — so sehr bin ich dennoch davon entfernt, den Werth
dieser edelmüthigen Aufforderung zu mißkennen, oder derselben
auszuweichen. Im Gegentheil, ich verehre diese ganz ungesuchte
Aufforderung als einen schönen Zug Ihres wahrheitsliebenden,
nie von mir mißkennbaren Herzens, und als einen Wink der
Fürsehung.

Sie haben, lieber Mann, zu sehr aufgemerkt, um nicht klar
von mir verstanden zu haben, daß ich mich nicht der mindesten
indiskreten Mittheilung oder unedlen Eröffnung anvertrauter
Schriften oder Geheimnisse von dem Fürsten oder der Fürstin
von Dessau, von welcher Art diese immer seyen, schuldig
weiß, daß ich gewiß bin, nichts, nicht das mindeste gethan zu
haben, was unsern ausdrücklich genommenen Verabredungen zu-

wider war, oder nach unausweichbaren Veranlassungen nicht
schehen durfte und mußte, nichts, nicht Eins — was
dem Fürsten oder der Fürstin mißbilligt werden würde, we
die Letztere (denn zwischen dem Erstern und mir hat kein M
verhältniß statt, und ich erhielt noch vor wenigen Wochen ein
freundschaftlichen Brief von Ihm, und NB, nie keinen a
dern —) wenn die Letztere sag ich, einmal zu der Billigk
zurückschreiten könnte, dem das Malefikantenrecht — angeh
zu werden — angebeihen zu lassen, der sich unschuldig fühlt, u
Ihr auf alle Weise zurief: „So wahr Gott lebt, ich bin unschuldig!

Nicht „Wiederkehren der Fürstin mit blutige
Thränen" — was ich ihr in Briefen die sie gewiß gelese
hat, im Vertrauen auf Gott, auf meine völlige moralische Un
schuld, auf Ihr itzt nur durch die höchste Wahrscheinlichkeit wid
mich irrgeführtes, mir immer noch höchst verehrungswürdig
Herz — so klar voraussagte — nicht Freundschaft, nicht Sch
nung, nicht Großmuth, nicht christlich duldsames Schweig
gegen mich — nichts will ich (und will auch dies nicht, wen
man es unbillig finden darf), als persönliches Verhöhr — od
Stillschweigen gegen andre, bis der Himmel dieß Verhö
möglich macht.

Dieß mag Freund Reichhard lesen. Er hat mich unv
höhrt verurtheilt — Er hab' es auf seiner Seele, wenn er wo
Ein Wort über diese Sache wider mich zu Ohren trägt —
die Verbitterung unterhält — eh er mich verhöhrt hat —
ich bezeug' ihm — Ich bin unschuldig. Dieß ist
was ich nebst herzlichem Dank, und mit dem furchtlosesten
trauen, Ihnen verehrungswürdiger Mann, noch eben vor
unaufhaltbaren Abreise, auf Ihre Aufforderung hin, m
bessten Wünschen für Sie zu sagen habe.

                    Johann Caspar Lava

200. Baggesen an Klopstock.

Copenhagen d. 23. März (1794)
des 2ten Jahres der Freiheit.

Der Ueberbringer dieses, tiefverehrter Klopstock! ist ein Republikaner; und ich würde vielleicht nie gewagt haben, Ihnen einen Brief zu schreiben, wenn ich ihn durch solche Hände nicht hätte zustellen können.

Es ist ein junger Geistlicher, Bürger aus Genf, von Geist und mannigfaltigen Talenten, dessen hinreißende Beredsamkeit als Prediger, ihm Bewunderer, und dessen biedere Denkungsart ihm Freunde überall zusichert. Sein Nahme ist Monod. Er ist in Paris seit der Revolution gewesen, hat Mirabeau, Bailly und La Fayette gesehen, ist seitdem über Wien, Petersburg und Stockholm hieher gekommen, wo er in diesem letzten Winter Klopstocks Sprache studirt hat. Er geht jetzt über Hamburg und Berlin zurück nach seinem Vaterland, und wünscht natürlicherweise nichts so sehr, als den erhabensten Dichter unsres herrlichen Jahrhunderts persöhnlich kennen zu lernen. Da niemand besser als ich weiß, wie sehr der himmlische Sänger der liebevollste Mann ist, dessen menschenfreundliches Herz nil humani a se alienum putat — so habe ich es gewagt, ihn dieses überbringen zu lassen, in der Hoffnung, daß Sie ihm einige Minuten schenken werden. Seine Bescheidenheit wird verhüten, daß dies Ihnen nicht zur Beschwerde gereiche.

Stand es vielleicht noch im Riqvettis Gestirn geschrieben, daß der Sechziger, dessen graues Haar noch dies erlebte, seinen Nahmen der Ewigkeit nennen sollte. Fast fange ich an es zu glauben. Wie ist er hehr und herrlich die Bahn der Freiheit, zum Schrecken den Herrschern Europas und den Herrscherinnen empor gestiegen! Bald wird er in seinem Meridian strahlen.

Der einzige unter den Prinzen, der liebenswürdige Herzog
von Hollstein-Augustenburg, der einzige Minister Ernst
von Schimmelmann und seine liebenswürdige Charlotte,
die alle Ihnen hiedurch ihre freundschaftliche Empfehlungen machen, sind mit mir, Schritt vor Schritt dem majestätischen Gang
dieser Sache der Menschheit gefolgt. In den Moniteurs, Jour-
naux de Paris und ehedem Courier de Provence ist fast keine
von den glühenden Zeilen, die alle Europas Belzazern erschrecken
ungelesen geblieben. Vielleicht sind wir die einzigen hier die
hieran Theil nehmen, — wir streben aber durch die Lebhaftigkeit, womit wir es thun, die Gleichgültigkeit der andern zu
ersezen.

Ich zweifle nicht daran, daß Sie Sich ja wohl befinden,
tiefgeschätzter und geliebter Klopstock! So lange es so erwünscht
in Frankreich geht, so lange die Sonne noch immer steigt, können
Sie unmöglich krank sein — und Sie werden wenigstens nicht
eher sterben, bis die größte Handlung dieses Jahrhunderts ganz
vollbracht ist.

.Hallers Enkelinn — die ich ja auch Hallers Dorilis
nennen könnte; denn sie ist des Liebes auch werth — grüßt
mit kindlicher Liebe den unsterblichen Greiß, der Ihr durch jedes
Wort, durch jede Miene das Herz entzückte. Wir empfehlen
uns beide mit der innigsten Dankbarkeit der liebenswürdigen
Frau von Winthem und ihren lieblichen Töchtern.

Dürften wir hoffen, daß unser Andenken nicht gänzlich in
dem väterlichen Herzen unsres Seelenwohlthäters erloschen sey
— würde unsrem immer zunehmenden Glücke nichts wichtiges
fehlen.

Mit der tiefsten Verehrung

Ihr dankbarer, ergebenster

Baggesen.

201. Klopstock an C. F. Cramer.

den 8. Febr. 95.

Schicken Sie mir, l. Cr. meine grammatischen Blätter zurück. Ich habe etwas darin geändert, das ich gern eintragen wollte.

Alte Leute sind schwach, und werden daher leicht erschüttert. So ging mir's gestern, als Sie mir erzählten, daß unsere Freunde gar zu gern Staatsbürger bleiben möchten. Das Aderblut erstarrte mir vor Verwunderung, und es wurde mir schwarz vor den Gesichtsaugen vor Erstaunen, daß man das unlogische Wort, oder mit Herrn Garve zu reden, das unlogikalische, so in Schutz nähme. Ich rückerinnere mich, daß mich meine Rückureltermutter einmal schlug, weil ich die Sprache durch ein solches Wort vervollkommnen wolte. Wenn unsre Freunde den Staatsbürger wirkl. beybehalten wollen, weil des Menschen Wille sein Himmelreich ist, so wünsche ich, daß sie wenigstens in einem Punkte Nachsicht mit mir haben, und den civis romanus mit der Verdeutschung Staatsbürger verschonen. Ihr

Klopstock.

202. Klopstock an C. F. Cramer.

Hamburg den 16. Dez. 95.

Ihren Brief vom 26. Nov. habe ich gestern bekommen. Vor allen Dingen, bester Cr. muß ich Ihnen nicht rathen, sondern befehlen, daß Sie die Traubenkur fortsetzen. Ich aß in Karlsruhe den ganzen Winter durch Weintrauben. Sollten denn nicht in der Nähe von Paris einige Bauern aufzufinden seyn, die, wie die schwäbischen, Trauben zum Verkaufe aufbewahrt hätten. Kurz, Sie müssen die Kur fortsetzen; und sollte es Ihnen auch so viel wie Ihr Haus kosten. Hierbey gewinnen Sie zwar keine 16000 Thaler, aber längeres Leben, und das ist doch auch so was. Diesen Stein wäre ich denn vom Herzen los; alſo weiter. — Machen Sie ja mit dem, welchem Sie ſich in Anſehung der Druckerey anvertrauen, einen ſehr genauen Kontrakt, ſetzen Sie für den, welcher ihn bricht, Strafen feſt, für ſich alſo auch. Brechen Sie ihn einmal mit Fleiß. Sie ſehen, wo ich hin will. — Daß Sie mich im März (ich nehme den May an) ſchon wieder ſehen wollen, iſt herrlich und köſtlich. Ueber das Theater ſpringe ich weg. Ich mag das nicht einmal in Ihren Briefen wiederleſen. So ungern denke ich daran, daß ich allen dieſen Zauber nicht ſehen kann. Ueber Sieyes werde ich nächſtens beyde Seiten ſehr umſtändlich hören, Reinhard und Alexander Lameth. — Grüßen Sie ja Bourgoing von mir. Er hält mich doch nun nicht mehr für einen exci-toien? — Was Sie mir von Mercier und von Louvet ſagen, hat mir keine kleine Freude gemacht. (Haben mich auch dieſe für einen Ex gehalten?) Von beyden mehr, mehr! Sie werden doch nicht ſo ſtumpf ſeyn und glauben, daß ich bey dem Mehr, mehr! nicht auch an Loboiska gedacht habe. Bey Gretry fällt mir natürlich Schulz ein, der, auf ſeiner Reiſe nach Liſſ. nach Norwegen verſchlagen, dort alle Berge beklettert, und ſich vortefflich dabey befindet. — Wenn Sie mit Chenier von Hermanns Schlacht ſprechen, ſo machen Sie es freylich, wie ſich verſteht, nach Ihrer Laune. Wollen Sie ſich indeß dabey nach meiner Laune richten, ſo leſen Sie ihm, ohne ein Wort Vor- rede, daraus vor, und warten ab, was er ſagt. Sie können ja hernach doch thun, was Sie wollen. Wenn er mich, mit der Zeit, genauer durch Sie kennt, ſo können Sie ſich dann vielleicht ein Wort davon entfallen laſſen, daß man nicht wohl daran thue, wenn man mir Etwas nehme (Sie erinnern ſich, daß ich zwey oder drey Barbengeſ. ausgeſtrichen, nicht, weil ich ſie ver- warf, ſondern weil ich den Barbiet verkürzen wollte), auch nicht wohl daran, wenn man mich beſchenke. Doch Chenier hat

elleicht einen ganz andern Plan; und so gehen denn der Bar-
et, der keine Oper ist, und die Oper Arm. einander nichts an.
Was er auch mache; so wird er doch, hoffe ich, die Barden
undelnde Personen bleiben lassen. (Die Ode Herm. und Th.
abe ich noch nicht.) Sagen Sie mir doch künftig ein paar
Worte von dem franz. Tode Adams. (Sollten Sie die Uebersetzung par l'Abbé Roman nicht auftreiben können?) Ist le Brun
icht Odendichter? Es hat auch ein le Brun Homer, wie mir
Henebollé sagt, gut übersetzt. — La Tresne ist in London als
anz. Husarenoffizier. Ich hoffe aber ihn wieder aufzufischen.
r hat mir nur den ersten Ges. gelassen. Er nahm die andern
it, weil er, selbst den Säbel in der Faust, fortfahren wollte.
h hoffe, daß ich Fragmente aus dem Mess. für das Magazin
assen kann. — Vor kurzem hat auch ein Engländer The Poet
Klopstock an die Nazionalversamml. schreiben, und ihr das Di-
m zurückschicken lassen. Was zu viel ist, das ist zu viel!
b endl. reißet auch dem geduldigsten, ich sage in Beziehung
F mich, nicht der Faden, sondern das Seil. Ich werde nun
Hören zu schweigen, Biester soll meine Erklärung über die
che in der Berliner Monatsschrift drucken lassen.

Den 21. Dez.

Ich habe gestern etwas erfahren, daß ich Ihnen, bester Cr.,
t verschweigen darf. Außer einem Franzosen hat auch Dre-
s vor Lodoiska gewarnt. Letzter hat angeführt, daß sie ihm
aren theurer in Rechnung gebracht, als man übereinge-
mmen war. — Sie wollen von meinen Revoluzionsoden über-
en lassen? Ich bitte Sie, mir vorher ein Wort von Ihrer
ahl darunter zu sagen. Sie wollen die Infantirten meine
harmüzel (worin freyl. hier und da auch ein Tropfen Schlacht-
ut geflossen ist) absingen (lassen).

Wenn man Ihnen nach dem Ges. allerhand recitativ ische Einwürse macht, so brauchen Sie sich nicht darauf einzulaffen, sondern Sie bleiben . bey meinem Maßstabe wie · bey einer Klinge.

In den Mémoires de l'Academie des Inscriptions et d. b. hat (in den Jahren zwischen 1755 & 65) Rochefort von Bauers dengedichten, die Karl der Gr. hat aufschreiben lassen, nicht allein Nachricht gegeben, sondern sogar daraus übersetzt. Sie sollen in die Nazional-Bibliothek gehen. Auf diese Jagd müssen Sie notwendig gehen.   Ihr

Klopstock.

203. Ernestine Boß an Klopstock.

1796.

In der Ungewißheit ob unser Baggesen noch in Kiel ist, wende ich mich an Sie, verehrungswürdiger Mann.

Mit großer Freude haben wir diesen Brief eben erhalten, weil wir es als gewiß annehmen, daß es der sehnlich erwartete ist. Warum kam er nicht acht Tage früher, möchte auch ich fragen, so wüßten wir auch in diesem Augenblick schon, ob sei eine engende Sorge ein Ende hat. Ist Baggesen noch bey Ihnen, so grüßen Sie ihn herzlich, und sagen ihm, wir kämen spätestens Freytag nach Kiel. Daß Boß nicht selbst die Feder genommen, werden Sie gütig übersehen, er hat grade eben einen großen Geschäftsbrief vollendet, und er wird sehr leicht erschöpft. Mit aufrichtiger Achtung. Ihre   E. Boß.

204. C. F. Cramer an Klopstock.

Paris den 14. März 1796.

Wie gütig, überschwenglich gütig, sind Sie doch, mein bester Klopstock! und wie erfreuen Sie mein bey Ihnen stets gegen-

vårtiges Herz durch die noch nähere Gegenwart Ihrer selbst
n solchen Briefen! Es ist Ihnen, sehe ich, kein Ding un=
möglich! — Gottlob! — daß Sie so heiter und gesund sind.
Dieser Winter hat gewiß dazu beygetragen, der auch bey Ihnen
o gelind gewesen seyn soll, daß meine Lobsprüche auf den hie=
igen von ihrem Gewichte verlieren müssen, zumal da der barsche
Herr sein Recht nicht fahren lassen, sondern uns auch hier im
Anfange März, wo ich hofte, alle Bäume in Blüthe zu sehen,
mit solchen Schnee und Eiszapfen beschenken hat wollen, daß
ie den frimats du Nord Ehre gemacht haben würden. Die Apri=
osenblüthen, die sich an südlich gelegenen Espaliers schon auf=
gethan hatten, sind erstickt; indeß lächelt uns der Frühling und
die Promenaden wimmeln von dem bunten pariser Schmetter=
ingsvolke, daß man sich kaum durch die durchdrängen kann.

Ihr Brief enthält für mich sehr erfreuliche, und auch eine
sehr unangenehme Nachricht. Die erfreuliche können Sie denken,
ist die Herausgabe Ihrer Werke, die uns nur neue große Er=
wartungen von Neuem von Ihnen erweckt, und Ihnen eine
lange, nothwendig angenehme Beschäftigung verspricht. Ich bin
unaussprechlich neugierig das nähere Detail darüber zu erfahren;
das ich wohl zuerst, aus Ihres Verleger Munde in Leipzig
selbst hören werde, dem es denn verziehen sey, daß er sich einst
zum Mittelsmanne zwischen Ihnen und dem Publico hatte auf=
werfen wollen.

Das Unangenehme war nun aber die andere Neuigkeit von
la Tresne's Reise nach Domingo — dort zu sterben und
— denn das wird doch das Ende vom Liede seyn — die so
schön begonnene Uebersetzung des Messias unvollendet zu lassen.
Indeß wie bey allem Bösen auch etwas Gutes ist, so finde ich
das Gute für mich darin, daß ich einen Rival los werde. Denn
ich muß Ihnen nur gleich anvertrauen, daß ich das doch ge=

worden wäre. Ich bin nämlich in Absicht Ihres Messias auf
einen Plan gekommen, den ich Ihnen mündlich näher vorlegen
werde, und durch den ich Sie den Franzosen auf eine Art bekannt zu machen gedenke, der die Bekanntmachung durch jede
blasse Uebersetzung weit übertrift, indem er gewiß sie reizen
soll unsre Sprache, Sie in unsrer Sprache selber kennen zu
lernen, und — nicht das Wasser aus der Quelle, sondern den
Rheinwein aus der Beere zu trinken. (Ich meines Theils ziehe
die Traube allem gegohrenen Weine vor.) Ich werde nämlich
sobald ich hier erst eingerichtet bin, in 20 cahiers mit Hülfe
dazu fähiger hiesiger Dichter, die ich gewiß auffinde, ein doppeltes Werk beginnen, einen deutschen Abdruck Ihres Messias in
lateinischen Lettern, mit einer sie Wort vor Wort begleitenden
Interlinearversion, die allerkürzeste, reizendste Methode eine Sprache
zu lernen, und die hier nicht neu ist, weil sie du Marsay
(der berühmte Gramatiker der Franzosen, der den Traité sur les
Tropes geschrieben) in der Encyclopädie empfohlen und Luneau
de Boisjermain, der Herausgeber der besten Edition von
Racine, in seinen verschiedenen cours de Langue angloise, ita-
lienne und latina, aus Milton, Ariost und Julius Cäsars Com-
mentarien, in solchen Ausgaben dieser Werke, die reißend abgegangen, und hier die größte Seltenheit sind (ob es mir gleich
gelungen, sie aufzutreiben und mir anzuschaffen), bereits angewandt hat. Sie können denken, daß ich es an den gehörigen
Anmerkungen unter den Text, zu nothwendigen Sacherläuterungen,
wie deren selbst Deutsche, geschweige denn die ganz in der Bibel
unbewanderten Franzosen bedürfen, und zu andern, die ihnen erklären, was verlohren geht, was die arme Schwester an Kraft,
Wendung, Sylbenmaaß nicht ausdrücken kann, und die ein
bisgen mit unserm Reichthume prahlen sollen, nicht ermangeln
lassen werde. Dann dabey unter den Text oder auch apart, eine

ir Franzosen und ihren Gaumen bereitete Ueberſetzung, oder
denn Sie wollen Verwäſſerung, wozu ich gar gern La Tresne
eine nähme, wenn er ſie mir gäbe und von ſeinem Titanen=
kriege vielleicht noch abläßt. Dieſe Idee, wie Sie ſehen, englo=
birt ganz Ihren Vorſchlag von Fragmenten; und natürlicher
Weiſe nähme ich, wenn es möglich zu machen iſt, Chenebollés
hülfreiche Hand gern dazu an. Bis dahin habe ich denn auch
die Herausgabe ſeiner beyden Oden, unter dem Titel: Les pein-
tres de la Nature, noch verſchoben; denn es iſt beſſer, daß ſie
unmittelbar vor der Herausgabe des erſten Cahier erſcheinen,
damit des hieſigen Publicums Neugierde zwiſchen ihr und der
Erſcheinung des Cahiers nicht kalt werde; auch weil Chene=
bollé nothwendig in der Ode an Büffon meine antirepublica=
niſche Stelle herausſchneiden muß, die ich nicht zu verändern
auf meine Hörner nehmen mochte, die ihm aber ſelber höchſt
ſchädlich ſeyn würde, wenn er jemals in die Republik Frank=
reich (ein Königreich wird doch nicht wieder daraus!) zurückzu=
kehren denkt. Ich bin neugierig zu erfahren, was Sie zu dieſem
neuen Plan meinen; ich werde es von Ihnen mündlich erfahren,
da meine Abreiſe zu bevorſtehend iſt, als daß ich noch einen
Brief von Ihnen darüber erhalten könnte.

Chenier habe ich außer dem einzigen Male, wovon ich
Ihnen ſchrieb, nicht wieder geſehen. Es hält gar zu ſchwer,
ſolche ſehr beſchäftigte Deputirte zu ſprechen zu bekommen, wenn
man ſie nicht flüchtige Augenblicke des Morgens ſehen will, wo
man ſie bey der Toilette trift (und C. liebt die Toilette, iſt
ein arger Weiberfreund), bey der doch nichts ausgemacht werden
kann. Von ſeinem Arminius habe ich nichts weiter gehört, das
Stück ſcheint mir, wo nicht aufgegeben, doch zurückgelegt zu
ſeyn. Auch wird ein franzöſiſcher Hermann nie ein deutſcher,
geſchweige ein Klopſtockiſcher werden, dazu fehlt es C. doch an

Zeug; ich habe das aus seinen ächtfranzösischen Stücken erseh-
deren Vorstellung ich, (neulich noch mit Loboisca seinem Fé=
lon, ou les victimes cloitrées) beywohnte. Mercier, obg[
deffen Urtheil auch nicht ficher ift, (da er Schillers Räu
Göthens „Main de fer“ vorzieht) der fich als Apologift Sh>c
fpears hier unter den Beaux esprits alten Stils Feinde gema
wär dazu mehr noch der Mann; auch verfpricht er meiner int
linearen Verfion den beften Erfolg. Ich habe ihm wiedererzäh
daß Sie nach feinem neuen Tableau d. P. dürfteten; es h=
ihn fehr erfreut. Dieß gefchah an einem Morgen vor wenige
Tagen, wo er mich bitten hatte laffen, zu ihm zu kommen, u
wie von freyen Stücken die Ueberfetzung diefes Tableau antru
das bey meiner Zurückkunft zu drucken angefangen werden wir
und wovon er mir Bogenweis allenfalls fein Manufcript geb
will. Auch hat er meiner Buchdruckerey Arbeit für's Rationa
inftitut verfprochen, und verfpricht in Allem die dienftfertig
Unterftützung. Ebenfo Sieyes, der mich befucht, der mei
meift fertige Edition des erften Theiles feiner Schriften felt
corrigirt hat, den Traité sur les Priviléges umgefchmolzen, b
es wie ein neues Werk zu betrachten ift; und einem, wenn m
in Stiefeln bey ihm ift, feinen Ueberrock allenfalls anhilft; e
Umftand, den ich nur bemerke, um den Unterfchied zu bemerke
der zwifchen einer deutfchen Excellenz und einem excellirend
Franken ift, der einer der fünf Könige feines Vaterlandes hä
feyn gekonnt. 'Sein cervelles hat mir freylich auch nicht g
fallen; indeß war doch wohl nichts Despectirliches darunter g
meint. — Aber ich muß, da man nicht gut zwey Herren dien
kann, in der Cultur Merciers und Sieyes fehr vorfich
feyn, weil fie gefchworne Feinde von einander find. Zu läugn
ifts nicht, Sieyes ift zu fehr Philofoph in Bart und Mant
thut fich auf feine trockne Analyfe zu viel zu gut, und veracht

um sich her, was blühender ist, da hingegen Mercier behaup=
tet, alles menschliche, metaphysische Wissen lasse sich auf drei
Seiten bringen. Zwischen dürrer Kraft und reizender Ueppigkeit
wird denn so leicht keine Vereinigung möglich seyn.

Auf diese beyden kehre ich in meinen Briefen an Sie immer
wieder zurück, und vielleicht bis zum Ekel; weil ich sonst wahr=
haftig von keinem Gelehrten Ihnen interessante Rechenschaft zu
geben weiß. Ich habe alle die unendlichen Bekanntschaften, die hier
in so verschiedenen Fächern zu machen sind, bis auf ruhigere
Zeiten verspart. Für Einen, der so wie ich, leider! hier emsig
allein fürs Leben heiße Geschäfte betrieb, war dazu
keine Möglichkeit nicht, der Tag hat nur 24 Stunden, von denen
man einige doch auch schlafen muß. Indeß sind meine vorge=
nommenen Arbeiten doch alle fertig geworden; und ich bin ge=
sund. Sie, die Arbeiten, hatten mir's nicht gethan, wohl aber
hundert und aber hundert kleine Verdrüßlichkeiten und Dornen,
die mich bey jener heißen Betreibung gestochen haben. Indeß
bin ich doch nun über ein groß Stück des Bergs, und ich sehe
in der Zukunft für mich ruhigere Zeiten schimmern, in denen
ich, bei ziemlichen Mitteln was zu unternehmen, die ich mir vor=
bereitete und vorbereite, meiner selbst wieder froh seyn werde
können.

Ich danke Ihnen für die Mittheilung Ihres Vaters Jo=
hann, den ich mit erneuter Wollust (Sie haben mir ihn vor=
gelesen) mit den Zusätzen las. Kann ich am Ende dieses
Briefes Cheniers Uebersetzung der Ode auffinden, so sende
ich Sie Ihnen mit. Uebrigens wüßte ich Ihnen über die eigent=
lichen bestimmten Ausdrücke, in denen le Brun und Chenier
über Sie gegen mich geredt, nichts mehr zu sagen, als was ich
Ihnen geschrieben habe. So lange noch keine bessere Uebersetzung
von Ihnen, oder Anleitung, Sie näher zu kennen, existirt, wie

die, die Chenebollé durch la T(resne's) Umgang ward,
nehme ich alles Lob auf Sie hier nur als Nachhall Ihres
Ruhms auf Hörensagen an, und betrachte die Wörter poete
sublime, l'énergie de votre langue etc. als auswendig gelernte
Phrasen, tönendes Erz, und klingende Schellen!

Den 4ten oder 8ten Germinal denke ich von hier über
Brüssel und Amsterdam abzureisen, und kann ich noch zur Messe
zurecht kommen, gerade von da über Braunschweig nach Leipzig
zu gehen, wohin unvermeidliche Nothwendigkeit eigentlich mich
ruft. Gern ging ich über Straßburg und Frankfurt; wenn ich
nicht als ein Rebell am Deutschen Reiche von den Oesterreichern nach dem Spielberge in Drouets Gefängniß gebracht
zu werden befürchtete. Es möchte mir nicht so gut wie ihm gelingen, einen Plan zu erfinnen, mich aus der Beschränkung durch
einen Sprung mit einem Parachûte zu retten. Sie haben je
wohl diesen vor dem Conseil des Cinq Cents vorgelesenen Drouet
schen Roman beherzigt. Ich habe des Fanfarons Schrift mi
königlichem Vergnügen genossen, und bin bey der Stelle, wo er
Rechenschaft ablegt, wie er eigentlich zu entkommen es anfangen
gewollt, vor Lachen beynahe zerplatzt. Sie ist gar zu original,
ich muß sie Ihnen doch hersetzen. Nachdem er erzählt, wie er
sichs vorgenommen gehabt, vom Felsen zu stürzen, und den vor
der Festung vorbeylaufenden in die Donau sich ergießenden Fluß,
Schwarz, zu erreichen, setzt er ganz kurz hinzu: Arrivé au bas
de la rivière, je devois me jetter dans un petit batelet, que j'aper-
cevois depuis longtemps, m'abandonner au gré des eaux rapides
du Danube, gagner la Turquie, et me rendre à Constantinople;
wobey ich nicht umhin konnte, mir diesen Drouet vorzustellen,
wie er in seinem Kähnchen, die reißende Donau durch ganz
Ober- und Nieder-Oesterreich hinunter fährt; über den argen
Strudel weg, vor dem Freund Hviid so erschrak, glücklich

vor allen Zoll= und Mauthhäusern und den unzähligen Dörfern
am Ufer, die Nicolai beschreibt, vorbey; dann von allen Na=
jaden des Flusses getragen, durch Wien hindurch; hier dem
etwa am Ufer spazierenden Kayser ein Schnippchen schlägt und
sein Hintercastel zeigt; sodann durch Presburg, ganz Ungarn,
Siebenbürgen, die Wallachey und Moldau hindurch, aus der
Donaumündung ins Schwarze Meer schlüpfend, seinen Einzug
in Constantinopel hält; im Serail, in seiner Kraft, ein paar
hundert Sultaninnen beschläft, den Großherrn gefangen nimmt,
und nach Paris vor das Conseil schleppt, ein Bündniß mit der
Ottomanischen Pforte zu schließen. Warlich, man kann wohl
sagen, daß den Franzosen nichts fremder ist, als die Geographie;
tausend Meilen kommen ihnen vor, wie uns eine Lieue. Und
so was hört man im Conseil an, ohne zu lachen! ohne daß
ein Mensch es relevirt. Es ist sehr Schade, daß solch eine
Versamlung solch einen Hasenfuß zum Mitgliede hat, als diesen
Drouet, den Gefangennehmer, der auch zu den Zeiten des
Bergs einer seiner unbändigsten Schreyer war.

Indeß sey dem Himmel Dank, daß nicht das Ganze aus
solchen Mitgliedern besteht, und im Directorium arbeitsame, mit
der Republik stehen oder fallen müssende Männer sitzen, die
Haare auf den Zähnen haben. Sie haben Recht, daß das Pa=
pier und sein Curs das Unglück Frankreichs ist, so wie es
sein einziges Rettungsmittel war. — Indeß was Uebles damit
geschah, ist geschehen, ist bey der Unmöglichkeit, zu so viel tau=
send Verwaltern der Dinge, der Ausgaben und Einnahmen,
nicht auch unzählige spitzbübische Egoisten zu bekommen, nicht
zu vermeiden gewesen. Wenn man sich nicht an die Grund=
sätze halten will, die die Republik gründete, und die sie wie=
derum einst geltender machen wird, wenn man einzelnes Leiden,
auch ungeheures! der Menschheit nicht übersehen will, um einzig

auf die Masse von — nicht vollkommnem, aber größer[m]
Wohlstand der größern Classen des vermehrten Ackerbaues,[er]
überall durch Recht an Allem Antheil nehmen zu kö[s]
nen gespannteren menschlichen Kräfte seinen Blick zu rich[ten]
wenn man in der Republik lauter Tugend sucht, oder au[ch]
nur nicht-lasterhaft-seyn: so wird man freylich durch de[n]
nahen Anblick dessen, was man sieht, wie dieser und jen[er]
es treibt, zusammenscharrt, verschwendet, betrügt, Ungerechtig-
keiten übt, alle Grundsätze verletzt, bis ins Innerste seine[s]
Herzens betrübt, und könnte geneigt seyn mit la Tresne nac[h]
Domingo zu gehen, wo es aber nicht besser wäre. Was sage[n]
Sie von Pichegrü's, so gut, scheints — wie Destitution —
worüber man hier sehr den Kopf schüttelt, und davon ich di
Intrigue nicht ergründen kann. Gut! daß das Schicksal de
Waffen in diesem einzigen Kriege mehr von dem Muthe de
Hunderttausende als von dem Genius Eines Feldherrn abhäng[t]
sonst zitterte ich. Aber aller Wahrscheinlichkeit nach werde
400,000 am Rhein und ein paarmal 100,000 in Italien, bi
wie man itzt sagt, nach Rom gehen, den Oesterreichern artig z[u]
schaffen machen, die das Schwert so lange nicht in die Scheid
stecken zu wollen scheinen, als das geplünderte Pohlen noch Du
katen und Engelland noch Guineen hat, das deutsche abgezapft
Blutwasser unsers Schaafsvolks zu bezahlen. Mit den Finanze
wirds hoffentlich hier bald besser werden, wenn man auf de
Wege fortfährt, den man eingeschlagen hat; wenigstens fang[t]
die Zerbrechung der Planchen der Assignate, und die alle bra
zu der Verminderung der Assignate dienenden Maaßregeln an, hi[e]
die Weitersehenden zu überzeugen, daß man sie nicht wie da[s]
amerikanische Papier zu Nichts herunterschmelzen lassen will
Immer bleibe ich dabey: es mangelt Frankreich nicht an Reali
täten, le sol n'est pas émigré, sondern an Zeichen; und für das

ınländifche Verkehr ist ein Zeichen von Papier fo gut wie eines
on Gold. Fürs Ausland wird Alles darauf ankommen, wo
ıɜ Uebergewicht von Exporten ist; oder welcher Theil die Ex-
orten des andern am erften entbehren kann. Dem fey wie ihm
ˀolle; ich fehe über diefen Punkt nun zu rofenfarb oder nicht;
nɜ bitte ich Sie zu glauben, was ich mit größerer Gewißheit
ˀhaupten darf, und worüber Sie, durch die vielen Ihnen hin-
ˀerftrömenden Nachrichten drüben leicht bewogen werden könnten
fürchten: daß man fehr weit hier entfernt ist in den Terro-
ɜm zu fallen. Ich habe es noch geftern an Poel gefchrieben;
ˀ plötzliche Verwandlung von der höchften Graufamkeit bis zur
ſindeften Milde feit dem 9ten Thermidor ist wirklich, erstaunlich
ıb beweift, wie diefes und jenes nie im Charakter der Menfch-
ıt oder Einer Claffe der Menfchheit liegt, fondern alles von
m Zufalle abhängt, der Spitzbuben oder Rechtfchaffne zu Hü-
n der race moutonnière macht! Seit den fechs Monaten daß
nun hier bin, habe ich (die wenigen Opfer des 13. Vende-
aire ausgenommen) von nicht mehr als zwei Executionen ge-
rt; in diefem Ocean von Stadt, in diefer Sentina von
ˀenfchheit auch; unter diefen, Stollberg en immer wohl noch..
unnen, und der Claudius fchen Mördergrube. Unge-
ˀtigkeiten in Vertheilung z. E. des emprunt forcé gefchehen;
er fie werden auch wieder gut gemacht. — Kurz ich halte zu
ſern Lebzeiten die Rückkehr des Schreckens für eben fo un-
ˀglich, als die Rückkehr der Alleinherrfchaft, wie ariftocratifch
ch der Geift der Reichen, der Gelehrten und derjenigen Lei-
nden durch die Revolution ist, die gerade am wenig-
n leiden. Denn wenn man fich unter der mittlern, der
ˀdrigften Claffe umfteht, felbft unter den kleineren Rentiers,
ˀ Alles verlohren, fo ist: vive la République! vor wie nach
ˀr Feldgefchrey. Und diefe Menge wird fchon fiegen! Sie

müßten einmal in einem Corps de garde an der barrière de Clichy seyn, wie mein Schwager, der eine Nacht auf der Wache zugebracht, um gewiß zu werben, (troz allem was hier das beau monde behauptet und die Banquiers), daß von keinem Ludwig weiter die Rede ist.

Ihre Dose hat mir Iba beschrieben, und Poel, der aber noch nicht Wort gehalten mir Ihre Liebeserklärung gegen die schöne Unbekannte zu schicken, versprochen. Ich werde mit vieler Tendresse eine Prise daraus nehmen; und wie gewöhnlich, Ihren Taback vielleicht verschütten — oder libiren, edler gesagt. Der Himmel erhalte Sie, Bester, mit Allen Ihrigen gesund und führe mich zu Ihnen. Das wird er noch oft, oft thun; ich thue und werde alles mögliche thun, mir jährlich den Weg von hier nach Hamburg eben so kurz vorzustellen als Drouet sich den vom Spielberg nach Constantinopel. Ewig Ihr

C. F. Cramer.

Verzeihen Sie mir diesen befleckten Brief auf den ein Schwung meiner Pfeife, leider, eine ganze Tasse Caffee libirt hat. Sie wissen wie unmöglich das wieder Abschreiben für die Ungeduld eines Menschen, wie ich, ist. Und denn, da kein Un= glück allein kommt, hat das Schicksal ferner gewollt, daß ich ein Blatt des Briefes verkehrt umgewandt habe, daher ich nun die Folge der Blätter mit Röthel habe bezeichnen müssen.

Thusnelda.

Couvert de sang de sueur, de poussière romain,
    Il revient des combats sanglans;
Jamais les traits d'Herman ne furent si brillians,
    Et jamais si vive lumière
    Ne jaillit de ses yeux brûlans.

Viens, donne cette épée; elle est encore fumante,
    Varus a reçu le trépas;

Respire et viens gouter le repos dans mes bras,
    Sur la bouche de ton amante,
    Loin du tonnerre des combats.

Herman repose-toi; que sur ton front j'essuie
    Ton sang et ta noble sueur.
Comme il brule ton front! de Rome heureux vainqueur,
    Non, jamais Thusnelda ravie
    Ne sentit pour toi cette ardeur.

Non, pas même le jour où, sous un chêne antique
    Herman par l'amour emporté,
Fuyante me saisit de son bras indompté:
    J'observai son oeil héroique,
    Et j'y vis l'immortalité.

C'est ton bien désormais. O Germains! plus d'allarmes!
    Germains, dont Herman est l'appui.
Honte au divin Auguste! il s'abreuve aujourd'hui
    D'un nectar mêlé de ses larmes:
    Herman est plus divin que lui.

Herman.

Laisse-là mes cheveux. Vois, pâle et sans lumière
    Le père étendu devant nous.
César s'il eût osé s'offrir à mon courroux,
    Seroit ici dans la poussière
    Plus pâle et plus couvert de coups.

Thusnelda.

Que les cheveux, Herman, en boucles ménaçantes
    Ombragent ton front glorieux!
Ce corps n'est plus Sigmar, ton père est dans les cieux;
Sèche tes larmes impuissantes,
    Tu le reverras chez les Dieux.

F. Chenier.

205. Gräter an Klopstock.

Schwäbisch=Halle, 30. Jan. 1797.

Nehmen Sie also, Würdigster unter den Priestern der va=
terländischen Muse, die kleinen Opfer, die ich auf den Altar

derselben niedergelegt habe, mit gütiger Nachsicht auf, und erlauben Sie mir, daß ich Ihnen dadurch den zärtlichsten Dank
einigermaßen an den Tag lege, den ich Ihnen als dem Vater
des teutschen, wenigstens als dem Schöpfer meines eigenen Pa-
triotismus, seit dem ersten Frühling meines Lebens im Stillen
gezollt habe.   Ich müßte andere Talente des Ausdrucks besitzen,
wenn ich Ihnen die unzähligen Quellen meiner dem Staunen
nahen Bewunderung, meiner mich selbst erhebenden Ehrfurcht
und meiner Liebe zu Ihnen, die der Zärtlichkeit eines Sohnes
zu einem unerreichbaren Vater gleicht, vorrechnen und die Unbe-
scheidenheit, mit der ich mich zu dem Würdigsten bringe, dadurch
rechtfertigen wollte.   Genug, es war einer meiner höchste[n]
Wünsche, mir, nicht durch meine etwanigen Talente, die ga[r]
nicht in Betrachtung kommen, aber wohl durch einen une[r-]
müdlichen Eifer in Aufsuchung und Urbarmachung der vaterlä[n-]
dischen Schätze des Alterthums so viel Anspruch auf d[en]
Namen eines Teutschen zu erwerben, daß ich mich dem Dich[ter]
der feuervollen Hermannsschlacht, und dem Sänger so manch[er]
Vaterlands-Oden, der jeden biedern Teutschen, Greis o[der]
Jüngling, mit inbrünstiger Liebe umfaßt, getrosten Muth[s]
nahen dürfte.   Acht Jahre sind es bereits, daß ich in der vat[er-]
ländischen Literatur mit den Nordischen Blumen debütirte, u[nd]
mehr als acht, daß der Beyfall des heiligen Dichters im O[c-]
dent mein letztes Augenmerk war: aber gleichwohl war ich n[och]
immer zu schüchtern mich in seine Nähe zu wagen, weil ich [auf]
intensives Lob so wenig rechnen und den größten Werth [auf]
meiner Beständigkeit und der Extension meiner Versuche erwar[ten]
mußte.   Jetzt, da nun fünf Bände, die solche Gegenstände [zum]
Augen haben, aus meinen Händen sind, ein neuer Band ber[eits]
wieder ins Publikum geht, und die Fortdauer dieser Arbe[it]
und ihre Fruchtbarkeit wahrscheinlich ist, schöpfe ich erst

Muth, dieſe Verſuche einem Manne vorzulegen, der die Arbeiten anderer nicht nach ſeiner Erhabenheit, vor der nur ſeine eigenen Schriften nicht erröthen dürfen, ſondern vielmehr nach dem Werthe ihrer mehr oder minder patriotiſchen Tendenz beurtheilt, und die reine und ächte Vaterlandsliebe, die ſich von einer momentanen patriotiſchen Aufwallung am beſten durch die Zeit unterſcheidet, ſchwerlich verkennen wird. Dieß iſt alles, was ich ſagen kann, und vielleicht zu viel.

Wie ſehr wünſchte ich Sie noch in dieſem Leben von Angeſicht zu ſehen! Ein theurer, aber nichtiger Wunſch: Glücklich genug, wenn Sie wenigſtens hier noch mich Ihres Beyfalls, Ihrer väterlichen Zuneigung und eines Briefes werth achten. Dort oben, wo unſere biedern Väter verſammlet ſind, eile ich Ihnen denn auch einſt, verklärter und beſſer, in die Arme.

F. D. Gräter
Oeffentl. Lehrer u. Correct.

206. Klopſtock an Graf F. L. von Stolberg.

Hamburg den 22. Febr. 97.

Sie wiſſen, liebſter Stolberg, daß, wenn ich neue Oden habe, ich ſie Ihnen gerne ſchicke. Und warum ſollte ich es nur nach Eutin, und nicht auch nach Petersburg? Die drey, welche Sie hierbey finden, wünſchen, nach zurückgelegter langen Reiſe, auch eine kurze aus Ihrer Wohnung zu dem Kaiſer zu thun. Ihr Wunſch iſt nicht, überſchickt, ſondern von Ihnen überbracht, und dem Kaiſer und der Kaiſerin vorgeleſen zu werden.

Ich ſehe, mein Stolberg, die Gelegenheit, welche Sie zu dem haben, was ich gleich ſagen will, als einen göttlichen Beruf an. Ich würde an Ihrer Stelle danach handeln.

Der Kaiser kann, wenn er will, jetzt die größte seiner
Thaten thun; er wird diese, wenn er auch noch so lange re-
giert, durch keine andre übertreffen können. Er kann den Frieden
ich sage nicht veranlassen, er kann ihn durch zwey ruhige, aber
nicht weggewandte Winke gebieten. Der erste Wink: Ich wünsche
den Frieden, und ich hoffe, daß ihr ihn machen werdet. Hier=
bey die Erklärung: Ich habe auch über die Bedingungen des
Friedens nichts zu sagen; macht ihn, wie ihr wollt. De
zweyte Wink: Ich bemerke die Unterhandlungen mit der strengste
Untersuchung. Zerschlagen sie sich, und dauert also Europa'
Elend fort; so stehe ich den weniger Schuldigen bey. Es kan
anfangs scheinen, als wollte ich nur mit gezücktem Schwer
beystehn: aber es geschieht, sobald dieses das einzige übri
Mittel ist, mit dem geführten, und das gewiß, und das bis z
Entscheidung.

Die Engländer können zwar nur in den deutschen Be
sitzungen ihres Königs vom Schwerte erreicht werden: gleich
wohl scheint es, Rußland könne sie auf nicht wenige für
sehr bedenkliche Sachen aufmerksam machen.

Eine von den Ursachen, die mich veranlaßt haben Ihn
dies abgesondert zu schreiben, ist diese: Ich hörte schon
langer Zeit von dem glaubwürdigen Unger=Sternberg,
sich der damalige Großfürst in Ansehung der Krimm erklä
und daß er dabei geäußert hätte, er würde nie Krieg führ
Die Uebereinstimmung seiner damaligen Denkungsart mit
jetzigen erinnert auch an das, was Cäsar vom Brutus sagt
Quid hic vult, id valde vult.

Ich umarme Sie von ganzem Herzen.

Der Ihrige

Klopstock.

207. Klopstock an Herder.

Hamburg den 21. März 1797.

Mellish kann oder wird Ihnen vielmehr, lieber Herder, von mir gesagt haben, daß ich mit warmer Freundschaft von Ihnen gesprochen, und Sie zu mir gewünscht habe. Meine Frau ist oft Mitwünscherin.

Ich denke, Mellish hat von meiner Aufforderung nicht geschwiegen. Ich habe ihm zwei Abtheilungen des „zweiten Wettstreites" mitgegeben; die erste war mir weggekommen. Wenn er sie noch nicht selbst in dem „Berliner Archive" aufgesucht hat, so fürchtet er entweder auf dem Kampfplatze zu erscheinen, oder er hat die Sache nicht so warm genommen, als er gesollt hätte.

Ihnen, meinem deutschen Herder, sage ich, daß wir Deutschen den Engländern, seitdem ihnen Swift einen gewissen hohen und beinah plumpen Ton wider uns angegeben hat, litterarische Rache schuldig sind. Ich weiß zwar recht gut und vielleicht besser als Sie, weil ich viele Engländer spreche, daß sie seit einiger Zeit jenen Ton nicht wenig geändert haben; aber das brennt mir den Mohren Swift und seine Nachsprecher nicht weiß. Wenn sich die Engländer auf gleiche Uebersetzungen aus den Alten einlassen, so habe ich sie da, wo ich sie haben will, und wo auch Sie, wie ich denke, sie haben wollen, nämlich auf dem Eise, das ihnen dann am glättesten sein wird, wenn sie sich auch auf die Sylbenmaße der Alten einlassen. Alles dies im Vertraun, denn wofern Engländer etwas davon erführen, so blieben meine Wünsche vielleicht unerfüllt. Ich brauche jetzt keine Vorrede zu der beigelegten Ode zu machen. Ich bitte Sie an Göschen zu schicken. Es ist das Manuscript, das ich zum Drucke bestimmt hatte.

Ich umarme Sie von ganzem Herzen.

Ihr Klopstock.

208. C. F. Cramer an Klopstock.

Paris, den 30. Sept. 97.

Die Ente, bester Klopstock, würde Ihren Vorwurf verdienen, und vor Beschämung und Selbstvorwurf außer sich seyn, wenn sie auf Ihren mütterlichen Brief (Henne) vom 7. Sept. (den sie, sie weiß nicht wie, erst vor ein paar Tagen empfing) Ihnen nicht mit 10 grossen Quartseiten Geschriebenem entgegen kommen könnte, die sie schon am 13. Julius mit ihren Schwimmfüßen an Sie gekritzelt hat. Ich brauche Ihnen nicht zu versichern, daß mein Herz und meine Gesinnung gegen Sie, die jede Liebe, jede Verehrung umfaßt, unveränderlich ist. Sie trösten mich auch darüber in der Parenthese, die die Zartheit Ihres Gefühls nicht hinzuzusetzen vergaß: „Ich sage dies nicht in Beziehung auf die Freundschaft." Allein Sie werden aus der Länge meines veralteten Briefes wenigstens sehen, daß ich sogar in Absicht auf die Krankheit der Briefelley unverändert noch bin.

„Gut! höre ich Sie sagen; aber es ist nicht genug, daß man Briefe schreibt, man muß sie auch abschicken." Darin freilich bekenne ich mich schuldig. Allein mit der Veraltung dieses Briefes ging es so zu: Oelsner sagte mir acht Tage vorher, als ich den Brief schrieb, er reise gewiß um den 14ten oder 15ten Juli nach Hamburg. Ich wollte ihm die übersetzte Claire mitgeben, und schrieb den Brief. Am bestimmten Tage fand ich mich in seiner Wohnung ein. Da hörte ich, er sey mit seinem Freunde, dem Kaufmann Basse, auf sein Landgut gegangen. Es hieß aber: er käme, abzureisen, in 8 Tagen herein. Ich ging nach deren Verlauf wieder hin; er war noch nicht da. Acht Tage darauf abermals; noch kein Oelsner hier! Endlich kam er herein; nun wollte er in 14 Tagen reisen. Ich schob also meine Absendung auf. Endlich ward Oelsner s

Wallfahrt ganz zu Waſſer. Nun kam die fürchterliche Zeit, wo wir armen, republicaniſchen Enten, auf unſerm mobilen Binſenpfuhl, in der nicht angenehmen Alternative des Galgens, der Guillotine, oder der Kartätſchenkugeln ſchwammen, die uns Pichegrüs und ſeines Anhangs Verrätherey bereitete; und in der einem (wie viel mehr man auch procellosam libertatem als tutum servitium liebt) die Luſt zum Schreiben wohl verging. Zudem harrte ich immer auf Gelegenheit, einen andern Reiſenden zu finden, der Ihnen das Buch (das Ihnen zu viel Poſtgeld gekoſtet hätte) ſtatt Oelsner nach Hamburg brächte. Nach unſerm Rettungstage, dem 18. Fructidor, da mein Brief nun ſo gar veraltet ſchon war, dachte ich Ihnen einen neuen zu ſchreiben, aber nicht eher, als bis ich Ihnen nun meinen Bogen von meiner franzöſiſchen doppelten Verdollmetſchung des Meſſias zufertigen könnte, mit der ich itzt ſchwanger gehe, über die ich mich mit la Tresne beſprach, und durch die das Ausland, welches nicht deutſch verſteht, Sie nicht nur obenhin kennen lernen ſoll. Doch itzt wirds mir zu lang. Ihr Zuruf vom Ufer her kürzt alle meine Aufſchiebungen ab und zwingt mich, Ihnen ſogleich wenigſtens jenen Brief zuzuſchicken, der zu meiner Rechtfertigung dient; ohne Buch, das ich nun gelegentlich beym erſten Büchertransport von hier zu Waſſer gehen laſſen will.

Der arme la Tresne! — Ich bin herzlich für ihn beſorgt; weis nicht was aus ihm geworden iſt, ob er ſich verbirgt, ob er entkommen iſt, ob er in die Deportationsmaßregeln mit einbegriffen worden iſt. Er hat mich ſeit jenem Briefe verſchiedentlich beſucht. Sie waren jedesmal der Gegenſtand unſerer Unterredungen. Aber ich geſteh's, ich zitterte für ihn; denn ich ſah das Ungewitter kommen, ſah ſeine ſanfte oder blutige Entwicklung vorher, und warnte ihn. Anfangs ſtritten wir uns oft; er war voll Muthes und Erwartungen von den „Moyens"

seiner Parthey. Er wollte durchaus nicht, daß ich ihn ſo
ſuchte, und mein eigener Republicanism rieth mir auch
nicht dazu.

Endlich ſchien er die Gefährlichkeit ſeiner Lage einzuſehen. Großer Trübſinn und Beklemmniß ſchwebte das letzte Mal, als er
Tage vor dem 18ten Fructibor zum letztenmal bei mir war, auf
ſeinen Zügen. Bey ſo bewandten Umſtänden, meinte er, würde
es doch wohl das Rathſamſte für ihn ſeyn nach der Schweiz
zurückzugehen. „So gerne ich Sie hier ſähe, ſo — — je ne
saurois vous le deconseiller!“ waren meine letzten Worte an ihn,
als er auf meiner Treppe von mir ſchied. Der Schlag des ent-
ſcheidenden Tages geſchah, der Frankreichs und der Freiheit
Feinde in ihren letzten Verſchanzungen bezwang, uns durch uns
ſelbſt zu zerſtören, und eine Mordzeit hervor zu bringen, die
noch bei weitem die Robespierriſche übertroffen hätte. Seitdem leben wir wieder auf. Nur thuts mir leid, daß ich den
erſten Geſang nicht erhalten habe, den er mir vor ſeiner Abreiſe zu beliebigem Gebrauch einzuhändigen verſprach.

Ich habe ihn ſelbſt nicht wiedergeſehn. Sie können leicht
denken, daß ich mich nach ihm erkundigen nicht mag, und da er
mir ſelbſt die Gelegenheit dazu abgeſchnitten hat, daß alle mein
Nachforſchungen vergeblich ſeyn würden. Dieſe ausführliche
Nachricht glaube ich, obs gleich keine tröſtliche iſt, Ihrem An-
theile an ihm, ſchuldig zu ſeyn. Die wenigen unter den Aus-
gewanderten, die ſchuldfrey ſind (wenn es deren giebt) ſehen jetzt
durch ihrer Mitbrüder Complott auf ewig ihre Hoffnung auf
Verzeihung und Rückkehr ins Vaterland, zerſtört. Wie viel
mildbenkende Herzen waren bis dahin (zum 18. Fr.) ihnen geneigt! Aber die Zeit hat nur zu ſehr es gelehrt, daß Feuer und
Waſſer unvereinbar ſind, und daß, da es zwiſchen ihnen immer
heißt: Du mich! oder ich dich! keine Wahl und keine Mezzo-

termine mehr stattfinden kann! Ich denke, heute noch geht das
Decret durch, das jeden Cidevant zum Ausbürger erklärt!

Ich wollte Ihnen nichts politisches schreiben, aber Sie sehen
die Ente kömmt immer wieder in ihr nasses bewegliches Element zurück. Von Litterarischem will ich Ihnen, da dieser
Brief heute fort muß, denn doch das, und nur das melden,
daß ich vor ein paar Tagen einen Franken hier kennen gelernt,
welcher von der Seite, was Sie betrifft, mir Ersatz für la
Tresne seyn wird. Was für Entdeckungen man macht! Dieser,
la Banne genannt, Ueberseßer von Müllers Schweizergeschichte,
von Morizens Leopoldine, von verschiedenen andern deutschen
Romanen, von Ossians Gedichten 2c. kam zu mir und suchte
mich als Verfasser des: Klopstocks Er und über ihn, auf;
den er mit vieler Mühe sich aus Deutschland verschafft: mir zu
danken, daß er Sie durch mich verstehen gelernt. `Ich war mir
eher Himmels Einfall vermuthend, als in Paris außer meinem
eigenen, ein Exemplar meines Buches; und einen Pariser, der,
ohne ein Wort deutsch reden zu können, dreymal Ihren Messias,
Ihre Oden, Ihren Hermann 2c. durchgelesen hat, in unserer
Sprache, die er selbst sich gelehrt, so wie er alle unsere Dichter,
und besser, als viele Deutsche sogar, kennt.

Ich habe ihn darauf wieder besucht, und einen sehr interessanten Morgen bey ihm gehabt, den ich Ihnen einst in Abschrift meines Status von Tagebuch darüber vorlegen will. Unter
andern zeigte er mir Ihren ganzen Wingolf übersetzt, mit einer
Anmerkung dazu; und gab mir seine Gedichte Ossians mit, dem
er eine Uebersetzung Ihrer Elegie an Ebert angehängt hat, die
ich Ihnen, sein Talent zu beurtheilen, in Abschrift beilegen will;
auch füge ich, falls ichs auffinden kann, ein Blättchen über Sie
von Merciers Freunde Bonneville bey.

Wegen des Einschlusses, den Sie mir mit Ihrem Briefe

schickten — Bester! ich bitte Sie, überheben Sie mich du
mündliche Darstellung der Sache, wie sie ist, der Unannehmli
keit einer Antwort, die in nichts Anderm als: ich bin ni
im Stande — — — ich kann nicht — — — bеste
kann. Der Ton dieses Briefes, da der Schreiber Alles gleichs
auf die Spitze stellt: ob ich will? und gar keinen Zweifel г
räth: ob ich kann? setzt mich noch mehr in Verlegenheit. Ç
ich doch voraus gesehen, es würde mir so gehen, sobald и
in Deutschland wüßte, daß ich in Frankreich eingewurzelt і
und mich ein wenig hier laut werden hörte. Seit einigen М
naten habe ich nicht weniger als sechs ähnliche Briefe erhalt
von Republikliebhabern, die nicht zweifeln, daß ich hier ihı
forthelfen kann. Gleichwohl, durch welche Airs habe ichs г
dient, daß man mich für einen Crösus hält, da ich doch
Irus nur bin, der sich zur Zeit, mühsam genug, mit der Spi
wie gesagt, seiner Feder, durchschlagen muß?

Mein Handel ist jetzt nur ein Senfkorn noch, ob er gle
mit der Zeit sich zum Baum ausbreiten kann. Und mein Cre
bey den Mächtigen der Republik — — — vollkommene Zer
Ich ehrgeize nach Nichts; ich will keinen Mäcen; ich ha
keinen Mäcen; ich bedürfte weit eher eines, als daß ich in і
gend einem Sinn des Wortes selber einer seyn kann.

Hat der gute junge Mann, der mir schreibt, Kenntniſ
Arbeitsamkeit, Genügsamkeit, Selbstständigkeit und Männerеı
schluß — wenn er wie Rousseau von Notenschreiben, d.
Brodt und Wasser zu leben vermag, so rechnet er auf kein
Einzelnen nicht, sondern lediglich auf sich selbst und auf Glü
und stürzt sich nach London oder Paris, in einen der groß
Menschenstrudel hinein. Alsdann findet sich durch das Glück і
Einzelne auch wohl. So hat Rousseau, so hat Mira
beau es gemacht. So haben wir Dii minorum gentium, Th

rild, Reichardt, D. Glabbach (der junge Hannoveraner, dessen Brief, welchen Schlözer bekannt machte, Ihnen einst so gefiel), das graue Ungeheuer Rebman, und ich selber es gemacht. Reichardt kam von der Pyrenäenarmee, ohne Pfennig nach Bordeaux, ging auf die Börse, trug einem Kaufmann seine Dienste an, den er nicht kannte, und steht sich itzt bei Bassen sehr gut. Rebman kömmt aus Erfurt hier an, beynah zu Fuß, und schwimmt jetzt recht wohllebend auf der Woge der Gunst.

D. Glabbach befindet sich hier als Grenadier du Corps legislatif. Ich, der, troz meines Hauses (damals eines todten Capitals) da ich hier ankam, nicht auf 4 Wochen Auskommens sah, und dessen Buchdruckerey der allerunfruchtbarste Embryo schien, drucke jetzt in 22 Bänden ein Dictionnaire des Loix, in Erwartung daß man hier den Gesetzen gehorchen lernt, und Friede wird, und meine Officin, das Senfkorn, zum Eichbaum wird. Aber nur wer zu solchen Versuchen den Muth in sich fühlt, schneidet die Fäden ab, die ihn daheim an irgend Etwas binden, das vielleicht sicherer ist.

Sobald ich Ihnen, bester Klopstock, den ersten Bogen der doppelten Verdollmetschung, nach De Marsay's und meiner Manier, oder (nach einem andern Titel,) meines Cours de langue allemande mitschicken kann, schreibe ich Ihnen wieder. Sie werden aber auch bald von mir noch in einer öffentlichen Correspondenz hören, die ich mit meinen deutschen Freunden eröffnen will. Künftigen Sommer gehn alle meine Anschläge darauf, bey Ihnen in Hamburg zuzubringen; kommt die Zeit, kommt der Rath! — Alsdann wird doch endlich wohl, hoffe ich, Friede auf Erden und den Menschen ein Wohlgefallen wieder seyn!

Meine Frau grüßt Sie und die Ihrigen herzlich, sie ist jetzt recht eingewohnt hier in Paris. Wir sind alle sehr wohl;

ich gesünder als je und, da wir jetzt keinen unnatürlichen Tod mehr fürchten dürfen, von einem natürlichen entfernter als einst, da ich so am Magen litt. Mein Hermann setzt schon die Woche seinen Bogen, und amüsirt sich dabey köstlich mit fliegenden Drachen. „O Papa, kam er gestern zu mir gelaufen, als ich eben von St. Cloud, das zwei Lieuen von hier liegt, zu Fuß nach Haus kehrte, „ich muß Dir doch meinen neuen Cerf volant zeigen. Es ist ein recht republikanischer Cerf-volant! Er hat einen langen Schwanz roth, blau, und weiß!" — Denken Sie, wie ich lachen mußte. Es ist das wahrste Bild vom Republicanismus von ³/₄ meiner neuen Landsleute. — Meine zärtlichsten Wünsche erschallen aus diesem unruhigen Meere an Ihr ruhiges Ufer hin. — Ewig der Ihrige

C. F. Cramer.

209. Klopstock an Böttiger.

6. December 1797.

Zuerst und vor allen Dingen Wielanden meinen besten Dank, daß das Vergnügen, welches ich mir gemacht habe, ihm so lieb gewesen ist.

Es wäre Sünde ihm keines zu machen, weil es so leicht ist. Auch dieß, denke ich, wird ihm bei seinem Weinbau nicht unangenehm sein. Er läßt eine von den Vertiefungen, oder wollen wir's Blenden nennen, ohne Glasthür, und dann geht er und vergleicht. Erst besteht er mit Augen eine seiner Weinpflanzungen, die er in seinem Garten hat, dann geht er fürbaß, und besieht mit eben den Augen die Reben in der Blende, die nackt und bloß, das heißt ohne Glasthür vor ihm stehen; aber dann gelangt er bei dem Bacchus an, den er mit Krystall bekleidet hat! Ich zweifle gar nicht, daß er dann ausrufen wird:

„Parce gravi metuende thyrso!"

Auch Ihnen, l. B., meinen Dank, daß Sie mich den ewi-
n Jüngling nennen. Ich muß Sie da doch aus einem Irr-
um heraus helfen, der mir, als ewigem Jünglinge nachtheilig
t. Sie glauben wohl, daß Sie wissen wie alt ich bin, weil
Sie von 1724 gehört haben. Aber Sie sollen gleich lernen,
aß ich älter bin. Zur Sache.

Kaiser Franz hatte eine Großmutter, die Maria
Heresia hieß, und diese Großmutter hatte dann wieder, wie
ich alle Menschen haben, eine Großmutter, und diese Großmutter
r Großmutter habe ich so gewiß mit meinen sichtlichen Augen
Blankenburg gesehen, als Wieland seine reifen Trauben mit
n seinigen sehen wird.

Nun kommt noch ein sehr wichtiger Punkt. Ich war
ihmlich damals schon ziemlich bejahrt, denn ich disputirte mit
m Oberküchenhauptmann der Urältermutter, da man einen
chmauß gab, über den Vorzug der Schmerlen vor den Reb-
hnern.

Wenn Sie nicht wissen, was Harzschmerlen sind, so haben
ie keinen Begriff von dem Tiefsinne meiner Gründe, derer —
mich freilich nicht mehr entsinne. Was sagen Sie nun von
m Jünglinge? Und bilden Sie sich noch immer ein, daß Sie
issen, wie alt er ist? Rechnen Sie doch hübsch nach: die Groß-
utter der Großmutter! und dann schon so reich an Jahren,
ß er, obgleich noch vestigia procul adorans schon einen lucul-
chen Streit führt. Aber ich muß hier abbrechen, und überlasse
ie Ihrem Nachrechnen.

210. J. Ch. Mellish an Klopstock.

1797.

So sehr mich auch Ihre Freundschaft, hochgeschätzter Herr,
urch welche ich mit Ihrer Aufforderung beehrt worden bin, ge-

freut hat, so sehr hat mich die Aufforderung selbst in Verlege⸗
heit gesetzt. Sie haben aber befohlen, daß ich, nicht die Kra⸗
meiner Sprache, (denn diese lasse ich trotz meinem Verfehl⸗
doch nicht fahren) sondern meine Kraft in der englischen Sprad
bei Uebersetzungen aus dem Lateinischen und Griechischen, welc
mit den Ihrigen den nämlichen Endzweck haben sollten, ve
suchen mögte. Diesen Ihren Wunsch habe ich nach meinem g
ringen Vermögen zu befriedigen gesucht. — Sollte meine klei
Arbeit das Glück haben, Ihren Beifall einigermaßen zu erla
gen, so ist mein ganzer Wunsch erreicht; — denn, Sie könn
es mir wahrlich glauben, keine eitle Einbildung, daß ich mein
Original Genüge würde leisten können, hat mich zu diesem B
suche verleitet, — nein! — ein lebhaft dankbares Gefühl Ihr
mir erwiesenen freundschaftlichen Wohlwollens munterte mi
dazu auf, meine Kraft wenigstens zu wagen, diesen, so wie jed⸗
Wunsch meines edlen Freundes, welchen mir zu erfüllen nu
möglich wäre, zu befriedigen. Ich habe nur wenige, aber imm⸗
die Stellen, die Sie gewählt haben, übersetzt. — — Wie Si⸗
habe ich alle Regeln der Prosodie bey Seite gesetzt, und blo
nach dem Accent scandirt. Meinen Landsleuten, die bey Hexa
metern das alte Sylbenmaaß gewohnt sind, wird dieses frem
vorkommen. Nullius addictus jurare in verba magistri werde
Sie mich billiger gewiß beurtheilen.

Es bedarf vielleicht einiger Entschuldigung, daß ich Ihne
eine Uebersetzung eines Kriegsliedes von Tyrtaeus mit den übr⸗
gen zu übersenden wage. Ich erwarte mit Sehnsucht die m
versprochne deutsche Uebersetzung desselben Liedes. Wenn ich
glücklich sein werde sie zu besitzen, so wird mir das Mangelhaf⸗
meiner Uebersetzung einleuchtender werden.

Alles, was ich bei dieser Gelegenheit von Ihnen erbitte
mögte, wäre dieses: daß Sie mein Werklein mit Ihrer gewöh⸗

lichen Billigkeit ansähen, und zugleich erwögen, daß dieses nicht
nur mein erster Versuch in dieser Art, sondern beynahe, ich
mögte fast sagen, der erste Versuch, welcher nach einem ähnlichen
Plan in meiner Sprache gemacht worden, ist. — Das Lied von
Tyrtaeus habe ich wegen der Pentametern nicht kürzer als das
Original machen können. — Sie werden aber an den Zusätzen,
die ich bey Gelegenheit hinzugefügt habe, ersehen, daß es, wo=
fern das Sylbenmaaß es nicht verhindert hätte, nicht unmöglich
gewesen wäre.

Die gute H. v. W. freute sich ungemein, daß sie in Ihrem
Andenken noch lebte, und sprach mit vielem Vergnügen von dem
Besuche, den Sie ihr einst zu machen versprachen.

Ich kann Ihnen meinen Stolz und meine Freude nicht
beschreiben, da Herder mir sagte, Sie hätten ihm von mir ge=
schrieben. — Ich werde mich bestreben den Platz in Ihrem An=
denken zu behaupten, den Sie mir so gütig geschenkt haben. —
Die letzten Tage meines Aufenthalts in Hamburg werde ich
immer zu den angenehmsten und lehrreichsten Augenblicken mei=
nes Lebens rechnen.

Haben Sie die Güte und empfehlen mich Ihrer Gemahlin
zu fernerer Freundschaft, und halten Sie mich für Ihren dank=
barsten und aufrichtigsten Freund   J. C. M.

211. Klopstock an C. F. Cramer.
Hamburg, den 22sten Apr. 99.

Sie, l. Cr. waren mein zweyter Gedanke, da ich Sieve=
kings Tod erfuhr. Wir haben einen würdigen Mann und
haben ihn so früh, so früh verloren. Er wollte, durch mich
veranlaßt, eine Mauer mit Fenstern (Sie kennen das von Bern=
storff) zum Weinberge anlegen. Ich hoffe, seine Frau wird es
thun. Wir können ja die Babylonierinnen dabei pflanzen. Ich

habe mich durch den sehr ernsten Winter nicht durchgearbeitet, sondern ich bin ganz leicht durch ihn hingegangen. Zuweilen spottete ich auch wohl über das junge Blut; aber das mit Söe = veking wurde zu ernsthaft. — Ihren Brief vom 7ten März habe ich erst den 20sten April bekommen. Wenn Sie sich nur genug auf das besinnen, was Sie mir geschrieben haben. Nun Sie werden sehen. Daß Mercier durch meine Führung mit in der Schlacht gewesen ist, hat mir ein leckeres Vergnügen gemacht. Aber von den Paquets de Vers muß er lieber nicht sprechen. Er schadet sich und mir dadurch. Ich denke, es ist Ihnen mit den Vorlesungen in dem Lycée nicht übel gegangen. Dies hoffe ich besonders wegen Ihrer deutschen Declamation. Sie reden von einer interlinearen Uebersetzung. Das Zwischen= wörteln ist wohl gut; aber die bei weitem ersprießlichsten Dienste würde es unserer Sprache bei den Franzosen thun, wenn Sie es mit einigen meiner Uebersetzungen aus den Alten unternähmen. z. E. so:

O fons Blandusiae, splendidior vitro
    (Franz. gezwischenwörtelt.)
   O Blandusiens Quell, rein wie Crystall, und werth.
    (Hier ebenfalls.)

Ich denke, Sie sehen es durch, warum es sehr gut sein würde, es so zu machen. Eine gar nicht große Sammlung mit einer kurzen, kernhaften Einleitung würde zureichend seyn. Wenn Sie's wollen, so will ich die Stellen wählen. Wenn ich Lust zum Abschreiben bekomme, so lege ich Ihnen das letzte bei, was ich gemacht habe, nämlich: Audivere, Lyce, die ganze Ode.

Was den allgemeinen Aufgang des repräsentativen Systems gegen Ende des Jahrhunderts betrift, nun was den betrift — — l. Cr. wir sind hier ein wenig weit aus einander. Am kürze= sten und am wahrsten fasse ich mich, wenn ich Ihnen sage, daß ich ein Sachgläubiger bin, und daß Sie ein Wortglä

biger ſind und ach ſchon ſo lange geweſen ſind. Der Sach=
gläubige geſteht Repräſentation zu. Aber wer repräſentirt denn!
und was wird repräſentirt? Jenes thun die Fünfe, und wer
zu ihnen gehört (auch alle die thaten's, die dieſen ehemals gli=
chen): und repräſentirt wurde durch ſie, und zwar ſehr meiſter=
haft, die Verſklavung und die Beraubung. Laſſen Sie
uns hierüber einander nichts weiter ſchreiben. Denn es kommt
allein darauf an, ob Sie ein Wortgläubiger ſind, und ich ein
Sachgläubiger bin; und das iſt gar nicht ſchwer auszumachen,
weil das Geſchehene wie in Felſen gehauen da iſt.

Daß der Krieg jetzt eine etwas andere Wendung nimmt,
wiſſen Sie nun ſchon. Die Schweiz und vielleicht auch Italien
und Holland; doch ich bin ſehr entfernt davon, irgend etwas
zu prophezeihen. Denn das gehört denn doch wohl nicht mit zu
den Prophezeihungen, wenn man mit einer Art von Gewißheit
glaubt, daß, wenn die Franzoſen die Tollkühnheit haben, oder
vielmehr (absit blasph. d.) die Dummkühnheit aus Breſt auszu=
laufen, daß dann . . . doch wer mag ſo etwas ausſchreiben.

den 23.

Ich weiß nicht, ob ich wünſchen ſoll, daß Hermanns
Schlacht aufgeführt werde. Wer überſetzt die Bardenlieder in
ſolche poetiſche Proſa (die Reime ſind im Hermann ſogar lä=
cherlich), zu der ein ſehr guter Muſikus die Kompoſition machen
mag? (Haben die Franzoſen keine lateiniſche Pſalme in Muſik
geſetzt?) Ohne vortreffliche Kompoſition verliert Hermann die
Schlacht, was auch Cheron und die Latour thun. Und
ſelbſt bey einer ſolchen Kompoſition würde der Nachtgeſährt
ſchwanken, wenn Sie nicht Wähler der Repräſentanten wären,
oder wohl gar ein critiſcher Bonaparte die Wahlen durch Ka=
nonengründe leitete.

Ich komme aufs Zwiſchenwörteln zurück. Wenns mit

Hermanns Schlacht ober auch mit Oben von mir vorgenommen wird: so tadeln die Franzosen dieß Ausländische, weil es mit ihren Sprachformen, den einzigen schönen in der Welt, nicht übereinstimmt. Wenn sie aber das Nichtübereinstimmende in den beyden alten Sprachen und dann zugleich das der deutschen sehen (wobey das Anschmiegen der Letzten auch wohl ihrer Aufmerksamkeit nicht entgeht) so kommen sie, denke ich, gleichsam auf die Vermuthung, daß hinter dem Harze auch Leute wohnen. Wohlan denn, Cramer, ich mache mich auf, schneide eine neue Feder und schreibe Ihnen Lyce ab. Gedacht! gethan! Da ist Lyce! — Der Messias (nur die große Ausgabe) wird diese Ostermesse fertig. Wird er auch in die Nationalbibliothek kommen? Wenn das nicht ist, so schreiben Sie es mir. Fahren Sie ja fort, καλλιγραφώτατος zu sein. Das erquickt Auge und reizt die Lesebegierde. Daß ich gern schonen mag, werden Sie, wenn Sie es noch nicht wissen sollten, dann sehen, wenn Sie erfahren haben, was ich jetzt schreiben könnte, und nicht schreibe. In gewissen Oben steht:

> Aber müde zu schauen den Sturm —
>   Kehrt' ich endlich zurück
> In mein Thal . . Tief barg ich mich nun — — —

Das ist zwar keine goldne Regel, aber ein goldnes Beyspiel. Ihr   Klopstock.

> Ah den wünschenden hört, Lyce, der Gott, der Gott
> Hört mich, Lyce. Du wirst Mütterchen, und du willst
> Gleichwohl reizend noch scheinen,
> Küssest, trinkest, erröthest nicht!

> Zittrig flehet dein Lied, Trunkne, dem zögernden
> Sohn der Venus; doch der wacht auf der blühenden
> Schönen Wange der Griechinn,
> Die den Zauber der Töne kennt.

Mürrisch eilt er vorbey dorrenden Eichen, flieht,
Weil die Zähne sich dir schwärzen, die Runzel dich,
Weil der Schnee dich der Scheitel
Ihm entstellen. ⌣ — ⌣ ⌣

Nicht der Purpur von Kos, nicht der geglänzte Stein
Bringt dir Jahre zurück, so die Vergänglichkeit
Einmal in der Erinnrung
Buch begrub. ⌣ ⌣ — ⌣ ⌣

Ach wo flohe dir hin Venus? wohin der Reiz
Deiner Farbe? des Gangs? Hast du von der, von der
Funken nur, die von Liebe
Glühte? die mich mir selbst entriß,

Süß noch Cynara, und wegen der lieblichen
Minen Künste berühmt? Aber der Cynara
Gab das Schicksal nur kurzes
Leben, sparend die gleichende

Lyce alternder Krähn Zeiten, daß lachend sie
Muntre Jünglinge sehn, wie sich in Asche die
Fackel senket. ⌣ — ⌣
— ⌣ — ⌣ ⌣ —

(Noch folgende Strophen, weil ich daran geändert habe)

Weh, wie dampfet das Roß, triefet der Mann! wie häufst
Du die Todten im Heer Ilions. Zürnend fährt
Mit dem Schilde, dem Helm Pallas einher. Umsonst
Durch die Schirmerin Venus, Held,
Lockest du dir das Haupt, singest zur friedlichen
Laute jeder ihr Lied deiner Gespielinnen
O du meidest umsonst gnossischer Pfeile Klang,
Jene Lanzen dem Polster fremd,
Ajax, welcher ereilt! aber zu spät umwölkt
Räuber, Staub dir das Haar.

212. Brinckmann an Klopstock.

Paris den 18. Mai 1799.

Als ich vor ungefähr 7 Jahren das Glück hatte, die glü=
hende Sehnsucht meines Herzens nach Ihrer persönlichen Be=

kanntschaft erfüllt zu sehen, großer, edler und liebenswürdiger
Mann! — wurde ich von Ihnen mit so herablassender Güte
und so wahrer Freundschaft empfangen, daß die Erinnerung
dieser schönen Zeit noch immer lebendig vor meiner Seele steht,
und daß ich noch immer vom Geschick nichts dringender erflehe,
als die Wiederhohlung der wenigen goldenen Stunden, die ich
damals in Ihrem Hause verlebte.

Wie hat die Welt sich seitdem umgestaltet, und aus wie
manchem Blütentraum der Hofnung hat die schreckliche Wirk-
lichkeit. seitdem die Fantasie aufgescheucht.   Welche zerstörende
Flut hat sich über Europa hergewälzt, und welches Allmachts-
wort einer erbarmenden Gottheit wird sie endlich wieder in ruhige Gestade zurückbringen!

Wenn das Schicksal m ich nicht sehr gegen meinen Wunsch
in den Strudel der Weltbegebenheiten geschleudert hätte, — wie
weit würde ich wegfliehen von dem Getümmel der empörten
Wogen! Aber so muß der Matros die Gefahren und die Un-
bequemlichkeiten des Sturms mit dem Admiral theilen, und hat
ihm vielleicht keine Lorbern zu beneiden.   Ich sehe unsre Gene-
razion, leider! als dem Fluche dahingegeben an, und da ich
nicht jugendliche Lebendigkeit genug besitze, um mich selbst zu
teuschen und nicht Stoizismus genug, um mich über alles zu
trösten, so finde ich es freilich kein reizendes Loos bei dem aus-
brechenden Vesuv als Schildwache postirt zu werden, blos um
berechnen zu lernen, wie bald vielleicht die glühende Lava auch
meine väterlichen Fluren überschütten mag.

Hier haben Sie in wenig Worten mein Glaubensbekentnis
über meine diplomatische Bestimmung.   Aber unter den sinken-
den Ruinen aller öffentlichen und allgemeinen Glückseligkeit,
diesen schauderhaften Denkmälern unsers filosofischen Jahrhunderts! — welcher Einzelne hätte wol den Mut, der Unbequem-

lichkeit seiner individuellen Lage mit Ungeduld zu erwähnen! — Glücklich wer noch manchmal sich in den Hain der Musen zurückziehen kan, um dem lieblichen Echo einer schönen, längstverhallten Sfärenmelodie zu horchen! Und so nehmen Sie denn auch unsern Dank, für die Freude und den Seelengenuß, den die neuern Gesänge Ihrer unsterblichen Laute noch am Ufer der Seine einigen Ihrer aufrichtigsten Bewunderer gewährt haben. Humboldt mit seiner Gemahlin, die Sie vor einigen Jahren in Hamburg gesehen haben, die liebenswürdige Madam Pauli mit ihren Töchtern, und Ihr Freund Cramer — der glücklichste und unerschütterlichste Bewunderer alles dessen, was für oder gegen die Freiheit geschieht, wenn nur der Befehl dazu auf republikanischem Stempelpapier gedruckt wird — und noch einige echte Deutsche, nennen hier nie Ihren Namen, ohne eine Art vaterländischer Andacht. Die Anwesenheit der Mad. Pauli hat mich vorzüglich so lebhaft an meinen glücklichen Aufenthalt in Hamburg erinnert, daß ich mich in einem Augenblick der Begeisterung unterstand, an den größten Dichter Deutschlands eine Elegie zu dichten, die keinen Werth haben kan, als die Herzlichkeit der Gesinnung. Ich habe sie mit einer Sammlung ähnlicher Kleinigkeiten zusammendrucken lassen, die wenigstens das merkwürdige haben, daß sie von einem Schweden in Paris deutsch gedichtet sind. Sie sind blos zum Andenken für meine besten Freunde daheim bestimmt, und ich schmeichle mir, daß der größte Dichter seines Volks, auch der schonungsvollste Beurtheiler eines Fremdlings sein wird, in dem seine Freunde so ächt deutsche Natur und Gesinnung zu bemerken glauben, daß sie ihm, insonderheit auch in Rücksicht seiner entschiedenen Vorliebe für ihre vaterländische Literatur, im Scherz bisweilen einen enragirten Germanismus vorwerfen.

Verzeihen Sie mir eine Freiheit, zu der nur allein Ihre

eble, unb wahrhaft erhabene Gutmütigkeit eine Art von Recht
giebt. Mein Herz liebt Sie ſo aufrichtig unb treu, baß es mir
blos eine Zufälligkeit ſcheint, baß uns Entfernung unb Verhält=
niſſe trennen. Ein frieblicher Bürger Jhrer Stabt, würbe ich
unſtreitig bas Glück Jhrer nähern Freunbſchaft unb Vertraulich=
keit genießen — unb ſo gönnen Sie mir einen Augenblick bie
Beruhigung, es gänzlich zu vergeſſen, baß ich Jhnen dieſe Zeilen
aus Paris am Borb einer politiſchen Galeere ſchreibe. Meine
gehorſamſten Empfehlungen an Mab. Klopſtock. Jhr
                              von Brinckmann.

213. Klopſtock an C. F. Cramer.
Hamburg, den 29ſten Juni 99.

Wenn man einen Brief anfängt, nun ſo kommt man ja
wohl auch bamit zu Enbe. Alſo angefangen! Sie meinen boch,
baß mein Brief eben nicht kurz werben ſoll. Aber ich muß ber
Buchſtaben weniger machen; ſonſt komme ich boch wohl nicht
zu Enbe. Alſo meine Ortografi, bi ich boch wirklich nicht hette
wagen ſollen, weil unſre alte, noch huſtenbe unb noch keuchenbe
boch nicht föllig ſo barbariſch iſt, wi bi franzöſiſche unb etio=
piſche. Di letzte hat 6 Zeichen zu jebem Laute, unb bi erſte
14 zu bem Laute o. — Jch näme an, Sie wiſſen noch, was
in Jrem Brife unb bem Diskur präliminär ſtet. Schon bei
Hermann unb bie Fürſten. Das nenne ich Riſenſchritte tun.
Jr küner Begleiter (ich kan ben Namen nicht läſen) wirb ja,
benke ich, auch hir mitſchreiten. Aber ir ſeib beibe fernwägne
Leute. Jr fragt nicht mer: Was wirb gefallen, ſonbern, was
ſolte gefallen? Wißt ir auch, baß ir beſpotiſcher ſeid, als je ein
König ſon Frankreich war? Diſe ſagten nur: Kar tel ä notter
pläſir! unb ir ſagt: kar tel doät etter wotter pläſir! — Die
Einleitung ins Franzöſiſche überſetzt. Merken Sie ſich hübſch,

daß Si bei Schreibung des Französischen strenger gegen sich sind, als bei des Deutschen. — Schicken Si mir bi Fortseßung der Einleitung sobald Si können, unb sehen Sie dabei nicht darauf was ich dafür bezalen mus.

Das Barbit. Ich sage Der Barbit. Tazitus sagt: barditus, nicht: barditum. Mögen doch andre: Das Barbit sagen, nur Si sollten es nicht. — Aus dem trefflichen Büchelchen von H. mögen Si ja bis unb jenes, mit Anfürung seines Ramens, in Ire Anmerkungen aufnämen. Ferbikken Si den Band der Barbite nicht durch bi Uebersezung des ganzen Buchs. Liber drei Bogen Zwischenwörtelung, mit Kommentar, als jene Korpulenz. Man muß Inen zuweilen mit solchen Wörtern circa barbara praecordia ludere. — Warum stelten Si bei der Forläsung, da Si blind sind, Iren Begleiter Bl. nicht zum Sehen hin? Run bi Mausestille, hat mir wi Inen gefallen. Di Töne der Leibenschaft übertönen allerbings ben Schal der Buchstaben; aber auch bei ben Franzosen? Den Ramen, der nach Riouffe folgt kan ich wiber nicht läsen. Befleißigen Sie sich boch ein wenig, ich sage nicht, auf Schönschreiben, sondern nur auf Läserlichkeit. Was die Zenen (ich brauche Ire Worte), bi Reuheit, bi Größe selbst vor Wirkung tat, dafür (bitte ich Si) müssen Si für mich ein par Worte haben. — Was ben großen Punkt des Komponiren unb der Aufführung betrift, das were nun freilich wol so was; aber Si köntens nicht mer zur Unzeit unternemen, als jeßt. In Ansehung der Kompofizion der prosaischen Barbengesenge, fürchte ich gar nichts, ich hoffe filmer nicht wenig fon der Reuheit, forausgeseßt daß der Komponist einige Fünkchen von Gluck habe.

Fon la Baume haben Si mir fermutlich schon etwas gesagt; aber ich erinnere mich nicht. Si stellen sich leicht vor, daß mir sein inspiré nicht mißfelt. Si sind mit der Einlei-

tung zufriedner als faft mit Allem, was Si noch bishär üb
mich gefchriben haben. Libfter Cramer, Jr herzlicher, un
geiftfoller Beifal hat mir oft Freude gemacht. Ich darf inb
nicht beurtheilen; unb kan es fileicht auch nicht. File, wiff
Si, fer file halten Si für fer parteiifch. Difer unb jener b
fogar inbäm er fich gegen bife einmal für allemal angenomme
Parteilichfeit erklärte, mich im Forbeigehen mit angegriffen, fe
mutlich, (Si wiffen, ich bin nicht argwönifch) weil är mir felb
difen, nach feiner Meinung fo offenbar parteiifchen, unb bahä
fon im getabelten Beifal nicht gönte, unb babei etwa auc
glaubte, ich möchte fileicht bie Parteilichfeit nicht fo recht ein
fehen. Dazu komt nun noch, unb bis ift keine Räbenfache, ba
Jr fo entfchibner Beifal, mit ber Zeit, auch manchem Auslende
misfallen wirb. Si wiffen, benfe ich, baß ein Franzofe (er fag
es felbft in ber Forrede) einen nicht fchmechtigen Octafban
gegen Milton fchrib, weil Abbifon gefagt hatte: „Wen i
bas Parabis kein epifches Gebicht nennen wolt, fo nent es ei
götliches." Wen ich Jnen einen Forfchlag tun bürfte (aber ic
barf, Si kennen mich, unb wärben mich richtig beurteilen) [
were es bifer: Si wälen aus ben erften (ein ebelftolzes Wor
aber ich wils gefagt haben) ben erften alten unb neuen Did
tern forzügliche unb bahär auch filen bekante Stellen unb fe
gleichen Si mit änlichen Stellen aus bäm, was ich gefchrib
habe. Si enthalten fich bei ber Fergleichung alles ausbrücklich
Lobes fon mir, aber befto beftimter laffen. Si bi Sache reber
Jre Fergleichung hat einen fcharfen Blif, unb einen Ton, welch
ben nicht lobenben Fergleicher bem feineren Ore ferret. Ai
Ueberfetzungen ber gewälten Stellen laffen Si fich gar nicht ei
Wer bas Griechifche, bas Lateinifche, bas Englifche unb be
Deutfche nicht kent, mit bäm haben Si nichts abzutun. D
nach Ueberfezungen (es müfte ben etwa hir unb ba einmal ei

zwiſchenwörtelnde ſeyn) kan hir gar nicht geurteilt werden. Si
können beina überall eine gute Gelegenheit finden, etwas kurz=
geſagtes und kurzbewiſenes Teoretiſches anzubringen und manch=
mal Urteile rechter Kenner einzuſtreuen. Beides kan bi Würze
irer ſaftigen und kreftigen Speiſe, der ſcharfblikkenden und genau
wägenden Fergleichung, wärben. Zuweilen könte etwa eine
Nachricht von Eindrükken, welche biſe oder jene Stelle gemacht
hat, auch wol ein wenig mitwürzen. Si ſen, daß ich Si auf
ein nicht kleines Feld neu zu ſein, füre. — — — Ich habe
nichts bawider daß Si einen klüglichen Gefallen an dem circa
praecordia ludere fanden, aber Ir "par de nuwos' Arminius"
war doch wirklich kein Spiel. So einen Spas verſtehe ich
nicht. Sie ſehen wol daß Si mir mit dem „angsieng Buona=
parte“ nicht zum zweitenmale kommen müſſen. — Si ſagen:
der doch auch über die Gebirge nach Rom wolte. — Wi konten
Si doch ſo fergeslich ſeyn und nicht an das erzwahre: „duo
cum faciunt idem non est idem“ benken. Ich ſchreibe nicht einer
beſondern Menſchengattung zu, was andre fileicht auch tun
konnten. Ich laſſe mich auf das können gar nicht ein; ich
rede nur ſon dem, was getan worden iſt. Fom Getanen ſage
ich in der Ode Nantes:

folfüreten größre
Mer, e ein Mondhundert entflohn war.

Ich komme zu meinem Forſchlage zurük. Das zu Ferglei=
chende mus ſich merklich änlich ſein. Aeneas und Dido's Libe
ſind mit Semida's und Cibli's nicht fergleichbar. Fileicht ſind's
die Tötungen in der Iliade, und bi Auferwekkungen im Meſ=
ſias einigermaßen. Möchten Si Horazens Lydia und das
Bündniß fergleichen? Sie ſehen ja file Frembe. Laſſen Si ſich
von dieſen gerümte Stellen aus iren Dichtern wälen. Doch
ich breche hirfon ab. Wir ſchreiben uns wol noch mer darüber.

den 30. Juni.

Ich komme noch Einmal zurück. Im Falle, daß Inen ein Frember eine Streiterin hinstelt, där Si den Sig ansen, müssen Si gleichwol den Kampf nicht fermeiden. Mag bi Irige denn ferliren.. Si wird, hoffe ich, langsam und nicht weit zurückgehen. Fileicht kan Si auch wol zuweilen einmal trösten, daß Si eine Kemferin hinstellen, für bi der aufgefoderte Fremde keine Gegnerin finden kan.   Ir   Klopstock.

Einen ser freundschaftlichen Grus an v. Brinkman. Fileicht komme ich bald einmal zu einem Brife an in. Machen Si im, wen Si äben eine glückliche Stunde der Berebsamkeit haben, einen Begrif fon meinem schrecklichen Fäler, dem Nichtschreiben.

Beilage.

(Dis sind Erinnerungen aus alten Zeiten, aber deswägen zimlich genaue, weil ich oft darüber gedacht habe. Fileicht schikke ich Inen künftig noch Aenliches, wen ich es anders aufschreiben mag.)

Gute Episoden eines Gedichz sind die, one welche zwar das Ganze ein Ganzes bleibt, bi aber doch in bis mit so filen und so festen Faden ferwäbt sind, daß der Zuhörer, wen er sich nicht gerade mit der kritischen Untersuchung bescheftigt, an das nicht denkt, was man episodisch nent.

Engel, gute lebende Menschen, Selen der Fäter, auch anderer Gestorbener, und Selen noch ungeborener Menschen, nemen im Messias an der Handlung, welche Si so nahe anget, größern und innigern Anteil, als die Zuschauer in irgend einem Gedichte, an däm, was geschit nämen können.*) Man siehet bi

---

*) Man kan sogar sagen, daß in den bekanten epischen Gedichten nicht selten mithandelnde Personen erscheinen, welche der Aufmerksamkeit weniger würdig sind, als jene blos teil nämenden.

Urſache warum bi Zuſchauer im Meſſias iren Anteil oft zeigen dürfen, oder filmer müſſen. Dazu komt noch, daß durch diſe heiße Teilname bi Handlung in ein helleres Licht konte geſetzt wärben, als dis durch andre Mittel möglich war. Der Fer= faſſer hat diſen Teil ſeines Plans frü und oft durchdacht. Wer entweder wägen ſeiner Meinungen, oder wägen Mangels an Gefülen, oder gar aus beiden Urſachen, ſich nicht an die Stelle jener Teilnämer benkt, iſt nicht im Stande hirfon mitzuurteilen.

Der Meſſias handelt leibend, das heißt, er helt Leiden, bi alle, welche wir kennen, an Größe übertreffen, mit einer Stand= haftigkeit aus, zu där Menſchen unfähig ſind. Nicht alles, was är wärend där Zeit tut, da är leibet, tut är als Leibender. Z. B. Wen är Satan von Samma entfernt; wen är jenem mit Einem Blikke Entſetzen zuſenbet. Ob är gleich bis und anbers, z. E. baß er bi Jünger tröſtet, als nicht Leibender tut, oder filmer zu thun ſcheinet, weil wir nicht wiſſen, ob und in welchem Grabe er zu gleicher Zeit gelitten habe, ſo wirb es ba= durch doch nicht epiſobiſch. Denn är handelt als bär, welcher jezo verſönt. Der Meſſias handelt auch als der Ferherlichte. Aer war nicht Erlöſer, wen är blos als Leibender handelte. Wir dürfen ben Leibenden und ben Ferherlichten ſchlechterbings nicht trennen. Denn wir weren, wi bi Religion leret, bi elen= beſten unter den Menſchen, wen wir nur an einen toten Meſ= ſias glaubten. Nichts ſon bäm, was är als der Ferherlichte tut, iſt epiſobiſch. So iſt z. E. die Auferwekkung der Heiligen keine Epiſobe, Si iſt es nicht allein an ſich, ſonbern auch bes= wägen nicht, weil bi Erſcheinungen ber Auferwekkung bei der Grunblägung ber Religion mitwirkend ſinb. Wen man bi Handlungen ausnimt, burch bi ber Ferherlichte auch das Schik= ſal anberer Welten entſcheibet, ſo gibt man ber Ferherlichung

einen kleineren Umkreis, als ſie haben barf. — Wär eine ſo
bi Epopöe gleich große Handlung und zugleich eine kent, bi b-
Herz ſo ſtark und von ſo filen Seiten bewägt, wi bi iſt, wel-
ich gewält habe, bär nenne ſi, aber er beweiſe auch bas ⊐
hauptete.

214. Klopſtock an Herder.

Hamburg den 14. Juli 179☰

Sie würden nicht wenig Briefe von mir haben, liebſ
Herder, wenn ich bie Briefe, bie ich Ihnen ſo oft in Gebank
ſchrieb, auch mit ber Feber geſchrieben hätte. Ich rebe unger
von meinem Nichtſchreiben, weil ich mir ſelbſt Vorwürfe da⊐
über mache; aber jenes Wort von ben Gebankenbriefen mußt
ich Ihnen wenigſtens ſagen. Es wird Sie balb ein ſehr würbī
ger Mann beſuchen, ber Herr von Araujo, ehemaliger Portu
gieſiſcher Geſandter in Paris, eben ber, welchen bie Franzöſiſchen
Fünſleute (ich mag nicht Männer ſagen) in den Tempel geſan
gen ſetzten und ſich eben baburch keinen Ehrentempel erbauten
Ich ſage Ihnen weiter nichts von Araujo; benn Sie werbe
balb ſelbſt ſehen, baß er verbient, von Ihnen gekannt zu wei
ben. Er liebt unſere Sprache, bie er zu lernen anfängt. Mache
Sie ihn mit dem bekannt, was Sie von meinen Oben geurthei
haben, und ſagen ihm babei, baß ich ſtolz auf Ihr geiſtvolle
und begeiſtertes Urtheil `bin. Das letzte iſt eine ausbrücklid
Bedingung, bie ich Ihnen mache, wenn Sie von Ihrem Urthe
reden wollen. Ich habe Araujo vor Ihnen gewarnt; benn wen
er zu lange bei Ihnen bleibt, ſo kommt er zu ſpät zu uns zurü
— Sie haben es ber Mühe werth gehalten über Kant ⊰
ſchreiben. Dies verleitet mich leiber wieber in bies traurī
Felb, benn ich leſe weber ben Lehrer noch bie Lehrlinge. Jaco`
wird mich balb auch verleiten; benn er ſchreibt wiber Fichte, ⊨

ja nicht mehr Lehrling sein will. Doch weg davon! Lassen Sie sich von Araujo erzählen, wie die gute Wittwe Sieveking und die gute Tochter meiner seligen Büschen meinen Geburtstag gefeiert haben. Wir waren recht froh, und ich rühme mich der froheste gewesen zu sein. Vielleicht erzählt Ihnen die Cappadoce von selbst, wie ihr mein . . . „Im Frühlingsschatten fand ich sie" gesungen hat. Sie sehen wohl, lieber Herder, daß ich wünsche, und hoffe, daß Ihr manchmal ein wenig von uns sprecht. Meinen sehr freundschaftlichen Gruß an die Mutter Ihrer Kinder. Ihr Klopstock.

P. S. Araujos Freund und Secretair ist auch ein sehr schätzbarer Mann, der viel Geschmack hat. Machen Sie Böttiger mit beiden bekannt. Da ich diesen Brief zumachen will, erfahre ich, daß Sie den König von Preußen gesprochen haben. Schrei= ben Sie mir hiervon. Dieser gerechte Regent ist, wie ich nicht ohne sehr gute Ursachen glaube, einer der ehrlichsten Männer in Deutschland. Er soll aus Bescheidenheit bei Unterredungen bei nah furchtsam sein.

215. Klopstock an Herder.

Hamburg, den 20. Juli 1799.

Araujo, von dem ich vor kurzem mit Ihnen redete, wird wohl nicht so bald zu Ihnen kommen. Denn er muß erst eine Krankheit abwarten, eh' er verreisen kann. Ich hab' schon mehr als einmal vorgehabt, Sie lieber Herder, zu einer Corre= spondenz über meine Theorie von der Darstellung (Ueber Sprache und Dichtkunst. Fragmente) in der Absicht einzuladen, um mit Ihnen dies und das wenn's nöthig sein sollte, noch mehr zu entwickeln. Sie könnten ja ein Freund von Werthing sein, durch ihn von der Unterredung gehört haben, und unter irgend einem Namen an Selmer schreiben. Diese Correspondenz würde

26*

in meinen Schriften nach dem Gespräche folgen.   Ich hof

daß ich Sie zu etwas einlade, das Ihnen angenehm sein wi

Laſſen Sie uns gewöhnlich kurze Briefe ſchreiben.   Ich r

muthe, daß Ihnen die Correſpondenz eine Erholung von

Mühwaltung ſein wird, mit der Sie Krieg gegen Hirngeſpinn

oder ſoll ich Hirngeſpenſte ſagen? geführt haben.   Warens (

ſpinnſte, ſo fegten Sie Spinnwebe weg.   Warens Geſpen

nun ſo hatten Sie es nur mit etwas Geiſterſehern zu th

als die waren, die noch vor kurzem an wirkliche Erſcheinung

Glauben forherten.   In welchen Zeiten wir doch leben!   A

ſogar eine große Nation hat die erſtunkne und erlogne Freih

erſcheinen laſſen. — Ich komme zu Ihrem geführten Kriege ;

rück. — Ich kenne ihn zwar noch nicht; aber ich habe b

einige ihrer Waffen im „Merkur" klirren gehört.   Sie hat

Schlacht geliefert; ich habe nur ſcharmützelt.   Ein einzig

Ariſtophaniſches Wort und noch ein Paar Wörtelein, bei der

ich mich anſtellte, als ob ich nur Grammatiſches unterſuc

ſchienen mir zureichend zu ſein.

Ihr Klopſtock.

216. Gräter an Klopſtock.

(1799.)

Sie zürnen doch nicht, theurer, verehrungswürdigſter :

mit einem Herzen reiner Vaterlandsliebe innig geliebter Va

wenn Sie meine Hand zum zweyten Mal erblicken?   :

wagte es nicht, Ihre geiſtigere Beſchäfftigung und den ſü

Gottesfrieden Ihrer Tage noch einmal zu ſtören, wenn ich :

es verſagen könnte, Ihnen eine, Ihrem vaterländiſchen, groß

teutſchen Herzen gewiß theure, und von Ihnen in dieſem Leb

und am wenigſten unter den gegenwärtigen Zeitumſtänden,

wiß nicht mehr erwartete Nachricht zu geben.

Karl

Liess, ach! umsonst, der Barden Kriegshorn
Tönen dem Auge. Sie liegt verkennet
In Nachtgewölben unter der Erde wo
Der Klosteröden, klaget nach uns herauf
Die farbenhelle Schrift!

so fangen Sie schon vor fünfundbreißig Jahren dem nachläſſi=
gen Teutſchen ans Herz, und jetzt hat es endlich gewirkt. Ein
Edelmann und ein edler teutſcher Mann im fernen Südpreußen
hat, aufs neue entflammt durch den alles erſchütternden Geiſt
Ihrer vaterländiſchen Feuergeſänge und beſonders durch Kaiſer
Heinrich einen Aufruf an alle Alterthumsforſcher Teutſchlands,
Frankreichs und Englands zur Entdeckung unſrer Bardenlieder
ergehen laſſen, und dem erſten Entdecker, auch nur eines Theils
derſelben, einen Preis von hundert Ducaten ausgeſetzt.
Jetzt alſo oder nie wird's gehen!

Noch zweifle ich nicht. Karls d. G. Bibliothek zu Aachen
wurde nach ſeinem Tode an die Meiſtbietenden verkauft: in
welchen fernen Winkel kann dieſe Sammlung gerathen ſeyn?
Vermodert, der Zeit halber wenigſtens, iſt auch die Handſchrift
ſicher nicht. Wenn der ſilberne Codex des Gothen Ulfilas aus
dem vierten Jahrhundert noch in Teutſchland entdeckt und nicht
vermodert war, warum ſollte dieſer aus dem Ende des
achten, nicht entdeckt werden, oder ſchon vermodert ſeyn? Und
welchen neuen Troſt, einen Troſt, der alle anderen Hoffnungs=
gründe niederwiegen würde, geben nicht Sie, verehrungswürdig=
ſter Greis, durch die abermalige Verſicherung, daß der engliſche
Geſchichtſchreiber Paris dieſe Sammlung noch mit eigenen Augen
geſehen habe. Auch das iſt ein Grund, warum ich es wage,
Ihnen zu ſchreiben; wiewohl nur der zweyte. Nach vielen ver=
geblichen Briefen, Nachforſchungen und Bitten habe ich endlich
dieſen Matthaeus Paris (denn ihn meynen Sie doch gewiß!)

erhalten. Es ist ein dicker Foliant. Von Anfang bis zu En
ihn durchzulesen, finde ich jetzt wenigstens unmöglich. Mehre
Tage und Nächte habe ich aber schon mit der innigsten Begier
und mit Aufsuchung aller entfernten Möglichkeiten gesessen u
etwas ähnliches zwar, aber di e ß noch nicht gefunden. O the
rer, unendlich theurer, großer, unerreichbarer, unserm teutsch
Vaterlande, so lang ihm eine Aug' offen steht, Unvergeßlich
Einziger! ich bitte Sie, helfen Sie — Sagen Sie mir, wo d
Stelle steht, oder wo Sie die Nachricht gefunden haben?
bitte Sie, ich beschwöre Sie bey den Geistern unsers Vaterlan
— Doch warum das Sie, Erster aller Teutschen! nein b
thun Sie gewiß gern und bald. Und hätte sie Paris an d
äußersten Spitze von England gesehen, ich will hinschreiben
und alles, alles aufbieten, was meine Kraft vermag. Wär i
ein reicher Mann, ich setzte noch hundert Dukaten hinzu, oder i
reiste selbst, und ließe alles Glück der Erde hinter mir. Es muß he
aus. Und wenn Berge zu durchgraben wären! Und noch ehe t
Sonne Ihres Lebens sich neigt (o möge diese, die wohlthätigste un
allen für uns und die Nachwelt, doch ihren längsten Mensche
kreis beschreiben!) ehe diese sich neigt, ehe Sie die Seeligk
Ihres Herzens (wohnte sie in diesem göttlichsten aller mens
lichen nicht, sie würde in keinem wohnen) mit der Seeligkeit t
Himmels und des Wiedersehens der Herrlichsten, und von t
Herrlichsten mit wundem Herzen ersehntesten Friedens vert
schen, sollen Sie noch die, und wie ich wünsche, frohe Gewißh
des Ausgangs unserer Hoffnungen haben. Und nun noch ei
Ich unterliege meinem Dank, ich kann nicht schweigen.
zitterte ich schon als ein Jüngling von 15 Jahren Ihrem gro
teutschen Herzen entgegen! und nun mit dreißig! O nein,
Empfindung versiegt nicht, stärker wird sie vielmehr, schwillt
wie ein Strom, der durchreißt, ich kann nicht mehr schweige

und doch auch sagen nichts. Die neuen Oden hab' ich vor
mir. Nicht in den Ocean des Weltenalls will ich mich stürzen!
Jede einzige ergreift alle Adern meines Geistes und Herzens! O theurer Vater Klopstock! Verschmähen Sie doch diesen zärtlichen Dank und diese feurige teutsche Thräne nicht!
Verschmähen Sie nicht! Hier kann ich Ihnen nicht mehr in
die Arme fallen! Dort, dort werd' ich es einst gewiß, Herr-
lichster, Bester, Größter der Menschen! Ich kann nicht mehr.
Ewig, ewig   Ihr Gräter.

217. Klopstock an Gräter.

Hamburg den 20. Juli 99.

Ich erinnere mich, liebster Hr. Gräter, (so nenne ich
Sie von ganzem Herzen), aber wie ich hinzusetzen muß, nicht
mit Gewißheit, daß ich die Nachricht von Mathäus Paris
in der Vorrede zu einen Angelsächsischen Wörterbuche gefunden
habe. Es sind vermuthlich Lieder von Wittekinds Barden, die
Karl der Gr. hat aufschreiben lassen. Wären's frühere, so würden sie wohl nicht kurze Zeit falsch erklärt werden. Ihre Begierde zu finden gefällt mir nicht wenig. Viel Glück auf den
dornichten Weg des Suchens!

Ich habe Stellen in Ihrem zu freundschaftlichen Briefe gefunden, die mich zu einer Bitte an Sie veranlassen, die ich vielleicht nicht zwei andern gethan habe. Sie ist: Geben Sie
mir Nachricht von moralischen Einflüssen, die nach Ihrer Bemerkung meine Schriften, besonders der Messias gehabt haben.
Dieß ist mir vor allem andern Beifall wichtig. Nur Spröß-
linge von dieser Palme sind mir mehr werth, als andere auch
große Palmenzweige; und insofern von Erweckung vaterländischer Gesinnungen die Rede ist, Ein Eichenblatt mehr, als

Eichenkränze, die man nur dem Dichter, giebt.   Daß ich
dieſe Bitte an Sie thue, muß Ihnen, und wird Ihnen ein ſtar=
ker Beweis ſeyn, daß ich ſehr entfernt davon bin, Ihre feurige
deutſche Thräne zu verſchmähen.   Ich umarme Sie von gan=
zem Herzen.   Der Ihrige Klopſtock.

218. Klopſtock an Villers.

Hamburg den 19. Oct. 99.

Hr. Klopstock an Hr. Villers.

Ich habe nun Ihre Uebersetzung in dem Sp. d. N. gelesen.
Es wäre überhaupt gut gewesen, wenn Sie sich nach der neuesten
Ausgabe des Messias gerichtet hätten, besonders aber auch deswegen, weil Sie für Delille arbeiteten.   Sie gestehen zu, dass
der treue Uebersetzer weder geben noch nehmen darf.   In: une
des tours de roc, qui . . . d'appui — haben Sie mir nicht wenig
gegeben.   Ein thürmender Fels heisst einer, der sich wie ein
Thurm erhebt.   Nach: remplit d'effroi, hätten Sie mir: Abdiel,
mein Bruder . . . nicht nehmen sollen. — Du im Olympus,
heisst: Du, der im Olympus wohnt.   In der Ausgabe von 1780
(dieses ist die vorletzte) steht: Du auf dem Throne!   Doch
diess mag genug seyn, um Ihnen zu zeigen, dass ich wünschen
kan, die Fortsetzung, vor dem Drucke, zu sehn.   Doch ich wünsche
noch mehr, nämlich, dass Sie sich dabei wenigstens nach der
Ausgabe 1780 richten. — Es wäre allerdings schmeichelhaft
für mich gewesen, wenn Delille seinen Vorsatz ausgeführt hätte.
Aber in dem Falle, dass er es mit mir, wie mit Virgilen, gemacht
hätte, tröste ich mich doch auch.   Denn traducteur von jenem
ist er gewiss nicht, sondern er ist bald diess, und bald imitateur.
Er hat wie Janus, zwey Gesichter; und ich weiss nicht, wie
mir, in Beziehung auf Abbadona, das eine Janusgesicht, nämlich
das des imitateur würde gefallen haben.   Bei dem des traducteur

würde ich weniger streng gewesen seyn. Denn es ist einmal ausgemacht, dass die übersetzenden Franzosen sich aus dem tiefen Abgrunde ihrer Formlosigkeit nicht herausarbeiten können.

P. S. Noch ein Wort von der Uebersetzung. Wagenburg durften sie nicht durch la forteresse des chars ausdrücken, eben so wenig als ich im Deutschen die Festung der Wagen sagen durfte. Es scheint, dass Sie den Ton nicht kennen, den unsre im griechischen Geschmacke zusammengesetzten Wörter haben.

219. Klopstock an C. F. Cramer.

Hamburg den 20sten Oct. 99.

Ich habe nun ben ganzen französischen Hermann (nur bie Anmerkungen noch nicht) bekommen. Ich bin überhaupt sehr bamit zufrieden. Ich habe nur weniges barüber zu bemerken; und das thue ich vielleicht noch in biesem Briefe. Sie haben einen sehr treuen Gehülfen gehabt, und das im boppelten Verstande des Wortes; er ist bem Originale treu gewesen, und hat Ihnen treu beigestanden. Meinen besten Dank an ihn! Ja wenn bie Nebenbegriffe nur in ben Weg tracten, so ginge es noch an: aber sie fliegen in ben Weg. Was wollen Sie aber? Diese obscoenae volucres sinb ja auch im Deutschen furchtbar.

> alarum verbera nosco

Letalemque sonum.

Ein einziges Wort, bem sie ankleben (bie Franzosen haben nur solcher Kletten mehr als wir), kann einer schönen Stelle letal werden.

Haben Sie es bemerkt, baß bie Täuschung fürs Auge in ben Barbengesängen auch ein wenig Wirkung auf bas Ohr gehabt hat? Viele von biesen Versen haben für mich eine merklich bessere Bewegung als bie alexanbrinischen. Aber Alexanber

war ja auch kein Grieche, sondern ein Mazedonier, ein Barbar.
— Ich bitte den blos umherforschenden Müssiggänger um Nach=
richten von seiner Horcherey. Der Horcher muß aber auch Fal=
kenaugen haben. Er muß sehen können, was die Redenden
wirklich meinen.

Sie sollen weder vom Hermann, noch vom Messias irgend
etwas Interlineares herausgeben; ich will nicht, daß Sie sich
diese Kosten machen. Aber wenn Sie etwa mit der Zeit meine
Ueberseßungen aus den Alten (Originale und Dollmetschung in=
terlinear) herausgeben möchten, so würde das für mich ein
wirklicher Leckerbissen sein. Ich sagte mit der Zeit. Sie
sehen, daß mir auch hier Ihre Kosten in Betrachtung kommen.
— Hat man denn nicht seit jeher mehr und weniger ver=
gleichbare Dinge verglichen? Ich meine hauptsächlich Ver=
gleichung von Stellen aus dem Messias, wobey ich gar nicht
leugne, daß auch Plan, Charakterbehandlung, Erfindungen, ss.
auch zur Sache gehören. Welch ein reiches Feld voll Mannich=
faltigkeit haben Sie vor sich. Aber Sie müssen viel öfter an=
deuten als auseinanderseßen. Wenn Sie das leßte oft
thun, so gerathen Sie auf einen Ozean, auf dem Sie unter=
gehen können. Sind Ihnen denn Andeutungen, Winke von
keinem Werthe? Sie sind ja gerade das Leckerste für den Leser;
und müßtens daher auch für den Schreiber sein. Originale
nicht mit Originalen! Warum denn nicht? Das forbert
ja gerade den meisten Scharfsinn. Und ist denn diese Forde=
rung ohne Reiz? Was Sie von der Neuheit sagen, gehört
nicht zur Sache. — Sie wissen, auf welche Stellen Ihres Brie=
fes sich folgendes bezieht: Sie sind nicht mehr auf ihren Sieg
über Karthago stolz. (Diese Besiegung war der höchste Stolz
der Römer.) — Wo die Lanze ist, da ist ja auch der Römer
mit Helme und Schilde. Oder wenn Sie sich nur die Lanze

denken wollen; ist es denn nicht beynah Sprichwort, daß der gute Jäger das Ohr des Rehes im Busche sieht?

d., 21. October.

Ich wurde gestern hier unterbrochen.

Bemerkungen über die Uebersetzung. Nicht plaine, sondern vallée wie im Deutschen, so mußte es nothwendig heißen. Aber ich verzeihe euch beiden Unwissenden das. Ihr seyd keine Soldaten. Ebert fragte den Herzog von Braunschweig (zu der Zeit, da er das noch war) wie ihm Hermanns Schlacht als Soldaten gefiele? Er hätte sie, sagte er, nicht besser schlagen können. Wie würde er über den Druckfehler gelacht haben, wenn er vorn gefunden hätte: an der Pläne. Herman de face. H. sagt von drüben her! Die Katten stehen den Cheruskern gegenüber in dem Walde. (Ihr Idioten!!) über das falsche vis-à-vis brauche ich doch wohl nun nichts zu sagen. Prince de Cheruska wäre besser. Surement arretés. Sie halten länger Stand. Dies ist ja ganz etwas anders. La prise du. Sie nehmen den Adler und nicht den Adlerträger. Le monceau blanc de la dernière Legion. Müßte monceau nicht in der Mehrheit stehen? In das schmälere Thal. Das Beywort durfte nicht wegbleiben. De leur tactique. dies Wort ist viel zu gelehrt für Siegmar. Der Knabe sagt: Streite wie Woban H. B. — doch ich will aufhören so genau hinzusehen. Sie werden, ohne mich, ähnliche Bemerkungen errathen!

Trocknet die Wunden. — Nach der Aenderung singen Barden. l'on a fait. die Cherusker warens ja. Vous seriez. sind ja wieder die Cherusker. L'affaire ist ein trauriges Wort, da von dieser Schlacht die Rede ist. Nord altier der hohe Nord heißt der am weitesten entfernte, und daher sehr starke, rauhe. Profané nos bocages. Dies steht ja nicht im Deutschen. Ich hätte, wenn ich hier diesen Begriff für nöthig gehalten

hätte, Haine geſagt. Warum werde ich denn hier ohne Noth
erinnert, daß der franzöſiſchen Sprache das Wort Hain fehlt?
So fehlt ihr auch, wenn man den Meſſias überſetzt, das Wort
Poſaune. Ihnen fallen gewiß Stellen aus dem Meſſias ein,
wo dieſe Dürftigkeit noch ſchlimmer iſt. Leurs lances — à mepriser.
Ich würde äußerſt proſaiſch geweſen ſein, wenn ich: ſind nicht
zu verachten geſagt hätte. — meurtriers de tes enfans?
têtes immortelles? hauts rochers? Mugisse darf, denke
ich, ſchlechterdings nicht von dem Schilde geſagt werden. tes
saints autels? fracas du tonnerre. Sie wiſſen, daß ich geän=
dert habe: Wie das Weltmeer an dem Felſengeſtade. Dieſer
Geſang iſt gleichwohl ſehr gut überſetzt. Bitten Sie Ihren ge=
treuen Gehülfen, daß er mir, wenn er einmal Laune dazu hat,
die Sylbenzeit dieſes Geſanges bezeichne. Es iſt genug, wenn
es die langen Sylben werden. D'ici, d'ici nämlich von 'Deutſch=
land, wo die Mütter und Säuglinge umgekommen waren. Sur
la rive fatale gehört alſo gar nicht hieher. Kann man ſagen:
que le Capitole siege? — Usurpateurs? Warum nicht des Tirans?
Dieſe Strophen ſind vortrefflich überſetzt. Die franzöſiſche
Sprache iſt eine edle Sprache. Wenn ſie ſich doch gewiſſe Bey=
wörter und Redensarten und gewiſſe ängſtliche Umſchreibungen
abgewöhnen wollte. la flamme auguste. la flamme élévée.
— Trois des mes victimes sont Romains. (Ich komme zu Seite
28 zurück.) Warum nicht: Déesses Dires, Alecton Furie? —
Erleben durch contempler? — Son tonnerre a crevé de toute part.
Ich ſehe, daß hier die gemachte Aenderung wieder nicht über=
ſetzt iſt. Ich werde nun viel Geſänge (für diesmal) übergehen.
Seite 88 lang wie die junge Tanne war ſein geſtrecktes Roß.
Iſt das durch: son coursier . . . richtig überſetzt. S. 111.
Sans melange? Loin de cette pureté? S. 129. Bien grand —
dies ſagt Thusnelde. inutile 136. S'hazarde à me. Es

kommt ja alles darauf an zu sagen, daß er nur spricht. Bei
der Deklamation muß spricht einen verachtenden Ton haben.
(Sie wissen, Cramer, daß wir gern mit einander von der
Deklamazion reden. Hier also etwas für Sie!

Das Entscheidende.

Wenn ich die schöne Sprechung hier nenne, so mein ich nicht jene,
Die durch erhebenden Ton, künstelnden, Schmeichlerinn ist.
Oberrichterinn ist des Gedichts die Sprechung! Was ihr nicht
Ganz sie selber zu seyn, mächtiger Reiz ist, vergeht.)

S. 141. Kriegslied nouvelle guerriere? S. 162. Dans
le clair r. Ich bin hier in Zweifel. Il plongea — Er war
so hingerissen, daß er den P. nicht mehr halten konnte, und ihn
hinsinken ließ. S. 164. dort hingegangen bin (zum Vater
nämlich.) Brenno. Nein, dort (zu den Todten nämlich) sollst du
noch nicht hingehn. S. 166. Celle-ci le peut aussi. S. 180. Les
Cherusques ont vu — ils ont assisté! Sie sind ebenso glücklich
gewesen, als ob sie gesehen hätten die Göttin, im — — —
Alors j'assisterai au char — — — dann, wenn ich für das Va=
terland sterbe, werde ich ebenso glücklich seyn, als ob ich — — —
Hermann sagte ja auch gleich darauf zu Thusnelbe: Dazu hat
mich meine Mutter geboren. Dazu, daß er Hertha im Bade
der einsamen See sehen sollte, konnte die Mutter ihn ja nicht
geboren haben. Diese Strophen sind sehr gut übersetzt; und
ich denke mir französische Leser, welche die Barden und Hermann
nicht falsch verstehen.

Sie sehen, Cramer, wie sehr ich meiner genauen, gewiß
nicht zu strengen Anmerkungen ungeachtet mit der Uebersetzung
zufrieden bin. Aber nun soll sie, nach einer Einleitung, die so
vielen Beyfall gibt, vor den Franzosen erscheinen. Dies be=
wölkt mein Vergnügen. Liebster Cramer, Sie kennen die Men=

schen noch nicht. Wenn Sie auch etwas weniger hätten erwar=
ten laffen, so würde ich gleichwohl zu fürchten haben.   Man
vergleicht das Empfangene mit dem Versprochenen, und ist bey
der Vergleichung streng.   (Von denen, welche dabei ungerecht
find, rede ich nicht einmal.)   Was ich von der Bewölkung mei=
nes Vergnügens sagte, ist indeß weit entfernt, ein Vorwurf
seyn zu sollen.   Ich verkenne Ihre Freundschaft so wenig, als
ich Ihren Scharffinn verkenne, mit dem Sie sich fast immer auf
der schlüpfrigen Bahn erhalten haben.

Ihr Klopstock.

Beim Blättern finde ich noch S. 146: Après en avoir
tiré — — — — Im Deutschen steht: Nachdem er einigemal
Lose zurückgeworfen und andre — — — — Er hatte Todeslose
herausgezogen, und diese warf er zurück.   S. 147. Von rien
décidé bis nous avons fait?   Dies hatte ich ja ausgestrichen.
Pudibondes scheint mir ein gutes Wort zu sein; aber ist es dies
auch hier?   S. 153.   Dans le bocage — tremblantes. — Im
Deutschen steht: u. dämmrende Schatten — zitterten nur im
wehenden Haine.   S. 156.   passetems de la chásse?   Würde
ich wohl eine Sylbe von der Jagd gesagt haben, wenn ich
Zeitvertreib hätte brauchen müffen?

d. 22. Oct.

Sie sehen, Cr., daß mir Ihre Ueberfetzung lieb ist, weil ich
mich so umständlich mit ihr beschäftige.   Leben Sie recht wohl
und halten sich, so viel möglich im Thale auf.   Meine wärm=
sten Grüße an Reinhards und Brinkmann.   Nun finde
ich endlich den leserlichen Namen Blanvillain.   Einen recht
dankbaren Gruß an ihn.   Ich sehe jetzt einen sehr verdienstvol=
len Franzosen, der mir und andern aus meinen Oden (aus dem
Original nämlich) sehr gut vorliest.   Er macht mir das Ver=
gnügen, Funk zu heißen.   Diefes find uns beyden liebe

Erinnerungen. Ich schwatze ja wie Nestor. Sie sehen wohl, daß ich alt werde.

220. Villers an Klopstock.

Lübeck, 1. Nov. 99.

J'ai reçu avec reconnaissance et vénération les observations que Monsieur K l o p s t o c k a bien voulu me faire sur la version de l'épisode d'A b b a d o n a. Il est vrai que je n'ai eu sous les yeux pour la faire que l'édition du Messie de 1776, 4 vol. 8⁰. — J'ignorais même que cet Episode eut subi des changemens dans les éditions subséquentes.

J'ai bien su que t h ü r m e n d e n F e l s signifiait un r o c h e r r e s s e m b l a n t à u n e t o u r, mais l'adjectif t h ü r m e n d e n ne pouvant se rendre en français par un seul mot, et toute péri- phrase étant dans ce cas trop trainante, j'ai sacrifié à la vivacité de l'expression en mettant u n e t o u r d e r o c — Je sens bien que j'ai gâté la chose en y a j o u t a n t.

Quant au r e t r a n c h e m e n t d'A b d i e l, mon frère . . . . je ne puis comprendre pourquoi il a lieu dans l'imprimé, cette touchante exclamation se trouvant en effet sur mon manuscrit que je viens de consulter — Peut-être faut-il attribuer cette sup- pression au rédacteur du journal — il est coutumier du fait.

Au passage : D u i m O l y m p u s, j'avoue que j'ai fait un contre-sens. — Si j'avais le bonheur, comme M. de T r e s n e, de travailler sous les yeux du chantre du M e s s i e, ces fautes se répareraient facilement — au reste la traduction de M. de T r., dont je sais que l'auteur même du poëme rendait un témoignage honorable, m'empêcherait d'en travailler une complette. — Ce n'est que par occasion et pour l'abbée D e l i l l e que j'ai osé faire, tout à la hâte, celle de l'Episode d'A b b a d o n a.

Je sais que le Grecs avaient dans leur langue l'avantage

immense de la composition des mots — je sais aussi que l'allemand partice beaucoup à cet avantage, et se prête en conséquence
à des contre-épreuves trés fidelles des mots grecs com-
posés — mais l'inflexible français sy sefose. J'ai retourné
longtemps Wagenburg dans ma tête, j'ai vû que je ne pou-
vais le rendre exactement — je me suis contenté d'un fautif
à-peu-prés.

Je conviens de bonne foi de l'infidélité de presque tous les
traducteurs français — ils francisent l'esprit de tous les ouvrages étrangers qu'ils traduisent. — Cela vient 1. de l'excessive
(et peut-être fausse) délicatesse de leur langue. — 2. de l'imperfection de leur prosodie et versification. — 3. de l'ignorance
absolue de la nation touchant le véritable caractére de l'antiquité,
et des autres peuples mêmes contemporains. — 4. de la fausse
idée reçue généralement parmi les littérateurs français: qu'il faut
(sans restriction) en traduisant un ouvrage écrire comme si
l'auteur lui-même eut écrit en francais et vécu de nos jours. —
De cette sorte, ils ont de jolis ouvrages qu'ils apellent l'Iliade,
l'Enéide, les odes d'Horace, et qui ne sont que des bour-
geois de Paris, comme dit Boileau dans son Dialogue des
Heros de Roman -- je n'ai pas craint de m'expliquer là des-
sus dans le cahier du Spect. d. n. qui doit paraitre aujourd'hui
au jour. — Les français crient à la profanation quand
on leur dit de ces vérités — mais je me suis mis à l'ombre
du nom de Monsieur Klopstock. — J'ai l'honneur de Lui
réitérer l'expression de ma reconnaissance et de ma profonde
vénération.

                                        Villers.

M. et Mad. Rodde ont été trés sensibles au bon souvenir
de Monsieur Klopstock.   Je prens la liberté d'offrir mes hom-
mages à Madame, et à Mademoiselle sa fille.

221. Klopstock an Herder.

Hamburg den 13. November 1799.

Ich weiß nicht, liebster Herder, ob Sie in „Diogenes' La=
terne, Leipzig 99" schon geblättert haben.   Ist es noch nicht
geschehen, so bitte ich Sie, es jetzt zu thun und Seite 255 —
57 zu lesen.   Der Verleger, den ich nicht kenne, hat mir ver=
muthlich auf Veranlassung des Verfassers, das Buch zugeschickt.
Mich däucht, daß ich mir unter den Lesern des „Messias" und
der „Oden" eine nicht zu kleine Zahl denken darf, die solche
Beschuldigungen ungegründet finden werden, weil ihnen folgende
Oden des zweiten Bandes: „An Freund und Feind," „Delphi"
„Und ach des Glaubens?"), „Morgengesang am Schöpfungs=
feste," „Psalm," nicht unbekannt sind.   Diese werden auch die=
jenigen Veränderungen in der neuesten Ausgabe des „Messias"
nicht übersehen, welche bloß in Beziehung auf die Religion ge=
macht sind.   (Ich fing meine Veränderungen 1793 an, endigte
sie kurz vor der Abschickung des Manuscripts.)   Die Vorstellung
von solchen Männern ist die Ursache, warum ich glaube, daß es
nicht nöthig sei, mich mit dem ungenannten Beschuldiger einzu=
lassen.   Ich vermuthe, daß Sie ebenso denken.   Ist dies nicht,
so sagen Sie mir Ihre Gründe.   Daß der Ungenannte bei sei=
nem Angriffe sehr in Leidenschaft gewesen sei, zeigt er besonders
durch die Uebereilung, daß er meint, ich hätte Bahrdts Ueber=
setzung des neuen Testaments schon vor dem Entwurfe zum
„Messias" lesen können.   Es sind beinah 60 Jahre, daß ich
diesen Entwurf zu machen anfing.   Der Ungenannte ist einer
von den Leuten, die von der Krankheit, andre nach sich zu be=
urtheilen, nie genesen.   Wenn mich dieser Kranke kennte, so
wüßte er, daß ein so unreifes Wesen, wie Bahrdt war, nie
irgend einen Einfluß auf mich, selbst nicht auf den Jüngling
haben konnte.   Zu den Zeiten, in welche der Ungenannte

Bahrdts neues Testament versetzt, studirte ich die von Robert
Boyle gestifteten Reden. — Ganz andre Männer als jener beinah Caspar Bahrdt haben nie Einfluß bis zur Festsetzung
irgend einer wichtigen Sache auf mich gehabt. Wenn man ohne
strenge Untersuchung annimmt, was andre meinen, so erlaubt
man ihnen eine furchtbare Herrschaft über sich. Ich habe nie
andre in irgend einer Sache beherrschen wollen: aber andre
(Dank dir noch einmal mein Genius!) haben mich auch nie
beherrscht.   Es gehört mit zu den kleineren Genüssen meines
Lebens, daß, wenn ich sah, daß man glaubte, man beherrschte
mich, ich einsilbig wurde, und bei mir lächelte.   Die Beherr-
schung scheiterte dann bis zur Zertrümmerung des Schiffleins.
Aber ach, lieber Herder, einmal habe ich denn doch das schreckliche Joch getragen. Ich ließ mich durch die Franzosen verleiten,
zu glauben, sie würden durch eine so heilige Freiheit, daß zu
ihren Grundgesetzen sogar das der Nichteroberung gehörte, bessere
Menschen werden, als ich sie aus der Geschichte kannte. Welch
ein Joch! Denn es ist unwiderleglich ausgemacht, daß sie Teufel geworden sind. So oft ich dies wieder denke, und ich kann
es nie anders als sehr lebhaft denken, habe ich Erholung
nöthig. Ich will jetzt sehen, ob mirs eine wird, wenn ich Ihnen
ein paar Epigramme für ihr Pult oder für ihre „Aurora" abschreibe.

Abends.

Ich wünschte, ein paar Worte von Ihnen über Araujo zu
hören, auch über die Cappaboce, und den Secretair.   Wenn
Araujo von Dresden wieder zu Ihnen kommt, so wird
er gewiß wortbrüchig, und kommt dann sehr spät zu uns
zurück.

222. Klopſtock an Herder.
Hamburg, den 27. Novbr. 1799.

Sie ſind entweder ſehr beſchäftigt, lieber Herder, oder die
Beantwortung deſſen, worüber ich Sie um ihre Meinung bat,
hat mehr Schwierigkeiten für Sie, als ich mir vorſtelle. Iſt
das letzte, ſo ſagen Sie mir nur in ein paar Worten, daß es
ſo ſei, und antworten mir dann, wenn Sie können.

Es fällt mir jetzt etwas wieder ein, worüber ich Ihnen
ſchon mehr als einmal habe ſchreiben wollen. Haben Sie geleſen, was Göthe über die Farben gegen Newton geſchrieben;
und haben Sie, was vor ziemlicher Zeit Marat, da er noch
nicht raſend war, über eben dieſe Sache (mich däucht im „Merkur“) und auch gegen Newton! Wenn Sie haben, ſo können
Sie mir vermuthlich ſagen, was Göthe von Marat genommen hat. Denn er iſt (vielleicht nur zu Zeiten) ein gewaltiger
Nehmer. So hielt er es mit dem Leben, das Götze z. B. von
ſich ſelbſt geſchrieben hat. „Götze“ war ſeit ziemlich langer Zeit
das erſte deutſche Schauſpiel, das ich ganz durchlas. Hätte ich
damals jene Lebensbeſchreibung gekannt, ſo hätte ich es zwar
auch ganz geleſen, aber vornehmlich uni zu vergleichen. Es
kommen in Götzen, dem Schauſpiele, auch andere Perſonen vor,
die gewöhnlich nicht ſo ſprechen wie ſie in den damaligen Zeiten
hätten ſprechen ſollen, aber hier gängelte auch die Lebensbeſchreibung Goethen nicht.

Böttiger hat mir, ſchon vor ziemlicher Zeit, geſchrieben,
daß er mit umgehender Poſt einen vom Bedienten unterſchlage-
nen Brief, ſo viel er ſich von dem Inhalte erinnerte, das zweitemal ſchreiben wollte. Dieſen Brief habe ich noch nicht. Fragen Sie ihn doch darnach. Einigen der überſchickten Epigramme
fehlen die Aufſchriften, die ich weder damals hatte, noch jetzt
habe. Hier noch ein paar:

27*

Jene Natürlichkeit, die gekannte Gedanken verschönert,
  Hat des Reizes noch mehr, wenn ihr mit großen sie hört.
Schwestern sind die Grazien zwar, doch nur ähnliche Schwestern,
  Gleiche nicht. Eine durchdringt; eine berührt nur das Herz.

Weiland griff man aus Gallischen Lusttheorien die Künste:
  Der da greifet sie heuer aus neuscholastischem Uebel.

Ich umarme sie von Herzen, lieber Herder. Ich habe nur
eben noch Zeit, den Brief zuzumachen.

                    Der Ihrige   Klopstock.

223. Herder an Klopstock.

                              Weimar den 5. Dec. 1799.

Der Diogenes mit der Laterne, liebster Klopstock, ist
salva venia der Herr Doctor Jenisch zu Berlin, der bekannte
Finkenritter, der mit dem berühmten Dichter Reinhard in Göt=
tingen peto verfälschter Briefe bereits den langen schändlichen
oder vielmehr lächerlichen Proceß gehabt hat und jetzt, wie man
sagt, wegen des dem Diogenes (S. 374.) mitgegebenen Pas=
quills über Mendelsohns Tochter einen andern haben wird;
folglich keines Andenkens werth. Ich habe diesen Prediger
vor einigen Jahren in meinem Hause kennen lernen müssen, und
er ward den kleinsten der Gesellschaft lächerlich, der größte und
unbedachtsamste Schwätzer, den ich während meines leibigen
Lebens kennen gelernt habe, dem Sprechen und Schreiben eine
gesunde Diarrhöe ist. Er reiste damals nach Wien, um vom
kaiserlichen Hofrath von Jenisch eine Anverwandtschaft von
Adel und seinem Vermögen zu erfragen, die ihm wahrscheinlich
nicht gelungen ist, und hatte eben über Goethens Meister
eine Abhandlung für die Judengesellschaft geschrieben, in der,
gedruckt, behauptet wird, daß

  „da von Theologen, Dichtern und Philosophen die mensch=

liche Natur gar nicht verstanden und mit lauter Lügen
überdeckt sei, sie in Wilhelm Meister zuerst, lauter, klar
und rein erscheine"

weshalb man ihm als einem Prediger rieth, einen Jahrgang
Predigten darüber zu verfassen, und vorzüglich die Philine als
das reinste Exemplar der Menschheit zu behandeln; welches er
sich denn auch gefallen ließ.

Ueber Ihre Oden, Bester, hat der Schwätzer nach seiner
Meinung günstig urtheilen wollen, und das Lob der Menschlichkeit sollte ihm das höhere Lob seyn. Nur weil die Feder,
und weder Kopf noch Herz schrieb, lief das Ding schief und er
mischte Albernes unter. Der Barthianismus wollte sagen: es sei
Schade, daß Sie zu Ihrer (Zeit) nicht Barths N. T. schon hätten
lesen können; so würde Ihr Messias ein ander Ding worden seyn.
An der anderen Vorstellungsart sei der alte Luther Schuld,
welches er denn wieder in ein sauersüß Compliment verwandelt
hat. Kurz, der Mensch ist keines Andenkens, geschweige einer
Erwähnung werth; er ist auch Dichter der Borussias, des
großen Heldengedichts in zwei Octav-Bänden, das Niemand
gelesen hat als der Verfasser. Daß es mit der Anzeige Ihrer
Oden wohlgemeint gewesen, beweiset auch der Umstand, daß
man Ihnen den Diogenes zugeschickt hat. Also lasse man die
Thoren laufen.

Statt solches Gewäsches freue ich mich auf Ihren Messias
und muß Sie, liebster Klopstock, an eine alte Schuld erinnern.
Aus freien Stücken versprachen Sie mir bei unserm Abschiede
an der Thür die damals herausgekommene Ausgabe in der ge-
wohnten Orthographie. Die habe ich nicht erhalten und so ist
eine Lücke Ihrer Ausgaben, von der ersten Meierschen bis zu
der, die jetzt erscheint, und mir zu dieser nothwendig ist, ent-

standen. Ist Ihnen ein Exemplar zur Hand, so machen Sie
mir eine große Freude; wo nicht, werde ichs doch finden.

Für Ihre Epigramme tausend, tausend Dank; ein schöner
Schmuck ins Haar und auf die Brust der Aurora. Sie wird
ein Jahr später erscheinen. Denn die Nacht hat sich verlängert,
als ob ein neuer Herkules zur Geburt der Zeiten im Werke
wäre. Exspectemus.

Ihre einst gehabte Wahnhoffnung darf Sie, wie ich glaube,
nur als Freund und Vertheidiger der Menschheit schmerzen;
und da schmerzt sie Jeden bitter, der hoffte. Die Hoffnung
selbst ist aber — das Letzte, was in der Büchse der Pandora
blieb, und was uns bleiben muß nach allem was hinausflieget.
— Wie Einer ist, so thut er; mehr kann er nicht; so auch die
Franzosen. Von jeher aber sind sie ein — obwohl den Nationen äußerst lästiges Ferment gewesen; sie werden es bleiben.

Caveamus a Gallis; das Hahnengeschrei kreischt, aber es
weckt auch, wenn gleich auf die unangenehmste Weise.

Araujo verdient alle Ihr Lob. Ich fand mich mit ihm
in den ersten Minuten und gewann ihn jedesmal lieber.

Eigentlich aber habe ich ihn wenig gehabt, weil ihn der
Hof hatte; da sehen wir uns wohl, aber wie man sich bei Hofe
siehet. Es ist ein Mann von einer seltenen Zusammenfassung
von Eigenschaften, und Ihnen herzlich ergeben. Die Cappadoz
hat hier, wie ich höre, Beifall gefunden; mir gefiel sie, so weit
ich sie kennen lernte, sehr. Der Secretair hat eine bewundrungs-
würdige, innige Kenntniß unserer Sprache. Einige Ihrer
Oden legte ich ihm vor, und ich möchte 100 Deutsche gegen
Einen aufforbern, der sie gleich ihm verstünde, verstünde nämlich im rechten Sinne des Wortes. Sogar mit einigen Minne-
singern machte ich die Probe; er verstand sie ziemlich — Seltne
Menschen! Ich glaube aber schwerlich, daß sie wiederkommen

werden; wenigstens habe ich seit der Abreise (ich war damals verreist) nichts gehöret. Sie begreifen leicht, was hier uns äußerst drücke und genire.

Ueber Goethens optische Beiträge ein Andermal. Jetzt noch eine gehorsamste, ergebenste, oder vielmehr herzliche Bitte an Madame Klopstock: die unendliche Güte zu haben und mir „die Gluckischen Compositionen Ihrer Oden, Gesänge und Chöre ıc. abschreiben zu laffen, die Sie besitzen."

Nur zum Gebrauch meines Hauses, das ganz musikalisch, wenn nicht durch That, so durch Willen und Liebe ist. Ich bitte, bitte die holde, gefällige Frau sehr. Nur an meinen Sohn bei Janssen dürfte das Geschriebene geschickt werden, er wird die Auslage wie die Uebersendung besorgen. Und nun Liebe, Gruß, Friede, Heil und Segen zu Ihnen. Wir denken Ihrer mit Herz und Seele.

Böttiger werde ich an seine Schuld erinnern; er ist der ε ολυπραγματικωτατος aller Gelehrten.

Vale et ama

Herder.

224. Friedrich Leopold Graf von Stolberg an Klopstock.

Münster, den 30. Dec. 1800.

Ein Franzose, den ich im Hause habe, sagte mir neulich, er habe einen Bruder in Jena, welcher den Messias in Latein übersetze. Sie können sich vorstellen, liebster Klopstock, wie mich das interessirte. Ich bat ihn daher mir sobald als möglich eine Probe davon zu verschaffen, damit ich solche sogleich Ihnen senden könnte. Hier ist eine. Der Mann heißt Hanquet, und ist Professor in der Picardie gewesen. Er meint durch Schütz in Jena müssen Sie schon eine Probe erhalten haben, und es thut ihm weh, daß Sie Schützen Ihr Urtheil darüber nicht geſchrieben haben.　　Der Bruder meint das ganze werde wo nicht vollendet, doch der Vollendung nahe ſeyn, denn vor verſchiedenen Monaten ſeyn 18 Geſänge fertig geweſen.　　Ich zweifle, daß die Franzoſen in ihrer eigenen Sprache je eine beſ‑ ſere Ueberſetzung als dieſe lateiniſche iſt, erhalten können.

Ich habe mich ſehr gefreut neulich aus einem Briefe von Victor an mich zu ſehen, daß Sie wohl ſind.　　Ich befinde mich auch wohl, beſſer als ich mich ſeit verſchiedenen Jahren nicht befunden habe. Mit getroſtem Muthe ſchreite ich ins neue Jahrhundert über, ſo umwölkt es uns auch zu nahen ſcheint. Denen, welchen alle Dinge zum Beſten dienen müſſen, kann es nur Gutes bringen.

Die Gallitzin läßt Ihnen ſehr viel Liebes ſagen, und Fürſtenberg, daß er ſich mit großem Vergnügen der Zeit erinnere, in welcher er die Hofnung hatte, daß Sie in hieſigen Gegenden wohnen wollten.　　Sophie umarmt mit mir Sie, Winbemen und Meta von ganzem Herzen.

F. L. v. St.

225. Klopſtock an C. F. Cramer.

Hamburg, den 13. Juli 1801.

Hausgenoſſin, und gar Tiſchgenoſſin!　　Doch ich bin eben ſo ſehr zum Schonen geneigt wie Sie, ob ich gleich nicht mit der K. in jenen Verhältniſſen ſtehe.　　Aber der Schulbige ſoll und muß geſtraft werden, und der iſt La Tresne! Warum iſt er ſich und mir ungetreu geworden, und hat ſeine Ueberſetzung liegen laſſen. Wir wollen wegen jener Schonung ein geheimes Gericht über ihn halten.　　Hier mein Urteil: Er ſoll, ſo oft er zu Ihnen komt, Ihnen, in irgend einem Winkel Ihres Hau‑ ſes, auswendig gelernte Stellen aus der K. Ueberſetzung auf‑

sagen.   Die erste sey die, worin er den himlischen Leiter mit
einer echelle celeste verwechselt (XIX. Seite 146 Vers 7 von
unten.   Ueb. S. 202 Zeile 2 v. u.).   Hierauf lerne er, und
sage er auf: XIII. S. 147. V. 12. v. u. Ueb. S. 211. Z. 8
v. u.   Hierauf XVI. S. 29 V. 9 v. u. Ueb. S. 42 Z. 11 v.
oben.   Dieß mag fürs erste genug seyn; aber ich werde fortfahren.   Denn ich mag blättern, wo ich will, so finde ich.   Ich
rede nur von verfehltem Sinn.   Ueberhaupt halten Sie
gewiß die Strafe nicht für zu hart.   Denn er ist und bleibt,
durch das Liegenlassen der Thäter, oder, um mit meinem großen
Lehrer zu reden, wenigstens die Schuldursache, daß die Arkadierin
sich nicht enthalten hat ihre Uebers. herauszugeben.   Solte sich
der schwarze Thäter widersetzen, und nicht mehr auswendig
lernen wollen, so bestrafen Sie ihn fürs erste dadurch, daß Sie
ihn die Elegie-Klage eines Gedichts, die ihn nichts angeht,
übersetzen lassen.   Dieß muß ihm gerade deßwegen, weil ihn die
Klage nichts angeht, zu einer wahren Strafe werden.   Solte er,
des Lernens satt, Ihr Haus meiden, so verfolgen Sie ihn in
das seinige, und tragen's dem Wirthe auf, daß er, denn Sie
können ja nicht immer dieses Geschäfts wegen ausgehn, ihn auf-
sagen lasse.   Flieht er aus Paris, so setzen Sie ihm nach.
Reitet er, so reiten Sie ihm nicht auf einem eigenen Pferde
nach, sondern sitzen Sie auf seinem hinter ihm, wie post equitem
atra cura, und lassen da nicht ab ihm Ihre Lectionen einzubläuen.
Will er sich in der Verzweiflung auf der See retten, ihm nach,
ihm nach! versteht sich; und ginge es auch von Toulon nach
Aegypten, mitgesegelt! und bekommen Sie Windstille, so lassen
Sie ihn ja recht fleißig sein.   Bildet er sich etwa zuletzt ein,
daß ihn die Landung gerettet habe, so zeigen Sie ihm, Ihrer
bisherigen Langmut müde, seine Selbsttäuschung dadurch, daß
Sie ihm, durch Vorlesung folgender Verse, so unschuldig er auch

in Ansehung dessen ist, was sie enthalten, auf gut robespierrisch das Lebenslicht ausblasen.

Doch die Verse sollen hier noch nicht folgen. Ich will ihm erst ein Mittel vorschlagen, wodurch er sein Leben retten kann. Er muß eine Elegie machen, in welcher er die Untreue, die er an sich und mir durch das Liegenlassen begangen hat, mit einer Wehmut beklagt, die mich und Sie bis zu Thränen rührt. Die Elegie muß so schön seyn, wie seine Uebersetzung von Horazens Feldmaus war. Bequemt er sich nach diesem meinen Vorschlage zu Reu und Leid; so lassen Sie ihn leben. In diesem Falle mit den Versen in den letzten Abgrund Ihres Pults! Denn es solte sie ohnebieß auffer la Tresne kein Franzose sehn.

An Boileaus Schatten.

Jede der Sprachen ist arm, die von dem, was am schönsten der Alte
Sagte, nur lallet, sobald sie zu ihm dolmetschend sich aufschwingt.
Neben dieser Dürftigkeit drückt noch ein anderer Mangel,
Wenn sie die besten Gedanken des Neueren auch nur stammelt,
Oder, erliegend der Noth, mit gewähnter Verschönerung trillert,
Siehet der Sprache Eine nun gar auf die Deutsche, bey dieser
Doppelten Kümmerlichkeit herab mit dem Blicke des Stolzes;
Soll die Deutsche vielleicht sich versagen das Lächeln des Mitleids?
Zahllos sind die Exempel, die von der Verbildung der Alten
In Dolmetschungen zeugen: doch dir genüget an Einem.
Höre denn: Dort hat Virgil der Nachtigall Klage verglichen
Mit der Klage deß, den Euridice liebte. Wir trauen
Kaum dem Ohre, so ist uns der Ton des Römers verhallet.
Schwiege der Leser nur auch; denn Delille schweiget den Alten.

Ich redete oben von Verbergung im Pulte, und das that ich allein aus der Ursache, weil mir selbst der Schein zuwider ist, als wolte ich, auch nur mit leiser Berührung, Leute bestreiten wie Garonnier, Sourifelet, Montagnard u. s. w., die jetzt nichts lauter ausrufen, als die Lobpreisungen ihres Geschmacks, und dann gleichwol die Deutschen auf eine Art angreifen, die ziemlich nah an die sansculottische Kultur gränzet.

Ich habe den 2ten Jul. einen sehr frohen Tag an der Elbe gehabt. Sie wissen wie liebenswürdig dort Müllerinnen und Müller sind. Sie wolten mich sogar mit der angenehmen Weiße umlächeln, in Prosa: sie wolten mir weiß machen, ich sähe heute noch viel gesünder aus als den vorigen. Ich saß zwischen der S. und der P. und wir drey saßen zwischen Voß und seiner Frau. Dieß war meine Anordnung; in allem Uebrigen ließ ich schalten und walten. Ich habe gestern unsre Feyer des 14. auf Harvstehube in Gedanken wiederhohlt, und sie mir so rein von allem Folgenden vorgestellt, daß ich es keinem Franzosen zugestehe, gestern so vergnügt gewesen zu seyn, als ich es, durch Hülfe jener Reinheit, gewesen bin!

Ich habe (dieß schreibe ich heute den 15. Juli) Ihre Introduction mehr als einmal gelesen. Es kommen sehr gute Sachen darin vor, z. E. Sagesse calme de l'entendement. Justice entière jusqu' à negliger ses propres avantages. — Verité le faits examée avec rigeur. — Lohenstein — — assez ressemblant à celui de Ronsard (et son ch. Die Griechen haben es gleichwohl oft.) (plus ou moins l. et br. Diese sind keine ancipites). Lassen Sie mich doch Ihre Grammatik vor der Herausgabe sehn, dont on parleroit des progrès des habitans de la lune.

Wenn ich Ihnen das Glossar, welches mir der Prinz Suvow gab, geschenkt habe; so schenken Sie mir es wieder. Ich möchte es gern in unserer Stadtbibliothek zum Andenken lassen. — Ich bin jetzt nicht ohne Hofnung, griechische Handschriften aus dem Serail des Sultans zu bekommen. Wie ich das anfangen will? Das ist zu weitläuftig für einen Nichtschreiber.

— Das letzte was von mir in dem German. Museum steht, ist
die Ode:. Pindarum quisquis — — — Die erste Strophe
lautet so:

> Wer den Wettstreit wagt mit dem Pindar, Dädals
> Wachs, beflügelt den; er, Julus, giebt einst
> Einem lichten Meer den Namen. . . .

Wenn Sie fortfahren die Franzosen ohne Kentniß meiner
Uebersetzung aus den Alten zu lassen; so kämpfen Sie nicht
armé de toutes piéces, so — — — Doch es ist zu schön Wetter, um noch mehr zu schreiben.   Leben Sie wohl.   Grüßen
Sie Gretry und die Damen, welche mich nicht hassen.

Ihr Klopstock.

Den 20. Jul.   Der Brief ist leider bis heute liegen geblieben.   Ich hoffe Ihnen bald wieder zu schreiben.   Man soll
ja von seinem Nächsten immer das Beste hoffen; also darf man
es ja auch wohl von sich selbst.   An Meyer meinen Dank für
die guten Nachrichten von Ohmacht.

226. Klopstock an C. F. Cramer.

Hamburg den 28. Juli 1801.

Das dachten Sie so wenig als ich, daß ich Ihnen schon
heute wieder schreiben würde.   So hören Sie denn die Ursache:
Flaxman (Sie kennen doch seine Zeichnungen zu Homer,
Aeschylus und Dante?) wolte mir ein Exemplar der Odyssee
verschaffen, so bald die von dem Holländer Hope ihm abge-
kauften Platten würden angekommen seyn; und siehe da, gestern
bekomme ich von Flaxman einen Brief, worin er mir sagt,
diese Platten wären von einer französischen Fregatte genommen,
und er habe gehört, die franz. Republik erweise ihm die Ehre
dieß kleine Werk (little) in dem Nazionalmuseum aufzubewahren.
Sie sehen meine getäuschten Hofnungen; und die Odyssee (ich

habe ein Exemplar von den noch unverkauften Platten gesehn)
ist doch beynah schöner als die Ilias. Ich bilde mir nicht ein,
daß die Mitglieder des Museums thun werden, was gleichwol
der Holländer thun wollte. Freylich wünsche ich es sehr
lebhaft. Aber die Wünsche sind ja, wie Klopstock weislich
sagt, Thoren! Indeß verbiete ich Ihnen nicht zu versuchen, ob
Sie es, auf eine gute Art dahin bringen können, daß die Citoiens
des Museums dem Bürger Klopstock einen Abdruck der Odys=
see zukommen und sich also von dem Bürger Hope nicht über=
treffen lassen. Sie können allenfalls den gebohrnen Citoien
Mercier, bey Ihren Bemühungen für den gemachten Klopstock,
zu Hülfe nehmen: aber bitten müssen Sie nicht sehr! So un=
freundschaftlich müssen Sie ja nicht gegen mich seyn, so sehr
mich auch danach verlangt, den trinkenden Cyklopen wieder zu
sehn, der dem Ulysses zum Gastgeschenke anbietet, ihn zuletzt
zu fressen. Diese Zeichnung hat ein doppeltes Interesse für
mich. Das zweyte ist: Die neueren Polypheme übertrafen den
alten dadurch, daß sie mich, durch die Vergleichung mit Ron=
sard, zuerst fressen wollten.

Die Post geht. Ihr Klopstock.

227. Klopstock an den Markgrafen von Baden.

Hamburg den 10. Nov. 1802

Durchlauchtiger Markgraf, gnädiger Fürst und Herr!

Ich bin, seit dem Anfang des Mays, bald krank, bald
kränklich gewesen, kurz, ich merke, daß ich das letzte Jahr vor
dem achtzigsten erreicht habe. Dieß mein Befinden hat dann
leider gemacht, daß ich die vortreffliche Tochter von Ew. Hoch=
fürstlichen Durchlaucht nicht gesehen habe. Aber meine Frau
hat Sie gesehen, und gegen diese hat Sie sich so liebenswürdig
betragen, daß ich mein Nichtsehen beynah vergessen konte.

Ich bin so glücklich gewesen, veranlassen zu können, daß der Kaiser von Rußland, den ich liebe, mir für die Ode (die ich beylege) kein Geschenk gemacht hat, wie verschiedene Gelehrte und Künstler von ihm erhalten haben. Denn er hat gesehn, daß jene Ode solche Absichten nicht hatte, sondern daß sie allein durch liebende Verehrung entstanden war. Vor einiger Zeit besuchte mich der russische Oberkammerherr, und es war mir kein kleines Vergnügen, daß er die eben angekommenen, sehr getroffenen Gipsabbildungen des Kaisers und seiner Gemalin bey mir fand, und ich nun so gute Gelegenheit hatte, von ihm und von ihr, recht nach Herzenslust zu sprechen.

Mich verlangt sehr danach, von Ew. Durchlaucht zu hören, ob ich meinen Wunsch, griechische M. S. aus der großsultanischen Polterkammer zu bekommen, nun völlig aufgeben, und also gedulbig zusehen soll, daß sie der englische Gesandte in Konstantinopel, der auch sein Auge darauf geworfen hat, in Besitz nehme, oder ob ich mir noch einige Hoffnung machen darf, sie durch den russischen Gesandten zu erhalten.

Der Prinz von Wallis hat, wie Ew. hochfürstliche Durchlaucht wissen, einen Gelehrten nach Neapoli geschickt, und der läßt die herkulanischen M. S. aufrollen, oder vielmehr die beinahe verbrannten in kleinen Theilen abnehmen. Vor ziemlich langer Zeit stand mir der Sinn auch nach diesen M. S. Die Königin war mir auch gar nicht abgeneigt. Aber da Sie zuletzt erfuhr, (ich hatte es in Wien so zu machen gewußt, daß auch die Prinzessin Christine, Herzogin von S. T. die Sache befördern wollte), daß an den M. S. gleichwol etwas gelegen seyn könte, geriethen meine Wünsche, die freylich eines Ausländers, auf Einmal unter die zahllosen unerfüllten.

Ew. Durchlaucht vermuten gewiß von mir, ohne daß ich es Ihnen sage, daß mir Ihr weises Betragen, bey Ihren Be-

sitznehmungen, nicht wenig Freude mache; aber erlauben Sie
gleichwol, daß ich es Ihnen sage. Mein vortrefflicher Arzt, der
zugleich mein Freund ist, besucht mich seit dem Anfang des Mays
beinah alle Tage; allein wegen der hiesigen Theurung fast aller
Sachen, die schon lange gedauert hat und noch fortdauert, bin
ich nicht im Stande, mich gegen ihn, der es doch bedarf, er=
kenntlich zu bezeigen. Dieß drückt mich; aber nach meiner Denk=
art drückt es mich auch, gegen Ew. Durchlaucht hiervon Erwäh=
nung zu thun. Ich überlasse mich indeß mit Ruhe Ihrer edlen
Art zu verfahren.

Ew. Durchlaucht wissen, mit welcher Verehrung und Liebe
ich immer war und seyn werde

Der Ihrige   Klopstock.

Erläuterungen.

Genealogische Notizen.

1. Klopstock's Vorfahren und Geschwister.

erste von Klopstock's Ahnen, welchen sein Stammbaum be-
:t, war sein Aeltervater Mag. Christoph Clopstock, welcher
chnet wird als Pastor zu Ratzeburg. Richtiger erscheint die
be, daß er aus dieser Stadt gebürtig, 1603 Diakonus und
lcollege im Städtchen Lauenburg und vom Superintendenten
ertus ordinirt wurde. Das Visitationsprotocoll vom Jahre
bezeugt von ihm: „hat biblia latina et germanica." 1629
er als Pastor nach dem zum Herzogthum Lauenburg ge-
zen, jenseits der Elbe belegenen Flecken Artlenburg berufen,
er schon 1632 starb. (Vergl. J. F. Burmester, Beiträge zur
engeschichte des Herzogthums Lauenburg, S. 84 und 225.)
Derselbe hinterließ einen in seinem Todesjahre am 10. März
renen Sohn Daniel, welcher das Amt des Stiftschossers
Kammerverwalters des Stiftes Queblinburg bekleidete, bis
einem am 3. September 1684 erfolgten Tode. Seine Frau
die Tochter des Rathskämmerers Jakob Breiter zu
dlinburg.
Dessen Sohn Carl Otto, I. U. Lct. und Advocatus ordi-
us in seiner Vaterstadt, geboren 1667, gestorben am 15. Febr.
2, war des Dichters Großvater. Er war verheirathet mit
iane Maria, des vorsitzenden Hofraths und 52jährigen
ftsbedienten in Queblinburg, David Windreuter, (geboren
24. Juli 1626, starb am 18. October 1707) Tochter, welche,

geboren am 23. Januar 1671, bis zum 19. December 1751 des Ruhmes ihres Enkels sich erfreute.

Dessen Vater Gottlieb Heinrich, geboren am 18. (neuen Stils 28.) Juli 1698 ward fürstl. schleswig=holsteinischer Lehns=secretarius und Advocatus Ordinarius im Stifte Quedlinburg, hernach fürstl. Mansfeldischer Commissionsrath und Pacht=inhaber der Herrschaft Friedeburg. Er heirathete zu Quedlinburg den 9. September 1723 die am 17. Januar 1703 geborene Anna Maria, Tochter des Rathskämmerers, vornehmen Kauf= und Handelsmannes zu Langensalza, Johann Christoph Schmid und der am 25. Februar 1690 daselbst mit ihm verehelichte Katharina Juliane, geborenen Auerbach. Er starb am 28. October 1756, die Wittwe jedoch erst den 27. Mai 1773.

Aus dieser Ehe wurden in den ersten 22 Jahren 17 Kinder geboren, von denen

1) unser Friedrich Gottlieb der älteste war. Geboren den 2. Juli 1724 zu Quedlinburg, verstorben am 14. März 1803 zu Hamburg. Es möge hier bemerkt werden, daß er das Bürger=recht dieser Stadt nicht erworben hat. Beide Großmütter mit dem Bruder der einen, dem Kanonikus Ludwig Friedrich Windreut er, Lct., waren die Pathen.

2) August Philipp, geboren den 1. October 1725. Er ward Kaufmann und ließ sich im Sommer 1753 mit dem bald zu erwähnenden Schwager Rahn zu Lingbye in Seeland nieder, wo sein älterer Bruder bei ihm wohnte. Ein Brief von ihm vom Jahre 1756 findet sich in Klopstock's Werken, Band XI. Seite 41.

3) Maria Sophie, geboren den 12. Mai 1727.

4) Johann Christian, geboren den 6. November 1728, starb zu Friedeburg den 3. October 1733. Er ist es, von wel=chem Klopstock in dem Briefe an seine Mutter vom 16. Novem=ber 1756 spricht.

5) Johanna Victoria, geboren am 17. Juli 1730. Sie heirathete den Freund ihres Bruders, Hartmann Rahn, einen Schweizer, welcher Klopstock auf die edelmüthigste Weise an seinen

anfmännischen Geschäften wollte theilnehmen laffen. Zu den Selt=
umleiten, welche uns die Stammbäume enthüllen, gehört auch,
aß Rahn's älteste Tochter, Johanna Marie, geboren zu Ling=
he am 15. März 1758, die Nichte des Messiassängers, am 22. Oc=
ober 1793 den vier Jahre jüngeren Philosophen Joh. Gott=
ieb Fichte heirathete. Viele Briefe deffelben an feine Braut,
en Schwiegervater und andere Freunde in der Schweiz, wohin
Rahn längst heimgekehrt war, hat Fichte's Sohn in des Vaters
eben und Briefwechsel, Bd. I, abdrucken laffen. Rahn starb
ochbetagt bei feiner Tochter zu Jena. Vergl. über ihn Klopstock's
riefe an Fanny u. a. und die interessante Schrift, J. C. Mö=
kofer, Klopstock in Zürich.

6) **Christiane Friderike**, geboren am 14. October 1731,
irb schon nach acht Wochen.

7) **Christiane Friderike Magdalene**, geboren am
5. October 1732, starb nach elf Monaten zu Friedeburg.

8 u. 9) **Henriette Ernestine und Juliane Friderike**,
:boren am 16. Februar 1734. Während viele ihrer Geschwister
'ühzeitig starben, lebte von diesen Zwillingen die Letztgenannte
is zum 16. Februar 1762, die Erstere jedoch, verheirathet an
inen Levesen, starb erst den 12. September 1799.

10) **Charlotte Victoria**, geboren am 12. Juli 1735.

11) **Eine todtgeborene Tochter** am 15. April 1736.

12) **Carl Christoph**, geboren den 26. Januar 1737. Der
etzte Name erscheint gewöhnlich fälschlich in Christian verändert.
Er studirte nach Vorbereitung in der Pforte seit 1757 zu Leipzig
Theologie, wurde Pastor in Hüttenrode bei Blankenburg, später
urch den Einfluß des Bruders R. Dänischer Legationssecretär,
infänglich zu Madrid, hernach im Haag. Er starb zu Hamburg
im 5. Juli 1803, wie sich aus der Todesanzeige in der von feinem
Bruder Victor redigirten Neuen Zeitung Nr. 107 vom 6. Juli 1803 er=
gibt. Mehrere feiner Briefe haben sich erhalten bei Kl. Schmidt,
in anderer aus Leipzig 1758 in Klopstock's Werken (XI. 40),

ein Brief Gleim's an denselben vom 22. März 1779 bei Kl. Schmidt. Vgl. unten zu Nr. 31.

13) Johann Christoph Ernst, geboren .den 15. November 1739. Er war 1763 in der Lehre zu Merseburg, wie es scheint bei einem Buchhändler.

14) Anna Maria, geboren am 20. Mai 1742, starb nach vier Monaten.

15) Christian Heinrich, geboren den 14. Juli 1743.

16) Victor Ludwig, der bekannteste von des Dichters Geschwistern, geboren den 3. September 1744. Er war anfänglich Kaufmann, erhielt, worin wir wieder den Einfluß des Bruders erkennen, später den Titel eines badischen Commerzienrathes. An ihn richtete der Dichter 1797 die liebliche Ode, welche seinen Namen trägt. Er lebte zu Hamburg, wo er mehr als vierzig Jahre die Adreß=Comtoir=Nachrichten und die Neue Zeitung herausgab, deren Privilegien 1790 nach J. H. Dimpfel's, des Schwagers seines ältesten Bruders, Tode auf ihn gelangten. Er starb am 27. November 1811. Er hatte am 15. October 1782 Anna Maria Hundt aus Wismar geheirathet, welche sechs Monate vor ihm starb und eine Tochter hinterließ, Juliane Auguste, welche am 9. September 1813 sich zu Hamburg mit dem französischen Postsecretär Friedrich Caemmerer aus Longwy verheirathete.

17) Christian Gottfried, geboren den 16. October 1746, starb schon nach fünf Monaten.

2. Die Geschwister von Klopstock's Mutter.

Die Eltern von Klopstock's Mutter, Johann Christoph Schmidt (geboren zu Mühlhausen den 19. October 1659, gestorben am 28. November 1711) und Katharina Juliana, geb. Auerbach, welche 1726 ihrem Gatten auf dem alten Friedhofe zu Langensalza ein noch vorhandenes Epitaphium in einem ~~ten Gew~~　　　　richtete, hatten außer jener noch neun Kinder, von dem Dichter gelegentlich genannt erben. Ich habe über dieselben aus dem Kirchenbuche zu

angensalza mit Hülfe verschiedener Stammbäume folgende Nach=

chten ermittelt.

I. Von den Kindern war Christiana Maria die älteste,

rmuthlich 1691 geboren auf einer Reise, da ihr Name in den

irchenbüchern von Langensalza fehlt. Sie ward am 7. Novem=

r 1707 verheirathet an den Herrn Christian Lutteroth,

aspar's Sohn, Kaufmann zu Langensalza, welcher 1713 mit

inem Bruder Gottfried nach Mühlhausen zog. Er war der Grün=

r des bis zu Anfang dieses Jahrhunderts bestandenen Hand=

ngshauses Christian Lutteroth und Söhne. Er starb am 26. Oc=

ber 1720. Seine Kinder waren:

1) Katharina Victoria, welche anfänglich mit Hrn. Mau=

r auf Dehra und Freileben verheirathet gewesen zu sein scheint,

b in zweiter Ehe mit dem Major F. W. von Selchow.

2) Gottfried, welcher am 14. Juni 1744 Marie, Tochter

s obengedachten gleichbenannten Oheims, heirathete.

3) Johann Christian heirathete Christiane Eleonore

b. Weiß zu Langensalza, vermuthlich eine der Schülerinnen

opstock's. Durch seinen Sohn Christian († 1815) und dessen

efrau Charlotte, geb. Hauswald aus Schleusingen († 1825),

ren Hochzeit Klopstock in einem vielleicht noch wieder aufzufindenden

edichte besungen hat, ward jener der Großvater des seit 1815

Hamburg als Chef des Hauses Lutteroth und Söhne etablirten

esigen Senators Ascan Wilhelm Lutteroth=Legat, dessen

ame an den Weltbörsen wie in diplomatischen und anderen Ge=

jäftskreisen rühmlichst bekannt ist.

4) Charlotte Juliane ward mit dem Kammerherrn von

aalfeld vermählt.

5) Ascan Wilhelm heirathete 1751 seine bald näher zu

wähnende Cousine Maria Sophia Hagenbruch.

II. Christian Andreas, Kaufmann zu Langensalza, ge=

ren den 16. August 1693, starb am 4. Februar 1732. Er

irathete am 31. October 1724 die achtzehnjährige Anna Sophia,

geb. Weiß, geboren den 22. Juni 1706, Tochter des dortigen
Hrn. Johann Christian Weiß, bei welchem Klopstock 1748 als Haus=
lehrer lebte, und Schwester eines gleichbenannten Bruders. Sie
lebte als Wittwe mehr als dreißig Jahre. Ihr ältester Sohn war:

1) Christian Ludwig, geboren den 28. August 1725.
Er heirathete etwa 1750 ein Fräulein Deahna aus Frank=
furt am Main, auf deren Hochzeit Klopstock eine Elegie dichtete,
welche bei den Schweizern einigen Anstoß erregte und von ihm
in die Sammlung seiner Werke nicht aufgenommen ward. Sie
findet sich jedoch abgedruckt in Cramer's Klopstock, Th. II. S. 332
bis 334 und bei Schmidlin. Bd. II. S. 39 u. ff. Vergl. den
Brief vom 7. October 1751 bei Kl. Schmidt und den betreffenden
Auszug bei Schmidlin. Er hatte sich zu Frankfurt am Main
als Kaufmann niedergelassen, wo er am 3. August 1787 starb.

2) Der zweite Sohn war Klopstock's vertrautester Jugend=
freund mit dem Namen seines Großvaters benannt: Johann Chri=
stoph, geboren den 28. December 1727. Das Kirchenbuch zu Langen=
salza nennt den 30. December, womit nach Gewohnheit älterer Tauf=
register der Tag der Taufe gemeint sein wird, da er selbst den
28. December feierte. Er ist als ein heiterer und witziger Mann bekannt,
welcher mit Klopstock zu Leipzig studirte. Sein Name ist in ver=
schiedenen älteren Gedichten Klopstock's verherrlicht, auch finden
sich manche Briefe, welche er mit diesem, Gleim und Ramler
wechselte. Er trat in die Herzoglich Sächsisch Weimar'schen Dienste,
wo er um 1757 als Geh. Secretär und verheirathet mit seiner
Frau Victoria Maria erscheint. 1763 finden wir ihn als Rath,
1784 als Geh. Legationsrath zu Weimar. Als im Jahre 1786
Goethe nach Italien reiste, übertrug ihm der Herzog Carl August
das von diesem bisher bekleidete Amt des Kammerpräsidenten.
Er starb als Geh. Rath und Oberkammerpräsident am 4. October
1807. Spuren seines Verkehrs mit Klopstock seit dessen Verhei=
rathung mit Meta sind nicht nachzuweisen, woran des Dichters
bekanntes Verhältniß zu seiner Schwester, vielleicht auch dessen
Bruch mit Goethe und Mißstimmung gegen den Weimar'schen

)of die Schuld tragen. Es sind einige Gedichte von ihm gedruckt
n den Bremischen Beiträgen, in Kl. Schmidt Th. I. S. 153
u. ff., und in Schmid's Anthologie Th. II. S. 105 — 110, und
aus dieser, jedoch nach seiner Weise verändert, bei Mathisson in
einer Anthologie, Th. III, auch ein späteres in Th. XIX. Die
Muse verließ ihn nie ganz bis zu seinem Lebensende, wie seine
Verse auf seinen 80. Geburtstag am 28. December 1806 bezeugen.
In allen seinen Gedichten erkennen wir die Gesinnungen des
ebenswürdigen, lebensfrohen Biedermannes und treuen Freundes.
Seine noch zu Weimar lebende Tochter ward an ein Mitglied
er bald näher zu erwähnenden nahe verwandten Familie Hagen=
ruch verheirathet.

3) Die Tochter Maria Sophia, geboren den 15. Fe=
uar 1731, war Klopstock's, in seiner Verehrung für englische
Charaktere unter dem Namen Fanny vielgepriesene, erste Liebe.
ie ward am 26. Februar 1754 mit dem angesehenen Kaufmann
. Eisenach, Johann Lorenz Streiber, des Johann Justinus
ohn, später Kammerrath und Bürgermeister daselbst, verheirathet,
it welchem sie in einer glücklichen Ehe beinahe vierzig Jahre ver=
bte. Er starb in oder kurz vor dem Jahre 1793; ihr Todestag,
er 25. März 1799, ist uns genauer angegeben. Der Jugend=
reund wurde noch 1795 hochentzückt durch Böttiger's Schilde=
ung dieser durch ihr imposantes Aeußere, ihre thätige Aufsicht
n einem zahlreichen Hausstande und in der Schreibstube eines sehr
edeutenden Handlungshauses, sowie durch ihre Entschlossenheit
ch sehr auszeichnenden Frau. Vgl. Kl. Schmidt Th. I. S. XII.
Döring's Klopstock, S. 276 und Böttiger's Aufsatz: Klopstock im
Sommer 1798, Taschenbuch, Weimar, 1814. Aehnlich lauten die
Mittheilungen ihrer obengedachten, bejahrten Nichte, Frau Ha=
enbruch zu Weimar, welche ihre Tante häufig sah und noch in
en Erinnerungen an die Zeit schwelgt, wo diese auf dem Streiber
ehörigen Gute Ulrichshalben, eine Viertelstunde von Osmanstedt,
ier Wieland, und ihr Vater in Weimar lebten. Sie schildert die
Tante Marie als sehr lebhaft, für alles Geistige sehr empfänglich,

aber nichts weniger als sentimental. Sie war vielmehr ganz praktisch, so daß sie in dem bedeutenden Fabrikgeschäfte ihres Mannes sogar die eigentliche Seele gewesen und die Pläne von ihr gemacht sein sollen, welche dieser ausführte. Ihre Zuneigung zu Klopstock scheint nie das Maß des Wohlwollens für einen begabten, interessanten Vetter überschritten zu haben. Klopstock selbst erkannte diese Lauheit ihrer Empfindungen für ihn, welche er schwer verwunden hat.

Sie hinterließ zwei Söhne und drei Töchter. Jene, Johann Christian und der Sächs. Weimar=Eisenachische Legationsrath August Streiber (geboren 1766), lebten als sehr begüterte Junggesellen zu Eisenach; der zweite starb am 25. August 1818. Mit dem im November 1840 im 70. Lebensjahre erfolgten Tode des Ersteren, Kaufmanns und Rathskämmerers zu Eisenach, auch Ritters des Ordens der Ehrenlegion, starb der Manns= stamm der Familie aus. Von ihren Töchtern führte zwei, Vic= toria Maria Auguste, geboren 1757, und Maria Sophia, geboren 1758, das Loos der Ehe mit Jean Matthieu Bansa und mit Johann Heinrich Catoire nach Frankfurt am Main, die dritte, Friderike Christine, geboren 1759, ward im 18. Lebensjahre an den Kaufmann Heinrich Jakob Eichel zu Eisenach verheirathet. Ihr ältester Sohn Friedrich Christian, geboren 1780, fügte seinem väterlichen Namen den des Oheims Streiber hinzu und ward 1853 geadelt. Im Besitze seiner Wittwe Caroline, geb. Polex, haben sich die Briefe von Klopstock er= halten, deren Abschriften mir mit großer Güte zur Benutzung mit= getheilt worden sind. Ihr Sohn, Herr Julius August von Eichel=Streiber ist auch Besitzer des Gutes Ulrichshalben, sowie des allen deutschen Wanderlustigen unter dem Namen des früheren Eigenthümers Röse wohlbekannten Hölzchens dicht bei Eisenach.

III. Katharina Victoria, geboren den 2. Mai 1695, ward im November 1710 zu Mühlhausen verheirathet mit Phi= lipp Ludwig Hagenbruch, Kaufmann zu Langensalza. Er war am 8. Januar 1683 zu Echzell in der Wetterau geboren, er=

rnte in den Niederlanden die Appretur und kam als Frember
ach Langensalza, wo er am 15. October 1756 als Bürgermeister
arb. Er soll in erster Ehe mit Christine, geb. Gutbier, ver=
eirathet gewesen sein. Die zweite Frau überlebte ihn bis zum
9. Juni 1763. Ihre Kinder waren:

1) Christian, geboren den 26. April 1715, gestorben 1783,
ermuthlich 1742 Stadtschreiber zu Langensalza.

2) Johann Philipp, geboren den 8. August 1717.

3) Johann Adolph, geboren den 1. September 1719, war
on 1732 — 1738 Schüler der Pforte, gestorben 1741 in Jena.

4) Johanne Christiane, geboren 1724, gestorben 1807,
elche im Jahre 1749 den dortigen Advocaten Johann Ludwig
utbier, geboren 1718, gestorben 1766, heirathete. Auf diese
erbindung hat Klopstock seine Ode „die Braut" gedichtet. S. Cra=
er a. a. O. Th. II. S. 339.

5) Die obengedachte Maria Sophia, geboren den 17. No=
mber 1728, welche am 8. Juli 1751 mit A. W. Lutteroth
rehelicht wurde.

6) Johann Gottlieb, geboren den 25. Juni 1738, hei=
thete Eleonore, eine Tochter von Johann Christian und also
chwester von Christian Lutteroth. Er starb als Kaufmann
Mühlhausen am 6. October 1795.

Jene Familie ist in Langensalza ausgestorben, doch ein Enkel
1s letzterer Ehe, Eduard Hagenbruch, lebt mit seinem Sohne zu
eimar, wo wir der Nichte Fanny's mit jenem Namen schon
en gedacht haben.

IV. u. V. Christine Katharine, geboren den 30. Ja=
1uar 1698, und Regine Marie, geboren den 10. December 1699.
eider Schicksale sind mir unbekannt.

VI. Martha Marie. Sie wurde am 3. November 1721
rheirathet an den M. Christian Leisching, welcher, geboren
683 zu Langensalza, im schwedisch=polnischen Kriege 1715 — 1721
eldprediger und ein Günstling des Königs Friedrich August von
olen war. 1721 ward er Prediger auf den Gütern des Herrn

von Berbesdorff auf Schweinsburg und Crimmitschau, 1724 Ad=
junct der Zwickauischen Superintendentur über den dritten Circus,
1726 Prediger zu Langensalza, wo er am 24. November 1757
starb. (Näheres s. bei Jöcher und Meusel.) Von seinen Kindern
bemerke ich:

1) Johann Christian, K. Dänischer Etatsrath und Mi=
nisterresident in Lübeck, welcher sich 1765 vermählte mit Mar=
garetha Elisabeth, einer am 2. December 1747 geborenen Tochter
des Kaufherrn und Bürgermeisters zu Altona Johann Daniel
Baur (geboren 1700 in Stuttgart, starb 1774) aus dessen zweiter
Ehe. Er hatte die Privilegien des Altonaer Merkurs erhalten,
welche nach seinem Tode die Wittwe an seinen Bruder Polykarp
August überließ. Sein Sohn Hans Ernst, K. Dänischer Lega=
tionsrath zu Dresden, hinterließ eine zahlreiche Nachkommenschaft.

2) M. Carl Gottlob, geboren den 28. November 1723,
ward 1758 des Vaters Nachfolger, 1770 Superintendent. Er starb
am 3. November 1806. Er schrieb: Von den natürlichen Kräf=
ten des Menschen in Absicht der Religion und Tugend, wider
Rousseau's Neue Heloise und Emil. Langensalza 1769. 8.

3) Polykarp August, Dr. juris, Kurfürstl. Sächsischer Geh
Legationsrath, Besitzer von Caden in Holstein und Proschwitz.
Von Klopstock's Besuch bei ihm auf dem reichbelaubten und schön
ausgestatteten Caden, wo Leisching, geistreich und liebenswürdig,
viele Gäste empfing und zu erheitern wußte, vergl. unten Lessing's
Brief vom Jahre 1776. Er heirathete 1775 Johanna Antoi=
nette Maria, geb. Baur, die 1759 geborene, 1827 zu Kiel
verstorbene Schwester seiner vorgedachten Schwägerin. Er starb
am 28. August 1793 unbeerbt.

4) Christiane Juliane war verheirathet an Christian August
Rüdinger zu Leipzig, welcher einen Sohn, den Geh. Legations=
rath Rüdinger, hinterließ. Als Frau erscheint sie im Jahre 1744
unter den Gevattern von Klopstock's Bruder Victor.

5) Friderike Sophie, verheirathet an den Oberkämmerer
Weiß zu Langensalza.

Ob Frau von Arnstädt, geb. Leisching, von welcher ein
Brief an Klopstock in seinen Werken, Th. XI. S. 79 sich findet,
ne Tochter oder eine Schwester des C. Leisching gewesen, ist mir
nbekannt. Zu diesen entfernten Verwandten gehört auch Johann
Georg Leisching, welcher sich als Candidaten der Theologie und
Philosophie bezeichnet und 1733 im Hause des Hauptpastors Palm
u Hamburg lebte. Von ihm sind mehrere kleine theologisch=phi=
losophische Schriften über die Grundfeste der Wahrheit der christ=
chen Religion, die Harmonia praestabilita und die Antipoden
t den Jahren 1733 — 1739 erschienen.

VII. Anna Maria, geboren den 17. Januar 1703, des
J. H. Klopstock Gattin.

VIII. Johann Christoph, geboren den 20. November 1704,
wird ein vornehmer Doctor und Rechtsconsulent genannt, 1731
und 1732 als Hofrath zu Eisleben.

IX. Johann Heinrich, geboren den 31. Januar 1707, und

X. Christiane Elisabeth, geboren den 7. Februar 1709,
nd mir beide nicht weiter bekannt.

3. Aus Meta Klopstock's, geb. Moller, Stammbaum.

Peter Moller, geboren zu Hamburg den 3. December 1682,
erstorben am 7. August 1735, heirathete am 2. December 1710
Margaretha, geb. Frieling, welche ihm fünf Kinder gebar,
von denen jedoch nur eine Tochter, Magdalene Salome, ihn
überlebte. Sie starb im Juli 1719. Am 15. October 1720 ver=
heirathete er sich wieder mit Katharina Margaretha Per=
ent (gestorben am 9. Juli 1766), welche nach seinem Tode
ine zweite Ehe einging mit dem am 31. October 1757 verstor=
benen Martin Hulle.

P. Moller hatte von seiner zweiten Frau außer einem als
Kind schon vor dem Vater verstorbenen Sohne drei Töchter:

I. Elisabeth, geboren am 30. October 1722, gestorben
am 17. April 1788. Sie heirathete am 13. October 1744 Be=

nedict Schmidt, geboren am 5. Januar 1714, gestorben am 7. October 1770. Manche Briefe Meta's an diese Schwester, auch einige derselben an Meta und Klopstock sind bei Clodius und daraus bei Schmidtlin gedruckt. Ein anderer findet sich unten b. J. 1754. Von ihr stammt eine zahlreiche sehr geachtete Nachkommenschaft in Hamburg, welche jedoch zu unserm Dichter in wenigen Beziehungen steht.

II. Katharina Margaretha, geboren den 5. April 1724, gestorben den 18. December 1773. Sie ward am 23. Februar 1745 verheirathet an Johann Heinrich Dimpfel, geboren den 18. Januar 1717, gestorben am 16. September 1789. Seit 1774 besaß derselbe die Privilegien der Neuen Zeitung und der Adreß = Comtoir = Nachrichten in Hamburg. Ihre Kinder waren:

1) Margaretha Caecilia, geboren den 24. November 1745, gestorben am 2. Mai 1828, welche unverehelicht blieb, ein sehr würdiges Frauenzimmer, deren unter dem Namen Meta gedacht wird. In anziehender Weise wird diese fromme Seele von J. Rist (Schönborn, S. 6) geschildert. Ein noch schöneres Denkmal hat der glaubensfrohen bejahrten Freundin unsere verehrte Amalie W. Sieveking gesetzt, indem sie den beseligenden Einfluß anerkennt, welchen der Umgang mit derselben ihr gebracht hat. S. derselben Unterhaltungen über einzelne Abschnitte der hl. Schrift. S. 355.

2) Johanna Elisabeth, geboren den 26. Juli 1747, gestorben am 19. Januar 1821. Sie ward am 19. November 1765 verheirathet an Johann Martin von Winthem, welcher am 4. Juni 1789 starb. Er war der Sohn des Meinert von Winthem und der Stiefschwester ihrer Mutter, der obengedachten Magdalena Salome, geb. Moller. Aus dieser Ehe stammten vier Kinder: a) Margaretha Johanna, geboren den 26. October 1766, gestorben am 3. Februar 1841; b) Johanna Wilhelmine, geboren den 27. October 1767, gestorben am 31. August 1793, nachdem sie im vorhergehenden Jahre am 1. August an J. P. Bohn verheirathet worden; c) Johann Martin, gebo-

ren 1768, starb noch nicht zweijährig, und d) Friedrich Wil= helm, geboren den 21. Januar 1770, gestorben am 21. April 1848. Er heirathete am 7. November 1798 die bereits am 30. März 1801 verstorbene Johanne Wilhelmine Schwalb. Sie hinterließ zwei Söhne: Wilhelm, geboren den 22. August 1799, gestorben am 2. September 1847, und Ernst, geboren den 16. März 1801. Die hinterlassenen Familien dieser beiden Brüder sind die Eigen= thümer der uns gütigst mitgetheilten Briefe.

Johanna Elisabeth, die verwittwete von Winthem, hei= rathete in zweiter Ehe ihrer Mutter Schwestermann, den 67 jäh= rigen Klopstock. Daher ihr Name Windeme Klopstock. Die Verbindung ward begangen am 30. October 1791 in jener be= kannten langjährigen Wohnung in der Königsstraße, einem dem Professor Gymnasii Nölting gehörigen Hause, welches, mit einer Marmortafel zum Andenken des gefeierten Bewohners versehen, jedoch vor einigen Jahren hat gänzlich umgebaut werden müssen.

3) Hans Albrecht, geboren den 29. November 1748, starb ungefähr 1810. Er lebte viel in der Fremde und wurde ihm der Titel Baron gegeben.

III. Margaretha, gewöhnlich Meta, geboren den 16. März 1728, starb am 28. November 1758. Ihre Hochzeit mit Friedrich Gottlieb Klopstock ward begangen am 10. Juni 1754 im Hause ihres Schwagers Benedict Schmidt in der Großen Reichenstraße.

Unter den Verwandten Meta's ist noch der Familie Dimpfel zu gedenken, mit welcher sie, und dadurch Klopstock, mittels der Heirath einer ihrer Schwestern verwandt und sehr befreundet war.

Diese Familie besitzt einen gedruckten ausführlichen Stamm= baum, welcher bis auf den Rudolfus Dimpfel, zu Regensburg im Jahre 1394 geboren, zurückgeht. Nach Hamburg wandte sich erst Johann Paul Dimpfel als Wechselherr, geboren 1637, mit seinem jüngeren Bruder Johann Albrecht. Johann Paul hatte eine Tochter Susanna, welche mit J. M. Alphusius verheirathet ward, und einen Sohn Johann Arnold, geboren 1676, gestorben 1719. Dieser heirathete 1701 Anna Elisabeth, des Joh. Baptista de Her=

toghe Tochter, welche bereits 1706 starb. Er vermählte sich wiederum 1708 in zweiter Ehe mit Katharina Herbart, geboren 1686, gestorben 1731, welche nach seinem Tode 1727 eine zweite Ehe mit Johann Baptista de Hertoghe, I. U. Dr., Etats= rath und holsteinischem Residenten zu Hamburg einging. Er hinter= ließ fünf Kinder: 1) Gertrud Constantia, gestorben 1739. Sie ward 1722 verheirathet an Peter Höckel, geboren 1683, gestorben 1746. Man bemerkt ihn 1722 — 1726 als Kriegs= Commissar; 2) Anna Elisabeth, geboren 1706. Sie ist un= bekannt durch zwei in Weichmann, Poesie der Niedersachsen, Bd. IV., aufgenommene Gedichte, das eine auf das Ablebe ihrer Stiefmutter 1731, das andere auf den Geburtstag ihres Schwagers P. Höckel; 3) Johann, geboren 1709; 4) Sarah Katharina; 5) Maria Charlotte, geboren 1712, gestorben 1731. Sie wird 1728 an Barthold Schlebusch verheirathet.

Ein anderer Sohn des Johann Paul war Johann Albrecht, geboren 1673, gestorben 1733, verheirathet mit E. M. Alphusius. Sein ältester Sohn war Johann Heinrich, dessen wir als Ehemann von Meta's Schwester Catharina Mar= garetha und Vater von Klopstocks zweiter Ehefrau bereits gedacht haben. Sein Bruder führte die väterlichen Namen Johann Albrecht, geboren 1722, Licentiat der Rechte, wurde er 1762 zum Rathsherrn erwählt, und starb 1782. Bei der Schwester war Margaretha Caecilia, geboren 1724, gestorben 1797. Sie ward 1745 verheirathet an Peter Rücker.

Anmerkungen zu den Briefen.

1.

Maria Sophia Schmidt, Klopstock's Fanny, die Tochter des Bruders seiner Mutter, s. die Gen. Notizen.

Elisabeth Rowe, Tochter eines englischen Geistlichen, W. Singer, geboren 1674, gestorben 1738, deren Briefe von Todten an Lebende, unter dem Titel: Friendship in death, damals bei religiös gesinnten Lesern vielen Beifall fanden.

Johanna Elisabeth Radikin starb im Jahre 1747 zu Leipzig an der Schwindsucht, einer Familienkrankheit, welche durch den Schrecken über den Biß eines Hündchens bei ihr ausgebrochen war. Sie war mit J. A. Cramer verlobt, welcher später ihre Schwester Charlotte heirathete. Gedichte von ihr enthielt die Wochenschrift: Der Schutzgeist. Der Tod des liebenswürdigen, geist= und talentvollen Mädchens ward von allen im Wingolf vereinten Freunden beklagt und besungen. Giseke, welcher im Hause ihrer Mutter wohnte, verfaßte eine Trauerrede auf ihren Tod, jedenfalls die, welche Klopstock seiner Fanny überschickte, sowie zwei Jahre später die Ode: an die selige R** (Poet. Werke S. 129), in welcher er auch ihrer Schwester Charlotte unter dem Namen Phyllis gedenkt. Eine Elegie von J. A. Schlegel auf ihr Ableben s. in dessen Vermischten Gedichten Th. I, S. 295. Sie lebte unter dem Namen des seligen Hannchen im An= denken der Freunde fort (s. Briefe Nr. 3. 13); Klopstock gedenkt ihrer in dem zweiten Wingolfliede, sowie in den Oden: der Ab=

schied und Petrarca und Laura. Es ist also ein Irrthum von Schmiblin I, S. 480, sie für die kurz nach der Verheirathung gestorbene Gattin Cramer's anzusehen.

2.

Meine Freunde — die aus acht Liedern bestehende Ode: An meine Freunde, später Wingolf genannt, worunter Klopstock einen Tempel der Freundschaft verstand.

Deahne, ein Mädchen aus Frankfurt am Main, welche um diese Zeit den ältesten Bruder Fanny's, Christian Ludwig Schmid, heirathete.

Eine neue Ode — vermuthlich diejenige an die künftige Geliebte, welche im Hinblick auf die acht Wingolflieder kurz genannt werden durfte.

3.

Johann Andreas Cramer, geboren 1723 zu Jöhstadt bei Annaberg, ward 1748 Pfarrer zu Crellwitz bei Halle, 1750 Oberhofprediger zu Quedlinburg, 1754 Hofprediger zu Kopenhagen, 1771 Superintendent zu Lübeck, 1774 Professor zu Kiel, 1784 Prokanzler dieser Universität, starb 1788. Seine Frau wurde 1749 Charlotte, die Schwester seiner frühverstorbenen Braut, der geistreichen Johanna Radikin, welche auf ihrem Sterbebette die geliebte Schwester dem Freunde zugeführt hatte.

Der Jüngling — eine Wochenschrift, herausgegeben von Gisele und Rabener.

Nachtigall — man erwartet hier leicht Strophen aus der Ode Bardale, doch sind die folgenden Stellen alle aus dem Gedichte Petrarca und Laura, in dessen erster, später veränderter Gestalt. Doch erinnert der Satz: „Der Frühling ... ihre Minen" an Bardale in der vorletzten Strophe: „ihr Frühlinge dieser lächelnden Minen." Die zuletzt erwähnte Ode, nach dem Sylbenmaße: Audivere Lyce (Horaz, Carmina Buch IV, 13),

ist aber Barbale in ihrer früheren Form, welche durch die nor=
dische Götterlehre später verändert wurde.

Ebert, Johann Arnold, geboren 1723 zu Hamburg,
ward 1748 Hofmeister, 1753 Professor am Carolinum zu Braun=
schweig, starb am 19. März 1795. Er übersetzte Young's Nacht=
gedanken aus dem Englischen, welche Uebersetzung aber erst
1751 erschien.

Im Cato von Addison, Act 4, Sc. 3, sagt Juba:
Where am I! all is Elysium round me.

Gisele, Nikolaus Dietrich, geboren 1724 zu Csoba
in Ungarn, wo sein Vater Paul, ein geborener Hamburger, Pre=
diger der deutsch=lutherischen Gemeinde der Gespanschaft Eisen=
burg war. Dieser starb, als der Sohn 17 Tage alt war, wor=
auf die Wittwe, eine geborene Kramer aus Hamburg, mit den
Kindern, außer Dietrich noch eine Tochter, nach der Vaterstadt
zurückging, wo der Sohn seine Erziehung empfing. Nach been=
detem Studium zu Leipzig war er seit 1748 Erzieher, anfänglich
zu Hannover, dann zu Braunschweig bei des Abtes Jerusalem
Sohne, ward 1753 Prediger zu Trautenstein im Harz, 1754 Ober=
hofprediger zu Quedlinburg als Cramer's Nachfolger, 1760 Super=
intendent zu Sondershausen, wo er am 23. Februar 1765 starb.
Er verehelichte sich am 15. August 1753 mit Johanna Katharina
Eleonora, zweiter Tochter des Predigers Cruse zu Gerdau im Lü=
neburgischen.

Schlegel, Johann Adolph, geboren 1721 zu Meißen,
1751 Diakonus zu Pforta, 1754 Prediger zu Zerbst, 1759 Pastor
zu Hannover, starb am 16. September 1793. Seine Söhne wa=
ren August Wilhelm und Friedrich Schlegel.

Beyträge — die „Neuen Beyträge zum Vergnügen des Ver=
standes und Witzes," gewöhnlich nach dem Verlagsort Bremer
Beiträge genannt.

Donnerstag nach Mariä Heimsuchung — der
4. Juli.

4.

Schlegel, gleich Klopstock auf der Pforte gebildet, hatte dieselbe vier Jahre vor diesem, 1741, verlassen. Nachdem er 1746 die Universität Leipzig absolvirt, lebte er zuerst als Hauslehrer zu Strehla in Sachsen an der Elbe, dann wieder einige Zeit (ein halbes oder ein ganzes Jahr) in Leipzig, bis er 1749 zu Cramer nach Crellwitz zog, gemäß einer früheren Verabredung Beider, daß derjenige, welcher zuerst eine Anstellung erhielte, den Andern zu sich nehmen solle. Dort blieb er anderthalb Jahre, bis er 1751 als Diaconus und Collega extraordinarius bei der Pforte angestellt wurde. Von dem chursächsischen Consistorium war dem talentvollen Jüngling eine frühe Beförderung zugedacht, welche sich aber zufälliger Weise bis 1751 hinzog und auf welche Klopstock in diesem Briefe anspielt.

Proximus u. s. w. nach Vergil's Aeneis, Buch V, Vers 320: Proxumus huic longo sed proxumus intervallo.

Der Unzufriedene, ein episches Lehrgedicht in acht Gesängen, erschien zuerst in den Bremer Beiträgen.

Virgilium u. s. w. aus Ovid's Trist., Buch IV, Vers 10.

Heidnische Ode — die Ode Wingolf. Der citirte Vers ist aus dem vierten Liede derselben.

5.

Dem Briefe folgte bei die Elegie Daphnis und Daphne, welche unter dieser Bezeichnung zuerst in den Bremer Beiträgen 1749, Bd. 1, Stück 5, später unter dem Namen Selmar und Selma und in einzelnen Ausdrücken verändert, gedruckt wurde. Daphne ist die gewöhnlich unter dem Namen Fanny besungene Geliebte, wie auch aus Nr. 7 hervorgeht.

Schlegel's Choriambische Ode an Herrn Klopstock vom Jahr 1748 findet sich in seinen Vermischten Gedichten (1787 bis 1789) Th. I, S. 281.

6.

Friedrich von Hageborn lebte seit 1731 dauernd in seiner Vaterstadt Hamburg, wo er die Stelle eines Secretärs bei dem englischen Court, einer ansehnlichen Handelsgesellschaft, bekleidete und 1754 im 47. Jahre starb.

Die in dem Briefe erwähnte Ode ist ohne Zweifel die An Gisete, welche Klopstock dichtete, als der Freund Ostern 1748 von der Universität Leipzig zu seinen Verwandten nach Hamburg zurückkehrte und die mit zartempfundenen Grüßen an Hageborn schließt. Sie liegt aber unserem Briefe nicht bei, vielmehr die an Ebert, welche gleichfalls dem Jahre 1748 angehört.

Das Glück u. s. w. Diese Verse wiederholt Klopstock in verschiedenen Modificationen in vielen seiner Briefe; vgl. Nr. 9 — 12. Aus einem Briefe an Cramer (bei Schmidlin Nr. 64), in dem Klopstock sagt, daß er diese zwei Verse des Dietrich von Braunschweig immer sehr lieb gehabt, geht hervor, daß sie Giseken zum Verfasser haben, in dessen poetischen Werken sie indeß nicht zu finden sind.

7.

Si fractus illabatur orbis, impavidum ferient ruinae lauten die Verse bei Horaz, Carmina Buch III, 3. 37, welche Klopstock hier verändert hat.

Der Vater Schlegel's war Appellationsrath und Stifts-syndicus zu Meißen gewesen.

Des Dichters Vater, G. H. Klopstock, Quedlinburgischer Commissionsrath, hatte im späteren Leben durch Processe und Krankheiten viel zu leiden.

Mirja u. s. w. Messias, Ges. V, V. 91 ff.

Non si priores u. s. w. Horaz, Carm. IV, 9. 6. Dieses Citat wiederholt Klopstock in dem Briefe an Gleim vom 19. Februar 1752 (Schmidlin Nr. 61).

In ihr Elend u. s. w. Messias, Ges. V, V. 229 — 240, in den späteren Ausgaben vielfach verbessert.

Ihren Bruder — nämlich Johann Christoph Schmidt, der zweite Bruder Fanny's, der mit dem Dichter schon auf der Universität enge befreundet war.

Qualis populea u. s. w. aus Vergil's Georgica, Buch IV, V. 511, 514, 525 ff. teneram steht hier irrig für miseram. Die ersten Verse wiederholt Klopstock auch in dem Briefe an Bodmer vom 2. December 1748 (Schmidlin Nr. 5).

Die überschickte Ode ist wohl die An Ebert, und die Erzählung wohl die Ode Daphnis und Daphne, s. o. zu Nr. 5.

Johann Elias Schlegel, der ältere Bruder Joh. Adolph's, gleichfalls Mitarbeiter der Bremer Beiträge, lebte seit 1743 in Kopenhagen, erhielt 1748 eine außerordentliche Professur an der neuerrichteten Ritterakademie zu Sorö, starb jedoch schon am 13. August des folgenden Jahres, durch Arbeiten und Sorgen aufgerieben.

> Fortunati ambo! si quid mea carmina possunt,
> Nulla dies unquam memori vos eximet aevo.

Vergil's Aeneis, Buch IX, V. 446 ff.

8.

Die drei ersten Gesänge des Messias erschienen bekanntlich zuerst in den Bremer Beiträgen 4. Bd. 1748, deren Verleger Saurmann sich auf Klopstock's Anfrage den Nachdruck von Hemmerde in Halle 1749 gefallen ließ, jedoch dreißig Exemplare und Abdruck des Restes des Gedichtes für seine Beiträge verlangte. Klopstock verglich sich mit Hemmerde über Verlag und Fortsetzung, so daß 1751 der erste Band bei diesem erschien. Späterhin glaubte Hemmerde ein ausschließliches Recht nicht nur auf den Verlag der ersten fünf Gesänge, sondern des ganzen Messias zu haben, doch behauptete Klopstock seine Unabhängigkeit von dem Buchhändler.

9.

Zum Verständniß dieses Briefes ist zu bemerken, daß Giseke's Geliebte Johanna Katharina Eleonora Cruse die Schwester von Gärtner's späterer Gattin Louise war.

Deine vortrefflichen Oden — Oden aus dem Jahre 1749 finden sich mehrere, darunter die zu Nr. 1 erwähnte auf das Andenken der Radikin. Es scheinen hier die beiden: Choriambische Ode und Ode an eine Freundin gemeint, Poet. Werke, S. 142 und 152. Die Ode Giesekens an Klopstock findet sich in den Poet. Werken, S. 145.

Gärtner, Carl Christian, geboren 1712 zu Freiberg im Erzgebirge, war Hauptleiter der Herausgabe der Beiträge, seit 1745 Hofmeister, dann 1748 Professor am Carolinum zu Braunschweig, 1780 Hofrath geworden, starb er am 14. Februar 1791.

Die Ode an Daphne. Wie aus einem Briefe an Bodmer vom 12. April (Schmidlin Nr. 7) hervorgeht, hatte Gieseke die Ode An Fanny ohne Vorwissen des Verfassers in dem dritten Stück der neuen Sammlung vermischter Schriften von den Verfassern der Bremischen Beiträge (Leipzig 1748) abdrucken lassen. Vergleiche Nr. 11.

Bodmer, Joh. Jakob, der berühmte Bekämpfer der Gottschedischen Schule, war Professor der Geschichte und Politik zu Zürich. Mit ihm stand Klopstock schon lange in Correspondenz. Sein Landsmann Albrecht von Haller war Professor in Göttingen und Kgl. Leibarzt.

Friedrich Ludwig Prinz von Wales, Sohn König Georg's II. und Vater Georg's III. Dieser Prinz, welcher viele Hoffnungen der Nation erregt hatte, und als Gönner der Literatur und der schönen Künste gepriesen ward, starb schon im März 1751.

Wetstein, Joh. Jakob, geboren 1693, gestorben 1754, einer der vorzüglichsten Commentatoren des neuen Testaments.

Glover, Richard, geboren zu London 1712, nach dem Regierungsantritt Georg's III. Parlamentsmitglied, gestorben 1785. Sein Dichterruhm gründete sich vorzüglich auf das Heldengedicht Leonidas, das 1737 erschien und welches Ebert ins Deutsche übertrug. Die Uebersetzung stand zuerst in den vermischten Schriften der Verfasser der Bremer Beiträge, Bd. 1, St. 1, und erschien hierauf selbständig zu Hamburg 1749.

10.

Kleist's Landleben ist das Gedicht Der Frühling von Ewald Christian von Kleist. Vgl. dessen Brief an Gleim vom 5. August 1748 in seinen sämmtlichen Werken, herausgegeben von Körte I, 45.

11.

Singer — ist Elisabeth Rowe, f. zu Nr. 1. Im Verlauf des Briefes nennt Klopstock Fanny „meine Singer."

Die erwähnte Elegie (in dem letzten Stücke der Neuen Beiträge) ist die Ode: An die künftige Geliebte, deren bekannter Text die folgenden Verse, jedoch in neuer Redaction, aufgenommen hat.

Freimüthige Nachrichten von neuen Büchern und anderen zur Gelehrtheit gehörigen Sachen, eine periodische Schrift, die zu Zürich 1744 — 1763 in 20 Bänden erschien. Die darin (Jahrgang 5, Stück 39. 1748) gedruckte Ode ist: Die Stunden der Weihe, welche in den letzten Strophen Schmidt anredet.

Die Liebe grubst Du u. f. w. sind vier Strophen aus der Ode: An Gott.

Fuchs, Gottlieb, von seiner Herkunft gewöhnlich der Bauersohn genannt, unter welcher Bezeichnung er Gedichte und seinen Lebenslauf herausgab, später Pfarrer zu Taubenheim, wurde seit 1746 durch Hagedorn edelmüthigst unterstützt; f. dessen Werke Th. V, S. 48 ff.

Bohn, Johann Carl, geb. 1712 zu Breslau, gest. 1773, ein angesehener Buchhändler zu Hamburg, welcher damals Hagedorn's, später auch Klopstock's Werke verlegte.

12.

Die französische Uebersetzung der Briefe Abelard's und der Heloise ist wohl die von D. Gervaise, welche 1723 zu Paris in 2 Bänden 12° zuerst erschien.

Lettres de Babet. Sie war die geistreiche Geliebte Bour=
sault's, geboren 1640 zu Paris, gestorben 1664 im Kloster. Ihr
beiderseitiger Briefwechsel erschien 1666 zu Paris und später öfters
unter dem Titel: Lettres de Babet et de Boursault.

Gärtner — von einer Correspondenz zwischen ihm und
Klopstock ist nichts auf uns gekommen.

13.

Hellischen Nachdruck — Schreib= und Druckfehler für **Hal=
lischen**. Es ist der von Hemmerde in Halle veranstaltete Nach=
druck gemeint, s. zu Nr. 8.

14.

Gellert, Christian Fürchtegott, war seit 1744 Privatdocent in
Leipzig und arbeitete auch an den Bremischen Beiträgen mit.

Dyck, Buchhändler in Leipzig.

Unter den aufgezählten Büchern sind von **Bodmer**: Kritische
Betrachtungen über die Poetischen Gemälde der Dichter. 1741.
— Kritische Abhandlung von dem Wunderbaren in der Poesie
und dessen Verbindung mit dem Wahrscheinlichen in einer Ver=
theidigung von Milton's verlorenem Paradies. 1740. — Kritische
Sammlungen sind wohl: Sammlung der Züricher Streitschriften
zur Verbesserung des Geschmackes wider die Gottschedische Schule.
1741 — 1744. — Milton's verlorenes Paradies. 1732.

15.

Johann Elias Schlegel war am 13. August gestorben,
s. zu Nr. 7. Er war mit Klopstock noch eine Zeitlang auf der
Schule zu Pforta zusammen gewesen, wo er seine poetischen Ar=
beiten schon begonnen hatte, die diesem als Vorbilder dienten.

Cramer's Auferstehung. Diese Ode Cramer's war in
der Sammlung vermischter Schriften von den Verfassern der Bre=
mischen Beiträge 1749 erschienen. Vgl. Klopstock's Brief an
Bodmer vom 28. November 1749 (Schmiblin Nr. 11). Den

Plan dazu muß Cramer schon im Jahre 1747 gefaßt haben, da
ihn Klopstock in einem in den späteren Ausgaben weggelassenen
Verse des zweiten Wingolfliedes also anfang:

> Izt reißt Dich Gottes Tochter, Urania,
> Allmächtig zu sich. Gott der Erlöser ist
> Dein heilig Lied. Auf, segn' ihn, Muse,
> Segn' ihn zum Liede der Auferstehung.

Siehe C. F. Cramer, Klopstock. Th. I, 229.

16.

Johann Georg Schultheß, geboren zu Zürich 1724, gestorben als Pfarrer zu Mönchaltdorf in der Schweiz 1804, war
damals zu Berlin auf einer Reise, welche er, gleichwie einige Jahre
früher Dr. Hans Caspar Hirzel, anstellte, um literarische Verbindungen zwischen seinen Landsleuten, den Schweizern, und den
norddeutschen Gelehrten anzuknüpfen. Letzterer, geboren 1725 zu
Zürich, starb daselbst als Oberstadtarzt und Rathsherr 1803. Er
ist bekannt als Verfasser mehrerer Schriften biographischen Inhalts
und besonders durch: Die Wirthschaft eines philosophischen Bauers.

Sulzer, Joh. Georg, geboren zu Winterthur 1720, gestorben als Professor und Director der philosophischen Classe der
Akademie der Wissenschaften zu Berlin 1779.

Der Noah. Die beiden ersten Gesänge dieses epischen Gedichtes von Bodmer waren im Jahre 1750 zu Berlin erschienen.
Später vielfach umgestaltet, erschien die Noachide in 12 Gesängen
zuletzt zwei Jahre vor Bodmer's Tode, 1781.

Die Ode ist Bodmer's „Verlangen nach Klopstock's Ankunft."

Der Uebersetzer des Messias ist Vincent Bernhard von
Tscharner von Bern, der auch Dichtungen von Haller in's Französische übertrug.

Doris — unter diesem Namen ist die junge, gesangeskundige
Frau des Dr. Hirzel, Anna Maria, geb. Ziegler, verstanden. Sie
feiert der Dichter in der 6. Strophe der Ode: Der Zürichersee

als Hirzel's Daphne, während sie ihr Gatte selbst in dem Briefe an Kleist vom 4. August 1750 seine Doris nennt, s. Mörikofer, Seite 72.

17.

Gleim bekleidete seit 1747 die Stelle eines Secretärs des Domcapitels zu Halberstadt und wurde bald darauf Canonicus des Stiftes Walbeck. Klopstock, welcher am 17. Mai 1750 seinen ersten Brief an ihn geschrieben (Schmidlin Nr. 13), war zum ersten Male vom 25. Mai bis zum 1. Juni in Halberstadt gewesen; sein zweiter Aufenthalt dort endete am 13. Juni, s. zwei Briefe von Gleim an Ebert in Westermann's Illustrirten Monatsheften, Bd. 2, S. 564.

18a.

Gesammtbrief von Klopstock, Gleim und Schmidt an Ebert.

Halberstadt, den 12. Juni 1750.

Ob es gleich eine sehr eitle Vorstellung sein würde, wenn man eine Antwort von Ihnen hoffen wollte, so schreibe ich doch an Sie. Ich will Ihnen nur berichten, daß wir gestern Abend einen solennen und unwiderruflichen Ausspruch gethan haben, daß alle Ihre Entschuldigungen, die Sie für das Nichtschreiben machen, schlechterdings ungültig sind. Ihr   Klopstock.

(Dasselbe — „schlechterdings nichts taugen" schreibt Gleim.) In omnibus ut supra.   Schmidt.

Mein liebster Gleim,

Ich möchte an den hartnäckigen Ebert gern noch etwas schrei= ben, aber ich will es nicht thun, weil er sich doch nicht bekehren wird. Da lobe ich mir Sie, mein liebster Gleim, wenn man bey Ihnen ist, so ist man auch bei Ihren Freunden, weil dieselben fast alle Tage Besuche in Briefen bei Ihnen ablegen. Ihr   Klopstock.

Mein liebster Klopstock,

Sie sagen mir immer, daß Ebert ein gar zu artiger Mann sei, aber wie reimt sich das damit, daß er seinen Freunden nie= mahls antwortet. Sollen Sie ihm durch Ihre Briefe denn nur allein Freude machen,. und ist ihm nichts daran gelegen, daß sich seine Freunde freuen, wie er sich gefreut hat. Ich habe ihm meine Lieder geschickt, dafür könnte er sich doch wohl in ein paar Worten bedanken. Aber er wird es bleiben lassen. Denn er hat mir, als ich ihn zum ersten Mahle um seine Antwort bat, rund heraus ab= geschlagen, daß er mir nicht antworten würde. Nun reimen Sie mir das einmahl mit seiner Artigkeit. Artig ist er, das ist wahr, ich habe es einen Tag und eine Nacht gesehn und ihn auch immer seitdem einen artigen Mann genannt; aber wenn er mir nicht bald einmal schreibt, so soll er nicht mehr artig seyn. Nicht wahr, wenn wir Gärtnern frügen, würde er uns nicht recht geben?

Ihr   Gleim.

Mein lieber Herr Ebert,

Ich würde es eben so gerne von Ihnen schriftlich hören, daß Sie mich liebten, als von den besten Mädchen in der Welt münd= lich: Ihre Freunde sagen mir aber, die Gewährung dieses Wunsches sey selbst über die Macht des Himmels, denn Ebert würde Ebert nicht mehr sein, wenn er Briefe schriebe. Ihr

Schmidt.

Wer wollte an den bösen Menschen noch einmal schreiben? — — hört Capitelsbote! Bleibt mit eurem langen Spieße so lange bei ihm, bis er euch zum wenigsten etwas in die Hand ge= geben hat, das ihr nach eurem guten Gewissen für einen Brief halten könnt (von Klopstock geschr.).

Klopstock. Schmidt. Gleim.

Darf man ihn auch wohl bitten, Gärtnern, und sein Mäd= chen und seine Freunde von uns zu grüßen? Nein, das würde ihm eben so viel Mühe machen, als wenn er uns ein Paar Zeilen

Schreiben sollte. Wir wollen also darum lieber Zachariae oder Denods ersuchen.

Wir tragen diesen Brief, der in Westermann's Jllustrirten Monatsheften, Bd. 2, S. 92, veröffentlicht ist, hier nach. Das Datum lautet dort, vermuthlich durch einen Lesefehler, 12. Januar, wofür ohne Zweifel 12. Juni zu setzen, an welchem Tage die drei Freunde auch den Gesammtbrief an Schlegel erließen. Daß Klopstock nicht schon im Januar Gleim's persönliche Bekanntschaft zu Halberstadt gemacht, geht aus den zu Nr. 17 citirten Briefen hervor.

Zachariae, Justus Friedrich Wilhelm, geboren 1726 zu Frankenhausen, während seiner Leipziger Universitätszeit Mitarbeiter an den Beiträgen, kam 1748 als öffentlicher Hofmeister an das Carolinum, 1761 Professor der schönen Wissenschaften daselbst, 1775 Canonicus am Cyriacusstifte, starb am 30. Januar 1770.

20.

Das Datum dieses Briefes, den wir aus Westermann's Jllustrirten Monatsheften entnahmen, ist dort entweder in Folge eines Lese= oder eines Schreibfehlers Klopstock's als der 17. Juli angegeben, an welchem Tage der Dichter schon zu Nürnberg, auf der Reise in die Schweiz, angelangt war, s. Nr. 25.

Zu dem Inhalt dieses Briefes vgl. besonders einen anderen des Dichters an Bodmer vom 6. Juni (Schmidlin Nr. 14). Von diesem schon seit lange eingeladen, ihn in Zürich zu besuchen, beabsichtigte Klopstock in diesem Sommer der Aufforderung Folge zu leisten, wurde aber in seinem Entschlusse wieder wankend, als ihm der Abt Jerusalem eine Hofmeisterstelle an dem Carolinum zu Braunschweig antrug. In diesen Tagen nun bekam er die Nachricht, daß der Herr von Bernstorf, der eben seinen Posten als dänischer Gesandter in Paris verlassen, und durch den Cabinetsprediger des Herzogs von Gotha, Klüpfel, den Messias kennen gelernt hatte, auf seiner Rückreise nach Kopenhagen in Hannover bei seinem Bruder, der dort Landrath war, erklärt habe,

er wolle Klopstock eine Pension bei dem Könige Friedrich V. von
Dänemark zur Vollendung des Messias auswirken, und dieser
solle sich daher, wenn er die Stelle in Braunschweig annehme,
nicht auf lange Zeit binden. Diese erfreuliche Nachricht erhielt
Klopstock durch seinen Vetter, den jüngeren Leisching, welcher
Secretär eines Bernstorf verwandten Edelmannes zu Gartau war,
wo sich jener aufgehalten und Leisching sofort beauftragt hatte,
Klopstock von seinen wohlwollenden Intentionen zu benachrichtigen.
Zu vergleichen sind ferner zwei Briefe von Gleim an Ebert in
Westermann's Illustrirten Monatsheften, Bd. 2, S. 564. Der
erste vom 2. Juni, worin Gleim schreibt: „Wird er (Klopstock)
auch in Braunschweig recht glücklich sein?" zeigt an, daß damals
Bernstorf's Anerbieten noch nicht an den Dichter gelangt war. Der
andere vom 13. Juni gibt Gleim als den zu erkennen, der Ebert
zuerst in unbestimmter Weise Nachricht von einer möglichen Reise
Klopstock's nach Kopenhagen gegeben, worauf unser Brief anspielt.

Joh. Hartwig Ernst von Bernstorf, der große Refor=
mator des dänischen Staatswesens, wurde nach seiner Rückkehr
von Paris 1750 Staatssecretair und Geheimer Rath, im folgenden
Jahre trat er in den Staatsrath ein, wurde 1767 in den Grafen=
stand erhoben, 1770 beim Eintritt Struensee's in das Ministerium
in Gnaden entlassen; worauf er sich nach Hamburg begab, wo er
die Genugthuung hatte, den Sturz seines Gegners und seine Rück=
berufung zu erleben. Bereit, diesem Rufe Folge zu leisten, über=
raschte ihn der Tod am 19. Februar 1772.

Joh. Friedr. Wilhelm Jerusalem, der kenntnißreiche
Begründer des Carolinums zu Braunschweig und edelmüthige
Gönner unseres Dichters und seiner Freunde, war 1740 als Hofpredi=
ger nach Braunschweig berufen, wurde 1749 Abt von Marienthal,
1752 auch von Riddagshausen, endlich 1771 Vicepräsident des Con=
sistoriums zu Wolfenbüttel, in welcher Würde er 1789 verstarb.

Gärtner's Schwester, Christiane Dorothea, war vermählt
mit dem talentvollen, aber durch die Sinnlichkeit seiner Gedichte
Anstoß erregenden Dichter Joh. Christoph Rost.

21.

Meene, Heinrich, geboren zu Bremen 1710, war damals ˅rediger zu Queblinburg und soll als Superintendent der Herr= schaft Jever gestorben sein.

Auch Cramer's Beförderung zu der Hofpredigerstelle in ˅ueblinburg erfolgte vorzüglich auf Jerusalem's Verwenden.

23.

Gelegentlich sei hier bemerkt, daß sich ein Porträt Fanny's ˅ Oel, von einem ungenannten Maler kurz nach der 1754 erfolgten ˅ermählung verfertigt, im Besitze der Familie des weiland Schöffen ˅onrad Adolf Bansa zu Frankfurt am Main, eines Enkels von ˅anny, befindet.

24.

Dieser Brief ist zwar gedruckt in der Sammlung von Schmid= in Nr. 20, wir geben ihn hier nochmals, da er wesentlich zur ˅ervollständigung des Bildes beiträgt, welches wir uns von des Dichters Verhältnisse zu seiner Fanny, sowie von der Zeit, welche ˅inen Wendepunkt in seinem Leben bilden sollte, entwerfen.

Bachmann, ein gebildeter Kaufmann in Magdeburg, der ˅it vielen Gelehrten und Dichtern in freundschaftlichen Beziehungen ˅tand. Bei ihm war Sulzer eine zeitlang Hauslehrer gewesen. ˅r machte im Jahre 1776 zu St. Petersburg seinem Leben ge= ˅altsam ein Ende.

Sack, August Friedrich Wilhelm, geboren 1703 zu Harzge= ˅obe, starb als Oberconsistorialrath zu Berlin 1786.

Sevigné — Marie de Rabutin, verehelichte Marquise de Se= ˅igné, gestorben 1696, eine durch Geist und Anmuth hervorragende Dame der Epoche Ludwig's XIV., bekannt durch ihre zärtlichen Briefe an eine geliebte Tochter, deren authentische Ausgabe zuerst ˅734 — 37 in 6 Bänden zu Paris erschien.

Lazarus und Cibli, s. Messias, Gesang V, V. 740 ff., ˅o die Liebe des Lazarus, oder wie ihn der Dichter später nannte,

Semida, zu Cidli, der Tochter des Jairus, geschildert ist, wobei
Klopstock seine Liebe zu Fanny vorgeschwebt haben mag.

Sulzer und die zwei anderen Schweizer. Klop-
stock machte die Reise nach der Schweiz in Begleitung von Sulzer
und Schultheß, von einem dritten Reisegefährten ist nichts bekannt.

25.

Das Circularschreiben, das dieser Brief, der schon auf
dem Wege nach der Schweiz geschrieben ist, erwähnt, s. bei Schmidlin Nr. 21.

28.

Dieser Brief ist das Einladungsschreiben zu der berühmten
Fahrt auf dem Züricher See, welche am 30. Juli, einem Donnerstage, stattfand, also Ende Juli zu setzen, und nur irrthümlich
oben im Texte nach Nr. 27 gestellt.

Hartmann Rahn, Kaufmann aus Zürich, einer der enthu-
siastischsten Verehrer des Dichters, heirathete 1751 dessen Schwester
Johanna Victoria, durch welche er Vater einer Tochter Johanna
Maria wurde, welche J. G. Fichte ehelichte. Er folgte noch in
demselben Jahre Klopstock nach Dänemark, wo er mit dessen ältestem
Bruder August Philipp zu Lingbye bei Kopenhagen eine Seiden-
fabrik anlegte, welche aber nicht reussirte, worauf er eine Zeitlang
in Hamburg an der Handelsakademie des Prof. Büsch Unterricht
ertheilte. Später ging er nach Zürich zurück, endlich zu seinem
Schwiegersohne nach Jena, wo er in hohem Alter starb.

Hirzel, Hans Caspar (s. zu Nr. 16) und dessen Bruder
Salomo. Letzterer, geboren 1727, gestorben 1818, war später
Standessäckelmeister und gründete 1761 mit seinem Bruder und
J. Iselin die patriotische Helvetische Gesellschaft.

Werdmüller, Johann Rudolf, welcher einige Jahre später
durch „Die vier Stufen des menschlichen Alters" Klopstock nach-
eiferte, nach welchem Gedichte dann Zachariä seine „Vier Stufen
des weiblichen Alters" bildete.

Schinz, J. Heinrich, ein Kaufmann, Bruder des ebenfalls
n der Fahrt Theil nehmenden gelehrten Geistlichen, der der Nach=
olger von Heß in der Pfarre zu Altstetten wurde. Die Schwester
eider wurde während der Fahrt von Klopstock vor allen anderen
Schönen besonders ausgezeichnet.

Keller aus Goldbach, ein mit musikalischen Talenten begabter
Jüngling. Auf dem Landgute seiner Eltern, am See kehrte die
Gesellschaft ein.

Altstetten bei Zürich — also befand sich Klopstock gerade
zum Besuch bei J. G. Heß, dem genauen Freunde Bodmer's, der
hier Prediger war und 1749 in den „Zufälligen Gedanken über
das Heldengedicht des Messias" dem Dichter reiches Lob gezollt
hatte.

Breitinger, Joh. Jakob, Professor der griechischen Sprache
am Gymnasium zu Zürich, Bodmer's Genosse im Kampfe gegen
Gottsched, dessen alleingültiger Autorität zuerst seine kritische Dicht=
kunst ein Ende machte.

Für die Fahrt selbst ist besonders der Brief Hirzel's an Kleist
vom 4. August zu vergleichen, bei Clodius I, S. 101.

27.

Füßli, Joh. Caspar, Verfasser der Geschichte der Künstler
aus der Schweiz. Er malte um diese Zeit auch Klopstock's Por=
trät, worauf in Nr. 35, oben S. 67, angespielt wird.

29.

Dieser Brief ist bereits abgedruckt bei Schmidlin Nr. 26, doch
so vielfach entstellt, daß der Abdruck nach dem Original angemessen
erschien.

Der junge Kaufmann ist Hartmann Rahn, dessen Wohn=
haus, genannt die Hohe Farb, sich vor der Pforte des Nieder=
dorfs befand, wohin Klopstock am 3. September aus Bodmer's
Wohnung gezogen war.

Adam Gottlob Graf von Moltke, geb. 1710, gest. 1792.

Die Nachricht von der definitiven Berufung nach Kopenhagen
erhielt Klopstock in der ersten Hälfte des August durch ein Schreiben
Bernstorf's.

30.

Dieses Brieffragment führt uns mitten in die ausgebrochenen
Mißhelligkeiten zwischen Bodmer und Klopstock. Es ist ein Citat
eines Briefes von Ersterem an Pastor Heß. Der unfreundliche
Argwohn Bodmer's bestand darin, daß dieser bei Gelegenheit einer
beabsichtigten Reise geäußert hatte, Klopstock werde sich seiner Abwesenheit freuen, weil er dann seiner Ueberwachung enthoben sei.

Außer auf unsere Nr. 32 und 35 verweisen wir in Betreff
der Erkältung der beiden Freunde auf die Darstellung derselben
in einem Briefe Bodmer's an Zellweger vom 5. September bei
Mörikofer S. 90.

31.

Heine — dieser Name findet sich unter dem damaligen
Lehrerpersonale der Pforta nicht. Es ist wohl Haine zu lesen;
vgl. Nr. 4.

Am Ende, Joh. Joachim Gottlob, war von 1744—48
Pastor zu Pforta, dann Superintendent zu Freiberg, zuletzt in
Dresden, wo er 1777 starb.

Des Dichters Bruder, der damals Schüler der Pforta
werden sollte, ist das zwölfte Kind der mit siebenzehn Sprößlingen
gesegneten Ehe der Eltern, Carl Christoph (irrig gewöhnlich
Carl Christian genannt), mit welchen Namen er sich selbst in das
Pförtner Album am 2. August 1751 verzeichnete. Er verließ diese
Schule am 9. August 1757. Vgl. Bittcher, Pförtner Album.
Verzeichniß sämmtlicher Lehrer und Schüler der kgl. Landesschule
Pforta von 1543 — 1843. Leipzig, 1843.

Ἐρασμια πελεια — verändert aus dem Liede Anakreon's an
die Taube.

32.

Schultheß stand in dem ausgebrochenen Zwiste auf Klopstock's Seite, während Hirzel und Werdmüller zu Bodmer hielten.

Sulzer war damals schon nach Berlin zurückgereist, hielt aber später entschieden zu Bodmer und stand nicht an, Klopstock in Briefen an jenen in gehässiger Weise herunterzusetzen.

Die Bemerkung über die Braut von Schultheß ist aus dem Briefe an Gleim vom 8. October bei Schmidlin Nr. 31.

33.

Die angeführten Stellen des Messias sind aus dem 4. Gesang, Vers 643 — 650 und 890 — 918.

Clarissa — tho history of Miss Clarissa Harlowe von Samuel Richardson.

34.

Meine beiden gedruckten Oden — Klopstock hatte während des Aufenthaltes in Winterthur im August die beiden Oden an Bodmer und der Züricher See gedichtet und für die Freunde heimlich in Zürich drucken lassen.

35.

Dieser Brief gelangte laut Nr. 37 nicht in Bodmer's Hände.

le Maitre — Johann Meister, Bodmer's Jugendfreund, Prediger zu Erlangen, an den sich Bodmer gewandt hatte, um Klopstock eine Professur an der dortigen Universität auszuwirken.

Wolf, Salomo, einer der Genossen der Seefahrt, ein gebildeter Buchhändler und Herausgeber der Zeitschrift „Freimüthige Nachrichten", der auch als späterer Genosse Salomo Geßner's für den geistigen Verkehr der Schweiz wirksam war.

Junker Meier — Joh. Ludwig Meyer von Knonau, Gerichtsherr von Wieningen, Verfasser eines Bändchens von Fabeln und geschickter Thiermaler.

37.

Am selben Tage schreibt Klopstock an Gleim über den nicht an Bodmer gelangten Brief. Doch verfehlte der Brief von Sack, der jedenfalls erst später in seine Hände kam, seine Wirkung nicht: Klopstock und Bodmer schieden, wenn auch nicht als Freunde, so doch nach äußerlicher Versöhnung. Der Dichter verließ Zürich, an das er später immer noch mit hoher Freude zurückdachte, um die Mitte Februar.

39.

Meta, eigentlich Margaretha Moller, die unter den Namen Clärchen, Cidli, gefeierte erste Frau des Dichters; vgl. die Genealog. Notizen 3.

Rahn ist jedenfalls zu lesen, obgleich das Morgenblatt, aus dem wir diesen Brief entnehmen, Rohn hat.

Die nur zärtliches Herzens — gemeint ist ohne Zweifel die Ode: Die künftige Geliebte, welche beginnt: Dir nur liebendes Herz.

Olde, Johann Heinrich, erscheint in den Oden an Ebert und Wingolf als vertrauter Freund des Dichters aus dem Leipziger Kreise. Er promovirte als Doctor der Medicin zu Leyden am 21. November 1748, verheirathete sich 1757 mit Katharina Elisabeth, Tochter des Barthold Schlebusch, und starb am 22. April 1759 zu Hamburg, nicht 1750, wie in Klopstock's Anmerkungen zum Wingolf steht, wodurch viele Commentatoren sich irre leiten ließen.

40.

Dieser Brief ist zwar schon gedruckt bei Schmidlin Nr. 41, er durfte aber hier des Zusammenhangs halber nicht fehlen.

Maria Sophia Hagenbruch, eine Cousine Klopstock's und Fanny's, heirathete ihren Vetter Askan Wilhelm Lutteroth. Vgl. die Genealog. Notizen 2.

41.

Der Ostersonntag fiel im Jahre 1751 auf den 11. April.

42.

Die Ode: „Friedrich der Fünfte", mit welcher Klopstock dem Könige den Messias zueignete, war schon in der Schweiz gedichtet.

·Sie wurde von dem Dichter zweimal umgestaltet; s. die Lesarten der ältesten Gestalt bei Cramer I, S. 397.

Der jüngste S ch l e g e l, Johann Heinrich, geboren zu Meißen 1726, war 1748 nach Dänemark als Hofmeister der Söhne des Stiftsamtmanns zu Fühnen, Grafen Christian Rantzau, gekommen, die er später nach Soroe begleitete. Er wurde nachher Professor der Geschichte, kgl. Historiograph und Bibliothekar und starb 1780.

H ü b n e r, Johann, gest. 1731 als Rector des Johanneums zu Hamburg, machte sich in seiner Weise verdient durch Heraus= gabe historischer und geographischer Schul= und Handbücher, welche weite Verbreitung und eine Menge Auflagen erlebten, namentlich aber durch seine genealogischen Tabellen, auf die wohl Klopstock hier anspielt.

H a n n ch e n ist Giselens Braut, s. zu Nr. 9.

S e i p, Friedrich Ernst, Sohn des Hofraths Dr. med. Seip in Pyrmont, Licentiat der Rechte, erlangte 1749 ein Canonicat zu Hamburg, wo er schon am 1. December 1751 starb.

43.

Wenngleich das Original dieses reizenden Briefes nur wenig von der früher (bei Kl. Schmidt Nr. 36, Schmidlin Nr. 44.) gedruckten Abschrift abweicht, so durfte doch hier der ganz genaue Abdruck desselben nicht fehlen.

45.

P r o f e s s i o n und H i s t o r i e, soll entweder P r o f e s s u r der H i s t o r i e, oder wohl eher P h i l o s o p h i e und H i s t o r i e heißen.

46.

R o t h e, Heinrich Gottlieb, auch ein Freund des Leipziger Kreises, dessen in der Ode: An Ebert gedacht wird. Er hielt sich damals in Leipzig auf und starb als sächsischer Finanzsecretär und Archivar zu Dresden am 28. August 1808.

49.

Laurent Anglibiel be la Beaumelle, geboren 172. in Languedoc, kam zuerst als Hauslehrer nach Dänemark, ga_ 1749 heraus: La spectatrice Danoise ou l'Aspasie modern_ Ouvrage hebdomadaire, bekam 1751 die Professur der franz_ sischen Literatur. Noch in demselben Jahre aber erhielt er Folge seiner Schrift: Mes pensées ou le Qu'en dira-t-on? sein_ Abschied mit dem Titel eines Hofraths und einer Pension. _u seinem Rückwege über Berlin entzweite er sich mit Voltaire we_gen einer in den Pensées gegen diesen gethanen Aeußerung. Ja diese kleine Schrift brachte ihn 1753 sogar in die Bastille, welche er nur verließ, um wegen seiner: Mémoires de Mad. de Maintenon le vol. 12. zum zweiten Male in dieselbe zurückzuwandern. Er starb 1773 als Bibliothekar an der kgl. Bibliothek zu Paris. Verfasser mancher, verschiedenartiger Werke ist er besonders als geistreicher, von Voltaire selbst geschätzter Gegner desselben beach= tenswerth.

Ludwig von Holberg, der 1747 in den Freiherrnstand erhobene Norweger, als Historiker, noch mehr als Satiriker und Lustspieldichter berühmt. Seine Vorliebe für die englische Lite= ratur, sowie seine religiösen Ansichten lassen schon eine Hinnei= gung zu Klopstock voraussetzen.

Gericht über die bösen Könige. Ein Gedicht dieses Inhalts, unter dieser oder einer ähnlichen Bezeichnung, ist nicht bekannt. Eine Anspielung darauf findet sich in der 1751 gedich= teten Ode: Friedensburg:

> Laß denn, Muse, den Hain, wo du das Weltgericht
> Und die Könige singst, welche verworfen sind.

Auch in dem Briefe an Schmidt, vom 20. Juli 1751 (Schmidlin Nr. 48), erzählt Klopstock, daß er am Weltgerichte arbeite. Vergl. auch den Brief an Gleim vom 9. April 1752 (Schmidlin Nr. 63). Man kann nicht bezweifeln, daß Klopstock damals schon das in dem 1773 erschienenen 18. Gesange des Messias (Vers 722 — 845) geschilderte Gericht über die bösen Könige gedichtet habe.

Gericht über die Freigeister. Vermuthlich gleichfalls eine Skizze für das Weltgericht, welche später nicht aufgenommen wurde.

50.

Ein stiller Schauer u. s. w. ist die 1748 gedichtete Ode: An Gott.

Die Königin Luise starb am 19. December. Auf ihr Andenken dichtete Klopstock die nach ihr benannte Ode. Sie war die Tochter König Georg's II. von England und der Carolina von Brandenburg-Ansbach.

Weiß, Johann Christian, zu Langensalza, Bruder von Fanny's Mutter, bei welchem Klopstock 1748 eine Zeitlang Hauslehrer gewesen. S. die Geneal. Not. 2.

Leisching, Christian, verheirathet mit Martha Maria Schmidt, einer Schwester von Klopstock's Mutter. S. die Geneal. Not. 2.

51.

Gottlob, daß ich Sie 1740 noch nicht gekannt habe — steht ohne Zweifel im Zusammenhang mit der Erzählung, welche die spätere Braut am 8. August 1752 dem Geliebten gab, wie sie im 13. Jahre sich ungefähr das Bild von einem Manne gemacht, wie ihr ihn der Himmel jetzt gäbe. (Schmidlin Nro. 72.)

53.

Clärchen, Clary, nennt Klopstock seine Meta nach Richardsons Clarissa.

54.

Zwischen diesen Brief und den vorhergehenden fällt der Aufenthalt Klopstock's in Hamburg vom 1. Juni bis 15. Juli (s. Nr. 55) und seine Verlobung mit Meta. Er reiste dann über Braunschweig, wo wir ihn am 19. und 20. Juli finden, nach Quedlinburg. Die Ueberschrift des vorliegenden Briefes (Als — war) ist, wie eine neuerliche Einsicht des Originals ergab, nicht von Meta's, sondern von Klopstock's Hand und darin „und" statt „er" zu lesen.

55.

Schlegel's spätere Frau war eine Tochter des Pförtne-
Professors der Mathematik Hübsch. Sie wird in Nr. 71 m-
ihrem Vornamen Muthchen (Willmuth?) genannt.

Unser Pförtner ist Klopstock's Bruder, Schüler der Pfort-
der wohl damals in den Ferien in Quedlinburg war. Ver-
zu Nr. 31.

56.

Ramler, Carl Wilhelm, geb. zu Kolberg 1727, früher -
arbeiter an den Bremischen Beiträgen, war seit 1748 Lehrer be-
Logik und der schönen Wissenschaften an der Cadettenschule zu
Berlin, welche Stelle er 1790 niederlegte, um als Mitdirector
beim Nationaltheater einzutreten. Er starb am 11. April 1798.

57.

Diesen Brief sollte Klopstock in Braunschweig finden, wohin
Meta in dem Briefe vom 8. August (Schmidlin Nr. 72) zu schreiben verabredet hatte.

Langensalza. Im Original steht beide Male nur L., was
im Texte irrthümlich mit Langensalza, das Klopstock auf seiner
Reise diesmal gar nicht berührt hat, erklärt ist. Dem Zusammenhang nach kann nur der Elbübergang bei Lauenburg gemeint sein.

58.

Dieser schöne Brief ist schon in der Sammlung von Clodius
I, S. 145, und danach bei Schmidlin Nr. 81, gedruckt, jedoch
mit mehreren willkürlichen Auslassungen und Entstellungen. —
Klopstock war im October von Hamburg nach Kopenhagen abgereist.

59.

Die Häckeln, s. zu Nr. 73.

Die Schlebusch, ist die 1729 geborene Katharina Elisabeth
die spätere Gattin Olden's, Tochter des Barthold Schlebusch und
der Maria Charlotte Dimpfel, s. zu Nr. 39 und 73.

Bostel, vielleicht der 1783 gestorbene Lucas Andreas von Bostel, Licentiat der Rechte in Hamburg, später Reichskammer= gerichtsadvocat und Hamburgischer Agent zu Wetzlar.

62.

Carl Friedrich, der älteste Sohn J. A. Cramers, der spätere Freund und Commentator Klopstock's, geb. 1752 zu Quedlinburg.

63.

Cramer war also schon in diesem Jahre für die Hofprediger= stelle in Kopenhagen in Aussicht genommen, welche er im folgen= den antrat.

64.

Hannchen Klopstock, schwerlich Klopstock's an Rahn ver= lobte Schwester Johanna, sondern vielmehr charakteristischer Schreib= fehler für Hannchen Giseke.

Das in Zürich von Füßli gemalte Porträt Klopstock's hatte Kleist gekauft und es Gleimen überlassen, der sich nur davon trennte, um Meta damit zu überraschen; vergl. das Dankschreiben derselben bei Schmidlin Nr. 86.

65.

Ebert hatte im Jahre 1750 eine verlobte Braut durch den Tod verloren.

Dr. Liebe — Amor.

Berkenhout geb. zu Leeds von einem deutschen Vater, kam um 1753 nach Braunschweig, trat zuerst hier, dann in Eng= land in Militärdienste, studirte aber später noch Medicin, deren Doctorgrad er zu Leyden erwarb. Er übersetzte außer den zwei ersten Gesängen der Messiade, die aber nicht gedruckt wurden, die Briefe des Grafen Tessin an den Kronprinzen Gustav. Er ist Verfasser unter Anderem einer Biographia literaria und einer Synopsis of natural history of Great-Britain and Ireland (London 1789).

68.

Im Frühlingsschatten u. s. w. ist die Ode: Das Rosenband, welche also erst 1753, nicht im vorhergehenden Jahr,
welchem sie die Gesammtausgabe zuschreibt, gedichtet ist.

69.

M** ist der 1774 verstorbene Ernst Friedrich Mylius,
1744 Hauptpastor zu St. Petri, zu dessen Parochie die gr
Reichenstraße, in welcher Meta bei ihrer Schwester nach Nr.
wohnte, gehörte.

70.

Giseкens Schwester, Catharina, starb 1769 unvereh-Licht
zu Hamburg, wo ihre mütterlichen Verwandten wohnten.

71.

Klopstock hatte unterdeß am 10. Juni zu Hamburg seine
Meta heimgeführt und war darauf mit ihr nach Queblinburg zu
seinen Eltern gereist.

Gisеke trat also damals als Nachfolger Cramer's sein Amt
als Hofprediger zu Queblinburg an.

Fritz ist nicht der spätere Dichter Carl Wilhelm Friedrich
Schlegel, der erst 1772 geboren wurde, sondern vermuthlich ein
früh verstorbener Sohn der mit vielen Kindern gesegneten Ehe.

72.

Der Hauptpastor an der Katharinenkirche zu Hamburg
Joh. Ludwig Schlosser war am 7. April 1754 gestorben. An
seine Stelle ward am 15. Juni 1755 erwählt der bekannte Joh.
Melchior Göze.

73.

Elisabeth Schmidt geb. Moller, die älteste Schwester
Meta's, s. Geneal. Not. 3.

Ihr sollt Schlegeln haben — Anspielung auf eine
bekannte Erzählung Gellert's.

Scheelen — entweder die 1759 verstorbene Wittwe des Früheren Bürgermeisters Martin Lucas Schele († 1751) mit ihren Töchtern, oder dessen Vetter Martin Hieronymus, seit 1751 Bürgermeister und 1774 kinderlos gestorben, mit seiner ersten Frau Magdalena geb. Amsinck († 1763), oder auch der jüngere Bruder des letzteren Wolber († 1785 als Protonotar) mit seiner zweiten Frau Anna Catharina geb. de Dobbeler, deren Töchter damals noch unerwachsen waren.

Barthold Schlebusch, 1741 — 47 Kämmerei=Verordneter für das St. Katharinenkirchspiel und 1754 Jurat an dessen Kirche, starb 1768. Er hatte 1728 Maria Charlotta, des Joh. Arnold Dimpfel jüngste Tochter geheirathet, deren älteste Schwester Gertrud Constantia verheirathet war an Peter Höckel, der 1746 starb. Ihre Kinder mögen die in dem Briefe erwähnten Höckeln (in Nr. 59 Häckeln) sein.

74.

Klopstock war mit seiner Meta in diesem Jahre von Mitte Mai bis zum September in Hamburg.

Alberti, Julius Gustav, geb. 1723 zu Hannover, seit 1755 Prediger zu St. Katharinen in Hamburg, starb am 30. März 1772. Er ist bekannt durch seinen theologischen Streit mit dem Hauptpastor Göze.

75.

Die vollständige Ueberseßung dieses in englischer Sprache zu Hamburg geschriebenen Briefes findet sich in den Sammlungen von Clodius I, S. 224 und Schmidlin Nr. 124. Es fehlt aber daselbst die vorliegende nicht unwichtige Stelle, welche auf den Satz folgt: „Meine Mutter wollte mich nicht an einen Fremden verheirathen."

Richardson, Samuel, geb. 1689 in Derbyshire, gest. 1761. Er erregte Bewunderung durch seine Erzählungen: the history of Miss Clarissa Harlowe, Pamela or virtue warded und history of Sir Charles Grandison.

76.

Young, Edward, geb. 1681, wurde 1719 Doctor der Rech—
trat dann in den geistlichen Stand, ward 1728 Capellan König
Georg II., erhielt zwei Jahre später eine Pfarrstelle. Noch
80. Jahre wurde er Cabinetsprediger der verwittweten Prinze —fin.
von Wales und starb 1765 zu Wellwyn. Die Correspondenz mit
Young fing Klopstock noch im Herbst 1757 an. Die Briefe Young's
an ihn, sowie die Richardson's an Meta finden sich bei Clodius
und Schmidlin.

Der preußische Offizier hieß nach diesen Briefen Hohorst.

Zu bemerken ist bei dem Urtheile Klopstock's über die englische
Tragödie, daß ihm Shakspeare unbekannt war.

Der geistlichen Lieder (35 neue und 29 veränderte alte
Kirchenlieder) erster Theil erschien 1758.

Das Baumhaus war ein Wirthshaus am Binnenhafen
zu Hamburg an der Ecke des Baumwalles und Steinhöft.

Leisching, so vermuthen wir für Bisching, welches unsere
Vorlage (Westermann's Monatshefte) hat. Es wird einer der
drei Söhne Christian Leisching's, des Oheims von Klopstock, gemeint sein.

Die erledigte Pastorstelle war die zu St. Nikolai,
deren Vorsteher Hornbostel am 14. Jan. 1757 gestorben war,
an dessen Stelle am 2. Juli 1758 J. D. Winckler gewählt wurde.

77.

Die im vorigen Briefe ausgesprochene Hoffnung Klopstock's,
seine Meta von einem Kindlein genesen zu sehen, war nicht in
Erfüllung gegangen. Sie war am 28. November 1758 zu Ham-
burg an der unglücklichen Entbindung von einem todten Sohne
gestorben. Sie wurde zuerst mit dem Kinde im Arme in dem
Schmidt'schen Begräbniß beigesetzt, im nächsten Frühlinge auf dem
Kirchhofe zu Ottensen bestattet, wo die Linde ihres und ihres
Gatten Grab noch jetzt beschattet. — Die vorliegenden lieben
Zeilen unseres Dichters, deren Original sich in den Händen des

esigen Herrn Med. Dr. Caspar befinden, sind ohne Addresse.
och müssen sie an Frau Elisabeth Schmidt oder Frau C. M.
impfel, eine der Schwestern Meta's, gerichtet gewesen sein.
lopstock selbst sagt am Schlusse seines zu Hamburg den 10. April
759 unterzeichneten Vorwortes zu Margaretha Klopstock's hinter=
ssenen Schriften Folgendes über seiner Frau und sein Grab:
Sie ist noch nicht an der Stelle begraben, wo ich einmal bei ihr
ı ruhen wünsche. Ich will unser Grab in Ottensen, oder auf
nem andern Dorfkirchhofe weiter an der Elbe hinauf, machen
issen. Ich werde eine schöne Gegend um derer willen aussuchen,
ie sich im Frühlinge der Auferstehung freuen mögen. Aus eben
ieser Absicht, und nicht aus Eitelkeit, ein sehr simples Grabmal
uszuschmücken, habe ich ihre beyden Schwestern und ihre
ebste Freundin gebeten, die ersten, zwey Bäume bey das
Grab zu setzen, und die letzte, Feldblümchen darauf zu unter=
alten." Es ist nur eine der damals gepflanzten Linden vor=
anden, diese aber in ehrwürdigster Pracht. Die zweite Linde
oar schon bei Klopstock's Tode nicht mehr; die andere hat durch
ie Absägung der untersten dreiundzwanzig Aeste, über welche
Klopstock's treuester Verehrer sich bitter beklagte (F. J. L. Meyer,
Klopstock's Gedächtnißfeier S. 50) an Schönheit nicht verloren.
Klopstock selbst in seiner 1797 gedichteten Ode: das Wiedersehen,
pricht nur von der Linde.

78.

Gleim hatte Klopstock und Sulzer im Sommer 1760 einge=
aden, mit ihm nach Pyrmont zu gehen, was Letzterer ablehnen
nußte; s. dessen Brief vom 25. April bei Körte, Briefe der
Schweizer S. 323.

79.

Dieser interessante Brief aus der Radowitz'schen Autographen=
ammlung ist theilweise gedruckt in deren Verzeichniß.

Andreas Peter von Bernstorf, Neffe des Ministers
soh. Hartwig Ernst, geb. 1735 zu Hannover, wo sein Vater

Landrath war, kam 1755 als Kammerjunker in dänische Dienste, bildete sich unter seinem Oheim zum Staatsmann. Schon war er 1767 mit diesem zugleich in den Grafenstand erhoben, und 1769 zum Geh. Rath emporgestiegen, als auch ihn der Eintritt Struensee's in das Ministerium zum Rücktritt trieb. Allein Ende des Jahres 1772 zurückgerufen, stieg er bald zum Minister, welchen Posten er, außer einer kurzen Unterbrechung von 1780—84, bis an seinen Tod, welcher 1797 am 21. Juni erfolgte, beibehielt. Seine, die seines Oheims fast noch überragenden Verdienste um den dänischen Staat, werden unvergeßlich bleiben. — Seine erste Gattin wurde die Gräfin Henriette Friederike von Stolberg, Schwester des Dichterpaars, deren Vater Graf Christian Günther seit dem Jahre 1756 Oberhofmeister der verwittweten Königin Sophie Magdalena von Dänemark war und 1765 starb. Nach dem Tode Henriettens verheirathete sich Bernstorf zum zweiten Mal mit ihrer jüngeren Schwester Auguste.

Der Fürst von Schwarzburg-Sondershausen, Christian Günther (gest. 1794), ein früherer Zögling des Braunschweiger Carolinums, hatte 1760 Giseke als Superintendent und Consistorialassessor berufen.

Wir erhalten in diesem Briefe den Anfang der Liebe des Dichters zu einem Mädchen, in dem er Ersatz für seine Meta zu finden hoffte. Sie wird in der aus Halberstadt am 2. Dec. 1762 datirten Ode und in Briefen an Gleim Done genannt. In einer Note zu dieser Ode sagt Klamer Schmidt II, 377, daß Done aus einer sehr angesehenen Familie stammte, welche damals in Blankenburg lebte; Klopstock's Wunsch aber sei durch ungünstiges Zusammentreffen der Umstände nicht in Erfüllung gegangen. Vetterlein (Klopstock's Oden und Elegien I, S. 15) bezeichnet diese Umstände dahin, daß der Vater, ein Edelmann, seine Tochter einem Manne versagte, der keine Ahnen hatte, während Uz am 30. August 1764 einem Freunde über Klopstock schreibt: „Er hat sich ziemliche Zeit in Deutschland aufgehalten und das Unglück gehabt, daß ihm sein Mädchen, das ganz gött-

Liche Mädchen, plötzlich ungetreu wurde, als sich einer von Abel meldete und sich erbot, sie zur gnädigen Frau zu machen." S. Briefe von J. P. Uz an einen Freund hrsg. von A. Henneberger, Leipzig 1866. Done ist vermuthlich Abkürzung für Sidonie, wenn nicht niedersächsisch von Antonie; den Familiennamen erfah= ren wir nirgends. Daß Klopstock nach der ersten ungünstigen Ent= scheidung vom 19. August, welche, wie deren Ursache, wir allein aus unserem Briefe kennen, seine Bewerbungen um das aller Wahr= scheinlichkeit nach inzwischen von ihrem seitherigen Verlobten frei= gewordene Mädchen zum zweiten Male wieder aufnahm, können wir nach den Briefen an seinen Vertrauten Gleim verfolgen. (S. diese bei Schmidlin.) Die an Done gerichtete Ode vom 2. December war wohl der erste Anknüpfungspunkt welcher seinen Zweck nicht verfehlt zu haben scheint. Daß sie ihm starke Beweise ihrer Liebe gegeben, sagt Klopstock selbst später (s. unsere Nr. 90 oben S. 174). Am 15. December finden wir ihn zu Blankenburg, wo er an Gleim schreibt, daß der Vater Donens neulich einen Brief an seine Schwester (die im vorliegenden Briefe erwähnte Tante) geschrieben, worin er recht gut von ihm spreche; die Idee der Entfernung der Tochter umwölke ihn aber gegen Ende des Briefes wieder. Er bittet den Freund, von den Ent= schließungen seiner Done gegen Niemanden etwas zu erwähnen, und fordert ihn auf, seine Bekanntschaft mit einem gewissen Kriegs= rathe zu erneuern und demselben günstig über ihn zu sprechen. „Der Alte (wohl Donens Großvater) ist wider vermuthen auf unserer Seite und unserem Vermuthen gemäß auch die alte brave Großmutter." — Am 14. Januar 1763 schreibt er von Qued= linburg, daß, da er wisse, Donens Vater sei jetzt mehr als vorher abgeneigt, er gewünscht hätte, daß Herr von S*** (wohl der Kriegsrath) seine Reise nach Heimburg früher gemacht hätte. Er selbst wolle nach Meisdorf (wo wir ihn auch später im August beim Grafen von Asseburg finden) und Blankenburg. Am 15. April schreibt er wieder aus Quedlinburg, daß er lange nicht in Blankenburg gewesen. Die Sache mit dem lieben Mädchen, welches

nicht Schuld daran sei, werde sich nun bald zum zweiten Mal
entwickeln.   Wie diese Entwicklung ausgefallen, zu Ungunsten
Klopstock's, wissen wir, da wir ferner über diese Herzensangelegen-
heit nichts erfahren.   In Blankenburg hatte Klopstock zwo
Freunde (deren auch in unserem Briefe gedacht wird),
Regierungsrath Friederici (vergl. den Brief vom 15. December
1762) und den Kammerrath Joh. Andreas Cramer.   Sehr zu
beachten ist nun zur Ergründung der Familie Donens, daß Klopstock 6 Jahre nachher, 2. September 1769, von Bernstorf aus sich bei
Gleim erkundigt nach Friederici, Cramer und der Bothmer.
Ob freilich Done dieser bekannten abligen Familie angehörte oder
einem Bothmer später angetraut war, muß dahingestellt bleiben,
wie denn das Ganze eben nur Vermuthung bleibt, besonders wenn
man die Stelle des Briefes Nr. 92 (oben S. 180) vom 28. September 1767 auf Done bezieht, wie kaum anders angeht.   Sie
lautet: „sie hat sich nachher verheirathet und ist in ihren letzten
Wochen gestorben."   Schwerlich ist die im Jahre 1771 verfaßte
Ode: Edone, welche in dem früheren Abbruck den Namen Lyda
führte, in der Erinnerung an die verlorene Geliebte gedichtet,
wenn man nicht mit Vetterlein die Abfassungszeit ins Jahr 1762 setzt.

Welche der Schwestern Klopstock's die angeführte war, muß
unentschieden bleiben, jedenfalls nicht Rahn's Gattin.   Der Bruder
in Lingbye, Theilhaber an Rahn's Fabrik, ist August Philipp,
nächst dem Dichter der älteste.

Lessing — eine nochmalige Collation des Originals ergab
anstatt dieses Namens zweifellos Leisching.   Es ist also einer
der drei Vettern des Dichters gemeint, wahrscheinlich Joh. Christian.

80.

Tobler, Joh., Chorherr zu Zürich, geb. 1732, gest. 1808.

J. J. Steinbrüchel, gewandter Uebersetzer aus dem
Griechischen und Verfasser des tragischen Theaters der Griechen
(2 Bde., Zürich 1763).

C. Geßner, Canonicus am Stift zum großen Münster in

Zürich und Professor der physicalischen und mathematischen Wissen=
schaften, als Nachfolger des Naturforschers J. J. Scheuchzer;
Freund A. v. Hallers. Er starb im Mai 1790.

Salomon Geßner, der bekannte Idyllendichter, geb. zu
Zürich 1730, war im Jahre 1751 eben von Berlin und Hamburg
in die Heimath zurückgekehrt.

Wenn die vorliegende Analyse des letzten Theiles des Briefes
richtig ist, müßte derselbe vor der Bekanntschaft mit Done
geschrieben sein.

81.

Das Datum dieses Briefes ist ohne Zweifel der 18. April und
der erwähnte dritte Feiertag der des Osterfestes, der 1764 auf
den 24. April fiel. Der dritte Pfingsttag fiel auf den 12. Juni,
wo Klopstock schon in Hamburg war, s. Brief bei Schmidlin Nr. 155.

Cammerherr Bernsdorff — in unserer Vorlage stand
Bensdorff, und es ist unwahrscheinlich daß der Geh. Rath
Bernstorf gemeint sei.

Breitkopf, Joh. Gottlob Immanuel, geb. 1719, gest. 1794,
der berühmte Buchhändler, in dessen Hause ein Jahr später der
junge Göthe Zutritt erlangte.

In usum Dominationis Arnoldinae d. h. des Herrn Arnold
Ebert.

Fleischer, Friedrich Gottlob, Musiker in Braunschweig.

82.

Die Abhandlung vom Sylbenmaß beschäftigte den
Dichter längere Zeit, wie aus dem Briefe Nr. 84 von 1766 zu
ersehen. Sie scheint aber verschieden von den im vorigen Briefe
erwähnten lyrischen Sylbenmaßen, die Klopstock drucken ließ; der
Inhalt scheint ganz oder größten Theils in die 1779 und 1780
herausgegebenen Fragmente über Sprache und Dichtkunst über=
gegangen zu sein. In den folgenden Briefen an Denis gibt
Klopstock ihr schon die Bezeichnung „Fragmente" und erwähnt

später ausdrücklich die unter demselben Titel in obiger Sammlung
abgedruckte Abhandlung über die neuen Sylbenmaße.

Quid dignum tanto feret promissor hiatu — Horaz, de arte
poetica V. 138.

83.

Gellert, bekanntlich sein ganzes Leben hindurch mit Kränk-
lichkeit kämpfend, war seit 1751 außerordentlicher Professor zu
Leipzig. Er starb daselbst am 13. December 1769.

Die Gräfin von Holstein, Emilie, geb. von Buchwald
zu Basthorst, Gemahlin des Grafen Ulrich Adolf von der Holstein-
burger Linie, der unter Struensee Oberpräsident von Kopenhagen
wurde. Ihr Bruder ist vielleicht der spätere Kammerherr und
Stiftsamtmann in Fünen Friedrich von Buchwald, Verfasser
mehrerer Schriften in deutscher und dänischer Sprache.

84.

Denis, Johannes Michael Cosmas, geb. zu Schärding den
27. September 1729, trat 1747 zu Wien in den Jesuitenorden,
wurde im Jahre 1759 an das adelige theresianische Collegium
daselbst zum Lehramte der schönen Wissenschaften berufen, welchem
er bis 1773, dem Jahre der Auflösung seines Ordens, vorstand.
Bis zur Aufhebung des Collegiums im Jahre 1784 trug er dann
noch Bibliographie und Literaturgeschichte vor, wurde darauf
zweiter und 1791 erster Custos an der kaiserlichen Hofbibliothek
und wirklicher Hofrath, und starb am 29. September 1800. Er
trug viel zur Verbesserung des Geschmacks und der Sprache in
seinem Vaterlande bei, obwohl er selbst als Dichter weniger bedeu-
tend ist. Doch erregten seine Uebersetzung von Macphersons Ossian
und seine Lieder Sineds des Barden seiner Zeit Bewunderung.
Er stand mit vielen der norddeutschen u. a. Koryphäen der Literatur in Correspondenz, so mit Gleim, Ramler, Weiße, Fr. Nicolai,
Bodmer, Geßner u. a. m. Von größerem Werthe als seine poetischen Schöpfungen sind seine bibliographischen Arbeiten. Die
erste Veranlassung zu dem Briefwechsel mit Klopstock scheint Denis'

„Schreiben an einen Freund über Herrn Klopstock's Messiade" im Jahre 1766 zu Hamburg einzeln, sowie im Hamburger Corre= spondenten 1766 Nr. 5, 6, 8 gedruckt, gegeben zu haben.

Faber, Hans Jacob, aus Hamburg, seit 1748 Syndicus daselbst, verrichtete im Dienste seiner Vaterstadt mehrere Gesandt= schaften, so 1754 und 1760 nach Kopenhagen und 1766 nach Wien, und starb 1800. Eine scherzhafte poetische Epistel an ihn von Ebert, sowie seine Antwort s. in Ebert's Episteln und Gedichten II, S. 38.

Die Herausgabe des Gesangbuchs. Klopstock spricht hier nicht von ihm etwa übertragener Theilnahme an dem damals (1765) zu Hamburg in Angriff genommenen, 1788 vollendeten Ge= sangbuche, in welches nur acht seiner Lieder aufgenommen sind, sondern von dem von ihm selbst beabsichtigten „neuen prote= stantischen Gesangbuche," von welchem er in der Vorrede zu dem zweiten Theile seiner geistlichen Lieder 1769 gesprochen hat. Diese nach Klopstock's Ansicht auch für die Katholiken, unsere Brüder als Deutsche und als Christen, nicht ganz unbrauchbare Samm= lung, sollte außer seinen eigenen geistlichen Liedern noch enthalten Cramers Lieder, seine christlichen Psalmen und einige seiner über= setzten; Funks Lieder, die meisten von Gellert und Schlegel, wenigere von Basedow und etliche aus den neuen Gesang= büchern; auch von Uz und der Karschin hoffte er Beiträge. Das beabsichtigte Gesangbuch ist bekanntlich nicht erschienen, vermuth= lich weil die zahlreichen, in jener Zeit veranstalteten ähnlichen Sammlungen, bei denen seine und seiner Freunde Lieder mehr oder minder berücksichtigt waren, die seinige ihm überflüßig erscheinen ließen.

Erzbischof von Wien war seit 1757 Christoph Anton Graf von Migazzi, der 1761 zum Cardinal ernannt war und 1803 beinahe 89jährig starb.

Hasse, Joh. Adolf, der große Capellmeister, lebte von 1763 bis 1770 in Wien.

Graf Bathiany, vermuthlich Ignaz, ein gelehrter Theo=

loge, der auch mit proteſtantiſchen Geiſtlichen correſpondirte. Er
war damals 25 Jahre alt, wurde bald Biſchof von Erlau, 1780
von Siebenbürgen und ſtarb als k. k. Geh. Rath 1798. Doch
findet ſich auch unter den Subſcribenten zum Meſſias 1780 ein
niederöſterreichiſcher Regierungsrath Graf L. von Bathiany.

85.

Der Probſt zu Fährli.   Unſere Vorlage hat in Fol
eines Schreib= oder Druckfehlers: Der Probſt Fährli. Jede
falls liegt das Benedictiner = Frauenkloſter Fahr an der ang
gebenen Stelle.

Tialf u. ſ. w.   Vergl. zu dieſen Anſpielungen die beid
Oden: Braga (1766) und: Die Kunſt Tialfs (1767).

Die Ueberſetzung der Geſänge Oſſians nach Mac
pherſon von Denis erſchien im Druck 1768 und 1769 in 3 Theilen.

Der Bruder des Dichters in Wien iſt der vierte, Joh
Chriſtoph Ernſt, geb. 1739.

86.

Trattners Nachdruck.   Der Edle von Trattner in Wien
war damals als eifriger Nachdrucker berüchtigt. Die beiden Trauer
ſpiele ſind der Tod Abels und Salomo, welcher letztere 176
in Magdeburg erſchienen war.

David Murray, Viscount Stormont, war der kgl. groß
britanniſche Botſchafter am kaiſerlichen Hofe in den Jahren 176
bis 1772.

87.

Von den folgenden Briefen, die wir an Caecilia Am
broſius gerichtet ſein laſſen, und von denen einen Theil de
verſtorbene Profeſſor Heinrich in den Kieler Blättern von 181
und 1816, mit Verſchweigung des Namens, aus Rückſicht auf di
noch lebende Adreſſatin, veröffentlichte, hat nur ein einziger, unſe
Nr. 95, eine flüchtige Adreſſe: a Mademoiselle Mademoiſell-
Ambrosi a Flensb.   Nach Mittheilung des unlängſt verſtorbenen

rungswürdigen Etatsrath Dr. Hegewisch, der dieselbe noch
nlich kannte, war diese Correspondentin Klopstock's eine junge
Bburgerin, Tochter des wohlhabenden Kaufmanns und Canz=
.hs Ambrosius, mit Namen Anna Caecilia, welche
 den bekannten Entomologen, Professor Joh. Christian
ricius zu Kiel († 1808) heirathete und am 18. August 1820
bst im Alter von 71 Jahren verstarb.
Das ganze Verhältniß Klopstock's zu diesem Mädchen war
r noch so unbekannt, und die ganze Entwickelung desselben —
r, der sie nie von Angesicht gesehen hatte, zuerst Vertrauter
erzensangelegenheiten, selbst dieses Herz für sich in Anspruch
ı — ist so eigenthümlich und für die Zeit charakteristisch, daß
nicht Anstand nahmen, die ganze Reihe der Briefe, deren
.nale uns vorlagen, abdrucken zu lassen. Der letzte ist am
)ct. 1770, nach der Entlassung Bernstorf's, geschrieben, und es
um zu bezweifeln, daß diese und die in Folge davon einge=
ıe Unsicherheit in Klopstock's äußerer Lage die Veranlassung
Entscheidung und zum Abbrechen des Verhältnisses gab.
M.   Ueber diesen versteckten Namen fehlen alle Anhalts=
e.
Sturz, Helfrich Peter, war seit 1762 Privatsecretär des
:n Bernstorf und lebte als solcher, sowie später als Lega=
rath, sieben Jahre in näherem freundschaftlichem Umgange mit
tock. Er starb als Regierungsrath zu Oldenburg 1779. Vgl.
   Brief von ihm über sein Verhältniß zu Klopstock bei
fer, Göthe und Klopstock, S. 232. Seine Schriften wurden
ere Male aufgelegt.
Carstens, Adolph Gotthard, geb. 1713 in Kopenhagen,
ı738 Secretär der deutschen Canzlei, 1771 Obersecretär, 1780
:tor, starb 1795; ein feingebildeter Förderer der Künste und
affer von historischen und philosophischen Schriften.
Heinrich Wilhelm von Gerstenberg aus Tondern
 damals mit seiner musikkundigen Gattin in Lingbye und gab
iesen Jahren die Briefe über Merkwürdigkeiten der Literatur

heraus, bis er 1768 von Bernstorf als Geh. Conferenzsecretär
der deutschen Canzlei berufen wurde, welchen Posten er 1775
mit dem eines dänischen Residenten und Consuls zu Lübeck ver-
tauschte. Er starb hochbetagt 1823 zu Altona. Seine erste Gattin,
Sophia, verlor er 1783; im Jahre 1796 verheirathete er sich
zum zweiten Male mit einer Engländerin.

88.

Daphne. Mit diesem Namen nannte Giseke seine Frau,
wie er denn einen Cyclus von Oden an dieselbe als „Geschenk
für meine Daphne" richtete; s. Poet. Werke S. 211 ff.

Gleims versificirter Tod Adams war 1766 zu Berlin erschienen,
worüber sich Klopstock in einem Briefe vom 19. December 1767
bitter beklagte.

Karl der Große hatte in seinem Testamente angeordnet,
daß die Bücher seiner Bibliothek zum Besten der Armen verkauft
würden, wie Einhard in seinem Leben Karls Cap. 33 berichtet.

Die erste Ausgabe der Oden erschien 1771 zu Hamburg;
der 2. Theil der geistlichen Lieder 1769 zu Kopenhagen; das
Trauerspiel David 1772 zu Hamburg.

P. H. Mallet, Erzieher Christians VII., gab 1756 zu Kopenhagen heraus: Les monumens de la mythologie et de la poésie
des Celtes; eine Uebersetzung der Edda des Snorre Sturleson.

90.

Resewitz, Friedrich Gabriel, aus Berlin, deutscher Prediger
zu Kopenhagen, derselbe, welcher ein kritisches Schreiben an Gleim
über den versificirten Tod Adams richtete, welches vor diesem abgedruckt ist. Er starb als Generalsuperintendent zu Magdeburg 1806.

Constance. Aus dem folgenden Briefe ersieht man, daß
ein Schauspiel von Diderot gemeint ist. Es ist dessen: Le fils
naturel ou les épreuves de la vertu, in welchem Constance die
edle, uneigennützige Geliebte ist.

Ihr Giseke — wohl Anspielung auf eine Persönlichkeit

er gleich erwähnte Z. — Zanthier?), welche die Ambrosius, wie
sese Meta, mit Klopstock bekannt machte und der Vertraute
rer Liebe wurde.

Ich habe ein Mädchen geliebt — hiermit ist ohne
zweifel D o n e gemeint.

Die älteste und liebste Freundin Metas scheint die
ben öfters genannte Kath. Elisabeth Schlebusch, seit 1759
erwittwete Olde, zu sein.

92.

Unter dem ersten Blatte des Originals dieses Briefes, das
mit: „Aber diese Vorwürfe" (S. 177) schließt, steht: „Auffallend
war mir, daß Kl. meinen Namen erriet. Caecilia."
Im Uebrigen ist das Original mehrfach beschädigt, läßt aber
nirgends größere Stellen vermissen; das wenige Fehlende ist
durch Punkte angedeutet.

B o i e , Johann Friedrich, Probst zu Flensburg, Vater des
ekannten Göttinger Christian Heinrich Boie, starb 1776.

95.

Der Triumphgesang ist, wie aus den in Nr. 98 citirten
stellen hervorgeht, der 20. Gesang des Messias, welcher freilich
st 1773 mit den vier vorhergehenden im Druck erschien.

Wo ertönte so sanft, ach, wo lispelte sie — ist der
Anfang einer Strophe im 20. Gesange, in der Leipziger Ausgabe
er Werke Bd. 6, S. 164.

96.

B o i e ist der Probst zu Flensburg, Johann Friedrich.

G l e i m hatte bekanntlich in seinem Hause zu Halberstadt den
Bildnissen seiner Freunde und Verwandten, 118 an der Zahl, ein
igenes Zimmer geweiht.

H e r m a n n und I n g o m a r ist der, nachher Hermann und
die Fürsten genannte Bardiet, welcher erst 1784 vollständig im
Druck erschien.

Jean de la Bruyère gest. 1699, Mitglied der Akademie,
berühmt durch seine: Caractères de Théophraste, traduits du
Grec, avec les moeurs de ce siècle, eine Uebersetzung der Cha-
racteres des griechischen Philosophen Theopraft mit sarkastischer
Anwendung auf die Sitten und Persönlichkeiten seiner Zeit.

97.

Der Bruder Caecilias ist vielleicht der 1745 geborene,
1805 gestorbene Eduard Ambrosius, später Hofrath zu Gluck=
stadt, dann seit 1796 Landvogt auf Föhr.

Die beiden mit den Anfangsworten bezeichneten Oden sind:
An Fanny, und Bardale.

Den Brief an Gleim, in dem Klopstock diesem Vorwürfe
wegen des versificirten Todes Adams macht, s. bei Schmidlin Nr.
158. Caecilia sollte ihn also vorher lesen und dann an Gleim
abschicken.

98.

Von dem Original dieses Briefes ist der größte Theil des
ersten Blattes weggeschnitten. Das noch übrig gebliebene Frag=
ment der ersten Seite lautet: „völlig verschwiegen sein, weil es
viel zu sonderbar scheinen könnte, sich zu lieben, ohne sich gesehn
zu haben. Ich habe Ihren Brief wieder gelesen, und gefunden,
daß es heißt: munterer . . .“ Was das Datum betrifft, so scheint
er vor Nr. 95 zu gehören, da die dortige beiläufige Erwähnung
der Compositionen des Triumphgesanges und die Aufforderung an
Caecilia, singen zu lernen, die sich auf beides beziehenden Stellen
in diesem Briefe voraussetzen.

Die componirten Stellen aus dem 20. oder Triumph=
gesange des Messias befinden sich, nach der Leipziger Ausgabe
der Werke citirt, an folgenden Orten: o entflohen sind wir dem
Abgrund: S. 162. — Wo ertönte so sanft: S. 164. — Vor
dem Reihntanz trat: S. 166. — Ertönt sein Lob: S. 178. —
Selbständiger: S. 184. — Geh unter, stürz hin: S. 177. —
Todt' erwacht, die Posaune hallt: S. 197. — Wehklagen und

ang Seufzen: S. 200. — Begleit ihn zum Thron auf: S. 205.
- Mißt nicht mit Maaß Endlichkeit: S. 207.

Telemann, Georg Philipp, geb. 1681 zu Magdeburg, seit 721 Cantor und Musikdirector zu Hamburg, wo er am 25. Juni 767 starb. Er ist bekannt als Erfinder des Telemann'schen Bogens nd war ein durchgebildeter Tonkünstler und Theoretiker, unstreitig er größte Polygraph, den Deutschland aufzuweisen hat.

Fünf neue Gesänge, 11 — 15, erschienen 1769.

Der deutsche Text des Stabat mater findet sich bei chmiblin II, S. 11.

Gleims Baum ist ein Gedicht in dessen erstem Buch der eder.

99.

Die zweite Hälfte dieses Briefes ist weggerissen.

100.

Bode, Johann Joachim Christoph, geb. 1730 zu Barum im raunschweigischen als Sohn eines armen Soldaten, bildete sich Braunschweig und Helmstedt in der Musik aus, kam 1757 an r. Olde und den Prediger Alberti empfohlen nach Hamburg, o er sich mit Stundengeben ernährte, bis ihm eine seiner Schüle= nnen 1765 ihre Hand bot, durch deren baldigen Tod er Besitzer nes ansehnlichen Vermögens wurde. Er legte 1767 zu Hamburg ne Buchdruckerei an, deren Theilnehmer eine kurze Zeit G. E. essing war. 1768 heirathete Bode die Tochter des Buchhändlers ohn, nach deren Tode er 1778 als Geschäftsführer der Wittwe es Grafen H. E. Bernstorf nach Weimar ging, wo er am 13.)ecember 1793 starb. Außer als Uebersetzer aus dem Franzö= schen und Englischen (u. a. des Tristram Shandy von Sterne) t er bekannt als freimaurerischer Schriftsteller. Klopstock's Oden rschienen 1771 bei ihm in klein Quart.

Preisler, Johann Martin, geboren zu Nürnberg 1715, erühmter Zeichner und Kupferstecher, seit 1744 kgl. dänischer offkupferstecher und Professor an der Malerakademie zu Kopen=

hagen, wo er 1794 starb. Er stach unter Anderem den König
Friedrich V. zu Pferde nach einer Bronzestatue von Sailly, und
im Jahre 1782 unseren Dichter nach dem 1780 gemalten Bilde
von Juel (im Besitze der Familie von Winthem dahier).

Ueber die buchhändlerischen Projecte Lessings und Bodes
zu dieser Zeit vgl. eine interessante Anmerkung Nicolais zu einem
Briefe Lessings in dessen Werken herausgegeben von Lachmann,
Bd. 12, S. 187.

101.

Das Mädchen von elf Jahren hieß, wie aus Nr. 114
und 115 hervorgeht, Hantelmann und war aus Braunschweig.

Aus Nr. 103 geht hervor, daß die von Caecilia mit dem
Triumphgesange verglichene Ode die: An meine Freunde, später
Wingolf genannt, ist.

Geh unter, stürz hin (so ist für: Gesängen zu lesen) —
Messias Gesang 20, S. 177.

Die Oden: Die Zukunft und Siona sind aus dem Jahre 1764.

102.

Der König Christian VII. spielte den Orosman in Voltaire's
Tragödie Zaire.

Katharina Caecilia Grundt, geb. Schwalb, seit 1761
mit dem Dr. med. Joh. Friedrich Grundt verheirathet, deren
beiderseitige Familien dem literarischen Kreise Hamburgs angehörten.
Das Eigenthum des Hamburg. unpartheiischen Correspondenten
ging vom Vater ihres Ehemannes auf diesen über.

103.

Wegner — vielleicht der dänische Generalmajor Wilhelm
Theodor Wegener, mathematischer Schriftsteller.

Z. ist wohl der oben mehrfach erwähnte Zanthier.

104.

Borstel, ein Gut an der Alster, nördlich von Hamburg, dem Grafen Bernstorf gehörig.

P. B. ist Probst Boie zu Flensburg.

106.

Matt, wohl der unter den Subscribenten zur Messiasaus= gabe von 1780 aufgeführte, spätere Niederösterreichische Regierungs= rath von Matt.

Der Plan zur Unterstützung der Wissenschaften, dessen Ideen Klopstock später in der deutschen Gelehrtenrepublik nieder= legte, gelangte nie zur Realisirung, obgleich Klopstock die Hoffnung darauf noch 1772 nicht aufgegeben hatte, vergl. Brief bei Schmid= lin Nr. 180.

Der kaiserliche Gesandte in Kopenhagen war damals der Graf v. Dietrichstein.

107.

Von dem Original ist ein halbes Blatt abgerissen.

Jacobi, Johann Georg, geb. 1740 zu Düsseldorf, der ältere Bruder des berühmteren Friedrich Heinrich, hatte Gleim 1766 kennen gelernt und zog 1769 nach Halberstadt, wo ihm dieser ein Cano= nicat verschafft hatte. Er kehrte aber 1774 nach Düsseldorf zurück, um mit Heinse die Zeitschrift Iris (1774 bis 1776) herauszugeben. Im Jahre 1784 folgte er einem Rufe als Professor der schönen Wissenschaften nach Freiburg im Breisgau und starb am 4. Jan. 1814. Sein: Briefwechsel mit Gleim, aus den Jahren 1767 und 1768, der 1768 zuerst gedruckt wurde, ist in seinen gegenseitigen Lobeserhebungen und seinen unmännlich zärtlichen Ergüssen ein Charakteristikum der Verirrung der empfindsamen Epoche.

Gr. W. ist der in Nr. 111 und öfters in den Briefen dieser Zeit erwähnte Graf Wellsperg, mit dem Klopstock später noch wegen Förderung seines wissenschaftlichen Projekts in Correspon= denz stand.

108.

Der Domherr ist wohl Gleim.

109.

Die illyrischen Barden — die uns durch Wuk Stepha=
nowitsch Karadschitsch seit 1814, die Gebrüder Grimm und Talvj
(Therese von Jacob) bekannt gewordenen serbischen Volkslieder.
Bereits um die Mitte des vorigen Jahrhunderts war durch den
Franciskaner Andria Katschitsch Miossitsch eine unkritische, moder=
nisirte Sammlung erschienen, aus der hernach Herder seine mor=
lachischen Lieder entnahm. Vergl. Talvj in der Vorrede zu den
Volksliedern der Serben.

Das sächsische Gedicht ist die unter dem Namen Heliand
seitdem 1830 durch Schmeller aus der Münchener und der Cot=
ton'schen Handschrift zu London bekannt gewordene altsächsische
Evangelienharmonie.

Macpherson, John, dessen Werk: Critical dissertations
on the origin, language etc. of the ancient Caledonians, in
diesem Jahre zu London erschienen war. Er ist zu unterscheiden
von dem unten genannten Correspondenten Klopstock's James
Macpherson, der 1762 durch seine sog. freie prosaische Ueber=
setzung der Lieder Ossians ein in der Literaturgeschichte durch
seinen Einfluß einzig dastehendes Beispiel der Mystification gegeben
hatte. Er starb 1796, ohne wie er versprochen, die angebliche
gälische Urschrift herauszugeben. Die Beweisführung des Betrugs
blieb erst dem 19. Jahrhundert vorbehalten. Vergl. Loebell,
Entwickelung der deutschen Prosa von Klopstock bis Göthe I, S.
272 bis 311.

Der angelsächsische Dichter, der Milton gleichen soll,
ist, wie aus dem Briefe bei Schmidlin Nr. 165 hervorgeht, Caed=
mon, welcher wirklich (Vers 337 ff.) den in der Hölle angekom=
menen Satan reden läßt, von einer Antwort jener aber nichts enthält.

Volu-Spa (unsere Vorlage hatte Molu-Spa) d. i. der Seherin
Ausspruch; ein Theil der älteren Edda. Eine Uebersetzung des

Gesanges der nordischen Sibylle versuchte zehn Jahre später herber in seinen Stimmen der Völker zu geben.

Franciscus Junius, der berühmte niederländische Philologe, gab zuerst im Jahre 1665 den sog. silbernen Codex, die gothische Bibelübersetzung des Ulfila, mit einem Glossar heraus; ebenso schon 1655 den Caedmon.

Mit **singyan** meint Klopstock wohl das gothische Verbum ggvan, singen, und mit dem zweiten gothischen w, das wie y ausgesprochen werden soll, das v (w), dessen gothisches Zeichen dem y ähnlich ist. Unter dem ersten gothischen w muß er dann wohl das u oder vielleicht q, dessen Zeichen einem U ähnelt, verstanden haben.

Hell, Maximilian, geb. 1720 zu Chemnitz, Mitglied des Jesuiterordens, bekleidete das Amt eines Conservators der Sternwarte zu Wien. Einer der bedeutendsten Astronomen seiner Zeit, wurde er durch den Grafen Bachoff, kgl. dänischen Gesandten zu Wien, veranlaßt, im Frühjahre 1768 nach Lappland zu reisen, um dort im Juni des folgenden Jahres den Durchgang der Venus zu beobachten.

111.

Fürst Wenzel Anton von Kaunitz, der berühmte österreichische Hof= und Staatskanzler und Rathgeber von fünf Kaisern, geb. 1711, gest. 1794.

Der **Hermannsschlacht**, welche im folgenden Jahre erschien, ist eine Zuschrift an Joseph II. vorangesetzt, welche der zu hoffenden Unterstützung der Wissenschaften mit Worten des Lobes und Dankes gedenkt, und offenbar auf die Wirkung berechnet war, den Kaiser zur Ausführung der Versprechungen zu bewegen. Der einzige wirkliche Erfolg war aber nur die Uebersendung der im folgenden erwähnten kaiserlichen Schaumünze an den Dichter.

113.

Der Erbprinz von Braunschweig, Sohn des Herzogs Karl, ist der bekannte **Carl Wilhelm Ferdinand**, geb. 1735,

der 1780 seinem Vater in der Regierung nachfolgte. Er war in
der That ein eifriger Beschützer der Wissenschaften und schönen
Künste, in welchen der Abt Jerusalem sein Lehrer war, wie
Friedrich der Große in der Kriegskunst. Er starb an der in der
Schlacht bei Jena erhaltenen Wunde am 10. Nov. 1806 und
liegt zu Ottensen auf demselben Kirchhofe mit Klopstock begraben.

114.

Das Trauerspiel David erschien 1772 bei Bode.
Die kleine Hantelmann — vergl. zu Nr. 101.

116.

Angelica Kaufmann, geb. 1741 zu Chur, wo ihr Vater
bischöflicher Hofmaler war. Sie lebte bis 1769 in Italien, in
welchem Jahre sie nach London zog, wo sie durch die Gunst, die
königliche Familie malen zu dürfen, ihren Ruf begründete, worauf
sie bald zum Mitglied der kgl. Akademie der Künste ernannt wurde.
Nach einer ersten kurzen unglücklichen Verbindung, verheirathete
sie sich zum zweiten Male zu Rom 1782 mit dem venetianischen
Maler Zucchi. Sie starb daselbst 1807. — Der erste Brief
von ihr an Klopstock vom 29. Mai 1769 findet sich bei Schmidlin
Nr. 164.

117.

Jerusalem gab 1768 den ersten Theil seiner Betrach=
tungen über die vornehmsten Wahrheiten der Religion
heraus, als Fortsetzung seiner 1762 anonym erschienenen Briefe
über die mosaischen Schriften und Philosophie. Die Fortsetzungen
der Betrachtungen erschienen in den Jahren 1772 bis 1774 und
1779, dann nach seinem Tode aus seinem Nachlasse.

Gerard van der Swieten, geb. 1700 zu Leyden, seit
1745 Leibarzt der Kaiserin Maria Theresia, starb 1772. Er bildete
damals den Mittelpunkt des kurzen Wiener literarischen Lebens.

118.

Ueber das Gemälde, welches die Episode Sammas aus
em zweiten Gesang des Messias darstellte, vergl. Nr. 121.

119.

Hegewisch — so haben wir geändert für: Hagewisch unserer
orlage. Da er Landsmann Jerusalems genannt wird, erkennen
ir in ihm den als Professor der Geschichte zu Kiel und kgl. dän.
tatsrath 1812 verstorbenen Dietrich Hermann Hegewisch,
b. 1740 zu Quackenbrügge im Fürstenthum Osnabrück. Er war
ngere Zeit Hofmeister in Hamburg, später seit 1778 Redacteur
r neuen Zeitung und der Adreß = Comtoir = Nachrichten. Sein
ohn ist der 1865 verstorbene Etatsrath und Prof. der Medicin
ranz Hermann Hegewisch.

120.

Tidemann und Weidmann — für Tidermann und Wei=
mann unserer Vorlage.

Christoph Ritter von Gluck, der berühmte Componist,
:b. 1714 zu Weißenwangen in der Oberpfalz, gest. 1787 zu Wien.

121.

Basedow (eigentlich Bassedau), Johann Berend, ·geb. zu
amburg 1724, der berühmte Pädagog, hatte in Leipzig mit den
Ritarbeitern der Bremischen Beiträge studirt und war wohl schon
amals auch mit Klopstock bekannt geworden. Im Jahre 1753
urde er Professor der Moral und der schönen Wissenschaften zu
5orö, 1761 wegen seiner theologischen Ueberzeugung an das Gym=
asium zu Altona versetzt. 1770 zu Ostern erschien der erste Band
:ines berühmten Werkes: Methodenbuch für Väter und Mütter
er Familien und Völker. 1771 wurde er nach Dessau berufen,
o er das Philanthropinon gründete, von dessen Leitung er sich
778 definitiv zurückzog. Er starb im Juli 1790 zu Magdeburg.

Bostel ist wohl für Bosel unserer Vorlage zu lesen. Vergl.
u Nr. 59.

Die Handschrift aus dem Museo Britannico, von der Klopstock an Ebert vermuthlich eine durchgezeichnete Probe schickte, ist der Codex Cottonianus des Heliand.

Das Gesetzbuch der Gelehrtenrepublik in Deutschland erschien 1771 in der zweiten Ausgabe des von Gerstenberg herausgegebenen: Hypochondrist, eine holsteinische Wochenschrift von Herrn Zacharias Jernstrup, Bremen und Schleswig, im 2. Theil, Stück 26.

122.

Der Minister Bernstorf wurde mit seinem Neffen, dem Geh. Rath, nach dem Eintritte Struensee's in das Cabinet am 15. September 1770 aus dem dänischen Staatsdienst entlassen.

124.

Klopstock, den wir im November 1770 und im April 1771 in Hamburg treffen, muß nach diesem Briefe noch einmal eine kurze Reise nach Dänemark gemacht haben, vermuthlich, um seine Angelegenheiten oder die der Grafen Bernstorf dort zu ordnen. Ueber die Befürchtung, daß ihm seine Pension entzogen werde, vergl. deu Brief an Gleim vom 5. April bei Schmidlin Nr. 179.

Spalding, Johann Joachim, seit 1764 Oberconsistorialrath zu Berlin. Gleim gab im Jahre 1771 heraus: Briefe von Herrn Spalding an Herrn Gleim, worüber Spalding, da die Veröffentlichung ganz gegen sein Wissen und Wollen geschehen war, in mehreren Zeitschriften sein Mißfallen zu erkennen gab, was dann einen Bruch mit dem leichtverletzten Gleim zur Folge hatte.

Georg III., König von England und Churfürst von Hannover, Sohn des begabten Prinzen von Wales Friedrich Ludwig, war seit 1761 verheirathet mit Sophia Charlotte, Prinzessin von Mecklenburg = Strelitz.

Johann Martin von Winthem, seit 1765 verheirathet mit Johanna Elisabeth Dimpfel, der Nichte Meta's, welche Klopstock's zweite Frau wurde; vergl. die Genealog. Notizen 3.

126.

Die seit dem 19. Februar 1772 verwittwete Gräfin C. C.
on Bernstorf, geb. von Buchwald, wünschte eine Accisefreiheit
i Hamburg geltend zu machen, wofür der vieljährige Schützling
;res Gemahls, Klopstock, sich bei dem dortigen Syndicus Sillem
erwandte. Eine Erwiderung des letzteren in dieser Sache spricht
ie Verehrung aus, welche der Dichter zu Hamburg schon damals
enoß: „En vérité je n'ose ennuyer plus longtemps l'auteur du
Cassie de mes fariboles." — Das Briefchen ist vermuthlich neben
em Schreiben an den Minister Roland vom 19. November 1792
;ei Schmiblin I, S. 472) in seiner Art einzig durch die Sprache,
i der es abgefaßt ist. Sein deutsches Schreiben an das National=
;stitut zu Paris vom 23. Juli 1802 (Schmiblin Nr. 250), sowie sein
teinisches an den Herzog de la Rochefoucauld (unten Nr. 189)
ntschuldigt Klopstock, weil er des Französischen nicht mächtig genug sei.

127.

Theodor Gottlieb von Hippel geb. 1741, widmete mit
esem Briefe Klopstock seine im Jahre 1772 zu Berlin anonym
schienenen geistlichen Lieder, welche bereits auf der Universität
3nigsberg, die er 1756 bezog, also vor dem Erscheinen von
Lopstock's geistlichen Liedern, gedichtet waren. Hippel war damals
riminalrichter zu Königsberg.

128.

Eberts Ode an Klopstock vom Jahre 1773 s. in dessen
piſteln und Gedichten I. Theil, S. 115.

Ahlemann, Georg Ludwig, geb. zu Berlin 1721, gest. zu
.ltona 1787 als Consistorialrath. Er schrieb: Ueber das Leben
nd den Charakter des Grafen Ernst Hartwig von Bernstorf.
;amburg 1777.

Gleim hatte sich Wieland's schon 1770, den Braunschweigern
egenüber, angenommen; vergl. seinen Brief an Ebert vom 31.
uli 1770 in Westermann's Monatsheften Bd. 2, S. 567; per=

fönlich lernte er Wieland, wie es scheint, erst 1775 kennen; s. ebend. Bd. 3, S. 85.

Ebert verheirathete sich am 18. Mai 1773, in seinem fünf-zigsten Lebensjahre, mit Louise, der Tochter des Kammerraths Gräfe zu Braunschweig.

Die Stellen über Druckfehler in diesem und dem folgenden Briefe beziehen sich auf die 5 letzten Gesänge des Messias, welche 1773 erschienen.

Schmidt, Konrad Arnold, geb. 1716 zu Lüneburg, früher Mitarbeiter der Beiträge, folgte 1760 einem Rufe als Professor der Theologie und lateinischen Literatur an dem Carolinum, bekam 1777 ein Canonicat am Cyriacusstifte, 1786 den Charakter eines Consistorialraths und starb am 16. November 1789. Seine viel-seitige Gelehrsamkeit wußte selbst Lessing zu rühmen.

Lessing war 1770 auf Veranlassung seines Gönners, des edlen Erbprinzen Carl Wilhelm Ferdinand, als Bibliothekar nach Wolfenbüttel berufen.

129.

Kausch - wohl der in einem Briefe Eberts (Lessings Werke Bd. 13. S. 197) als dessen Freund genannte Kammerherr von Kausch.

Magister Joh. Joachim Schwabe, geb. 1714 zu Magde-burg, Schüler Gottsched's, und Herausgeber der in Gottsched's Sinne wirkenden Belustigungen des Verstandes und Witzes (Leipzig 1741 ff.), an denen sich zuerst auch Gellert, Gärtner, Schlegel betheiligten; er starb als Professor der Philosophie und Bibliothekar in Leipzig 1784.

Dem Messias folgt die Dankode Klopstock's: An den Erlöser.

130.

Bürger, Gottfried August, geb. 1748 zu Wolmerswende im Fürstenthum Halberstadt, war 1768 nach Göttingen gekommen, dort mit C. H. Boie und Gotter bekannt geworden, und hatte 1772 von den Herren von Uslar die Stelle eines Amtmanns des

Gerichtes Altengleichen angenommen, als welcher er in dem Dorfe Gelliehausen unter den alten Gleichen zwischen Göttingen und Heiligenstadt wohnte. Später 1784 Docent, dann 1789 außer= ordentlicher Professor in Göttingen, starb er, nach mehreren un= glücklichen Ehen, in zerrütteten Verhältnissen am 8. Juni 1794. Die 6 ersten Gesänge der Ilias versuchte er von 1771 bis 1776 in fünffüßigen Jamben zu verdeutschen, ließ dann aber die Arbeit vollständig liegen; vergl. unten Nr. 157.

Cramer, Carl Friedrich, Sohn des alten Freundes von Klopstock, J. A. Cramer, geb. 1752 zu Quedlinburg, studirte seit Ostern 1772 zu Göttingen, wo er sich den Mitgliedern des im Herbste dieses Jahres gestifteten Dichterbundes anschloß. Er war unter den Augen Klopstock's in Kopenhagen herangewachsen und wurde später dessen blindester Verehrer und Vergötterer, als welcher er noch zu Lebzeiten des Dichters mehrere Werke über den= selben herausgab, von denen das bemerkenswertheste ist: Klopstock. Er und über ihn. 5 Theile 1780 bis 1792. Später seit 1775 Professor zu Kiel, wurde er dieser Stelle wegen seiner freisinnigen Ansichten 1794 entsetzt und lebte von da an nach einem kurzen Aufenthalte zu Hamburg, in Paris, wo er eine Buchdruckerei an= legte und als Uebersetzer thätig war. Er starb kurz nach der Rückkehr ins Vaterland am 9. December 1808.

131.

Ebert war Canonicus am Cyriacusstifte zu Braunschweig.

Die von Klopstock selbst in lateinischer Prosa übersetzten Stellen des Messias findet man bei Schmiblin II, S. 277 ff. abgedruckt aus den Fragmenten über Sprache und Dichtkunst, Hamburg 1779.

132.

Die Recension des Messias, in der zu Berlin durch Nicolai herausgegebenen: Allgemeinen deutschen Bibliothek, 1773, Bd. 18, Stück 2.

Das erste deutsche Epigramm Lessings lautet:

32*

Die Sinngedichte an den Leser.
Wer wird nicht einen Klopstock loben?
Doch wird ihn jeder lesen? — Nein.
Wir wollen weniger erhoben,
Und fleißiger gelesen sein.

Das erste lateinische Epigramm ist jetzt: **Ad Turanium** überschrieben.

Der goldene Spiegel oder die Könige von Scheschian, ein
staatsphilosophischer Roman von Wieland, war 1772 erschienen.

Die Fehde Lessing's mit Cramer spielte in den Jahren
1760 und 1761 und war veranlaßt durch die scharfe Kritik, welche
jener in seinen Literaturbriefen gegen den von diesem herausgegebenen Nordischen Aufseher, besonders aus Anlaß eines in
dieser Zeitschrift erschienenen angeblichen Briefes des Kupferstechers
Kaufe, geübt hatte. Man sehe das Nähere in Lessings Werken
hersg. von Lachmann, Bd. VI, S. 261 und Danzel, Lessing's
Leben Theil I, S. 396 — 405.

Die Grafen Stolberg, Christian, geb. 1748 und Friedrich Leopold, geb. 1750, waren unter Klopstock's Augen zu Kopenhagen herangewachsen, und hatten im Herbste 1772 die Universität
Göttingen bezogen, wo sie dem von Boie, Voß, Miller, Hölty,
Hahn, u. a. gegründeten Dichterbunde beitraten. Von diesem
hatten sie Klopstock geschrieben, welcher demselben die Bogen der
neuen Gesänge des Messias gleich nach dem Drucke von dem
Buchhändler schicken ließ. Die Jünglinge übersandten dann durch
die in die Ferien zu ihrer in Altona lebenden Mutter reisenden
Grafen dem verehrten Sänger ein Buch mit ihren besten Gedichten,
ihn um eine Beurtheilung derselben bittend. Klopstock, welcher in
dieser Zeit mit den Ideen der Gelehrtenrepublik beschäftigt war,
sah den Bund für den Anfang zu einer solchen Organisation an.

Der Bach, eine Ode des Jahres 1766, nahm den Vers,
etwas verändert, später in sich auf.

133.

Claudius, Mathias, geb. 1740 zu Reinfeld bei Lübeck, hatte
Klopstock's Bekanntschaft zu Kopenhagen gemacht, wo er von 1764

an 18 Monate Secretär des Grafen Holstein war. Nach Holstein zurückgekehrt, lebte er mit kurzen Unterbrechungen bis an sein Lebensende († 21. Januar 1815) zu Wandsbeck, wo er den bekannten Boten 1775 bis 1812 herausgab.

Herder, der seit 1771 zu Bückeburg als Hofprediger lebte, hatte in der Allgemeinen deutschen Bibliothek Bd. 19, Stück 1, 1773, Klopstock's Oden lobpreisend angezeigt, sowie die neuesten Bardengesänge besprochen, in einem von Nicolai selbst nicht gebilligten Sinne. Diese Anzeigen sandte er durch seinen Freund Claudius an Klopstock, mit der Bitte, ihm die folgenden Bogen vom letzten Bande des Messias noch vor dem Erscheinen desselben zu übersenden.

134.

Boie, Christian Heinrich, Sohn des Flensburger Probstes, geb. 1744 zu Meldorf, bezog 1763 die Universität Göttingen, wurde 1771 daselbst Hofmeister. Er gab mit Gotter 1770 den ersten deutschen Musenalmanach heraus, und war mehr durch seine kritischen und vermittelnden Gaben, sowie durch seine literarischen Verbindungen, als durch eigene dichterische Productivität, der Mittelpunkt des Göttinger Bundes. Im Jahre 1775 wurde er Stabssecretär in Hannover, 1776 gab er den ersten Jahrgang des deutschen Museums heraus. Er starb als Etatsrath zu Meldorf am 3. März 1806. Klopstock hatte Boie wohl schon in dem Hause seines Vaters kennen gelernt.

Langer ist wohl der spätere Bibliothekar zu Wolfenbüttel, in der letzten Leipziger Zeit Goethen's dessen engverbundener Freund, welchem dieser in Wahrheit und Dichtung ein würdiges Denkmal gesetzt hat.

135.

Schönborn, Gottlieb Friedrich Ernst, geb. am 14. Sept. 1737 zu Stolberg im Harz, wurde 1768 Hofmeister bei dem Sohne des älteren Bernstorf und so mit dem Kopenhagener literarischen Kreise bekannt. Er wurde von dem jüngeren Bernstorf, dän. Staatsminister seit 1773, in diesem Jahre zum dänischen Consulatssecretär in Algier ernannt, wohin er noch in demselben Sommer abreiste. Von diesem Posten wurde er 1777 durch die Ernennung zum Legationssecretär zu London enthoben. Im Jahre 1802 nahm er seine Entlassung, und lebte bis 1806 in Hamburg, dann zu Emkendorf bei der geistreichen Gräfin Julie Reventlow, welche den Mittelpunkt eines erwählten, hochgebildeten Kreises bildete. Hier reifte allmälig das Verhältniß inniger Seelengemeinschaft heran, welches Schönborn in seinen späteren Jahren mit der Gräfin Katharina Stolberg, der Schwester der Dichter († 1832), bis zu seinem Tode 1817 verband. Er ist eine der merkwürdigsten Erscheinungen seiner Zeit, von umfassendem, maßgebenden Einfluß auf seine Umgebung; mehr Ferment der literarhistorischen Entwickelung der Epoche, als tonangebend, aber als solches von nicht zu unterschätzender Bedeutung.

136.

Bei diesem Brief muß der Leser daran erinnert werden, daß ein beinahe 60jähriger Mann ihn schrieb. Gluck kam im folgenden Jahre nicht nach Hamburg, sondern ging nach Paris, um seine Iphigenia in Aulis dort aufzuführen. Auf der Reise dahin lernte er Klopstock persönlich kennen, der damals schon in Karlsruhe war. Seine Compositionen einiger Klopstockischer Oden sind bekannt, nicht so die der Hermannsschlacht.

137.

Miller, Johann Martin, geb. 1750 zu Ulm, bezog mit seinem Vetter Gottlob Dietrich 1770 die Universität Göttingen, wo ihr Oheim, Joh. Peter Miller, Docent der Theologie war, und stiftete dort den Bund mit. Im späteren Leben bekleidete er verschiedene geistliche und Lehrämter in seiner Vaterstadt, und starb am 21. Juni 1814. Seine Dichtungen, besonders der Roman Siegwart, sind so ziemlich das Aeußerste, was die sentimentale Ueberspannung der Wertherperiode hervorgebracht hat.

Die deutsche Bibliothek der schönen Wissenschaften, herausgegeben von Professor Klotz in Halle, enthält im 1. Bande

ie Recension der 1766 gedichteten Ode: Rothschild's Gräber, und
n 4. Bande die der Hermannsschlacht.

138.

Voß, Joh. Heinrich, geb. 1751 zu Sommersdorf in Meklen=
urg, war seit Ostern 1772 in Göttingen. Er heirathete 1777
rnestine Boie, die Schwester seines Freundes, wurde 1778 Rector
1 Otterndorf im Lande Hadeln, 1782 zu Eutin, ging dann nach
liederlegung letzterer Stelle 1802 nach Jena und endlich nach
eidelberg, wo er im März 1826 starb.

Hölty, Ludwig, geb. 1748 zu Mariensee in Hannover, kam
hon 1769 nach Göttingen. Unheilbar erkrankt, ging er nach Han=
over, wo er am 1. September 1776 sein kurzes Dichterleben
schloß. Er war der elegische Lyriker des Bundes.

Hahn, Joh. Friedrich, dem auch nur ein kurzes Leben
egönnt war, war zu Zweibrücken 1751 geboren und starb daselbst
ls Candidat der Rechte im Mai 1779, bis an sein Ende ein
Renschenhasser, wie Voß (Briefe III, 192) schreibt. Seine Muse
igte ein Gemisch von stürmischem Thatendrang und weichlicher
mpfindelei.

Ueber den Inhalt des Klopstockischen Briefes an den Bund,
1 welchem dieser als Grundstock der Gelehrtenrepublik hingestellt
ird, s. den Brief Voßens (I, S. 156) vom 6. März 1774.

Die Stolberg kann die Mutter der Brüder nicht sein, welche
m 22. December 1773 gestorben war; es ist wohl die jüngere
chwester, Auguste, die zweite Gemahlin des Grafen Bern=
orf, welche an dem literarischen Verkehr der Brüder begeisterten
ntheil nahm, wie sie denn auch um diese Zeit ihren Briefwechsel
it Goethe eröffnete. Die Stolbergs lebten übrigens seit dem
erbste 1773, wo sie Göttingen verlassen, in Kopenhagen.

140.

Carl Friedrich, Markgraf von Baden, 1746 bis 1811, der
frige Beförderer der Wissenschaften und Vater seiner Unter=

thanen, Freund Herder's, Lavater's und Jung Stilling's, der sein
kleines Ländchen zu einem physiokratischen Musterstaat auszubilden
bestrebt war, hatte in den sechziger Jahren den Lübecker Böckmann
als Professor der Mathematik und Physik an das Karlsruher
Gymnasium berufen, 1773 denselben zum Kirchenrath ernannt
und durch diesen Klopstock mit dem Charakter und Gehalt eines
Hofraths nach Karlsruhe einladen lassen. Dieser bedang sich in
seiner Antwort an Böckmann nur aus, sich nicht beständig in
Karlsruhe aufhalten zu müssen. Darauf die Antwort des Mark=
grafen. Die Besoldung bestand in 528 fl. und Naturalien. Im
Herbst 1774 reiste Klopstock über Göttingen und Frankfurt, wo er
Goethe aufsuchte, nach Karlsruhe, das er aber schon im März des
folgenden Jahres ohne Abschied zu nehmen auf Nimmerwiedersehen
verließ. (Wir verweisen für das Nähere auf den Aufsatz von
David Strauß in dessen kleinen Schriften, der zugleich die aus
einer irrthümlichen Erinnerung in Goethe's Wahrheit und Dich=
tung, daß er Klopstock noch in Karlsruhe getroffen, entstandene
Meinung Vieler widerlegt, daß Klopstock im Frühjahre 1775 noch
einmal auf kurze Zeit nach Karlsruhe gekommen und dort mit den
Stolbergs und Goethe zusammen getroffen sei.)

141.

Klopstock hatte schon vor seinem Entschluß, Karlsruhe defi=
nitiv zu verlassen, versprochen im Frühjahr 1775 seine Freunde
im Norden zu besuchen. Er traf mit den Stolbergs noch im April
in Hamburg zusammen.

Haugwitz, Christian Heinrich Carl, Freiherr, später Graf
von H., der bekannte nachherige Minister der auswärtigen Angelegen=
heiten in Preußen, (geb. 1752, gest. 1832) hatte die Grafen in
Göttingen kennen gelernt.

142.

Dieses Briefchen füllt die ganze Vorderseite eines kleinen
Octavblattes, welches mit einem ähnlichen gedruckten Rande verziert
ist, wie das Lied, welches Goethe mit seinem Schattenrisse an

Lotte sandte, und das in Kestner's Goethe und Werther, S. 184
lithographirt ist. Eine Adresse fehlt vollständig. Doch genügt
wohl schon allein die Erwähnung des Briefes der Frau von
Winthem, welchen diese, in Erwartung späterer Ankunft ihres
Freundes in Frankfurt, dahin geschickt hatte, abgesehen von der
ganzen Situation, Klopstock als Adressaten außer Zweifel zu setzen.
Dieser hatte auf der Durchreise nach Hamburg am 30. März zum
zweiten Male in Goethe's Vaterhaus vorgesprochen (s. Strauß a.
a. O. S. 35 ff.). Die Anrede: „lieber Vater," darf nicht befremden,
wenn man bedenkt, wie Goethe in seinem Leben, im Werther, dem
Briefe an Schönborn vom Juni 1774 (bei Rist S. 56) und sonst
mit schöner Aufrichtigkeit die Pietät geschildert hat, welche er mit
seinen Freunden für den hochverehrten Messiassänger und Oden=
dichter hegte, wie er noch im späteren Alter zu Eckermann sagte:
„Ich betrachtete ihn wie meinen Oheim" (s. dessen Gespräche Thl.
I, S. 166). Auch aus dem Briefe von Fr. Hahn an Klopstock
vom 30. Juli 1774 (Schmidlin Nr. 185) ersehen wir, daß dieser
und der ganze Hainbund, dem Goethe längst nahe getreten war,
den fünfzigjährigen Dichter als Vater Klopstock begrüßte.

　　Das Wörtchen an das Publikum ist augenscheinlich
Goethe's Erklärung über die ihm zu seinem großen Aerger zuge=
schriebene Harlekinade des Heinrich Leopold Wagner: Pro=
metheus, Deukalion und seine Recensenten, Frankfurt am 9. April
1775, welche in den Frankfurter gelehrten Anzeigen Nr. 32 vom
21. April 1775 erschien, neuerlich wieder abgedruckt in Dünzer's
Studien zu Goethe's Werken. Vergl. auch den Brief Goethe's
an Knebel vom 1. August 1775 bei Guhrauer Nr. 6. Ueber H.
L. Wagner aus Straßburg, 1747 bis 1779, vergl. Appell,
Werther und seine Zeit, O. S. 146 ff. und 188. Er war es,
welcher seinen Namen in Goethe's Faust dem Schulfuchse leihen
mußte, wie dieser im Götz seinem braven Freunde Lerse einen
Denkstein setzte.

　　Die vorliegenden Zeilen dürften für die Verehrer Goethe's,
sowie Klopstock's, auch deßhalb höchst anziehend sein, weil sie mit

unserem Nr. 147 die einzigen aus ihrem Briefwechsel vor dem
unseligen Bruche ihrer Freundschaft uns erhaltenen sind.

143.

Carl August von Sachsen=Weimar war nebst seinem Bruder
Constantin und dessen Hofmeister Carl Ludwig von Knebel
(geb. 1744, gest. 1834) zu Ende des Jahres 1774 auf der Reise
nach Paris schon einmal in Karlsruhe gewesen, wo er um die
damals dort weilende Prinzessin Louise, Tochter des Landgrafen
Ludwig's IX. von Hessen=Darmstadt und Schwester der Ge=
mahlin des badischen Erbprinzen Carl Ludwig, Amalie Frie=
derike, warb und mit Klopstock zusammentraf. Jetzt war die
Gesellschaft auf der Rückreise.

Die Stolbergs, Haugwitz und Goethe (oder wie der
Markgraf schreibt: Göde) hatten nach dem folgenden Brief
Karlsruhe an demselben Tage verlassen.

144.

Daß dieser der Unterschrift ermangelnde Brief dem jüngeren
Friedrich Leopold und nicht seinem Bruder Christian angehört,
können wir nur aus dem (S. 262) darin erwähnten Liebesver=
hältniß mit einer Sophie schließen, indem bekannt ist, daß Fried=
rich Leopold besonders auch deßhalb die Schweizerreise unternahm,
um seine unglückliche Liebe zu einer schönen Engländerin, welche
er unter dem Namen Selinde in dem Gedichte: „Stimmen der
Liebe" besang, zu vergessen. Vergl. (Binzer) Goethe's Briefe
an Auguste Stolberg, S. 63. und Nicolovius, F. L. Gr. v. Stol=
berg, S. 7. — Den Namen der Geliebten, der nirgends genannt
wird, entdeckte also unser Brief.

Die erste Gemahlin des Markgrafen, Caroline Louise
† 1783, war eine Tochter des Landgrafen Ludwig VIII. von
Hessen=Darmstadt.

Leisering ist ohne Zweifel der markgräfliche Leibmedicus
Dr. Leuchsenring, der ältere Bruder des aus Goethe's Leben
bekannten.

Jacoby. Im Original stand etwas wie Zoby oder Toby.

Einer der beiden Brüder Jacobi kann nicht gemeint sein, da keiner derselben damals in Hamburg sich aufhielt. Es ist wohl Toby zu lesen und darunter der Dr. med. Tobias Mumsen zu verstehen, welcher damals zu Altona lebte und mit Klopstock, Schönborn und Stolberg befreundet war, wie ihm denn auch der letztere das 12. Gedicht seiner Jamben widmete. Daß er Toby genannt wurde, bezeugt Rist in: Schönborn und seine Zeitgenossen, S. 7; vergl. Briefe von J. H. Voß I, S. 282.

Voß und Miller waren am 14. April zu Hamburg angekommen, letzterer zum Besuch, ersterer um sich zu Wandsbeck niederzulassen, von wo er in der folgenden Zeit den Göttingischen Musenalmanach herausgab.

145.

Ludwig Graf von Cobenzl war seit 1772 kaiserlicher Gesandter zu Kopenhagen, von wo er 1775 in derselben Eigenschaft nach Berlin kam. Später Minister des Auswärtigen, starb er 1809.

146.

Friedrich Wilhelm Franz Freiherr von Fürstenberg, geb. 1728, der verdienstvolle Reformator des münsterischen Landes, war daselbst Domherr und seit 1763 Minister des damaligen Churfürsten von Cöln und Bischofs von Münster, Maximilian Friedrich Grafen von Königseck=Rothenfels. Er war, auf allen Gebieten staatlicher Thätigkeit mit Erfolg reformirend, besonders bemüht die Schulen und die Geistesbildung seiner katholischen Landsleute überhaupt zu heben und suchte zu diesem Zwecke Klopstocks Rath und persönliche Theilnahme zu gewinnen. Als er im Jahre 1780 in dem Wahlkampf um die Coadjutorwürde gegen den österreichischen Erzherzog Maximilian unterlegen war, legte er seine Stelle als Minister nieder, behielt aber immer noch maßgebenden Einfluß auf die Regierung des Stiftes, überlebte dessen Säcularisation und starb 1811.

Clemenswerth war ein Schloß der Fürstbischöfe von Münster auf dem Hümling in dem jetzigen Herzogthume Aremberg=Meppen.

Winkelmanns berühmtes Werk: Geschichte und Kunst des Alterthums war 1763 erschienen.

Mengs, Anton Raphael, geb. 1728 zu Außig in Böhmen, gest. 1779 zu Rom, berühmter Maler und Kunstschriftsteller, Freund Winkelmanns.

147.

Dieser Brief füllt die zwei Seiten eines Quartblattes fast ganz und ist sehr weitläufig geschrieben. Am untern Rande der ersten Seite steht: „H. Klopstock." Statt der Unterschrift befindet sich am Ende ein einfacher Zug, einer großen liegenden ∽ ähnlich. Die Schriftzüge stimmen durchaus zu den bekannten Goethe's aus der damaligen Zeit. Die gedrungene, kernige Ausdrucksweise, die die Briefe Goethe's vor denen seiner Zeitgenossen auszeichnet, sowie das Allgemeine des Inhaltes weisen ihm diesen Brief zu. Und doch erheben sich dagegen die bedeutendsten, besonders chrono= logischen Bedenken. Ueber die Reiseroute Goethe's nach dem Ver= lassen der Eisberge (der Schweiz) vergl. im Allgemeinen Düntzer, Frauenbilder aus Goethe's Jugendzeit, S. 312 ff. und Abeken, Goethe in den Jahren 1771 bis 1775, S. 434. Er reiste am 12. Juli von Zürich ab (s. Brief Lavater's an Herder in Herder's Nachlaß II, S. 138; vergl. Brief Schubarts in Strauß, Schu= bart's Leben in seinen Briefen I, S. 321), am 25. Juli finden wir ihn wieder in Frankfurt laut Brief an Gustchen Stolberg bei Binzer S. 68. Seine Vaterstadt und deren Umgebung hat er dann bis zu seiner verfehlten italienischen Reise im October nicht mehr verlassen: er schreibt von dort am 1. August an Knebel (Guhrauer I, 8), am 14. und 16. aus Offenbach an Lavater und die Karschin, am 29. aus Frankfurt an Reich (Jahn, Goethe's Briefe an Leipziger Freunde S. 225). Döring, Goethe in Frankfurt, S. 85, bringt ein Brieffragment bei, dessen Datum, 26. Aug. 1775, doch nur auf willkürlicher Annahme des Herausgebers beruhen kann. Es ist nämlich ein Auszug mit einigen Abänderungen aus dem Briefe Goethe's an Merck bei Wagner, Briefe an J. H. Merck, S. 69, der des Datums ermangelt und von Wagner allerdings

mit Recht: Frankfurt im August 1775 angesetzt wird. Wäre
Dörings Datirung authentisch, so wäre dieser Brief allerdings
von entscheidender Bedeutung. Aber auch ohne dies kann Goethe
nicht am 26. August in Karlsruhe gewesen sein, und unser Brief
könnte also nur in den Zeitraum vom 12. bis 25. Juli fallen.
In diesen 14 Tagen nun soll Goethe bei Schubart in Ulm
(Strauß I, S. 328), und in Stuttgart gewesen, darauf mit Lenz
und Zimmermann in Straßburg zusammengetroffen sein und nach
unserem Brief „etliche Wochen" in Steinbach zugebracht haben.
Ich gestehe, ich weiß hier keinen anderen Ausweg, als unseren
Brief Goethen zu entziehen. Welcher andere Sterbliche sollte ihn
aber geschrieben haben?

Auch sonst ist der Brief nicht ohne Schwierigkeiten. Stein=
bach kann der Ort dieses Namens bei Baden-Baden sein; auch
in der Entfernung von 1½ Meilen von Karlsruhe liegen zwei
Dörfer Klein= und Langensteinbach; die Beziehungen Goethe's zu
allen diesen sind mir unbekannt; das erstgenannte ist der Geburts=
ort des Erbauers des Straßburger Münsters. Sponheim habe
ich nicht in der Nähe von Karlsruhe entdecken können, an das in
Rheinpreußen liegende ist nicht zu denken, da der Schreiber ja
morgen hinrennen will.

Ob mit Sigmar auf den in den Barditen Klopstock's vor=
kommenden Vater Hermanns angespielt ist?

Rathsamshausen ist ein nicht unbekanntes schwäbisches
Adelsgeschlecht. Meusel, das gelehrte Teutschland Bd. VI, S.
225 führt an: von Rathsamshausen, Hauptmann unter den
Landdragonern zu Colmar, geb. zu Straßburg 174—, übersetzte
Prof. Thomas zu Straßburg Zuschrift an den gemeinen Mann
aus dem Französischen, ebenso Prof. Koch's Grundriß der Haupt=
revolutionen in Europa, Karlsruhe 1773. 8. — Zu seiner Sippschaft
wird wohl auch die Ratzehausen in unserem Nr. 144 gehören,
deren süddeutschen Namen Stolberg, wie Leuchsenring in Leisering,
verunstaltete. — Daß Goethe's Schwester mit ihrem Gatten, dem
Hofrathe Schlosser, damals zu Emmendingen wohnte, sowie daß

des Herzogs von Weimar Hochzeit am 3. October gefeiert wurde,
ist bekannt.

Möge es bewährteren Goetheforschern gelingen, die angeregten
Schwierigkeiten zu heben und unseren Brief für den Dichter zu retten.

148.

Der Minister Geh. Rath Georg Ludwig Freiherr
von Edelsheim, geb. 1740, gest. 1814, war die leitende Seele
aller im Markgrafenthum ausgeführten Reformen.

Die Vermählung Carl August's hatte schon am 3.
October stattgefunden.

Lavater, Joh. Caspar, geb. 1741, gest. 1801 als Prediger
in Zürich. Der erste Band seiner Physiognomischen Fragmente,
von denen Goethe in seinem Leben vielfach handelt, erschien 1775,
Leipzig und Winterthur. Das vor der Widmung an den Markgrafen stehende kleine Brustbild desselben en profil ist von G. F.
Schmoll nach dem Leben gezeichnet. Lavater hatte Klopstock's
persönliche Bekanntschaft im März des Jahres 1764 in Quedlinburg
gemacht, auf einer Reise, die er mit zwei anderen Schweizern in
das nördliche Deutschland unternahm.

149.

Non obtusa adeo gestamus pectora Poeni, aus Vergils
Aeneis I, Vers 567.

150.

Dieser der Unterschrift entbehrende interessante Brief ist nach
der Vermuthung des Herrn Dr. D. Strauß von keinem anderen
Sterblichen als dem genialen, durch Mißgeschicke und eigene Schuld
unglücklichen Christian Friedrich Daniel Schubart (geb.
1739, gest. 1791) und wahrscheinlich geschrieben zu Ulm 1775/76,
wie aus dem Vergleich mit Schubarts Leben und Gesinnungen
(vergl. seine Autobiographie II, 39 ff. I, 148. 188. 217. 231.
Strauß, Schubarts Leben in seinen Briefen I, S. 306 ff.) sowie
mit der Schubart'schen Ausdrucksweise hervorgeht.

Ueber den damals in Süddeutschland üppig wuchernden Nachdruck vergl. man einen Artikel im deutschen Museum von 1780, S. 98 ff. Selbst ein kaiserliches Privilegium gewährte nicht hinlänglichen Schutz, da die Nachdrucker die Firma Benedict Hurter und Sohn in Schaffhausen (unter welcher 1773 bis 1774 der Messias erschien) u. a. fingirten und die Bücher nur in Commission zu haben vorgaben. F. in R. ist J. G. Fleischhauer in Reutlingen, dessen Nachdruck des Messias 1782 wiederholt wurde. Klopstock, dem es besonders auf Verbreitung seiner Schriften und seines Ruhmes ankam, hatte weniger gegen den unbefugten Nachdruck, als gegen die Incorrectheit der meisten dieser Producte buchhändlerischer Speculation einzuwenden.

151.

Auguste Louise von Stolberg, Schwester des Dichterpaares, geb. den 7. Januar 1753, gest. den 30. Juni 1835, war damals Stiftsdame zu Uetersen in der Herrschaft Pinneberg und wurde nach dem 1782 erfolgten Tode ihrer Schwester Henriette Friederike, am 7. August 1783 die zweite Gemahlin des Grafen Peter Andreas Bernstorf. Ihr Briefwechsel mit Goethe, den sie nie gesehen, fällt in eben diese Zeit, ebenso wie der Bruch Klopstock's mit diesem.

Hannchen ist Johanna Elisabeth von Winthem. Klopstock nennt sie vereinzelt selbst. so, s. Schmidlin Nr. 233.

Die Büschen ist die Frau des Hamburger Professors der Mathematik und Vorstehers der Handelsakademie Johann Georg Büsch, († 5. August 1800), mit Namen Margaretha Augusta, geb. Schwalb, verheirathet seit 1759. Ihr Haus war einer der Brennpunkte des literarischen Verkehrs in Hamburg.

Die große Meta ist Margaretha Caecilia Dimpfel, Schwester der Frau von Winthem; die kleine ist die am 26. October 1766 geborene älteste Tochter dieser, Margaretha Johanna.

Jacob Ludwig Passavant, der aus Wahrheit und Dich-

tung bekannte Jugendfreund Goethe's, der sich seit dem Herbste
des vergangenen Jahres in Hamburg aufhielt; vergl. Aus Herder's
Nachlaß I, S. 400; Briefe von Voß I, S. 301. Er war geboren
am 6. März 1751 und starb als reformirter Prediger zu Frank=
furt mit Hinterlassung einer zahlreichen Nachkommenschaft am 8.
Januar 1827.

152.

Victor Ludwig Christian Klopstock, jüngerer Bruder
des Dichters, war damals zu Hamburg Kaufmann.

Bach, Carl Philipp Emanuel, Sohn des berühmten Seba=
stian, geb. 1714, früher Kammermusikus in Berlin, dann als
Nachfolger Telemanns († 1767) Musikdirector zu Hamburg und
mit Klopstock befreundet; starb 1788.

Carl Fr. Cramer hielt sich damals in Kiel auf; über
seinen Proceß und Gegner ist nichts bekannt.

Buchholz, als Doctor B. erwähnt in Voßens Briefen I,
S. 286, war wohl ein Rechtsgelehrter in Lübeck.

Die Oper ist Fragment geblieben, und wie wir glauben, sind
Stellen derselben sonst nirgends bekannt geworden.

Die beiden Mumsen — der Doctor Tobias und sein
Vetter Dietrich.

Ebeling, Christoph Daniel, geb. 1741 im Hildesheimischen,
leitete mit Büsch die Handelsakademie, wurde 1784 Professor der
Geschichte und der griechischen Sprache am Gymnasium und starb
am 30. Juni 1817.

Doctor Stein aus Leipzig, ein Freund J. M. Miller's
wird in Lübeck um diese Zeit anwesend erwähnt bei Voß a. a. O

153.

Eine Erholungsreise führte im Sommer Klopstock mit der
Frau von Winthem und Prof. Büsch zuerst nach Lübeck, wo
sich Gerstenberg und C. Cramer anschlossen, um Fritz Stol=
berg, der seit kurzer Zeit in Eutin als fürstbischöflich Lübeckischer
Oberschenke und Gesandter für Kopenhagen lebte, aufzusuchen und

mit nach Kiel zu nehmen, wo die Gesellschaft vereint mit dem Professor Ehlers, dem als Geschichtsforscher bekannten Noodt, der Professorin Fabricius, der früheren Geliebten Klopstock's, einen Gesammtbrief an Schönborn in Algier erließ, dem sich in Hamburg nachher noch Marg. Caec. Dimpfel, die Schmidtin und Voß anschlossen. S. das Nähere, sowie den ganzen Brief bei Rist, „Schönborn und seine Zeitgenossen," S. 5. und 40 ff.

Lessing war mit Eschenburg zum Besuch in Hamburg und machte so zuerst Klopstock's Bekanntschaft.

Berger, Christian Johann, seit 1761 Professor der Medicin zu Kiel.

von Oeder, Georg Christian, aus Ansbach, seit 1754 Professor der Botanik zu Kiel, Verfasser einer Flora Danica. Er starb als Landvogt in Oldenburg 1791.

Bostel s. zu Nr. 59.

Greilich, wohl der damals zu Hamburg lebende Advokat Johann Ludwig, geb. 1737, gest. 1820.

Carl Theodor, seit 1742 Churfürst von der Pfalz, 1777 auch von Baiern, gest. 1799.

154.

Die beigelegten Briefe sind ohne Zweifel die bekannte Correspondenz Klopstock's mit Goethe im Mai 1776, welche zum Bruche ihres Verkehrs führte; s. dieselben bei Schmidlin Nr. 186, 188, 189.

Molter war Bibliothekar und Hofrath zu Karlsruhe, mit dem Klopstock dort viel Umgang gehabt hatte.

155.

Aehnliche Betrachtungen über die Schwierigkeiten sein Leben zu schreiben aus dem Jahre 1800 findet man bei Schmidlin III, S. 7, wo auch ein Theil unseres Briefes abgedruckt ist.

156.

Die italienische Uebersetzung ist die des Giacomo Zigno, kaiserlichen Hauptmanns, deren drei erste Gesänge 1776

Klopstock's Briefwechsel.   33 zu Mailand erschienen. Die 10 ersten Gesänge zusammen erschienen 1782 zu Vicenza. An Zigno richtete Klopstock im Jahre 1783 eine Ode, und nennt ihn in der Anmerkung dazu seinen Freund, mit dem er eine Zeitlang zusammen gelebt habe. Ob der in Nr. 154 erwähnte Uebersetzer eben dieser Zigno ist, muß dahingestellt bleiben.

Es ist bekannt, daß Lessing die Herausgabe des Renners von Hugo von Trimberg in seinen letzten Lebensjahren beabsichtigte, jedoch durch seinen frühen Tod daran verhindert wurde.

Caden, ein Gut in Holstein, 1½ Meilen östlich von Barmstedt, dessen Besitzer Polycarp August Leisching, der Vetter Klopstock's, hier angenehme Gastfreundschaft übte.

157.

Der erste Theil des Briefes ist im Original abgerissen.

Friedrich Heinrich Jacobi, der jüngere Bruder Joh. Georgs, geb. zu Düsseldorf 1743, gest. am 10. März 1819. Er lebte damals in seiner Vaterstadt und hatte 1763 mit Wieland den deutschen Merkur gegründet. Der erste Theil seines Romans Woldemar erschien im deutschen Merkur des Jahres 1777 unter dem Titel: „Freundschaft und Liebe," dann selbständig als „Woldemar, eine Seltenheit aus der Naturgeschichte" 1779, in welchem Jahre die Fortsetzung als „Ein Stück Philosophie des Lebens und der Menschheit" herauskam. Im Jahre 1794 erschienen beide Theile umgearbeitet unter dem Gesammttitel „Woldemar." Vergl. Kurz, Literaturgeschichte III, S. 584. Unser Brief würde demnach erst ins Jahr 1777 zu setzen sein.

Herder's: „Die älteste Urkunde des Menschengeschlechtes" erschien in vier Theilen 1774 bis 1776 zu Riga.

Friedrich Stolberg hatte 1776 eine Probe einer Uebersetzung der Ilias in Hexametern aus dem 20. Gesange in dem von Boie in diesem Jahre gegründeten deutschen Museum erscheinen lassen, und so Bürgern, welcher schon seit 1771 an einer Verdeutschung in fünffüßigen Jamben arbeitete, den Fehdehandschuh hingeworfen, worauf dieser seine Versuche aufgab. Stolberg schenkte seine Uebersetzung später Voßen, der sie 1778 herausgab. Haube und Spener, Verleger in Berlin.

158.

Dieser Brief ist die Antwort auf ein Schreiben Ernestinens, der dritten Tochter des verstorbenen Probstes J. F. Boie und Schwester des C. H. Boie, in welchem sie von zwei Seiten, von dem auf die Verlobung dringenden Geliebten und von der bei Voßens ungesicherter Stellung um die Zukunft der Tochter be= sorgten und deshalb ihre Einwilligung verweigernden Mutter, gedrängt, den Dichter um Rath anging. Den gleichzeitigen Brief an Voß s. in dessen Briefsammlung I, S. 328. Die Bedenken der Mutter wurden übrigens überwunden; noch denselben Sommer führte Voß seine Ernestine zu Flensburg heim.

160.

Mit diesem Briefe beginnt die eigenthümliche Orthographie Klopstock's, deren Principien er zuerst im Jahre 1778 in einem kleinen Aufsatze: „Ueber die deutsche Rechtschreibung" (zu= erst als Beilage zu Campe's Erziehungsschriften, Thl. 2, Hamburg) niedergelegt hat, welcher dann mit Zusätzen vermehrt in den 1779 erschienenen ersten Theil der Fragmente über Sprache und Dichtkunst überging.

Dieser undatirte Brief ist wohl nach dem folgenden, jeden= falls ins Jahr 1779 zu setzen, wie, außer aus dem ähnlichen Inhalt, aus einem Briefe Gleim's an Ebert vom 18. Juni 1779 (in Westermann's Monatsheften Bd. 3, S. 85) hervorgeht, worin Gleim sagt, daß er in Erwartung von Klopstock's Ankunft sich nach Braunschweig zu gehen habe verführen lassen, worauf Klop= stock im vorliegenden anspielt.

Der Anlaß zu der beabsichtigten Reise war, was seither un= bekannt war, aber aus den beiden folgenden Briefen hervorgeht, eine Einladung des Fürsten Franz Leopold Friedrich von

Deſſau, (1758 bis 1817), welcher, ein eifriger Beförberer des Wohles ſeiner Unterthanen, auf allen Gebieten reformatoriſch wirkte und wahrſcheinlich, ähnlich wie Fürſtenberg, Klopſtock's Rath und Beihülfe wünſchte. Baſedow, den derſelbe Fürſt 1771 berufen, hatte 1778 zu Oſtern Deſſau verlaſſen.

161.

Die Subſcription iſt diejenige auf die 1780 zu Altona erſchienene Geſammtausgabe des Meſſias.

Göze, Joh. Auguſt. Ephraim, ein jüngerer Bruder des berüchtigten Hamburger Ketzerrichters, wurde 1755 Prediger zu Quedlinburg, ſtarb 1793.

Der Dichter Leopold Friedrich Günther von Göcking! (geb. 1748, geſt. 1828) lebte damals als Secretär und Kanzlei= director zu Ellrich am Harz.

162.

Die holländiſche Ueberſetzung des Meſſias iſt wohl die des E. Groenewald, deren erſter Theil 1784 zu Amſterdam erſchien.

Daß die Einlage an den Fürſten von Deſſau gerichtet iſt, iſt nach dem Vorangehenden nicht zu bezweifeln. Wo und wann dieſen freilich Klopſtock perſönlich kennen lernte, vermögen wir nicht anzugeben.

Der Herzog Ferdinand iſt wohl der bekannte preußiſche Feldmarſchall Ferdinand von Braunſchweig († 1792) Bruder des regierenden Herzogs Carl († 1780). Welche Hoffnungen Klopſtock auf ihn geſetzt, iſt nicht bekannt.

163.

Louis Alexandre de la Rochefoucauld, Pair von Frankreich, 1784 Präſident der Akademie der Wiſſenſchaften, 1787 Mitglied der Aſſemblee der Notablen, hernach Mitglied der Con= ſtituante, ſodann Präſident des Departement von Paris, Anhänger

Der englischen Verfassung. Da er sich gegen den Aufruhr des 20. Juni ausgesprochen hatte, so wurde er von Mördern, welche ihn bei seiner Entfernung von Paris zu Gisors erreichten, am 14. September 1792 in den Armen seiner Gattin und seiner 93jäh= rigen Großmutter niedergemetzelt. Er machte Klopstock's Bekannt= schaft, wie aus Nr. 189 hervorgeht, auf einer Reise nach Kopen= hagen. Jener widmete ihm 1790 die Ode: Sie und nicht wir, und seinem Andenken 1793 die beiden: An la Rochefoucauld's Schatten und Die beiden Gräber.

164.

Die Zeichnungen Angelica's zum Messias sind wohl nie zur Ausführung gelangt.

Wille, Joh. Georg, geb. 1717 zu Großenlinden bei Gießen, berühmter Kupferstecher, lebte seit 1736 zu Paris, wurde 1761 Mitglied der Pariser Akademie, in der Folge des Instituts und starb 1808.

165.

Die erste Fortsetzung der Fragmente über Sprache und Dicht= kunst erschien 1779; die zweite 1780.

Der Italiener ist entweder Zigno oder Carlo Belli, welcher 1774 den ersten Gesang in freier Uebersetzung zu Vene= dig hatte drucken lassen.

166.

F. L. Schröder, der berühmte Schauspieler, damals in der Blüthe seiner künstlerischen Leistungen, hatte in diesem Jahr eine Kunstreise unternommen, welche ihn am 8. April nach Wien führte, wo er bis zum 15. Mai verweilte. Von dem außerordentlichen Beifall, den er dort erntete, s. Meyer, Leben Schröder's Thl. I, S. 340 bis 346.

Die verstorbene Kleine ist die am 21. April 1776 ver= storbene Nichte und Adoptivtochter Glucks, Maria Anna, nach deren Tod dieser in einem Briefe vom 10. Mai 1776 (Schmidlin

Nr. 187, Klopstock gebeten hatte, daß sich seine erhabene Muse herablasse, einige Blumen auf die Asche der geliebten Nichte zu streuen.

Die todte Clarissa ist eine Ode, welche bereits dem Jahre 1752 angehört.

168.

Schubart's Gattin wandte sich schon 1777 wiederholt an Miller mit der Bitte, Klopstock zu veranlassen, sich beim Herzog von Würtemberg für die Freilassung ihres seit dem 22. Januar dieses Jahres eingekerkerten Mannes zu verwenden, dann wiederum am 16. December 1779 und am 22. Juni 1780. Vergl. Strauß, Leben Schubart's Thl. I, S. 379, 439, 447. Erst am 11. März 1787 aber erlangte der Unglückliche seine Freiheit wieder. Ob Klopstock dazu beigetragen, ist unbekannt.

Der Oberst Ph. Fr. Rieger aus Stuttgart (1723 bis 1782), dessen Leben Schiller in dem „Spiele des Schicksals" erzählt, hatte selbst auf dem Hohentwiel im Gefängniß geschmachtet, behandelte aber trotz der eigenen Erfahrung nachher als Commandant des Asperg Schubart mit großer Härte. Er dichtete dabei geistliche Lieder im pietistischen Genre.

Dimpfel, Hans Albrecht, Bruder der Frau von Winthem, wird unter den Wiener Subscribenten zum Messias 1780 aufgeführt.

Der Piarist Pater Siegfried ist der ebenda als Professor der frommen Schulen aufgeführte Pater Siegfried Wieser a S. Margaretha, dessen: „Ode an Klopstock" 1774, und dessen: „Denkmahl Klopstocken errichtet" 1780 zu Wien erschien.

• P. G. Hensler, Etatsrath und Physicus in Altona.

169.

Joh. Georg Hamann, geb. 1730 gest. 1788, hatte soeben eine kleine Schrift herausgegeben: „Zwei Scherflein zur neuesten deutschen Litteratur 1780" (wieder abgedruckt in seinen Schriften

Thl. VI, S. 23 bis 44). Sie betrafen den neuen orthographischen Unfug Klopstock's, das erste war jedoch mehr gegen dessen Vor= redner Campe, das zweite gegen ihn selbst gerichtet. Klopstock ward dadurch nicht verletzt und fragte Claudius, ob die Schrift nicht vom Alten vom Berge sei, womit er Hamann statt mit seinem gewöhnlichen Beinamen: der Magus im Norden, bezeichnete. Hamann schätzte übrigens Klopstock's Persönlichkeit sehr, wie aus vielen Stellen seiner Werke hervorgeht, s. deren Register S. 269.

170.

Graf Magnus von Stolberg, jüngerer Bruder der Dichter, war zwanzigjährig im vorigen Jahre im Zweikampf gefallen.

171.

Lessing war am 15. Februar 1781 gestorben.

Bernstorf hatte 1780 aus noch nicht hinlänglich aufge= klärten Ursachen seine Entlassung genommen, wurde aber schon 1784 wieder berufen und in alle seine Aemter wieder eingesetzt.

Juliana Maria, Tochter Ferdinand Albrecht's II. von Braunschweig, Schwester des 1780 gestorbenen regirenden Herzogs Carl und des preußischen Feldmarschalls Herzog Ferdinand, wurde 1752 die zweite Gemahlin König Friedrich's V. von Däne= mark, seit 1766 Königin=Wittwe.

173.

Dieser Brief ist durch ein Versehen vor den folgenden gerathen; das Datum 10 X. ist nicht etwa der 10. October, sondern nach dem damaligen Gebrauche der 10. December. Daß er später als der folgende geschrieben, geht auch aus den Bemerkungen über Zigno's Uebersetzung in beiden hervor.

Den girig grausamen Lozen d. i. Lootsen. Die Stelle bezieht sich auf die beiden letzten Strophen der Ode: „Der rechte Entschluß," vom Jahre 1781.

Ein Brief Gleim's, worin dieser Klopstock wegen seiner Orthographie angreift, ist nicht bekannt geworden, wohl vernichtet.

174.

Alt von der Kelter, aus der zweiten Strophe der Ode: „Mein Wissen" von 1782.

Klopstock widmete in diesem Jahre Cramern die Ode: „Die Sprache."

175.

Herder war im Mai mit seinem Sohne Gottfried über Braunschweig nach Hamburg gereist und dort bis Ende Juni geblieben; vergl. den Briefwechsel mit Gleim bei Dünßer und J. G. Herder, Von und an Herder, Bd. I.

Der am 1. Juli geborene Sohn war Emil Ernst Gottfried.

Der zweite Theil der Ebräischen Poesie war in diesem Jahre erschienen.

176.

Joh. Sigmund Westphalen, kaufmännischer Rathsherr zu Hamburg zwischen 1777 bis 1800.

177.

Die Erwiederungen des Professors der Mathematik Johann Nicolaus Tetens zu Kiel († 1789) auf diesen und die drei folgenden Briefe s. in der Zeitschrift: Hamburg und Altona, der auch diese entnommen sind.

179.

Carpser war Arzt zu Hamburg und Freund Hagedorn's.

Denina, Giacomo Carlo, geb. 1731 in Piemont, berühmt als historischer Schriftsteller, wurde 1782 von Friedrich dem Großen als Mitglied der Akademie nach Berlin berufen. Er starb 1813 als kaiserlicher Bibliothekar zu Paris.

180.

Eckhof, ein Gut des Grafen W. C. F. von Holck im dänischen Wohld, zwei Meilen von Kiel, wo Klopstock 1778 eine Zeitlang gastlich aufgenommen wurde, nach welchem dort noch in den vierziger Jahren eine kleine Insel „Klopstock's Insel" genannt wurde.

Ueber den damals in Süddeutschland üppig wuchernden Nachdruck vergl. man einen Artikel im deutschen Museum von 1780, S. 98 ff. Selbst ein kaiserliches Privilegium gewährte nicht hinlänglichen Schutz, da die Nachdrucker die Firma Benedict Hurter und Sohn in Schaffhausen (unter welcher 1773 bis 1774 der Messias erschien) u. a. fingirten und die Bücher nur in Commission zu haben vorgaben. F. in R. ist J. G. Fleischhauer in Reutlingen, dessen Nachdruck des Messias 1782 wiederholt wurde. Klopstock, dem es besonders auf Verbreitung seiner Schriften und seines Ruhmes ankam, hatte weniger gegen den unbefugten Nachdruck, als gegen die Incorrectheit der meisten dieser Producte buchhändlerischer Speculation einzuwenden.

151.

Auguste Louise von Stolberg, Schwester des Dichterpaares, geb. den 7. Januar 1753, gest. den 30. Juni 1835, war damals Stiftsdame zu Uetersen in der Herrschaft Pinneberg und wurde nach dem 1782 erfolgten Tode ihrer Schwester Henriette Friederike, am 7. August 1783 die zweite Gemahlin des Grafen Peter Andreas Bernstorf. Ihr Briefwechsel mit Goethe, den sie nie gesehen, fällt in eben diese Zeit, ebenso wie der Bruch Klopstock's mit diesem.

Hannchen ist Johanna Elisabeth von Winthem. Klopstock nennt sie vereinzelt selbst so, s. Schmiblin Nr. 233.

Die Büschen ist die Frau des Hamburger Professors der Mathematik und Vorstehers der Handelsakademie Johann Georg Büsch, († 5. August 1800), mit Namen Margaretha Augusta, geb. Schwalb, verheirathet seit 1759. Ihr Haus war einer der Brennpunkte des literarischen Verkehrs in Hamburg.

Die große Meta ist Margaretha Caecilia Dimpfel, Schwester der Frau von Winthem; die kleine ist die am 26. October 1766 geborene älteste Tochter dieser, Margaretha Johanna.

Jacob Ludwig Passavant, der aus Wahrheit und Dich-

Geheimer Rath eingetreten, als welcher er 1786 mit dem bei dem Herzoge deponirten Testamente Friedrich's des Großen nach Berlin gesandt wurde.

Von Klopstock's Abneigung gegen Swedenborg gibt sein Schreiben an die Société exégétique et philanthropique zu Stockholm vom 17. October 1787 (Schmiblin Nr. 194) ein unumwundenes Zeugniß.

185.

Der Herzog Carl Wilhelm Ferdinand von Braunschweig war 1780 zur Regirung gelangt.

Dänemark hatte mit Rußland (Nordens Ceremonienmeister) eine Defensivallianz, deren Verpflichtungen es in diesem Jahre, als Gustav III. von Schweden Rußland plötzlich mit Krieg überzog, durch einen Einfall in Schweden, der den Staat 7 Millionen Reichsthaler kostete, Genüge leistete. Doch wurde der Friede bald wieder hergestellt.

Der Bruder der Frau von Winthem s. zu Nr. 168.

186.

Peter Friedrich Ludwig aus dem Hause Gottorp, geb. 1755 führte seit 1785 für seinen geisteskranken Neffen Wilhelm die Regierung des Herzogthums Oldenburg und des Bisthums Lübeck und residirte gewöhnlich in Eutin. In den Jahren 1776 bis 1781 hatte er theilweise als Privatmann in Hamburg gelebt.

Der jüngste Reventlow ist Graf Kai auf Altenhof, der spätere dänische Staatsminister.

Julchen Reventlow, geb. Gräfin von Schimmelmann, die zartfühlende, geistreiche Gemahlin des Grafen Friedrich von Reventlow, des früheren dänischen Gesandten in London, welche später auf ihrem Gute Emkendorf bei Rendsburg einen hochgebildeten Kreis um sich sammelte, der, freilich nicht frei von religiöser Schwärmerei und Hinneigung zum Katholicismus, nach Voßens herbem Urtheil, eine Schmiede für Geistesknechtung bildete.

187.

Dieser Brief ist von dem Hofrath zu Glücksburg, Eduard Ambrosius, geb. zu Flensburg 1745, seit 1796 Landvogt auf Föhr, gest. im April 1805, dem vermuthlichen Bruder der früheren Geliebten Klopstock's, (vgl. zu Nr. 87 und 97) und wie es scheint aus Anlaß der materiellen Nachtheile, welche die Winthem und Klopstock in Folge der in Nr. 185 erwähnten unglücklichen Speculationen des Bruders der Winthem erlitten hatten, erlassen.

188.

Die angeführte Rede Katwalb's ist aus der 19. Scene des 1787 erschienenen Bardits: Hermann's Tod, zu Ende derselben.

Ohne Fessel! Worte der Thusnelda in der 14. Scene.

Campe, Joachim Heinrich, der berühmte Pädagog, hatte von 1778—83 bei Hamburg gelebt, seit 1787 aber in Braunschweig, wo er 1818 starb.

Die Gräfin Juliana Sophia von Holck, geb. Gräfin Danneskiold Laurvig, Gemahlin des Besitzers von Eckhof, welche Cramer als die Correspondentin seines 1777—1778 erschienenen Werkes: „Klopstock, in Fragmenten aus Briefen von Tellow an Elisa" fingirte.

189.

Der Monat dieses Briefes ist der Juni, an dessen 23. Tage im vorigen Jahre zum letzten Male in Paris eine séance royale stattgefunden hatte, in der Ludwig XVI. sein königliches Belieben, die déclaration royale, verkündete.

Der sacerdos despota ist Richelieu.

fervet immensusque ruit, aus Horaz Carmina IV, 2.

Vivuntque commissi calores Aeolicae fidibus Camoenae, a. a. O. IV, 9.

Die überschickte Ode ist: „Sie und nicht wir."

Lutetiae consul — der Maire von Paris, J. S. Bailly, der berühmte Astronom, am 12. Nov. 1793 hingerichtet.

Imperator Washingtoni amicus — Lafayette, mit welchem Klopstock auf Rochefoucaulds Anregung correspondirte; vergl. Schmidlin Nr. 200.

190.

Dieser Brief ist neuerlich gedruckt, doch gibt eine Abschrift in meinem Besitze einige Varianten (mit der bleiernen Stirn für: eisernen). Jedenfalls durfte er hier nicht fehlen, da er in der Correspondenz eines Mannes von so entgegengesetzter Richtung nicht gesucht werden dürfte.

Adolph Franz Friedrich Ludwig Freiherr von Knigge, geb. 1752, gest. 1796, der Verfasser der vielgelesenen Schrift: „Ueber den Umgang mit Menschen" (1788).

Doctor Bahrdt mit der eisernen Stirn, oder die deutsche Union gegen Zimmermann. Ein Schauspiel in vier Auf= zügen vom Freiherrn von Knigge (o. O. 1790) ist der Titel einer von Gemeinheiten und niedrigen Angriffen gegen einen großen Theil der damaligen Gelehrten strotzenden Schrift, die für den Ritter J. G. von Zimmermann in die Schranken tritt, welcher durch sein von Eitelkeit eingegebenes Werk: „Ueber Friedrich den Großen und meine Unterredungen mit ihm kurz vor seinem Tode" mit der gesammten literarischen Welt in Zwist gerathen war. Als Verfasser der Schmutzschrift bekannte sich später der elende Kotze= bue, der also Knigge's Namen auf die gemeinste Weise mißbraucht hatte.

191.

Der vierte Theil von Cramer's Werk: „Klopstock. Er und über ihn" erschien 1790.

Κακοφωνιαι γερμανικαι vgl. Cramers 4. Thl. S. 66 ff.

S. 89 meiner Ausgabe — der Oden nämlich. Die Stelle bezieht sich auf die drittletzte Strophe des vierten Wingolfliedes, dessen ältere Lesarten f. auch bei Cramer Thl. I, S. 203.

Die folgenden Seitencitate beziehen sich auf Cramer's 4. Theil, wo die Gesänge 6, 7 und 8 des Messias behandelt sind.

Ewigkeit dir! s. Vers 4 des 7. Gesanges.

Die schwedische Uebersetzung des Messias in Prosa von Christopher Olofson Humble erschien zu Stockholm 1790—1792 in 4 Theilen.

Matthiessen ist wohl der lyrische Dichter Friedrich von Matthisson, geb. 1761, welcher von 1788—1794 in Frankreich lebte.

Hinter dem Briefe folgte die Ode: „Sie und nicht wir" mit der Bemerkung: „Diese Elegie wird nicht publicirt," was später doch geschah.

192.

Der pariser Kupferstecher ist wohl Wille.

Δαιμονεϛ s. Cramer Thl. 4, S. 67.

193.

de Bourgoing, Jean François, war um diese Zeit bis 1792 bevollmächtigter Minister Frankreichs bei dem niedersächsischen Kreise und residirte als solcher in Hamburg. Später war er unter den verschiedenen Regimes Gesandter zu Madrid, Kopenhagen, Stockholm, Dresden und starb 1811 zu Karlsbad. Er übersetzte mehrere deutsche Werke in seine Muttersprache, wie denn auch einige Bruchstücke einer Uebertragung des Messias in den Archives littéraires erschienen. Armand scheint wohl sein Sohn gewesen zu sein.

194.

Der Ungar Franz von Kazinczy, kgl. Oberaufseher der Nationalschulen des Kaschauer Bezirkes, ließ 1790 zu Kaschau eine ungarische Uebersetzung des Messias erscheinen.

Die Seitencitate beziehen sich wieder auf Cramer's 4. Theil.

Die Grammatischen Gespräche von Klopstock erschienen 1793 zu Altona.

195.

Klopstock war am 26. August 1792 vom Nationalconvent zum französischen Bürger ernannt worden. Sein Dankschreiben an den Minister Roland vom 19. Nov. s. bei Schmidlin Nr. 200.

197.

Lavater folgte im Mai 1793 einer Aufforderung der Grafen Bernstorf, ihn in Kopenhagen zu besuchen. Der Grund, weßhalb Klopstock Lavater's Besuch nicht annahm, ist wohl in dem allzu väterlichen Ermahnungsschreiben dieses über Klopstock's Stellung zur Revolution zu suchen.

198.

Der berühmte Philosoph und Redner an die deutsche Nation, Johann Gottlieb Fichte, hatte von 1788—1790 in Zürich als Hauslehrer gelebt und dort die Tochter Hartmann Rahn's, Johanna Maria, kennen gelernt, welche er am 22. October 1793 heimführte, in welchem Jahre er noch einen Ruf als Professor der Philosophie nach Jena erhielt.

199.

Lavater war inzwischen in Kopenhagen gewesen.

Reichardt, Johann Friedrich, der berühmte Komponist, geb. 1752 zu Königsberg, hatte schon 1773 Klopstock in Hamburg kennen gelernt und lebte dann dort nach seiner Rückkehr aus Paris von 1792—1794, in welchem letzteren Jahre er daselbst sein Journal „Frankreich" herausgab. Auch mit Lavater stand er in naher Verbindung. Seit 1783 war er mit der Wittwe des Dr. Hensler des jüngeren, einer Tochter des Pastors Alberti, verheirathet.

Die Gemahlin des Fürsten von Dessau war die 1811 gestorbene Henriette Wilhelmine, Tochter Heinrich's, Markgrafen von Brandenburg-Schwedt.

200.

Baggesen, Jens, ein Däne, geb. 1764 zu Korsör, hatte 1789 auf einer Reise nach Deutschland, der Schweiz und Frankreich Klopstock kennen gelernt, und sich mit Sophia, einer Enkelin Albrecht von Haller's, verheirathet. Er ist bekannt als Dichter in dänischer und deutscher Sprache; gest. 1826 zu Hamburg.

Der Herzog Friedrich Christian von Holstein-Augu-

tenburg und Ernst Heinrich von Schimmelmann, Graf
on Lindenborg, dänischer Staatsminister, hatten kurz vorher
chiller eine Pension vom Könige von Dänemark ausgewirkt.
Die Gattin des letzteren, Charlotte, war eine geb. von Schubart.

201.

Cramer, im vorigen Jahre seiner Professur entsetzt, lebte
zu dieser Zeit in Hamburg, welches er zu Ende des Jahres ver=
ließ, um seinen Aufenthalt in Paris zu nehmen.

Garbe, Christian, geb. 1742, gest. 1798, Popularphilosoph
und Verfasser „Einiger Betrachtungen über Sprachverbesserungen."

202.

Der bekannte Abbé Emanuel Joseph Sieyes war in diesem
Jahre Mitglied des Wohlfahrtsausschusses geworden. Cramer
sammelte seine kleinen Schriften, deren Uebersetzung er begann.

Reinhard, Carl Friedrich, ein Würtenberger, in der deutschen
Literatur bekannt als einer der wärmsten Verehrer Goethe's. Er
gelangte als eifriger Anhänger der Revolution bald zu höheren
Aemtern, wie er denn von 1795—1798 als Gesandter bei den
Hansestädten zu Hamburg lebte, wo er eine Tochter des Professors
Reimarus und Schwägerin seines Freundes G. H. Sieveking
heirathete. Er überlebte die verschiedenen Regimes, wurde unter
dem Kaiserreich Baron, unter Ludwig XVIII. Graf und war
zuletzt Gesandter in Frankfurt.

Lameth, Alexandre Théodore Victor, Comte de', geb. 1760,
gest. 1829, gemäßigtes Mitglied der Assemblée nationale, flüchtete
1792 mit Lafayette aus Frankreich und theilte drei Jahre mit diesem
die österreichische Gefangenschaft. 1795 ging er nach England,
wo ihn Pitt ausweisen ließ, worauf er sich nach Hamburg begab,
wo er mit seinem Bruder Charles ein Handlungshaus gründete.
Erst nach dem 18. Brumaire (9. Nov. 1799) kehrte er dauernd
nach Frankreich zurück.

Mercier, Louis Sebastian, Dramendichter und Herausgeber

des bekannten Werkes: Tableau de Paris, welches 1782—1788 in zwölf Bänden erschienen war.

Louvet de Couvray, Jean Baptiste, Conventsmitglied und Anhänger der Gironde, als Schriftsteller bekannt durch seinen Roman: Les amours du Chevalier de Faublas, gest. 1797.

Gretry, André Ernest Modeste, der beliebte französische Componist, Schöpfer der modernen Operette, geb. 1741, gest. 1813.

Schulz, Joh. Abraham Peter, geb. 1747 zu Lüneburg, einer der größten Meister in der Gesangescomposition, setzte auch mehrere Klopstock'sche Oden in Musik, lebte von 1787—1794 zu Kopenhagen, hielt sich dann vorübergehend zu Eutin und 1795 zu Hamburg auf. Er starb 1800 zu Schwedt.

de Chénier, Marie Joseph, bekannt als sehr democratischer Deputirter im Convent, schrieb viele Tragödien und sehr scharfe Satiren; Lessing's Nathan hat er verkürzt für die französische Bühne bearbeitet. Ueber seine Oper Arminius vgl. unten Nr. 204, wo auch seine Uebersetzung der Ode: Hermann und Thus=nelba. Sein Bruder war der 1794 hingerichtete André Chénie ein Mann von viel höherer poetischer Begabung, dessen Werk 1862 von L. Becq de Fouquières neu herausgegeben sind.

La mort d'Adam, traduite de l'allemand de Klopstock précédée de reflexions sur cette pièce vom Abbé J. J. T. Roma war schon 1762 zu Paris erschienen.

M. Lebrun's Uebersetzung der Iliade erschien zuerst 1776 zu Paris anonym, dann 1809 umgearbeitet.

Charles Lioult de Chenebollé, ein französischer Emigrant, der 1795 zu Hamburg eine Ode auf Klopstock: „L'Invention" drucken ließ. Von seinem Gedichte: Le génie de l'homme erschien 1826 zu Paris die 4. Ausgabe, 1822 daselbst Etudes poétiques. Ueber seinen ersten Besuch bei Klopstock findet sich ein Bericht in der Revue des deux mondes 1849 T. II, p. 738.

de la Tresne, ein Emigrant, früher Generaladvokat des Parlaments von Toulouse. Er lebte zu Hamburg und besuchte

Klopstock häufig. Von seiner Uebersetzung des Messias hatte er fünf Gesänge vollendet, von denen aber nichts gedruckt worden zu sein scheint.

Der Engländer hieß Playfair. Die Erklärung Klop=stock's, welche mit einem Briefe desselben an den Bürger Präsi=denten im 27. Bande der Berlinischen Monatsschrift, herausgegeben von Gedike und Biester, 1796 gedruckt wurde, s. bei Schmidlin Nr. 202.

Dreves, Joh. Friedr. Peter, war als Candidat der Theo=logie Hauslehrer der Söhne des genialen Hamburger Kaufmannes G. H. Sieveking gewesen, ging dann auf dessen Rath zum Kaufmannstande über, war aber, weil ihm hier die Erfahrung abging, unglücklich und mußte 1799 falliren. Er warf sich dann auf Botanik, als deren wissenschaftlicher Bearbeiter er Ruf hat, und starb 1816.

G. de Rochefort, Mitglied der Académie des Inscriptions et Belles-Lettres, Uebersetzer des Homer und Sophokles, starb 1788.

203.

Dieser Brief dürfte in den Anfang des Jahres 1796 gehören, zu welcher Zeit sich Baggesen in Holstein aufhielt, s. Voß Briefwechsel III, S. 152.

204.

Der erste Band der sämmtlichen Werke erschien 1798 bei Georg Joachim Göschen in Leipzig. Der Dichter erlebte nur die 6 ersten Bände der 12 Bände starken Ausgabe.

César Chesneau du Marsais, als Grammatiker und Mitarbeiter der Encyklopädie sehr geschätzt, starb 1756. Sein Werk Sur les Tropes erschien 1730.

Luneau de Boisjermain, Pierre Josephe François, starb 1802. Seine Ausgabe des Racine erschien in 7 Bänden 1769.

Mercier's: Le nouveau Paris erschien im Jahre 1797.

Vater Johann ist Klopstock's Ode: Der Rapwein und

der Johannisberger von 1795, welche mit den Worten beginnt: „Alter Vater Johann."

J. B. Drouet, der Postmeister zu St. Menehould, welcher Ludwig XVI. auf seiner Flucht erkannt hatte und zu Varennes arretiren ließ. Zu Maubeuge von den Dragonern des Prinzen von Coburg gefangen, ward er nach dem Spielberg gebracht. Am 6. Juli 1794 versuchte er durch einen kühnen Sprung aus dem Fenster seines Kerkers zu entkommen, brach aber ein Bein. Im November des folgenden Jahres ward er ausgewechselt.

Hviid, Andreas Christian, ein dänischer Philolog, gab 1787 ein Tagebuch seiner Reisen nach Deutschland, Italien, Frankreich und Holland heraus, und gerieth wegen einiger Bemerkungen in demselben über J. A. Cramer's akademische Vorlesungen in Kiel mit demselben in literarischen Streit.

Friedrich Nicolai's Beschreibung einer Reise durch Deutschland und die Schweiz im Jahre 1781 erschien 1783—1796 in 12 Bänden.

Poel, Peter, damals Herausgeber des Altonaer Merkur, dessen werthes Andenken kürzlich durch den Abdruck seiner Schrift „Hamburgs Untergang" in der Zeitschrift des Vereins für Hamburgische Geschichte, Band 4, erneuert ist. Er starb 1837.

Klopstock hatte im Winter 1795 von unbekannter Hand eine goldene Dose mit einem werthvollen Emaillegemälde, Hermann und Thusnelde darstellend, erhalten. Die Geberin war die Erbprinzessin von Thurn und Taxis, geborene Prinzessin von Meklenburg-Strelitz; s. Klopstock's desfalls erlassene Aufforderung bei Schmidlin Nr. 207 und die Aufklärung in der Note zu der Ode: Das Denkmal.

205.

F. D. Gräter, geb. 1768, gest. 1830, machte sich um die Erweckung des Studiums der deutschen Alterthumswissenschaften verdient durch Herausgabe seines: „Bragur. Ein litterarisches Magazin der deutschen und nordischen Vorzeit." 1791—1802 in 7 Bänden; später der Alterthumszeitung Iduna und Hermode.

206.

Friedrich Stolberg war zur Beglückwünschung des Regierungsantrittes des Kaisers Paul von seinem Landes= herrn nach Petersburg geschickt worden, wo er am 15. Februar eingetroffen war.

von Ungern=Sternberg, aus einem livländischen Adels= geschlecht, war in den 80er Jahren Hofcavalier des Herzogs Peter gewesen, und ist Verfasser der 1786 erschienenen Schrift: „Blick auf die moralische und politische Welt, was sie war, ist und sein wird." Nachdem er in diesem Jahre den oldenburgischen Staats= dienst verlassen, lebte er in Livland. 1796 hielt er sich im Winter in Altona auf, ging dann in seine Heimath zurück, wo er im folgenden Jahre starb. Vgl. Halem's Selbstbiographie, herausg. von Strackerjan, Oldenburg 1840, besonders Brief Nr. 20 und 171.

207.

Mellish s. zu Nr. 210.

Der zweite Wettstreit war im Berlinischen Archive der Zeit und ihres Geschmackes, 1796 Stück 9—11, erschienen.

Die Ode ist: Unsere Sprache an uns, gedichtet im November 1796. Sie wurde aus der Göschen'schen Sammlung weggelassen „aus einer Ursache, die nicht vor das Publikum gehört."

208.

Oelsner, Conrad Engelbert (nicht Carl Ernst, wie früher angenommen wurde) geb. 1764, gest. 1828, lebte seit Anfang der Revolution, zuerst als Literat, dann als Agent der Stadt Frank= furt in Paris, zog sich aber nach Bonapartes Emporkommen zurück. Später trat er in preußischen Staatsdienst, wurde Legationsrath und lebte als solcher zu Frankfurt a. M., Berlin und Paris, bis er 1828 in letzterer Stadt starb. Sein Werk Mahomed erhielt 1810 von dem französischen Nationalinstitute den Preis. Sein Briefwechsel mit Varnhagen von 1816—1828 ist kürzlich in drei Bänden erschienen.

Die übersetzte Claire, vermuthlich Klopstock's Ode: Die todte Clarissa.

Der Roman Leopoldine ist nicht von dem Romandichter Moriz (Carl Philipp gest. 1793), sondern von J. C. F. Schulz, gest. 1798, welcher einen Roman Moriz geschrieben hat. Daher die Verwechslung.

209.

Böttiger, Carl August, geb. 1762, seit 1791 Director des Gymnasiums zu Weimar und Consistorialrath, redigirte damals den von Wieland 1773 gegründeten Deutschen Merkur bis zu dessen Eingehen 1810.

Einen früheren Brief Klopstock's über Wieland's Weinbau, zu Osmannstädt bei Weimar, vom 9. Mai 1797 s. bei Schmidlin Nr. 210, sowie die Anmerkung dazu. Diese Briefe sind allerdings etwas überraschend für den, welcher sich erinnert, wie scharf Klopstock sich nicht selten über Wieland äußerte und wie wenig dieser jenen gewürdigt hatte. Doch die Jahre hatten die Schroff= heit gemildert. Wieland selbst war sehr erfreut über den Beweis von Klopstock's wohlwollender Theilnahme, welchen Böttiger ihm mitgetheilt hatte, und äußerte sich in seiner Erwiderung vom 18. November an diesen mit folgenden Worten:

„Klopstock's letzter Brief kommt hier mit dem besten Danke zurück, lieber Böttiger. Sagen Sie ihm — für den ich kein Bei= wort habe — daß er das, was er ist, und was ich bei seinem Namen denke und empfinde, ausdrückt; sagen Sie ihm, es habe mich selten in meinem Leben etwas so angenehm überrascht, und nichts so sonderbar bewegt, als daß Klopstock so viel Theil an mir nimmt, um mir zu reifen Trauben verhelfen zu wollen, die in der That unter diesem wenig milden Himmel eine große Seltenheit sind. Auch ohne die Rücksicht auf die einleuchtende Naturgemäßheit seines mir angerathenen Verfahrens, um zum Genuß dieser Göttergabe zu gelangen, wäre es genug für mich, daß Klopstock es mir angerathen hat, um alles pünktlich und treulich ins Werk zu setzen. Ἀσεβοῦς ἐστιν ἀνθρώπου τὰς παρὰ τῶν θεῶν χάριτας ἀτιμάζειν, sagt der fromme

Epiktet, und vor solcher Gottlosigkeit bewahrt mich, ihr Musen und Charitinnen, bis an meinen letzten Athemzug!"

Parce gravi metuende thyrso — Horaz, Carmina B. II, 19.

Die genealogische Berechnung leidet nicht den geringsten Zweifel. Die Mutter der Kaiserin Elisabeth, welche die Gemahlin des Kaisers Karl VI. und Mutter der in allen Jahrbüchern der Ge= schichte unsterblichen Maria Theresia war, war die Herzogin Christina Luise von Braunschweig=Blankenburg, Gemahlin des Herzogs Ludwig Rudolph; sie ward den 1. März 1735 Mutter, und starb den 12. November 1747 zu Blankenburg, wo also der junge Klopstock bei ihrem Oberküchenmeister oft einsprechen konnte.

210.

Jos. Charles Mellish, ein gebildeter, wohlhabender Eng= länder, geboren 1769, der Familie des Bankdirector Mellish zu London angehörig, verweilte in den ersten Monaten des Jahres 1797 zu Hamburg, von wo er nach Weimar ging, wo er einige folgende Jahre zubrachte, mit dem dortigen Hofe, sowie mit Herder, Goethe und Schiller eng befreundet. Aus dem Briefwechsel des letzteren erfahren wir, daß er die vier ersten Gesänge von Goethe's Her= mann und Dorothea in das Englische übersetzt hatte, auch Frag= mente aus Schiller's Piccolomini; 1798 ward ihm die für einen Ausländer seltene, für einen Bürgerlichen vielleicht einzig da= stehende Auszeichnung, zum k. Preußischen Kammerherrn ernannt zu werden, auf eigenhändige Verwendung des Herzogs, welcher dem Gerede der Hofleute wider seinen bürgerlichen Freund ein Ende machen wollte, und ihm auch die gleiche Würde in Weimar verlieh. 1802 scheint er diese Stadt verlassen zu haben, wo Goethe sein Haus kaufte. In den folgenden Jahren ward er von der englischen Regierung bei dem damals zu Palermo residirenden Könige beider Sicilien als k. Geschäftsträger beglau= bigt, welchen interessanten Posten er jedoch durch den guten Willen des Ministeriums, zu einer Zeit wo dessen Existenz bedroht schien, mit einem weniger beachteten, doch einträglichern zu vertauschen veranlaßt wurde. 1813 warb er zum Großbritannischen Consul, später zum Generalconsul und interimistischen Geschäftsträger in Hamburg ernannt, in welcher Stellung er nach zehn Jahren, auf einer Urlaubsreise zu London, am 18. September 1823 starb. Er war vermählt mit Caroline, Freiin von Stein zu Ostheim. 1818 gab er Gedichte in deutscher und in englischer Sprache heraus. Viele derselben sind Uebersetzungen in das Englische. Zu diesen gehören die Fragmente aus Homer, Virgil und Horaz, in antikem Versmaße, welche mit Klopstock's Uebersetzungen in das Deutsche den obigen Brief begleiteten. Von den größeren obengedachten Uebersetzungen scheint nichts gedruckt zu sein.

Die Uebersetzung der Ode des Tyrtäus durch Klopstock, von welcher Mellish spricht, ist mir nicht bekannt geworden, und nicht unter den anderen Uebersetzungen Klopstock's in seinem Nachlasse abgedruckt.

H. v. W. ist die Herzogin Luise von Weimar, welche Klopstock schon in Karlsruhe kennen gelernt hatte.

211.

Die Briefe Nr. 211, 213 und 219 sind entnommen Cramer's Individualitäten, wo sich auch viele Erläuterungen finden, von denen wir einen Theil in unseren Commentar herübernahmen.

Sieveking, Georg Heinrich, ein Kaufmann von seltener Geistesbildung, Schwiegersohn des Professor Reimarus, war am 25. Januar 1799 verstorben. Der Garten lag zu Neumühlen an der Elbe, gegenwärtig zu dem B. C. Donner'schen Besitzthume gehörig.

Bernstorff, das Gut bei Kopenhagen.

Babylonierinnen nennt Klopstock hier die von ihm sehr geliebten Trauerweiden in Anspielung auf Psalm 137.

Mercier war begeistert von Klopstock's Schilderung der sich entwickelnden Hermannsschlacht. — Paquets de vers hatte derselbe die episch-tragischen Tiraden auch der besten französischen Tragödien genannt.

Cramer hatte im Lycée eine Vorlesung über die Hermanns=

schlacht gehalten, welche vor seiner Ueberſetzung des Barbits ab=
gedruckt iſt.

O fons Blandusiae — Horaz, Carmina, Buch 3, 13.
Die vollſtändige Ueberſetzung dieſes Gedichtes ſ. bei Schmidlin II,
S. 343.

Cramer hatte dem Schauſpieler Cheron den Brenno, der
Latour die Thusnelba zugetheilt.

Der Nachtgefährt iſt das von Klopſtock erdachte Feldzeichen
der Deutſchen, ſ. Anm. zur Hermannsſchlacht, in der Göſchen'ſchen
Ausgabe Bd. 8, S. 253.

Aber müde zu ſchauen u. ſ. w. — aus der Obe: Mein
Thal, von 1795.

Ah den wünſchenden u. ſ. w. iſt Ueberſetzung des Horaz,
Carm., B. 4, 13, welche ſich mit einigen Aenderungen wiederfindet
bei Schmidlin II, S. 358.

Weh, wie dampfet u. ſ. w. — Horaz B. 1, 15; vgl.
Schmidlin II, 315.

212.

Carl Guſtav von Brinckmann, der bekannte geiſtreiche
ſchwediſche Diplomat und deutſche Dichter, geb. 1764, geſt. 1848.
Correſpondent aller bedeutenden Zeitgenoſſen, mit denen ſeine
vielen Reiſen ihn in Verbindung brachten. Möchten die Maſſen
der intereſſanten Briefe, welche ich ſelbſt noch bei ihm in Stockholm
geſehen, ſicher aufbewahrt ſein und bald einen geſchickten Heraus=
geber finden.

Wilhelm von Humboldt lebte mit ſeiner Gattin von
Ende 1797 bis 1801 mit kurzer Unterbrechung in Paris. Hamburg
und Klopſtock hatte er zu Anfang des Jahres 1797 beſucht, ſ.
Schmidlin Nr. 210.

213.

Die 14 franzöſiſchen Zeichen für den Laut e (nicht o wie
fälſchlich im Texte gedruckt iſt) werden von Klopſtock in ſeinen
grammatiſchen Geſprächen aufgeführt. Vgl. auch ſein 64. Epi=
gramm.

Cramer hatte geschrieben, daß seine Uebersetzung des Barbits Hermann und die Fürsten beinahe vollendet sei. Der Helfer dabei, dessen Namen Klopstock nicht lesen konnte, hieß nach Nr. 219 (S. 414) Blanvillain.

Das treffliche Büchelchen von H. ist das Buch des Professors Ph. L. Haus: „Alterthumskunde von Germanien oder Tacitus erläutert." (Mainz 1791—1792, 2 Thle.), welches Cramer in das Französische zu übertragen und seiner Uebersetzung der drei Barbite anzuhängen beabsichtigte.

La Baume hatte mehrere Elegien von Klopstock (des morceaux bien inspirés) und die Ode Wingolf übersetzt. Später wurde er Hauptmitarbeiter an der von Cramer organisirten Bibliotheque germanique.

Die Ode: Nantes ist von 1795. Das Bündniß von 1789.

Der Messias handelt leidend u. s. w. ist schon gedruckt bei Schmiblin II, S. 274.

214.

Araujo — unsere Vorlage hat durchgängig Aranjo — ist Antonio de Araujo y Azevedo, Graf von Barca, geb. 1752 in Ponte de Lima, wurde 1789 portugiesischer Gesandter im Haag, 1797 in Paris zur Feststellung eines Neutralitätsvertrags. Durch allerlei Intriguen wurde dessen Ratification durch den König verhindert, Araujo deßhalb von den Directoren in Haft genommen, aber bald wieder in Freiheit gesetzt, und kehrte nach dem Haag zurück. Dann wurde er zum Gesandten in Berlin bestimmt, welches Amt er aber nie angetreten zu haben scheint. Nach Durchlaufung vieler höherer Staatsämter starb er 1817 als Minister. — In der Jugend schrieb er zwei noch unedirte Tragödien: Osmia und Inez de Castro. Er übersetzte Horazens Oden, Oden von Gray und Dryden, was alles Suza=Botelho zu Hamburg drucken ließ. Vgl. einen ausführlichen Artikel von Constancio in der Biographie universelle, Paris 1843, Bd. II, 141—145. Von einem Gedichte Cappadoce ist nichts bekannt.

Herder hatte die Ausgabe der Oden von 1798 in den „Er-
furtischen Nachrichten von gelehrten Sachen" angezeigt, vgl. dessen
Werke zur Litteratur und Kunst, Bd. 20, S. 322 ff. Seine
Metakritik gegen Kant's Kritik der reinen Vernunft war im
April erschienen. F. Jacobi's Sendschreiben an Fichte erschien
in diesem Jahre.

Die Wittwe G. H. Sieveking's war eine Tochter des
Professors Reimarus.

Die Tochter der Professorin Büsch, Friederike Elisabeth, war
an P. Poel in Altona verheirathet; vgl. zu Nr. 204.

Im Frühlingsschatten fand ich sie — ist die Ode: Das
Rosenband von 1752.

215.

In den Fragmenten über Sprache und Darstellung findet
sich an dritter Stelle das Gespräch: „Von der Darstellung"
zwischen Werthing, Selmar und Minna.

Am Schluß meint Klopstock das Gespräch: „Die Bedeutsam-
keit" im Berlinischen Archiv, 1795, Stück 5.

216.

Karl ließ, ach umsonst u. s. w. aus der 1764 gedichteten
Ode: Kaiser Heinrich.

Der Preisgeber hieß nach Gräter's Bragur (6. Bd., 2. Abth.
S. 246) Heinze, Hofmeister bei einem Herrn von Unruh zu Klein-
Münche bei Birnbaum in Südpreußen.

Klopstock hatte in den Anmerkungen zu seiner Ode: Kaiser
Heinrich, gesagt, daß der englische Geschichtschreiber Paris noch
Handschriften der von Karl dem Großen gesammelten Bardenlieder
gesehen habe. Das Genauere ist, daß Matthäus Paris berichtet,
daß ein heidnischer Palast der Altsachsen zu Warlamcastre unter
der Erde gefunden sei, nebst einem Buche von Odin, wie Gräter in
Bragur a. a. O. S. 250 und in Iduna und Hermode 1816,
2. Vierteljahr, Nr. 20, S. 77 näher nachgewiesen hat.

218.

de Villers, Charles François Dominique, geb. 1764 in Lothringen, kam 1797 als emigrirter französischer Officier nach Lübeck, ging später nach Göttingen, wo er unter der westfälischen Herrschaft eine Professur erlangte, die er aber nach Eintritt des hannöverschen Regiments wieder abtreten mußte. Er starb dort 1815. Er hatte in der zu Hamburg erscheinenden französischen Zeitschrift: Spectateur du Nord, 1799, Bb. 11 eine prosaische Uebersetzung der Episode Abbadona gegeben, die Delille zur Vorlage dienen sollte, daraus eine poetische Nachbildung zu ver= suchen; denn dieser hatte jenen Wunsch in Anbetracht der bis dahin ganz ungenießbaren Uebersetzungen des Messias geäußert. — In Betreff des herben Tones dieses Briefes (die Aufschrift darf nicht verwundern, da sie nach französischem Muster ist) müssen wir uns erinnern, daß Klopstock damals 75 Jahre alt und in seinem Gemüthe von den Franzosen ganz abgewandt war.

219.

Cramer hatte geäußert, daß die verzweifelten Nebenbegriffe, welche bei den Franzosen den edelsten Wörtern anklebten, ihn oft in Verlegenheit setzten.

Alarum verbera nosco letalemque sonum, Virgil's Aeneis, B. 12, V. 876. 877.

Für Klopstock's Kritik der Cramer'schen Uebersetzung müssen wir auf dessen eigene, sehr ausführliche Erläuterungen in den „Individualitäten" verweisen.

Reinhard scheint nach seiner sechsmonatlichen Verwaltung des Ministeriums des Auswärtigen um diese Zeit zu Paris ohne Amt gelebt zu haben, bis er nach dem 18. Brumaire (9. Nov.) als Gesandter nach der Schweiz geschickt wurde.

Funk. Das Vergnügen Klopstock's bestand darin, daß er durch diesen Namen an einen ehemaligen Kopenhagener Freund, Gottfried Benedikt Funk erinnert wurde, der einige Zeit

Hauslehrer bei J. A. Cramer gewesen war und als Rector der Domschule und Consistorialrath zu Magdeburg 1814 starb.

220.

Matthäus von Robbe, Bürgermeister in Lübeck, war seit 1792 vermählt mit Dorothea, Tochter des Göttinger Historikers August Wilhelm von Schlözer. Geboren 1770, erhielt sie von ihrem Vater eine durchaus männliche Erziehung und eine umfassende Gelehrsamkeit, sobaß sie 1787 beim Göttinger Universitätsjubiläum den philosophischen Doktorhut erlangte. Nachdem 1810 die Vermögensverhältnisse ihres Mannes zerrüttet worden waren, zog das Ehepaar mit dem Freunde Villers nach Göttingen, von woaus sie Reisen unternahmen. Sie starb auf einer derselben zu Avignon 1825 als Wittwe.

221.

Bahrdt, Karl Friedrich, übersetzte das neue Testament in wunderlicher Weise modernisirend (1774 und 1775). Diese Uebersetzung wurde bekanntlich von Goethe im „Prolog zu den neuesten Offenbarungen Gottes von Bahrdt" verspottet. Klopstock nennt diesen hier Caspar zur Bezeichnung einer lustigen Person. Nicht zu denken ist dabei an den übergelehrten, 1658 zu Leipzig verstorbenen Caspar Barth.

Robert Boyle, gest. 1691, Verfasser mehrerer philosophisch-religiöser Schriften. Er ist der „große Todte," dessen Klopstock in der Ode: „Die Ankläger" erwähnt. Er stiftete eine bedeutende Summe für eine Anzahl Predigten, welche jährlich zur Erhärtung der christlichen Lehrsätze im Allgemeinen, mit Beiseitesetzung der die christlichen Confessionen trennenden Punkte, gehalten werden sollten.

Aurora, eine von Herder auf den Wunsch des Buchhändlers Hartknoch unter Beistand von Jean Paul und Einsiedel beabsichtigte Zeitschrift.

222.

Goethe's zwei Stücke: „Beiträge zur Optik" von 1791 und 1792.

Marat's Schrift: „Découverte sur la lumière" (1780) war schon 1783 in deutscher Uebersetzung erschienen.

Das erste und noch eines an dritter Stelle dem Briefe bei= gegebenes Epigramm, „Die Wunderkur," sind schon in Klopstock's Werken. Die beiden abgedruckten scheinen auf Schiller gemünzt, und zwar auf die Abhandlungen „Ueber Anmuth und Würde" und „Ueber den Grund des Vergnügens an tragischen Gegen= ständen." Ein anderes Epigramm Klopstock's auf diesen, ihm wie Herder verhaßten Dramatiker s. bei Schmidlin II, 33.

223.

Jenisch, Daniel, Doctor der Philosophie und Prediger an der Nicolaikirche zu Berlin, Verfasser romantisch=scherzhafter Er= zählungen (1792. 3 Bde.), ferner eines Heldengedichtes Borus= sias in zwölf Gesängen. Er hatte 1797 eine Abhandlung über den Wilhelm Meister drucken lassen. Später schrieb er noch einige historische Werke. Im Jahr 1804 stürzte er sich aus Schwermuth in die Spree.

Reinhard, Carl, geb. 1769, gest. 1840, der letzte Poeta laureatus Caesareus, bekannt als Freund und Herausgeber der Gedichte Bürgers. Er redigirte von 1795—1801 den Göttinger Musenalmanach.

Moses Mendelssohn's Tochter Dorothea, geb. 1770, gest. 1840, vermählte sich nach der Scheidung von ihrem ersten Gatten, Veit, mit Friedrich Schlegel. Sie ist auch als romantische Dichterin bekannt, besonders durch den von Schlegel 1801 herausgegebenen Roman Florentin.

Eine Meier'sche Ausgabe des Messias gibt es nicht. Ver= muthlich meint Herder die bei Hemmerde in Halle erschienene, bei welchem der Prof. Meier in Halle seine Beurtheilung des Helden= gedichtes des Messias 1749 drucken ließ.

224.

Stolberg war am 1. Juni 1800 mit seiner zweiten Ge=
mahlin Sophia, geb. Gräfin von Redern, zu Münster zum Ka=
tholicismus übergetreten; im October nahm er seinen beständigen
Aufenthalt in dieser Stadt.

Hanquet's, eines französischen Emigranten, Uebersetzung in
Hexametern unter dem Titel: **Messiae Klopstockii Cantus XV**
erschien 1801 o. O.

Amalie, Gemahlin des Fürsten Demetrius Gallitzin, geb.
Gräfin von Schmettau, war 1786 katholisch geworden. Sie hatte
Klopstock wahrscheinlich im Jahre 1793 auf ihrer Reise nach Eutin
kennen gelernt, von welcher Zeit an sie einen immer zunehmenden
bestimmenden Einfluß auf Stolberg ausübte. Sie starb 1806 zu
Münster, wo sich ein sie hoch verehrender Kreis um sie gesammelt
hatte.

Meta ist die älteste Tochter der Frau von Winthem, Mar=
garetha Johanna.

225.

Die französische Uebersetzung, über welche hier Klop=
stock losfährt, ist die der Baronesse Therese von Kurzrock
(gest. 1805 als Canonissin des Stiftes Walburgis zu Soest), welche
1801 unter dem Titel: „La Messiade de K. Poëme en 20 chants,
traduit en français par une dame allemande de l'académie des
Arcades sous le nom d'Elbanie" erschien.

Das Epigramm: „An Boileau's Schatten" findet sich in
den Werken Bd. 7, S. 369, durch einen Vers verstärkt.

Der 2. Juli 1801 war Klopstock's 77. Geburtstag und wurde
zu Neumühlen auf dem Sieveking'schen Landsitze gefeiert mit der
Wittwe Sieveking und der Frau Poel, geb. Büsch. Voß,
der sich mit Klopstock, in Folge abweichender Ansichten über Metrik
überworfen, aber im vorigen Jahre durch eine an Klopstock ge=
richtete Ode wieder ausgesöhnt hatte, war mit seiner Frau zu

dieser Zeit zu Neumühlen auf Besuch; vgl. Voß, Briefwechsel II, S. 356 und III, 2. Abth. S. 11.

Auf der Hamburger Stadtbibliothek befindet sich ein derselben von Klopstock vermachtes Werk in vier Bänden: Vergleichendes Wörterbuch aller Sprachen (russisch). St. Petersburg. 1790--1791. Vor jedem Bande steht von der Hand Katharina II. von Rußland (auf russisch): „Sr. Durchlaucht dem Fürsten Plato Alexandrowitsch Subow.“ — Dieser Fürst Subow, Katharinens letzter Günstling, starb im Jahre 1817.

Der 14. Juli ist der Jahrestag der Erstürmung der Bastille 1789 und des Bundesfestes auf dem Marsfelde 1790, welchen, wie es scheint, Klopstock einst mit Cramer zu Harvstehude, unweit Hamburg an der Alster, begangen hatte.

Klopstock veröffentlichte eine Anzahl seiner Uebersetzungen aus Homer und Horaz in dem von dem Buchhändler Geisweiler zu London veranstalteten German Museum.

L. Ohmacht hatte 1795 eine acht bis neun Zoll hohe Büste von Klopstock angefertigt.

226.

John Flaxmann, der berühmte englische Bildhauer, hatte auch Umrisse zu Klopstock's Messias zu entwerfen, vgl. Clobius II, S. 296.

227.

Der Kaiser Alexander I. von Rußland folgte seinem Vater Paul am 24. März 1801 in der Regierung, und war seit 1793 vermählt mit Elisabeth Alexiewna (zuvor Luise Maria Augusta), dritter Tochter Karl Ludwigs, Erbprinzen von Baden. Die „Kaiser Alexander“ überschriebene, zu dessen Thronbesteigung gedichtete Ode Klopstock's findet man in den Werken Bd. 7, S. 50.

Maria Christina, Tochter des Kaisers Franz I., Gemahlin des Herzogs Albrecht von Sachsen=Teschen, war schon am 24. Juli 1798 gestorben. Die Königin von Sicilien, Maria Caroline, Gemahlin Ferdinands IV., war ihre Schwester.

Die Aerzte Klopstock's in dessen letzten Tagen waren Heise und Reimarus. Wahrscheinlich ist hier ersterer gemeint.

Berichtigungen.

S 26 Z. 7 v. u. statt Hellischen lies Hallischen.
„ 50 „ 12 v. u. „ August lies Juli
„ 55 „ 13 v. o. „ Heine lies Haine.
„ 109 „ 7 v u „ unsern lies unser
„ 113 „ 10 v. o. „ Ebbe lies Elbe.
„ 113 „ 11 v. o. „ Langensalza lies Lauenburg
„ 125 „ 11 v. o „ ihrer lies Ihrer.
„ 131 „ 7 v. r. „ 24. Dec. lies 27. Dec
„ 151 „ 18 v. o. „ Lessing lies Leisching.
„ 152 „ 15 v. o. „ es lies nichts
„ 153 „ 11 v. u. „ von lies vor.
„ 163 „ 13 v. o „ der Tialf lies dem Tialf.
„ 185 „ 18 v. o. „ lispelte so lies lispelte sie.
„ 187 „ 3 v. o. „ Hermione lies Herminone.
„ 190 „ 10 v. o. „ den Rachetanz lies dem Reihutanz.
„ 198 „ 12 v. u. „ Gesängen lies stürz.
„ 200 „ 7 v. u. „ Seine lies Ihn Seine.
„ 207 „ 2 v. u. „ An den lies Aber da.
„ 214 „ 13 v. o. „ Wallsperg lies Wellsperg.
„ 221 „ 16 v. o. „ Braun lies Benoni.
„ 248 „ 17 v o „ noch lies nach.
„ 260 „ 14 v. u. „ Christian lies Friedrich Leopold.
„ 262 „ 8 v u. „ Jacoby lies Toby.
„ 285 „ 15 v. o. „ (1778) lies (1779).
„ 309 „ 3 v. o. „ 2) lies 3).
„ 327 „ 6 v. o. „ Kanzleirath lies Hofrath.
„ 338 „ 11 v. u. „ Poet lies Portia.
„ 345 „ 9 v. o. „ sie lies hin.
„ 396 „ 10 v u. „ Laute o lies Laute e.

Druck von George Westermann in Braunschweig.